DER MANICHÄISMUS

WEGE DER FORSCHUNG

BAND CLXVIII

1977

WISSENSCHAFTLICHE BUCHGESELLSCHAFT

DARMSTADT

DER MANICHÄISMUS

Herausgegeben von
GEO WIDENGREN

1977

WISSENSCHAFTLICHE BUCHGESELLSCHAFT

DARMSTADT

CIP-Kurztitelaufnahme der Deutschen Bibliothek

Der Manichäismus / hrsg. von Geo Widengren. —
Darmstadt: Wissenschaftliche Buchgesellschaft, 1977.
  (Wege der Forschung; Bd. 168)
  ISBN 3-534-04116-X

NE: Widengren, Geo [Hrsg.]

Bestellnummer 4116-X

© 1977 by Wissenschaftliche Buchgesellschaft, Darmstadt
Satz: Maschinensetzerei Janß, Pfungstadt
Druck und Einband: Wissenschaftliche Buchgesellschaft, Darmstadt
Printed in Germany
Schrift: Linotype Garamond, 9/11

ISBN 3-534-04116-X

INHALT

III. Die Lehre Manis

IV. Sprache, Schrift und Literatur

V. Organisation und Kultus

VI. Ausbreitung und lokale Gestaltungen

VII. Die Persönlichkeit Manis

EINLEITUNG

1. Wenn man den Weg der Forschung über den Manichäismus überblickt, muß man feststellen, daß wir prinzipiell gesehen vielerorts hinter F. C. Baur stehengeblieben sind.[1] Dieser große Forscher gab vor allem auf *die Struktur* des manichäischen Religionssystems acht und ließ sich bei der geschichtlichen Einordnung des Systems von der Struktur leiten. Es war ihm leicht festzustellen, daß Manis Religion vor allem ein konsequenter Dualismus war und daß dieser Dualismus nicht nur ein ontologischer war, nämlich himmlisch — irdisch, Geist — Materie, oder ein moralischer: gut — böse, sondern auch ein physisch-atmosphärischer: Licht — Finsternis. Durch diese Gegensätze war die iranische Religion als der natürliche Ausgangspunkt für Manis System gegeben. Daß Baur daneben auch seinen Blick auf den Buddhismus als ein bedeutendes Element richtete, war leicht zu erklären und ist in beschränktem Umfang immer noch naheliegend, wie wir später sehen werden.

Baurs Material war begrenzt, er mußte sich — wie Nyberg in seinem fesselnden und instruktiven Forschungsbericht hervorhebt — auf die lateinischen und griechischen Quellen beschränken. Um so bewunderungswürdiger ist es, daß er den Manichäismus so korrekt hat analysieren können. Für den Vergleich mit der iranischen Religion und dem Buddhismus hat er aber schon orientalische Quellen genutzt, was supplierend zu bemerken ist.

Nun sagt Baur (S. 416) folgendes: „Der Manichäismus (die *fabula persica,* wie Augustin Contra Secund. c. 2 ihn nennt) kann den Boden nicht verläugnen, aus welchem er hervorgewachsen ist. Mit seiner tiefsten Wurzel geht er in den Zoroastrismus zurück ... Der Dualismus der Principien, der Gegensatz des Lichtes und der Finsternis, der große und lange Kampf, in welchem sich die Weltschöpfung und der ganze Verlauf der zeitlichen Weltordnung ent-

[1] F. C. Baur, Das manichäische Religionssystems.

wickelt, ist die aus der zoroastrischen Religion genommene wesentliche Grundlage des manichäischen Systems." Baur hebt aber im nächsten Satz hervor, „daß es nur die Grundlage ist, die der Manichäismus mit dem Zoroastrismus theilt, auf der gegebenen Grundlage aber ein in wesentlichen Puncten und in der ganzen Weltansicht abweichendes System aufgeführt hat". Baur versucht dann „die differenzen der Manichäischen und Zoroastrischen Lehre schärfer als bisher geschehen ist, ins Auge zu fassen". Baur betont mit Recht den Unterschied in der Auffassung von Weltschöpfung zwischen Manichäismus und Zoroastrismus, verweist aber in diesem Zusammenhang darauf, daß die manichäische Idee von der Vermischung der beiden Prinzipien am meisten mit der iranischen Anschauung der Magier verwandt ist, die Plutarch, De Iside et Osiride, Kap. 46 schildert (Baur S. 419 Anm. 15). Das ist eine evident richtige Beobachtung, mit welcher wir schon an den Zervanismus gelangt sind.[2] Während der Zoroastrismus, wie Baur so richtig unterstreicht, eine optimistische Weltauffassung vertritt, die in schärfstem Kontrast zum Manichäismus steht, ist der Zervanismus eben von derselben radikal pessimistischen Schätzung des irdischen Daseins wie der Manichäismus beherrscht.

2. Darum bleibt der Zervanismus als religiöses System der natürliche Ausgangspunkt für jede Analyse der manichäischen Religion, die die iranische Grundlage derselben als die gegebene Voraussetzung der Strukturanalyse betrachtet.

Die Turfanfunde mit ihrem großen Material von manichäischen Texten in mitteliranischen Sprachen schienen, wie H. H. Schaeder sagt, den iranischen Charakter der von Mani gestifteten Religion zu unterstreichen. Aber, wie er meinte, war es ihm leicht aufzuzeigen, daß die iranischen Elemente im Manichäismus nur „Stilelemente" waren, wie er sich ausdrückte. Mani selbst hatte eine Übertragung seiner beinahe ausschließlich in syrischer Sprache abgefaßten Schriften in die damals verwendeten Sprachen Irans ein-

---

[2] Vgl. Widengren, Die Religionen Irans, S. 215 f. Benveniste war der erste, der den zervanitischen Charakter dieses Textes klar sah und analysierte, vgl. The Persian Religion, S. 76 f.

geleitet, die auch eine „Mitübersetzung" der göttlichen Gestalten und der Begriffe seines Systems mit sich brachte. Schaeder war ferner der Meinung, Mani sei ein rationaler Denker gewesen, der wie Platon neben seinem philosophischen *Logos* einen *Mythos* stellte (unten S. 21). Nyberg, der sonst die These Schaeders akzeptierte, protestierte hier. „Mani war doch vor allem eine religiöse Persönlichkeit und ein Religionsstifter, und davon, daß er selber mehr in mythologischen als in rationalen Kategorien gedacht hat, kann ich mich schwer losmachen ... Jeder Vergleich mit Platon erscheint mir irreführend" (unten S. 22). Aber Nyberg findet es wichtig, „daß Schaeder endgültig den hartnäckig festgehaltenen Satz von Mani als rein *iranischer* Religionsstifter oder Reformator der national-iranischen Religion erledigte" (unten S. 22). Auf diese letzte Frage werden wir später zurückkommen.

Im folgenden wollen wir versuchen, eine kurze, vorläufige Analyse der iranischen *Grundelemente*, also nicht „Stilelemente", im Manichäismus zu unternehmen. Nach dieser Analyse werden wir hoffentlich sehen können, welche Elemente eventuell noch übrigbleiben, woher sie stammen und ob man sie als Grundelemente oder Stilelemente betrachten soll.

3. Das System schildert zuerst die Lage im Universum. Im Zervanismus sind hier Bdn I und Zsprm I zu vergleichen. Weder die eine noch die andere Quelle ist rein zervanitisch. Sie sind zoroastrisch überarbeitet, stammen aber aus einer gemeinsamen zervanitischen Vorlage.[3] Anstatt Zurvan nimmt Ohrmazd die höchste Stelle ein, die eigentlich Zurvan zukommt.[4] Die Bearbeitung ist aber nicht vollständig durchgeführt, Zurvan findet sich im Hintergrund als die höchste Gottheit. Schon Schaeder hat auf die Schilderung des manichäischen Urgottes in Fihrist S. 333:6 hingewiesen, wo von Gott, seinem Licht, seiner Kraft und seiner Weisheit ge-

[3] Vgl. Widengren, Zervanitische Texte, S. 283 mit Anm. 10 (wo Hinweis auf Schaeder, der indessen das gegenseitige Verhältnis von *Bdn* und *Zsprm* nicht richtig beurteilte).

[4] Vgl. Nyberg, JA 1931, S. 51 f. In dieser Arbeit werden auch Texte aus *MX* benutzt. Über Zurvan als Raum *und* Zeit vgl. Widengren, a. a. O., S. 150, 220.

sprochen wird. Der höchste Gott ist also „der viergestaltige Gott",
genau wie Zurvan, und trägt in vielen östlichen Texten sogar den
Namen Zurvan (Schaeder unten S. 37 f.). Die nichtzoroastrischen
Zeugnisse hat Schaeder, die Pahlavistellen Nyberg zusammengestellt und analysiert, die das Wesen dieses viergestaltigen Gottes
uns klarmachen. Es ist nicht notwendig, hier ins Detail zu gehen.
Es genügt, die strukturelle Übereinstimmung festzustellen. Es ist
keine Frage hier von einem „Stilmotiv", wie Schaeder meinte.[5] Im
Gegenteil! Das vierfältige Wesen des manichäischen Urgottes drückt
die essentielle Qualität seines eigenen Selbst aus, nämlich die umspannende Totalität, die das Weltall als Raum und Zeit umfaßt:
als himmlische, lichtspendende Potenz, als schicksalsbestimmende
Macht und als unbegrenzte Zeit.[6] Daher auch in Bdn I die Aussage, daß das unendliche Licht Ohrmazds Thron und Ort (= Raum)
ist, während er andererseits über die unbegrenzte Zeit verfügt. Im
Manichäismus entsprechen Lichtäther und Lichterde dem unendlichen Licht, und der Höchste Gott war schon im Uranfang da, also
ewiglich (= unbegrenzte Zeit). Zurvan ist eben sowohl Raum wie
Zeit.

Der intelligible Körper des manichäischen Urgottes entspricht in
der iranischen Religion den Amesha Spentas, besteht aber aus einer
Fünferreihe, geht also von einem anderen System aus. Wir vergleichen hier z. B. die von Plutarch, De Iside et Osiride, Kap. 47
gegebene Aufzählung, die einem zervanitischen System entnommen ist.[7] In diesem Fall ist der abstrakte Charakter der die höchste
Gottheit umgebenden Amesha Spentas bemerkbar. Diese Auffassung vom Wesen des manichäischen Urgottes führt uns zu der
Frage, ob der gute und der böse Gott als gleichberechtigt zu betrachten sind. Gegen diese Betrachtung haben die Manichäer sich
immer gewehrt und wollen nur der guten Gottheit den Namen
„Gott" geben, während sie den bösen Gott nur als „Daimon" bezeichnen. Diese Verschiedenheit im Rang entspricht der zervaniti-

---

[5] Vgl. Schaeder, Urform und Fortbildungen, S. 135 „ein andres Stilmotiv" (= unten S. 137).

[6] Vgl. die Übersicht bei Nyberg, a. a. O., S. 107 f.

[7] Vgl. Nyberg, Die Religionen des alten Iran, S. 393 f.

schen Terminologie, derzufolge Ohrmazd der Oberherrscher, *pātixšāh*, während dagegen Ahriman nur Herrscher, *šāh*, ist. Eben darum wird auch der gute Gott am Ende über den bösen triumphieren.

Gegen die Welt des Lichtes steht auch im Zervanismus die Welt der Finsternis. Das Licht befindet sich oben und die Finsternis unten. In der Mitte zwischen ihnen befand sich das Leere. Es gab eine Grenze, *vīmand*, zwischen den zwei Reichen.

Im Reich der Finsternis herrschte eine verworrene Bewegung, genau wie in Manis Lehre. Ahriman, der Herrscher in der finstersten Finsternis, kam emporstürmend nach oben. Er sah einen Strahl von Licht, und da das Licht von seiner eigenen Natur, *gōhr*, so verschieden war, strebte er, das Licht zu erreichen. Als er bis zu der Grenze kam, trat Ohrmazd zum Kampf hervor, um Ahriman von seinem eigenen Reich fernzuhalten, Zsprm I. Ahriman sah ein, daß die Stärke und Sieghaftigkeit im Lichte größer als seine waren. Er lief zurück zur Finsternis und schuf viele Dämonen. Auch Ohrmazd schuf dann eine Schöpfung. Dann ging aber Ohrmazd dem Bösen Geist entgegen und bot Frieden an, unter der Bedingung, daß Ahriman ihm huldige. Dieser Zug ist für den friedfertigen Charakter des Höchsten Gottes typisch und zeigt eine Wesensverwandtschaft mit der friedfertigen Gottheit in Manis Lehre. Der Böse Geist lehnte indessen den Antrag ab, und der Kampf begann, der zunächst mit der Niederlage Ahrimans endete. In diesem Zusammenhang ist es wichtig zu notieren, daß der Böse Geist und die Dämonen, wie gesagt wird, durch den Urmenschen Gayōmart machtlos werden.[8] Aber Ahriman erneuerte den Angriff, den er gegen den von Gott erschaffenen Urmenschen richtete. Durch die Hilfe seiner dämonischen Helferin Jēh, der teuflischen Hure, gelang es ihm, Gayōmart zu verführen und zu besiegen. Gayōmart wurde von ihm mit Krankheiten überfallen und getötet. Zwei Drittel des Samens Gayōmarts wurden indessen von dem Götterboten Nēryōsang

---

[8] Vgl. Widengren, Primordial Man and Prostitute, S. 338, wo der Text *Iran. Bdhn*, S. 39:11 f. + *Ind. Bdhn*, S. 8:6 f. bearbeitet und analysiert ist. Der Urmensch Gayōmart wird hier „der Gerechte Mensch" genannt, vgl. hierzu Widengren, Die Ursprünge des Gnostizismus, S. 688 f.

in Verwahr genommen und im Licht der Sonne geläutert, während ein Drittel von der Erde gesammelt ward und der Ursprung der ersten zwei Menschen wurde, nämlich Mašyak und Mašyānak. Dieses erste Menschenpaar kehrt im Manichäismus wieder als Gēhmurd (sprachechte Form für Gayōmart) und Murdiyānag. Wegen des Systemzwanges entspricht Gēhmurd dem zervanitischen Mašyak, denn der Urmensch, Gayōmart = Gēhmurd, führte im iranischsprachigen Manichäismus den Namen Ohrmazd. Gayōmart = Gēhmurd mußte darum einen Schritt nach unten nehmen und nicht der Urmensch, sondern der Erste Mensch werden. Das erste Menschenpaar im Zervanismus ist das erste von ihnen geborene Zwillingspaar, wie die dämonischen Eltern im Manichäismus.

Übereinstimmungen und auch Differenzen sind leicht zu notieren, aber daß diese zervanitischen Mythen den Ausgangspunkt für Manis Lehre bildeten, daran ist nicht zu zweifeln. Wir bewegen uns in demselben Milieu. Doch hat Mani wegen seiner konsequent gnostischen Haltung diese Mythen teils umgebildet teils anders interpretiert, d. h. soweit wir die Lage jetzt überblicken können. Wir müssen ja damit rechnen, daß die zervanitischen Mythen, wie schon hervorgehoben, zoroastrisiert sind, wodurch wahrscheinlich etwas von ihren ursprünglichen Intentionen verlorengegangen ist. Immerhin ist die strukturelle Übereinstimmung schlagend, wenn wir das bisher vorgelegte Material überblicken.

„Die Verführung der Archonten" besitzt im Zervanismus ihren Ursprung, wie Cumont und Benveniste gesehen haben.[9] Dort spielt die Hure Jēh als Vertreterin der Weiber die Hauptrolle und Nēryōsang = Narisah entspricht dem Tertius Legatus.[10] Mani hat auch in diesem Fall einfach traditionelles Mythenmaterial übernommen.

4. Das Ziel des irdischen Lebens ist im Manichäismus Erlösung des höheren Elements im Menschen, der Seele. Der Mensch wird ja

[9] Vgl. F. Cumont, Recherches sur le Manichéisme, S. 54 f., bes. S. 61 f.; E. Benveniste, Le témoignage de Théodore bar Konay, S. 170 f.

[10] Das hat schon Cumont gesehen. Vgl. ferner Widengren, Ursprünge, S. 690 mit Anm. 48 (wo Hinweis auf Hartman, Gayōmart, S. 64, der mit

sowohl im Manichäismus wie im Zervanismus als Mikrokosmos, genau wie der Makrokosmos, als Resultat der Mischung, *gumēčišn*, betrachtet. Es gilt darum, eine Scheidung, *vičārišn*, zwischen Licht und Finsternis, Gut und Böse, Geist und Materie durchzuführen, und im Zervanismus heißt der Prozeß eben *vičārišnīh*. Diese Scheidung bedeutet die Auflösung der Mischung. Mischung und Auflösung sind also zwei Schlüsselbegriffe im Manichäismus.

Es ist wichtig zu notieren, daß der Begriff der Erlösung im Zoroastrismus eigentlich fehlt, dagegen im Zervanismus zu Hause ist.[11] In *Zsprm* IV finden wir die Aussage, daß Zurvan für 30 Winter für Gayōmart die Erlösung seiner Seele bestimmt habe. Hier begegnen wir also Zurvan in Verbindung mit der Erlösung, *bōžišn*, und der Seele als Objekt der Erlösung. Und es ist eben die Seele des Urmenschen, die erlöst wird. Der Urmensch als Prototyp der Menschheit besitzt eine Seele, die die Erlösung nötig hat. Prinzipiell gesehen stimmt das mit dem Manichäismus überein, wo von der Höchsten Gottheit (in den iranischen Texten Zurvan) zuerst die Erlösung des Urmenschen und dann seiner Seele bestimmt wird. Die Erlösung der Seele ist eine Vorstellung, die im zervanitischen Traktat *MX* eine Rolle spielt.[12]

Der Lebendige Geist, in den iranischen Texten bisweilen Mihryazd genannt, also der Gott Mithra, läutert nach Manis Lehre die Lichtpartikel, die noch nicht beschmutzt sind, und macht daraus Sonne und Mond und aus den nur sehr wenig besudelten die Sterne. Hier hat Mani auf alte iranische Mythen zurückgegriffen. Das hat man schon lange gesehen.[13] Das Wichtige ist, daß im Iran eben der Same Gayōmarts auf solche Weise geläutert wird.[14] Die Übereinstimmung zwischen dem Samen des Urmenschen im Zervanismus und den Lichtpartikeln des Urmenschen im Manichäismus zeigt, daß

Recht Nēryōsang mit Narisah im Manichäismus in dieser Erlöserrolle vergleicht.

[11] Vgl. Widengren, Salvation in Iranian Religion, S. 317 f., wo das Material indessen sich vermehren läßt.

[12] Vgl. Widengren, a. a. O., S. 319 f.

[13] Vgl. Cumont, a. a. O., S. 62 f.

[14] Vgl. auch Widengren, The Death of Gayōmart, S. 187 f., wo die Texte bearbeitet sind und der avestische Hintergrund aufgezeigt wird.

Same und Lichtpartikel in iranischer Spekulation ursprünglich irgendwie identisch waren.[15] Diese mythisch-medizinische Anschauung wird im manichäischen Mythus von der Verführung der Archonten sehr anschaulich beleuchtet. Hier ist der Zusammenhang mit der zervanitischen Mythologie mit den Händen zu greifen, wodurch auch der alles andere als rationale Charakter des Manichäismus klar zutage tritt. Eben dieser Mythus gehörte zur festen Überlieferung, und Mani konnte sich davon nicht freimachen, obgleich dieser Punkt in seiner Lehre vielleicht am meisten die Polemik herausgefordert hat.

5. Wie schon gesagt, ist die Erlösung sowohl im Manichäismus wie im Zervanismus von der Kenntnis abhängig. Was den Manichäismus betrifft, ist es nicht nötig, diesen Umstand weiterzuentwickeln, denn Manis Lehre setzt wie jedes gnostische System die Gnosis, erlösende Kenntnis, als Bedingung der Erlösung. Dagegen dürfte wohl der Zervanismus als weniger bekannt eine Erwähnung verdienen. In *MX* LVII 1—10 lesen wir eine Darlegung über die Weisheit. Es wird dort gelehrt, daß die Seelen der Rechtschaffenen bei der Erlösung von der Hölle und bei dem Kommen zum Paradies vor allem durch die Kraft und den Schutz der Weisheit, *xrat,* gelangen. Die Weisheit ist es also, die die Seelen von der Hölle erlöst und sie zum Paradies gelangen läßt.[16] Die Weisheit spielt im Manichäismus und im Zervanismus dieselbe Rolle und wird beiderorts als eine Waffe aufgefaßt, womit die böse Macht bekämpft wird.[17] Und diese Weisheit ist in beiden Systemen eben Gottes Weisheit, der die Einsichtsvollen teilhaftig werden.

Aber auch die Art und Weise, wie diese göttliche Weisheit den Menschen mitgeteilt wird, stimmt mit der manichäischen Anschauung überein, auch wenn wir nicht behaupten können, daß die iranische Anschauung unbedingt zervanitisch ist. In *Psalm-Book,* II,

---

[15] Vgl. Widengren, Mani, S. 61 f. Hartman hat m. W. als erster diese Vorstellung in einer (leider unpublizierten) Untersuchung behandelt.

[16] Vgl. die Darstellung bei Widengren, La Sagesse dans le Manichéisme, S. 504, und Salvation, S. 319 f.

[17] Vgl. Widengren, La Sagesse, S. 504, 508 f.

S. 86:23—26 wird gelehrt, daß der Betende in der heiligen Weisheit tätig gewesen ist, die die Augen seiner Seele dem Licht der göttlichen Herrlichkeit geöffnet hat, wodurch er sowohl die sichtbaren wie die verborgenen Dinge gesehen hat, die Dinge der Tiefe und diejenigen der Höhe.[18] Dieses Schauen mit dem Auge der Seele wird an verschiedenen Stellen in *Dk* beschrieben und in Verbindung mit der Weisheit gesetzt.[19] Dasselbe innere Schauen, das die göttliche Weisheit verleiht, begegnet uns schon in den Upanishaden und ist somit ein schon indo-iranischer Begriff.

Mit dem Auge der Seele erwirbt man also eine Weisheit, die sowohl exoterisches wie esoterisches Wissen umspannt. Man besitzt eine Kenntnis aller Dinge, wie die Manichäer immer behaupteten. Damit stimmt überein, daß die zervanitischen Magier immer damit prahlten, nicht nur eine Kenntnis aller göttlichen Dinge zu besitzen, sondern auch im Besitz eines Wissens über den Ursprung und die Gesetze des Universums zu sein. Damit steht der Zervanismus auf demselben Standpunkt wie der Manichäismus, und es ist typisch, daß das von zervanitischen Vorstellungen durchtränkte Kompendium *Bdn* eben eine Zusammenfassung des gesamten Wissens darstellt, also nicht nur eine Schilderung des Weltverlaufs gibt, von der Urschöpfung bis zum Weltende, sondern auch ein Kompendium gibt, das Kosmologie, Astrologie, Geographie, Zoologie, Botanik, Anthropologie usw. umfaßt. Dieselbe Kenntnis will ja auch Mani bieten.[20] Die Schwierigkeiten, die sich dadurch für den Manichäismus einstellen, sind leicht erklärlich. Seine sogenannte Weisheit ist nicht auf einem rationalen Wissen aufgebaut, sondern spiegelt das traditionelle Wissen wider, so wie es vor allem unter den zervanitischen Magiern verbreitet war. Manis Weisheit war eine traditionelle, geerbte Weisheit, einem wissenschaftlichen Denken völlig fremd. Es ist eigentümlich, daß Schaeder diese evidente Tatsache nicht gesehen hat. Aus dem angegebenen Grunde war Mani — und das wären die Zervaniten auch gewesen — einer rationalen Kritik gegenüber völlig wehrlos, was seine Anhänger haben erleben müs-

[18] Vgl. Widengren, La Sagesse, S. 502.
[19] Vgl. Widengren, a. a. O., S. 507 f.
[20] Vgl. z. B. die Übersicht bei Alfaric, Les écritures manichéennes, I, S. 32—47.

sen. Die Mischung von Mythologie, Pseudo-Wissenschaft und Wissenschaft gehört zur Struktur des manichäischen Systems, und es ist sehr wichtig zu notieren, daß der Zervanismus ebendieselbe Struktur besitzt. Die Voraussetzungen sind also hier iranisch.

Es ist nicht schwer, auch in der Ethik das für den Manichäismus und Zervanismus Gemeinsame festzustellen. Das Fleischessen und die sexuelle Lust sind nach Manis Lehre im irdischen Leben zu bekämpfen. Schon früher wurde darauf hingewiesen, daß im Zervanismus das weibliche Geschlecht und der sexuelle Umgang etwas radikal Böses sind, wodurch der Urmensch einmal zu Fall gebracht wurde.[21] Sonderbar genug, wurde aber nicht gesehen, daß hier eine schlagende Übereinstimmung mit dem Manichäismus vorliegt. Tatsächlich begegnen wir im Manichäismus nicht einem so starken Ausdruck der Abneigung, um nicht Abscheu zu sagen, gegen das weibliche Geschlecht als Mittel der Lust, Āz, und der Fortpflanzung, wie dies der Fall im Zervanismus ist. Und was das Fleischessen betrifft, so ist es — wie das Sich-Ernähren überhaupt — die große Sünde der ersten Menschen.[22] Beim Ende der Welt werden die Menschen etappenweise zum reinen Urzustand zurückkehren, dadurch daß sie sich zuerst des Fleischessens enthalten.[23] Auch im iranischsprachigen Manichäismus spielt Āz dieselbe verhängnisvolle Rolle. Mit dem Zervanismus teilt also der Manichäismus die Verwerfung der Sexualität und der Fleischnahrung. Aber zugleich befürwortet der Zervanismus die Verwandtenehe. Wir müssen also annehmen, daß die asketische Tendenz nur von einer besonderen Richtung innerhalb des Zervanismus befürwortet wurde und daß Mani eben an diese Richtung angeknüpft hat.

Der Weltverlauf wird in beiden Religionen als ein Kampf der guten Mächte gegen die Bösen gesehen. Der pessimistischen Betrachtung des jetzigen Weltverlaufes im Manichäismus entspricht eine ähnliche Sicht im Zervanismus: der Böse Geist, Ahriman, ist der Herrscher dieser Welt, von der man darum Erlösung suchen muß.[24]

---

[21] Vgl. Benveniste, Le témoignage, und Zaehner, Zurvan, S. 190 f.

[22] Vgl. den Text *Bdhn*, S. 102:1 f.

[23] Vgl. den Text *Bdhn*, S. 221:1 f.

[24] Vgl. Nyberg, JA 1931, S. 73 Anm. 1: Ahriman ist der *šāh* in dieser Welt.

Aber die Endperspektive ist optimistisch. Der Gute Gott wird zuletzt siegen — nach einem Kampf in der Endzeit, der sowohl im Manichäismus wie im Zervanismus den Namen „der Große Krieg" führt.

Aber auch Einzelheiten in der Schilderung des Großen Krieges, wie sie in den *Homilien*, S. 7 f., geboten werden, sind mit entsprechenden Zügen in der iranischen Apokalyptik vergleichbar, besonders so, wie sie in den sogenannten *Orakeln des Hystaspes* geschildert werden. Diese Orakel sind in christlicher Bearbeitung bei Lactantius zu finden, aber ihr rein iranischer Grundcharakter steht seit langem fest.

Bei der Prüfung, die über die Erde kommt, erhebt sich eine Stimme zum Himmel, S. 8:7. Die Besitztümer werden geplündert, S. 8:12 f. Der Krieg wird sich entfachen, das Schwert wird plötzlich gezückt werden, S. 8:14. Die Welt wird dauernd in Flammen stehen, S. 8:17. Eine Verwirrung wird eintreffen. Über die Erde wird das Blut der Bewohner fließen, S. 8:18—20. Die Guten fliehen in die Berge und Einöde (?), S. 34:10. Alles dies stimmt mit der Schilderung in den Orakeln überein.

Wie sich nun die Orakel des Hystaspes zum Zervanismus verhalten, bleibt etwas unsicher. Daß die Orakel aber aus den Kreisen der Magier stammen, ist vollkommen sicher und ebenso, daß diese Magier die Anhänger der zervanitischen Religion sind. Diese Resultate stehen seit langem fest. Ferner wissen wir aber, daß die Anschauungen der Orakel die allgemeinen eschatologischen Vorstellungen der iranischen Religion treu wiedergeben. Das haben die Untersuchungen Benvenistes und Cumonts festgestellt. Und weil die Orakel vorchristlich sind, macht die Datierungsfrage keine Schwierigkeiten.

Ebenso kommt in beiden Eschatologien als entscheidende Gestalt bei dem Endkampf „der Große König" vor.[25] Vorstellung und Namen hat also Mani in beiden Fällen von dem Zervanismus übernommen. Die allgemeine manichäische Eschatologie mit dem Weltbrand und der Niederstürzung der bösen Mächte stimmt mit der

[25] Vgl. Widengren, Mani, S. 70, 150; Die Religionen Irans, S. 204, 208, 306.

entsprechenden zervanitischen, *Zsprm* XXXIV, und zoroastrischen, *Bdhn* XXXIV, überein, doch mit christlichen Zusätzen. Daß auch die individuelle Eschatologie im Manichäismus rein iranisch ist, bleibt eine bekannte Tatsache.[26] Der Seele des Gerechten werden im Himmel die Halle, der Thron, der Kranz, das Diadem und das Kleid bereitet. Diese Schilderung ist indo-iranisch und hauptsächlich *Vd* 19:31—32 belegt. Die in Fihrist S. 335:10 ff. gegebene Schilderung von der Begegnung der Seele des Rechtschaffenen mit seinem höheren Ich (vgl. u. a. Kephalaia Kap. 141, Homilien S. 6) in der Gestalt einer Jungfrau, ähnlich der Seele des Gerechten, ist ja nichts als eine vollkommene Übereinstimmung mit der klassischen iranischen Schilderung in Hadōxt Nask. Andererseits erscheinen wie im Zoroastrismus überhaupt beim Tode die Teufel, hier im Manichäismus die Gier und die Lust, die aber vor der himmlischen Gestalt fliehen. Sowohl Hadōxt Nask wie *Vd* können wir als in den Kreisen der zervanitischen Magier beheimatet betrachten.[27] Kurz gesagt: sowohl die allgemeine wie die individuelle Eschatologie des manichäischen Systems besitzen einen klaren iranischen, wenigstens teilweise sogar rein zervanitischen Hintergrund.

Der Erlöser ist selber „der erlöste Erlöser", nämlich in der Urzeit und im Weltverlauf der zu Erlösende.[28] Dieser erlösende Gott ist die Summe der zu erlösenden Seelen, er ist die All-Seele, wie Reitzenstein so richtig sah. Es wäre aber korrekter, nicht von All-Seele, sondern von All-Intellekt oder All-Nous zu sprechen, denn die griechischen und koptischen Texte verwenden den Terminus Nous, während die mitteliranischen Texte entweder von Vahman (mpers.) oder Manvahmēd (mparth.) sprechen, mit der Hinzufügung von *vazurg (kalān)*, groß, was die kosmische Bedeutung unterstreicht. Beide Ausdrücke gehen auf den altiranischen Namen Vohu Manah zurück, die Bezeichnung des Amesha Spenta, der das Denken oder der Sinn Ahura Mazdās ist. In den Gathas finden wir nur schwache

---

[26] Vgl. Reitzenstein, Das iranische Erlösungsmysterium, S. 28 f.; Wikander, Vayu, S. 42 f.; Widengren, Mani, S. 66 f., 150.

[27] Vgl. Widengren, OLZ 1963, Kol. 544.

[28] Daß der Erlöser noch (d. h. z. T.) erlösungsbedürftig ist, hat Colpe stark unterstrichen, vgl. Die religionsgeschichtliche Schule.

Spuren einer Identifizierung des Vohu Manah, als makrokosmische Potenz, mit dem mikrokosmischen *manah* im Menschen. Indessen zeigt die Spekulation in den Upanishaden über die korrespondierenden Begriffe Mahātman und Ātman, daß wir auch in diesem Fall mit einer indo-iranischen Vorstellung zu tun haben, laut welcher der individuelle *ātman* im Menschen ein Teil von und im Grunde identisch mit dem Großen Ātman, *Mahātman* ist. Genauso ist im Manichäismus der Große Vahman, *Vahman vazurg,* mit dem menschlichen, individuellen *vahman* identisch, der ein Teil von ihm ist und von ihm erlöst wird. Die Grundkonzeption der Erlösung ist dieselbe, wenn sie auch in Indien sich zur Mystik entwickelt hat.[29]

6. Wie bekommt der irdische Erlöser, der die Weisheit als erlösende Offenbarung an die zu erlösende Menschheit bringt, diese seine Weisheit als eigene ihm zuteil gewordene Offenbarung? Die von Mani mitgeteilte Schilderung ist bekannt: sein „Zwilling", der sein höheres Ich ist, kommt zu ihm und offenbart ihm seine Lehre, d. h. die Weisheit, Fihrist, S. 328:9 ff. und Kephalaia, S. 14. Wie schon lange feststeht, ist diese Szene von demselben Typus wie die Berufung Zarathustras, als Vohu Manah zu ihm kam, um ihn zur „Ratpflegung" mit Ahura Mazdā zu führen. Hierdurch wurde Zarathustra ein *aštak,* Apostel, genau wie Mani ein Apostel des Lichtes wurde, *frēstagrōšn.* Es ist charakteristisch, daß der „Zwilling" Manis eben mit dem Parakleten, dem Heiligen Geist, als identisch betrachtet wurde, wie Vohu Manah, das Denken, Intellekt oder Sinn Gottes, zu Zarathustra kommt und sich mit ihm vereint und ihn zu der Offenbarung bei Ahura Mazdā bringt.[30] Eine spät belegte Tradition sagt sogar, daß auch Mani im Himmel seine Offenbarung (selbstverständlich in schriftlicher Gestalt) mitgeteilt wurde.[31]

Kennzeichnend für die Lehre Manis von der Offenbarung ist ferner, daß er sie als eine zyklische betrachtet. Drei Apostel sind

---

[29] Vgl. für dies alles Widengren, The Great Vohu Manah.

[30] Vgl. Widengren, a. a. O., S. 60—65.

[31] Vgl. den Text Mīrxond, I, ed. Bombay 1853—54, S. 233 f. bei Widengren, Iranisch-semitische Kulturbegegnung, S. 64 mit Anm. 224.

früher als er mit der erlösenden Weisheit hervorgetreten: Buddha, Zarathustra und Jesus. Er selbst ist der vierte und letzte, der die vollkommene und endgültige Weisheit bringt. Auch im Zoroastrismus rechnet man mit einer Reihe von vier Offenbarungsbringern, *patgāmbarān* oder *dēnburtārān,* nämlich Zarathustra und seinen drei mythischen Söhnen. Die Vierzahl ist indessen für den Zervanismus bezeichnend, und mit einem gewissen Recht könnten wir darum diese Idee einer zyklischen Offenbarung als eine zoroastrische Adaptierung einer zervanitischen Vorstellung bezeichnen. Nun rechnet man tatsächlich *Dk* S. 433:18 ff. mit Offenbarungsträgern sowohl vor wie nach Zarathustra. Diese Stelle stammt aus dem sassanidischen Avesta, sie ist also schon avestisch.[32] Wenn wir aber nach gewöhnlicher zoroastrischer Anschauung die Reihe mit Zarathustra einleiten, bekommen wir die folgenden Entsprechungen:

Manichäismus	Zoroastrismus
Zoroaster	Zartust
Buddha	Hušētar
Jesus	Hušētarmāh
Mani	Sōšyans

Wie es scheint, war dieses Schema ursprünglich so gedacht, daß die verschiedenen vier Weltperioden jeweils mit dem Auftreten eines Erlösers eingeleitet wurden. Das wäre eine echt zervanitische Vorstellung gewesen, von der deutliche Spuren in Bahman Yt. I zu finden sind. Die zoroastrische Lehre konzentriert das Auftreten der Erlösergestalten zum letzten Millennium, die manichäische Lehre von der Offenbarung dagegen sagt überhaupt nichts über das chronologische Verhältnis und richtet offenbar die Aufmerksamkeit auf die geographische Verteilung der einzelnen Gestalten.

Der Weltverlauf wird im Iran entweder als vierteilig oder als dreiteilig betrachtet, entweder spricht man von 12 000 oder von

---

[32] Vgl. Widengren, The Great Vohu Manah, S. 65 und La Sagesse, S. 513. Was ich an letzter Stelle gesagt habe, nämlich daß ich 1945 den avestischen Ursprung des Textes nicht beachtet habe, ist falsch, vgl. The Great Vohu Manah, S. 66. Ich hätte aber diesen Gesichtspunkt stärker unterstreichen sollen.

9000 Jahren.[33] Beide Zahlen sind unzweifelhaft zervanitisch. Offenbar kann man die ersten 3000 Jahre vor der eigentlichen Weltschöpfung entweder mitrechnen oder wegrechnen. Der Manichäismus spricht indessen immer von den „drei Zeiten", geht also von einer Dreiteilung aus. Die erste Zeit war die Periode vor der Mischung, die zweite die der Mischung, die dritte diejenige, die nach der Auflösung der Mischung folgt. Diese drei Zeiten entsprechen dem in den Pahlavitexten begegnenden Ausdruck: *kē hast, būt ut bavēt*, „das, was ist, war und sein wird". Das ist eine schon indo-iranische Formel.[34]

Die zwei Prinzipien, *dō bun* im iranischsprachigen Manichäismus, sind ja die zwei entgegengesetzten Mächte im iranischen Dualismus. „Prinzip" heißt dort auch *bun*, was man auch mit „Wurzel" übersetzen kann, ein Begriff, der in gnostischer Kosmologie eine Rolle spielt, z. B. in der „Megale Apophasis".

In dem bisher Entwickelten, was selbstverständlich bei weitem nicht alle Einzelheiten bringen konnte, stimmt alles im Prinzip mit iranischen, besonders zervanitischen Anschauungen überein, ja stimmt sowohl mit der Terminologie wie mit der ganzen Haltung und dem Sinn des zervanitischen Systems. Die Struktur der zwei Systeme ist dieselbe, und es ist eigentümlich, daß diese Einsicht sich so langsam den Weg hat bahnen können. Das hängt mit verschiedenen Umständen zusammen.

a) Schaeders an sich genialer Gedanke, daß es eine Urform des Manichäismus gab, die sich in iranische Kategorien übersetzen ließ, machte Mani grundsätzlich von iranischen Voraussetzungen unabhängig. b) Von der Vorstellung des vierteiligen Gottes abgesehen, verneinte Schaeder daher folgerichtig alle zervanitischen Elemente im Manichäismus. c) Zu dieser Verneinung hat wohl auch beigetragen, daß die — übrigens damals sehr unvollständig bekannten — zervanitischen Texte als sehr spät niedergeschrieben auch als sehr spät konzipiert betrachtet wurden. Für eine geschichtliche und

---

[33] Vgl. Widengren, Die Religionen Irans, S. 285 f. und Zaehner, a. a. O., S. 96 f. wie Nyberg, Die Religionen, S. 480 f, die beide nur die Zahl 12 000 Jahre als die echt zervanitische akzeptieren wollen.

[34] Vgl. Widengren, Mani, S. 64, 150, Die Religionen Irans, S. 287 f.

strukturelle Analyse des Manichäismus waren sie, wie man meinte,
sowieso völlig unbrauchbar. Daß diese Meinung inkorrekt ist,
wurde schon hervorgehoben.[35]

Eigentümlich bleibt die Tatsache, daß Nyberg, der sich sowohl
mit dem Manichäismus wie mit dem Zervanismus befaßte, nicht auf
den Gedanken gekommen ist, den Zervanismus für die Analyse des
Manichäismus fruchtbar zu machen. Diese Tatsache ist wahrscheinlich der von Schaeders Sicht ausgehenden Wirkung zuzuschreiben.
Nyberg konnte sich von Schaeder nicht losmachen.

Supplierend stellen wir ferner fest, daß die bekannte Makrokos-
mos-Mikrokosmos-Spekulation, die in *Bdhn* Kap. XXVIII, S. 189:
3—196:5 ausführlich dargestellt wird — ohne daß wir sagen können, ob diese Spekulation spezifisch zervanitisch sei oder nicht —
(ich schließe mich Nybergs Ansicht an, daß sie wirklich zervanitisch
gewesen ist), auch in Manis System eine bedeutende Rolle spielt. In
Kephalaia, S. 151 f. entwickelt Mani z. B. eine Lehre der Korre-
spondenz zwischen dem Mikrokosmos und dem Makrokosmos, wo
er Anschauungen vorträgt, die sich mit der Spekulation im Makro-
kosmos-Mikrokosmos-Kapitel des *Bdhn* berühren, aber von Mani
in durchaus selbständiger Weise mit Hinblick auf sein System wei-
tergeführt sind.

Vor allem aber legt Mani in Kephalaia, S. 170—175 eine Lehre
dar, die vollkommen in derselben Richtung orientiert ist. Er sagt
nämlich hier: „Dieser ganze Kosmos, droben und drunten, entspricht dem Bilde des Körpers des Menschen." Das entspricht vollkommen der Aussage am Anfang des Kap. XXVIII in *Bdhn*: „Der
Körper des Menschen ist ein Ebenbild der irdischen Welt."

Auf einen Vergleich mit *Bdhn* können wir hier selbstverständlich
nicht eingehen. Es genügt festzustellen, daß auch in diesem Falle
Mani die iranische Spekulation auf sein eigenes System angewandt
hat.

---

[35] In einigen Aufsätzen habe ich verschiedene zervanitische Texte philologisch analysiert und im Hinblick auf ihren avestischen Hintergrund
untersucht. Ich meine aufgezeigt zu haben, daß diese Texte auf Pahlavi-
Übersetzungen gewisser Traktate im sassanidischen Avesta zurückgehen.
Drei solche Aufsätze sind hier in den Anmerkungen angeführt worden.

Ehe wir die iranischen Elemente im manichäischen System verlassen, wollen wir noch ganz kurz auf die strukturelle Übereinstimmung mit Zarathustra hinweisen, „nämlich die Spiritualisierung der Religion, von der er ausgegangen ist, die Neigung zu abstrakten Begriffen, die als Gottheiten aufgefaßt werden, die jedoch immer in einer Sphäre zwischen Abstraktem und Konkretem schweben" (Widengren, Mani, S. 76).

7. Was bleibt dann im Manichäismus übrig, das sich aus iranischen, vor allem zervanitischen Voraussetzungen nicht erklären läßt? Prinzipiell gesehen recht wenig. Hier kommt in erster Linie der Buddhismus in Betracht. Die Organisation der Kirche stimmt so gut mit dem Buddhismus überein, daß es wohl möglich ist, daß Mani bewußt die buddhistische Organisation der Gemeinde eingeführt hat.[36] Auch die Lehre von der Seelenwanderung dürfte wohl eher aus dem Buddhismus als aus dem Pythagoreismus zu erklären sein.[37]

Die Idee der kosmischen Lichtsäule wird wohl allgemein als eine manichäische Adaptation der spätantiken Vorstellung der Milchstraße als Weg der aufsteigenden Seelen aufgefaßt.[38]

Die Astrologie ist ja mesopotamisch-spätantik. Sie spielt strukturell gesehen keine große Rolle und findet sich schon in zoroastrischen und zervanitischen Texten, aber mit vom Manichäismus so verschiedener Wertschätzung, daß Mani hier sicherlich von spätantik-gnostischen Anschauungen abhängig ist.[39]

---

[36] Vgl. Widengren, Mani, S. 97; Baur, a. a. O., S. 264—272.

[37] Vgl. Widengren, a. a. O., S. 69, 150. Meine Deutung von μεταγγισμός bleibt ohne eine eingehende Spezialuntersuchung rein hypothetisch. Ich möchte aber hier auf die verschiedenen Metalle im Körper des Urmenschen verweisen. Für die Seelenwanderung vgl. auch Baur, a. a. O., S. 440.

[38] Vgl. Widengren, Mani, S. 60, 149.

[39] Im Zervanismus hat man die Planeten als böse und die Tierkreiszeichen als gut betrachtet, vgl. *MX* VIII 12—14. Mani, der Sonne und Mond als ungetrübte Lichtquellen und daher als gut ansieht, kann unmöglich seine astrologischen Anschauungen aus dem Zervanismus geholt haben. Aber auch nicht aus dem Mandäismus, wo *alle* Planeten böse sind. Im Zoroastrismus sind dagegen Sonne und Mond gute Mächte.

Wichtig ist die Gestaltung des Erlösungsmythus mit der Aussendung, der Niederlage, Gefangennahme, Betäubung, Erweckung, Befreiung und Wiederkehr des Urmenschen. Ein dramatisches Geschehen in verschiedenen Akten. Hier wurde vor 30 Jahren auf den entsprechenden Tammuzmythus in Mesopotamien hingewiesen. Aber strukturell gesehen wurde von Mani dieses Erlösungsdrama rein gnostisch-iranisch interpretiert.[40]

Mesopotamisch sind auch gewisse Ausdrücke der gnostischen Kunstsprache in den manichäischen Texten, die sich von der iranischen Terminologie abheben.[41]

Es ist nicht zu bezweifeln, daß Mani das böse Prinzip mit der Materie, *Hyle*, identifiziert hat. Hier hat Schaeder gegen Reitzenstein recht behalten. Aber *Hyle* ist nicht nur in der syrischen Sprache, sondern sogar im Manichäischen ein Lehnwort und besagt also nichts von einem speziellen hellenistischen Einfluß auf Mani.[42] Doch ist es nicht zu bezweifeln, daß die Auffassung Manis von der Materie als dem radikal Bösen mehr als die zervanitische Vorstellung von *gētīh*, die irdische Welt, im Gegensatz zu *mēnōkīh*, die geistige Welt, gnostisch orientiert ist. Hier scheint der Einfluß von Marcion und Bardesanes sich bemerkbar zu machen.[43]

[40] Vgl. Widengren, a. a. O., S. 65 mit Verweis auf die ausführliche Behandlung in Widengren, Mesopotamian Elements.

[41] Diese Ausdrücke, z. B. „die Empörer", sind in Mesopotamian Elements untersucht und ihre mesopotamische Vorgeschichte aufgezeigt, vgl. auch Mani, S. 150.

[42] Vgl. die englische Auflage meines Manibuches, Mani and Manichaeism, S. 146 (nicht in der deutschen Auflage aufgenommen).

[43] Seele und Hyle sind im Manichäismus zwei Gegensätze wie *mēnōk* und *gētīh* in der iranischen Religion. Es ist wahrscheinlich, daß Mani den Terminus Hyle von Marcion und Bardesanes übernommen hat. Aber es ist auffällig, daß der Gegensatz Seele — Hyle bei Mani gar nicht dieselbe Rolle wie der Gegensatz Licht — Finsternis spielt. Ebenso besteht der wirkliche Gegensatz im Zervanismus zwischen Licht und Finsternis — wie in der iranischen Religion überhaupt. Der Gegensatz *mēnōk* — *gētīh* ist dort nur bedingt wertbestimmt, insofern daß Ōhrmazd *mēnōkihā*, „in geistiger Weise", schafft, was Ahriman offenbar gar nicht tun kann. Aber aus *gētīh* schaffen sowohl Ōhrmazd wie Ahriman, aber in gegensätzlicher Art, da Ōhrmazd aus seinem eigenen Wesen das materielle Licht schafft

Eine der am lebhaftesten diskutierten Fragen ist aber die Stellung Jesu im Manichäismus. Die Frage wurde durch die bekannte Publikation von Waldschmidt-Lentz mit ebendiesem Namen angeregt. Die Herausgeber haben in ihrer Entdeckerfreude die Rolle Jesu bedeutend überschätzt. Schon Schaeder war vorsichtiger, und dasselbe Urteil gilt von Böhlig (vgl. unten S. 225 f.). Keiner der genannten Forscher hat indessen gesehen, daß die iranische Grundstruktur des manichäischen Systems dem historischen Jesus, ja auch nicht dem Christus der Großkirche, einen Platz im System einräumen kann. Das hat Peterson sehr klar formuliert.[44]

Die christlichen Elemente im Manichäismus sind als eine Überlagerung im System zu betrachten, spielten aber sicherlich für Mani selbst und die Manichäer im Westen eine recht bedeutsame Rolle. Mani sah ja seine Weisheit als eine Bestätigung und Vollendung der Lehre Jesu. So war es ganz natürlich für ihn — nicht nur aus missionarischen Gründen —, christliche Elemente aufzunehmen, die besonders seine Eschatologie bereichert haben.[45]

(Lesung und Übersetzung mit Zaehner, a. a. O., S. 281), während Ahriman aus der materiellen Finsternis, *hač gētīh tārīkīh*, schafft.

[44] Schaeder muß zwar einräumen, daß die manichäische Christologie „sich allerdings vollkommen und grundsätzlich von den katholischen Glaubensansichten über Jesus Christus" entfernt. „Jesus ist ihm (d. h. Mani) der im Weltanfang zu Adam niedergestiegene Bote, der Vertreter des Dritten Gesandten." Aber aus diesen Tatsachen hat man nicht die richtige Schlußfolgerung gezogen. Zuviel hat man auf den Namen, zuwenig auf die Struktur geachtet. Sehr klar und scharf hat Peterson festgestellt, „daß dieser Erlöser aber notwendig 'Jesus' heißen muß, ist aus der Struktur des manichäischen Systems nicht zu begreifen", ThLZ 1928, Sp. 246. Die christlichen Elemente sind eben nur Stilelemente, um Schaeders eigene Terminologie zu benutzen.

[45] Was speziell die Eschatologie betrifft, wo ja die christliche Färbung stark hervortritt, sagt Polotsky in seiner wahrhaft ausgezeichneten Übersicht des Systems, daß Mani für die Schilderung der Endzeit dem Neuen Testament das Material entnommen hat, vgl. Manichäismus, S. 281 = unten S. 129 f. Er erwähnt weder die grundlegenden Begriffe „der Große Krieg" und „der Große König" oder den Weltbrand noch die oben hier angegebenen Übereinstimmungen mit den Orakeln des Hystaspes. — Wie ich Mani S. 43 gesagt habe, hat Mani „von einem gewissen Zeitpunkt an"

Der Einfluß der christlichen Gnostiker wie Marcion und Bardesanes (Marcion ist nur bedingt als Gnostiker zu betrachten [46]) ist strukturell gesehen weit mehr bedeutend und hat sicherlich auch die manichäische Interpretation des Christentums entscheidend bestimmt.[47]

Marcions Einwirkung ist wohl vor allem in der negativen Haltung des Manichäismus dem Alten Testament und dem Judentum gegenüber bemerkbar.[48]

Wie der westliche, stark christlich interpretierte Manichäismus aussah, erfahren wir aus den Schriften Augustins. Der Manichäismus trat hier im Westen mit dem Anspruch auf, das wahre, höherstehende Christentum zu vertreten — eine strukturell gesehen völlig unrichtige Behauptung.[49]

Summieren wir die Resultate dieser an sich gar zu knappen und z. T. unvollständigen Übersicht, so verstärkt sich unser Eindruck, daß die Struktur des manichäischen Systems von iranischen, vor allem zervanitischen Voraussetzungen völlig abhängig ist, daß die Mythen für das System essentiell sind und sich nicht wegdenken

„sich als *Vertreter Christi* gefühlt", aber das Christentum ist ihm der christliche Gnostizismus, so wie Marcion und Bardesanes ihn lehrten, vgl. auch a. a. O., S. 75, 124 f.

[46] Vgl. darüber B. Aland, Marcion einerseits und H. Jonas, Gnosis und spätantiker Geist andererseits. Auf dieses Problem komme ich andernorts zurück.

[47] Burkitt hat diesen Gesichtspunkt stark übertrieben. Für ihn ist Mani eigentlich nur die Summe von Marcion und Bardesanes, die er „mythologisiert" hat, vgl. The Religion of the Manichees, S. 76 f., 80 f. Daß diese Auffassung völlig undiskutierbar ist, brauchen wir nach dem hier Gesagten nicht weiter zu entwickeln. Man kann sich mit der oben im Text gegebenen Formulierung begnügen, vgl. ferner Widengren, S. 75.

[48] Vgl. Widengren, a. a. O., S. 124 und mehr ausführlich Der Manichäismus, S. 280. Für die manichäische Auffassung vgl. vor allem P. Alfaric, L'Evolution intellectuelle, S. 174—182.

[49] Vgl. Widengren, Mani, S. 123 f., vor allem aber Alfaric, a. a. O., S. 210 f. = unten S. 350 f. Jesus gab den Christen das Evangelium als eine noch unvollkommene Einrichtung. Mani ist der verheißene Paraklet, der die ganze vollkomene Weisheit und Wahrheit gebracht hat.

lassen [50] und daß Mani offenbar ein Reformator der iranischen Religion war,[51] insofern er — von einem zervanitischen System ausgehend — eine iranische und doch zugleich universelle Religion verkünden wollte, die eine vollkommene, die früheren Gottesoffenbarungen zusammenfassende göttliche Weisheit der Welt als Gnosis zu ihrer Erlösung bringen wollte. Seine Religion ist darum, wie Hans Jonas in seiner klassischen Arbeit sie charakterisiert hat, der konsequenteste Vertreter des iranischen Typus des Gnostizismus.

8. Die nachstehend folgenden Beiträge sollen verschiedene Aspekte der Forschung über den Manichäismus beleuchten. I. Zuerst folgt ein Forschungsbericht von Nyberg, der den Stand der Forschung in der Mitte der dreißiger Jahre überblickt und selbst ein Stück Forschungsgeschichte darstellt. II. Dann folgen kürzere und längere Beiträge zur Gesamtauffassung vom Manichäismus. Wegen Raummangels war es leider notwendig, ziemlich kurze Abschnitte zu wählen. Burkitts Auffassung wird darum etwas unvollständig vertreten. Aus dem angegebenen Grunde kommen auch Puech und ich selbst in diesem Zusammenhang überhaupt nicht zu Wort. III. Die Lehre Manis wird durch den Beitrag Polotskys ausführlich behandelt. Das war eine in ihrer Art unübertroffene Leistung. Puech wiederum entwickelt in seinem monographieartigen Aufsatz

---

[50] Typisch ist der Mythus von der Verführung der Archonten und ihren Folgen. Ohne diesen Mythus bleibt ja die manichäische Anschauung von der Entstehung der Menschen und der Fesselung der Seelen in den Körpern nicht deutbar. Polotsky hat die Funktion des Mythus klar gesehen: „Das sinnlich-bildhafte Element ist vom Ansatz so stark, daß es sich nicht ausschließen läßt", unten S. 108 = Manichäismus, S. 275. Vgl. auch Widengren, Mani, S. 136 f. und Puech, Le manichéisme, S. 73. Ebenso Nyberg unten S. 22 = Forschungen, S. 85.

[51] Daß Mani wirklich die iranische Religion reformieren wollte, ist m. E. daraus deutlich, daß er sein System auf dem Fundament der zervanitischen Religion aufbaute, mit allen Mitteln den sassanidischen Herrscher für sich zu gewinnen suchte und von ihm die Erlaubnis erreichte, in seinen Ländern frei zu verkünden. Er hat sich also zuerst auf das Sassanidenreich konzentriert.

über die Lehre von der Erlösung das Herzstück der manichäischen Dogmatik und berücksichtigt dabei alle denkbaren Aspekte. Stegemann gibt einen Bericht über die astrologischen Anschauungen Manis. Böhlig untersucht die christlichen Wurzeln im Manichäismus, wozu die Einleitung zu vergleichen ist. Die iranischen Wurzeln bekommen in den hier mitgeteilten Beiträgen keine gesammelte Darstellung — eine ausführliche solche fehlt —, aber diese Lücke wird wenigstens einigermaßen durch die Einleitung ausgefüllt. Die dort gegebenen Bemerkungen über die buddhistischen Einflüsse können selbstverständlich für die leider fehlende Untersuchung der buddhistischen Elemente keinen wirklichen Ersatz darstellen, bieten indessen wenigstens einiges Material. IV. Sprache, Schrift und Literatur werden in verschiedenen Abschnitten behandelt. Der Aufsatz von Bang-Kaup ist philologisch angelegt und für den nicht sprachlich geschulten Leser sicherlich teilweise eine etwas mühsame Lektüre. Die Absicht war zu zeigen, welche philologische Kleinarbeit nötig ist, um die manichäischen Erzähler wieder zu uns sprechen zu lassen. Um die „Wege der Forschung" eben auf diesem Gebiet richtig zu beleuchten, wäre es selbstverständlich wünschenswert gewesen, die entsprechende Untersuchung Hennings auf dem sogdischen Gebiet zu bieten; aber prinzipiell gesehen genügt es, in der Bibliographie auf diese auch kulturgeschichtlich so interessante Leistung zu verweisen. V. Organisation und Kultus sind nur durch den Beitrag Allberrys vertreten, was zugestandenermaßen etwas knapp ist. VI. Ausbreitung und lokale Gestaltungen werden gleichfalls nur teilweise in den hier mitgeteilten Beiträgen beleuchtet. Die zwei Beiträge von Seston sind technisch gesehen sehr mangelhaft und selbstverständlich auch wissenschaftlich in gewissen Details anfechtbar — wie nunmehr gar mancher andere Beitrag. Aber sie füllen eine Lücke und sind in mancher Hinsicht stimulierend. Der wissenschaftliche Wert dieser zwei Beiträge ist natürlich von der technischen Unvollkommenheit wie immer unabhängig. Raummangel hat ein Eingehen auf die Verbreitung in Zentralasien und China verboten, aber einiges wird durch die Beiträge von Bang-Kaup und Henning suppliert. Hier muß wieder auf die Bibliographie verwiesen werden. VII. Zuletzt werden ein paar Beiträge zur Beleuchtung der Persönlichkeit Manis geboten.

9. Weil ja die Vorarbeiten für die Herausgabe einer solchen Arbeit wie die vorliegende mehrere Jahre in Anspruch nehmen, konnten Beispiele der neuesten Phase der Forschung über den Manichäismus nicht gegeben werden. Zur Komplettierung sollen darum hier einige Bemerkungen folgen.

Den größten Fortschritt in der Maniforschung bedeutet wohl die Entdeckung einer Biographie Manis in griechischer Sprache. Diesem Text, von Henrichs und Koenen herausgegeben, kann man entnehmen, daß Mani in einer elkesaitischen Täufergemeinde aufgewachsen ist. Die Täufer wären also nicht, wie man früher glaubte (so auch Puech und ich selbst), Mandäer, sondern Elkesaiten gewesen, und man hat daher geschlossen, daß die elkesaitischen Lehren auf Manis Entwicklung einen starken Einfluß ausgeübt hätten. Und noch mehr: „Nicht iranische Ideen, sondern judenchristlich-gnostische Lehren prägten in der Hauptsache das älteste Antlitz des Manichäismus" sagt Rudolph.[52] Hier ist aber grundsätzliche Zurückhaltung geboten. Rudolph selbst hat u. a. das Problem der Authentizität der Biographie gestreift. Bis dieses Problem gelöst ist, ist es unmöglich, diesen Text für die Entwicklungsgeschichte des Manichäismus zu verwerten. Wie verhalten sich übrigens Elkesaitismus und Mandäismus zueinander? Diese Frage hat eben Rudolph mit Recht gestellt, wie schon die Herausgeber.[53] Elkesaitische Bestandteile finden sich in der mandäischen Literatur. So werden bei der Taufe sieben Zeugen, derselben Natur wie bei den Elkesaiten, angerufen.[54] Vor allem aber bleibt ein großes Problem bei der angedeuteten Sicht übersehen: wie kann Mani mit seiner schroffen Judenfeindlichkeit in einer judenchristlichen Umgebung, wie der Elkesaitismus sie bietet, erzogen sein? Hat der Einfluß Marcions, der ja hier mit den Händen zu greifen ist, sich in einer südbabylonischen Täufersekte judenchristlicher Provenienz auswirken können? War Mani schon als junger Mensch diesem Einfluß ausgesetzt und

[52] Vgl. Rudolph, Die Bedeutung des Kölner Mani-Codex, S. 482 f.

[53] Vgl. Rudolph, a. a. O., S. 482 mit Anm. 3, wo ein Hinweis auf Henrichs-Koenen sich findet.

[54] Vgl. Lidzbarski, Mandäische Liturgien, XXI, S. 31 ff. wozu Hippolytus IX 15, 5 zu vergleichen ist. Eine richtige Bemerkung bei Reitzenstein, Die Vorgeschichte der christlichen Taufe, S. 10.

war dieser Faktor, der in der Biographie gar nicht zutage tritt, die wirkliche Ursache des Bruches mit dem Elkesaitismus? Andererseits spricht ja die von Haus aus extrem judenfeindliche Haltung der Mandäer für ein nahes Verhältnis zum Mandäismus, ein Verhältnis, das, wie bekannt, in der Terminologie und in der Übernahme vieler Gedichte klar belegt ist. Solche Fragen bleiben hypothetische Fragen, bis das grundlegende Problem der Authentizität gelöst ist. Unter allen Umständen ist aber die Mani-Forschung durch die Herausgabe der Biographie bereichert worden.

Für die Entwicklung des Denkens Manis bleibt sein Verhältnis zu Bardesanes besonders wichtig. Dieses Problem ist von Barbara Ehlers-Aland und H. J. W. Drijvers attackiert worden, die zu recht verschiedenen Resultaten gekommen sind. Während Ehlers-Aland eine weitgehende Übereinstimmung zwischen den bardesanitischen und manichäischen Systemen findet,[55] will Drijvers nur eine Kontinuität der Probleme und Motive feststellen.[56] Hier hat Ehlers-Aland m. E. besser auf die Struktur der Systeme als Drijvers geachtet. Doch kann das Problem nur durch eine Analyse der hinter beiden Systemen liegenden, zu einem zusammenhängenden Vorstellungskreis gehörenden Ideen und sprachlichen Ausdrücke endgültig gelöst werden.

Der Manichäismus auf römischem Gebiet in Nordafrika ist neulich von Decret wieder behandelt worden, der auch der Vorstellung von der *massa perditionis*, Bolos, eine klärende Analyse gewidmet hat.[57] Wenn wir hinzufügen, daß Puech eine Reihe von manichäischen Problemen untersucht hat,[58] dürfte das Wichtigste über den neuesten Stand der Forschung gesagt sein, insofern es nicht schon früher erwähnt wurde.[59]

[55] Vgl. B. Ehlers-Ahland, Mani und Bardesanes.

[56] Vgl. Drijvers, Mani und Bardaisan, S. 469.

[57] Vgl. Decret, Aspects du manichéisme dans l'Afrique Romaine, und Le „Globus Horribilis".

[58] Vgl. die Bibliographie unten S. XXXIV.

[59] Der Vollständigkeit halber wäre auch auf die gründliche Analyse des Begriffes Gnosis von Ries, La gnose, hinzuweisen. Dagegen bleibt leider der Beitrag von Pericoli Ridolfini wegen methodischer Mängel völlig undiskutierbar, für den Titel vgl. die Bibliographie.

AUSGEWÄHLTE BIBLIOGRAPHIE
ZUM THEMA DES BANDES

Adam, A., Manichäismus. In: Handbuch der Orientalistik, I, VIII 2, Leiden 1961, S. 102—119.

Ehlers-Aland, B., Marcion. Versuch einer neuen Interpretation. In: ZThK 70, 1973, S. 420—447.

—, Mani und Bardesanes — zur Entwicklung des manichäischen Systems. In: Synkretismus im syrisch-persischen Kulturgebiet. Göttingen 1975, S. 123—143.

Alfaric, P., Les écritures manichéennes, I—II, Paris 1918—19.

Allberry, C. R. C., Manichaean Studies. In: JThS 39, 1938, S. 337—349.

Asmussen, J. P., X"astvānift. Studies in Manichaeism, Copenhagen 1965.

Baur, F. CH., Das manichäische Religionssystem nach den Quellen neu untersucht, Tübingen 1831 (Neudruck Göttingen 1928).

Benveniste, E., The Persian Religion according to the Chief Greek Texts, Paris 1929.

—, Le témoignage de Théodore bar Konay sur le zoroastrisme. In: MO XXVI, 1932, S. 170—215.

Bousset, W., Hauptprobleme der Gnosis, Göttingen 1907 (Neudruck 1973).

Bruckner, A., Faustus von Mileve. Basel 1901.

Colpe, C., Art. Manichäismus. In: RGG 3. Aufl. IV, 1960, S. 714—722.

—, Die religionsgeschichtliche Schule, Göttingen 1961.

Cumont, F., Recherches sur le manichéisme, I—III, Brüssel 1908—12.

Decret, F., Aspects du manichéisme dans l'Afrique Romaine, Paris 1970.

—, Mani et la tradition manichéenne, Paris 1974.

—, Le „Globus Horribilis" dans l'eschatologie manichéenne d'après les traités de Saint Augustin. In: Mélanges d'histoire des religions offerts à Henri-Charles Puech, Paris 1974, S. 487—492.

Drijvers, H. J. W., Mani und Bardaisan. In: a. a. O., S. 459—469.

Flügel, G., Mani, seine Lehren und seine Schriften, Leipzig 1862.

Hartman, S., Gayōmart, Uppsala 1953.

Henrichs, A.-Koenen, L., Der Kölner Mani-Kodex. In: Zeitschrift für Papyrologie und Epigraphik 19, 1975, S. 1—85.

Jonas, H., Gnosis und spätantiker Geist, I, Die mythologische Gnosis, Göttingen 1934. 3. Aufl. 1965.

—, The Gnostic Religion. The Message of the Alien God and the Beginnings of Christianity, Boston 1958.

Kaden, E. E., Die Edikte gegen die Manichäer von Diokletian bis Justinian. In: Festschrift Hans Lewald, Basel 1953, S. 55—63.

Kessler, K., Mani, Forschungen über die manichäische Religion, I, Berlin 1889.

Klíma, O., Manis Zeit und Leben, Prag 1962.

Monceaux, P., Le manichéen Faustus de Milev. Restitution de ses capitula. In: MAIBL T. 43, Paris 1924.

Noyé, E., Le manichéisme en Chine. In: Bulletin Catholique de Pekin 22, 1935, S. 136—147, 188—197, 245—249, 361—365, 413—417.

Nyberg, H. S., Zum Kampf zwischen Islam und Manichäismus. In: OLZ 32, 1929, Sp. 425—441.

—, Questions de cosmogonie et de cosmologie mazdéennes, Paris 1929, 1931 (Separatausgabe aus JA 1929, 1931).

—, Die Religionen des alten Iran, Leipzig 1938 (Neudruck Osnabrück 1966).

Ort, L. J. R., Mani. A Religion-Historical Description of his Personality, Leiden 1967.

—, Mani's conception of Gnosis. In: Le Origini dello Gnosticismo, S. 604—613.

Peterson, E., Jesus bei den Manichäern. In: ThLZ 53, 1928, Sp. 241—250.

Puech, H. Ch., Le Prince des Ténèbres en son Royaume. In: Études Carmélitaine „Satan", Paris 1948, S. 136—174.

—, Le manichéisme. Son fondateur, sa doctrine, Paris 1949.

—, Littérature manichéenne. In: Histoire des Littératures, I, Paris 1956, S. 678—694.

—, Saint Paul chez les manichéens d'Asie centrale. In: Proceedings of the IXth International Congress for the History of Religions, Tokyo — Kyoto 1958, S. 176—187.

—, Liturgie et pratiques rituelles dans le manichéisme. In: ACF 55, 1955, S. 176—182; 56, 1956, S. 199—208; 57, 1957, S. 238—245; 58, 1958, S. 239—246; 59, 1959, S. 264—270; 60, 1960, S. 181—189; 61, 1961, S. 181—190; 62, 1962, S. 203—208; 63, 1963, S. 213—221; 64, 1964, S. 217—226; 65, 1965, S. 257—268; 66, 1966, S. 263—267.

—, Étude analytique des rites manichéens d'initiation. In: ACF 67, 1967, S. 260—263; 68, 1968, S. 297—303; 69, 1969, S. 283; 70, 1970, S. 288 bis 297.

—, Le manichéisme. In: Histoire des religions, II, Paris 1972, S. 523—646.

Reitzenstein, R., Das iranische Erlösungsmysterium, Bonn 1921.

Pericoli Ridolfini, F. S., Il salterio manicheo e la gnosi giudaico-christiana. In: Le Origini dello gnosticismo, S. 597—303.

Ries, J., Introduction aux études manichéennes. Quatre siècles de recherches, I. In: EphThLov XXXIII, Löwen 1957, S. 453—482. II. Anal-LovBiblOr, Ser. III 11, Löwen 1959, S. 362—409.

—, La Bible chez Augustin et chez les manichéens. In: Revue des études augustiniennes, 7, 1961, S. 231—243.

—, La gnose dans les textes manichéens coptes. In: Le Origini, S. 614—624.

Rudolph, K., Die Bedeutung des Kölner Mani-Codex für die Manichäismusforschung. Vorläufige Anmerkungen. In: Mélanges d'histoire des religions offerts à Henri-Charles Puech, Paris 1974, S. 471—486.

Schaeder, H. H., Art. Manichäismus. In: RGG 2. Aufl. III, Sp. 1959 bis 1973.

—, Der Manichäismus nach neuen Funden und Forschungen. In: Orientalische Stimmen zum Erlösungsgedanken. Morgenland H. 28, Leipzig 1936, S. 80—109.

—, Der Manichäismus und sein Weg nach Osten. In: Festschrift Gogarten, Gießen 1948, S. 236—264.

Stoop de, A. E., Essai sur la diffusion du manichéisme dans l'empire romain, Gent 1909.

Säve-Söderbergh, T., Studies in the Coptic Manichaean Psalm-Book. Prosody and Mandaean Parallels. Uppsala 1949.

Widengren, G., The Great Vohu Manah and the Apostle of God. Studies in Iranian and Manichaean Religion, Uppsala 1945.

—, Mesopotamian Elements in Manichaeism. Studies in Manichaean, Mandaean and Syrian-Gnostic Religion, Uppsala 1946.

—, Der iranische Hintergrund der Gnosis. In: ZRGG IV, 1952, S. 97—114 (teilweise Neudruck in: Gnosis und Gnostizismus, hrsg. K. Rudolph, Darmstadt 1975, S. 410—425).

—, Iranisch-semitische Kulturbewegung in parthischer Zeit, Köln-Opladen 1960 (AGF Geisteswiss. Reihe 70).

—, Mani und der Manichäismus, Stuttgart 1961.

—, Die religionsgeschichtliche Schule und der iranische Erlösungsglaube. In: OLZ 58, 1963, Sp. 533—548.

—, Mani and Manichaeism, London 1965.

—, Die Religionen Irans, Stuttgart 1965.

—, Zervanitische Texte aus dem „Avesta" in der Pahlavi-Überlieferung: eine Untersuchung zu Zātspram und Bundahišn. In: Festschrift für Wilhelm Eilers, Wiesbaden 1967, S. 278—287.

—, Primordial Man and Prostitute: A Zervanite Motif in the Sassanid

Avesta. In: Studies in Mysticism and Religion, presented to Gerschom Scholem, Jerusalem 1967, S. 337—352.

Widengren, G., Les origines du gnosticisme et l'histoire des religions, in: Le Origini dello Gnosticismo, Leiden 1967, S. 28—60 (deutsche Übersetzung: Die Ursprünge des Gnostizismus und die Religionsgeschichte, in: Gnosis und Gnostizismus, hrsg. K. Rudolph, Darmstadt 1975, S. 668—706).

—, Der Manichäismus. In: Saeculum Weltgeschichte, III, Freiburg 1967, S. 262—284.

—, The Death of Gayōmart. In: Myth and Symbols. Studies in Honor of Mircea Eliade, Chicago 1969, S. 179—193.

—, Salvation in Iranian Religion. In: Man and his Salvation. Studies in Memory of S. G. F. Brandon, Manchester 1973, S. 315—326.

—, La Sagesse dans le Manichéisme. In: Mélanges d'histoire des religions offerts à Henri-Charles Puech, Paris 1974, S. 501—515.

Wikander, S., Vayu. Texte und Untersuchungen zur indo-iranischen Religionsgeschichte, I. Lund 1941.

Zaehner, R. C., Zurvan. A Zoroastrian Dilemma, Oxford 1955.

ABKÜRZUNGEN FÜR EINLEITUNG
UND BIBLIOGRAPHIE

ACF	=	Annuaire du Collège de France
AnalLovBiblOr	=	Analecta Lovaniensia Biblica et Orientalia
Bdhn	=	Bundahišn (Iranischer Bundahišn)
BGA	=	Bibliotheca Geographorum Arabicorum
EphThLov	=	Ephemerides Theologicae Lovanienses
Ind.Bdhn	=	Indischer Bundahišn
Iran.Bdhn	=	Iranischer Bundahišn
JA	=	Journal Asiatique
MAIBL	=	Académie des Inscriptions et Belles-Lettres. Mémoires
MO	=	Le Monde Oriental
MX	=	Mēnōk i Xrat
OLZ	=	Orientalistische Literaturzeitung
RGG	=	Die Religion in Geschichte und Gegenwart
RSO	=	Rivista degli studi orientali
ThLZ	=	Theologische Literaturzeitung
Zsprm	=	Zātspram
ZThK	=	Zeitschrift für Theologie und Kirche

I. FORSCHUNGSGESCHICHTE

Zeitschrift für die neutestamentliche Wissenschaft und die Kunde der älteren Kirche.
34 (1935), S. 70—91.

FORSCHUNGEN ÜBER DEN MANICHÄISMUS [1]

Von Henrik Samuel Nyberg

I

Mani war der neuzeitlichen Forschung lange Zeit nur aus christlichen Quellen der alten Kirche bekannt, und die Erforschung seiner Religion wurde daher bis ins 19. Jahrhundert hauptsächlich als eine kirchengeschichtliche Aufgabe betrachtet. In der Tat hat Mani für die abendländische Forschung Interesse und Bedeutung in erster Linie durch den langwierigen und erbitterten Kampf, den die Kirche gegen seine Religion bis tief ins Mittelalter führte. Der Manichäismus war in der Spätantike der gefährlichste Konkurrent der Kirche. Die älteren gnostischen Richtungen waren aus dem Felde geschlagen, Marcions dem Gnostizismus jedenfalls nahestehende Kirchenbildung war als sektiererisch aus der allgemeinen Kirche ausgeschieden worden. Da taucht am Ende des 3. Jahrhunderts der Manichäismus auf und breitet sich mit ungeheurer Schnelligkeit über das ganze Römische Reich aus. Er nistet sich überall ein, aber insbesondere in den christlichen Kreisen, wo er mit Eifer eine neue, esoterische Deutung der christlichen Grunddogmen propagiert. Selbst in heidnischen und philosophischen Kreisen zieht er die Aufmerksamkeit auf sich. Zum erstenmal wird der Manichäismus im Westen in einem Edikt des Kaisers Diokletian erwähnt (um 290); zu Beginn des 4. Jahrhunderts beginnt die Literatur sich ernstlich mit ihm zu beschäftigen. Der Kirchenhistoriker Eusebius († um 340) hat eine kurze Notiz über ihn (7, 31). Vielleicht das früheste Zeugnis über ihn stammt von Alexander von Lykopolis, der zu Beginn des 4. Jh. eine Widerlegung der manichäischen Me-

---

[1] Erschien schwedisch unter dem Titel ›Forskningar rörande manikeismen‹ in Svensk teologisk Kvartalskrift, Bd. 11, 1935, 27—48.

taphysik schrieb. Alexander war nicht Christ, sondern Neuplatoniker, und seine Schrift ist von besonderer Bedeutung für uns, da sie
die philosophischen Grundgedanken des manichäischen Systems
scharf ins Auge faßt. Lykopolis lag in Oberägypten ein Stück südlich vom Fajjūm, wo nach Aufweis der Entdeckungen der letzten
Jahre eine manichäische Gemeinde sich wahrscheinlich sehr früh
bildete; Alexander hat vermutlich Gelegenheit gehabt, den Manichäismus aus der Nähe zu studieren. Aus der ersten Periode des
4. Jh. stammt auch die erste christliche Gegenschrift, nämlich die
Acta Archelai des Hegemonius, diese in mancher Hinsicht rätsel-
volle Schrift, die tatsächlich die Grundlage für die meisten abendländischen Darstellungen des Manichäismus bildet. Man hat früher
angenommen, sie sei in Syrien verfaßt; nach den Entdeckungen der
letzten Jahre kann die Hypothese einer ägyptischen Herkunft vielleicht mit Erfolg wieder in die Diskussion eingeführt werden. An
sich ist sie apokryph, soweit sie sich als Bericht über eine Disputation zwischen Mani und dem Bischof Archelaus von Carcar aus-
gibt; indessen enthält sie höchst wertvolle Auskünfte über den
Manichäismus. Um 360 verfaßte der Bischof Titus von Bostra auf
griechisch eine Schrift gegen die Manichäer, die ins Syrische übersetzt wurde. Auch die Konzilsakten des 4. Jh. beschäftigen sich, wie
natürlich, viel mit den manichäischen Irrlehren. Um 370 wurde in
Karthago der junge Augustin für den Manichäismus gewonnen, zu
dem er sich neun Jahre lang bekannte. Manis Gemeinde machte
hier ihre bedeutendste Eroberung und zog sich zugleich ihren ge-
fährlichsten Feind zu. Nachdem Augustin mit den Manichäern gebrochen hatte, widmete er sich mit unverdrossenem Eifer und
großem Pathos ihrer Bekämpfung; eine ganze Reihe seiner Schriften sind ausschließlich der Widerlegung des Manichäismus gewidmet, und fast in allen seinen Werken kommt er auf den Gegenstand
zurück. Augustins Schriften sind daher für die Erforschung des
Manichäismus von der allergrößten Bedeutung. Gewiß ist es mit
den größten Schwierigkeiten verbunden, eine Religion auf Grund
der Polemik eines Gegners zu schildern, zumal eines so leiden-
schaftlichen Gegners wie Augustin, und die ältere Forschung hat
auch nicht mit voller Sicherheit aus diesem Material gewinnen können, was es herzugeben vermag. Jetzt, da wir in großem Ausmaß

den Zugang zu manichäischen Originalschriften gewinnen, werden Augustins antimanichäische Schriften sich gewiß in noch ganz anderem Maße für die Forschung fruchtbar erweisen. Gewiß ist, daß wenn es darum geht, die weltgeschichtliche Bedeutung des Manichäismus und seinen Anteil an der allgemeinen Religionsgeschichte zu ermessen, das Studium Augustins von unvergleichlicher Bedeutung ist.

Es ist von größtem Gewicht, hierbei festzuhalten, daß der Manichäismus im Bereich der Kirche als eine neue *Gnosis* auftrat und von der Kirche als Erneuerung der alten Gnosis aufgefaßt wurde, mit der die Kirche fertig geworden zu sein glaubte. Der Manichäismus wird in der spätantiken und frühmittelalterlichen Kirche mehr und mehr zum Exponenten für den Begriff des Gnostizismus überhaupt, und wahrscheinlich haben alle überlebenden gnostischen Richtungen teils neue Lebenskraft durch den Manichäismus gewonnen, teils sind sie stark von ihm beeinflußt oder mit ihm verschmolzen. In der früheren byzantinischen Kirche ist jedenfalls gnostische Ketzerei so gut wie gleichbedeutend mit manichäischer Denkweise. In der byzantinischen Abschwörungsformel für Ketzer [2] werden zwar kurz und summarisch Marcion und Valentin und Basilides aufgezählt, aber die Formel ist im übrigen so gut wie ausschließlich gegen Mani gerichtet, dessen Irrtümer sorgsam durchgegangen und verdammt werden. Daß die Albigenser Manichäer waren, daran kann nach meiner Ansicht nicht der mindeste Zweifel obwalten. Man braucht nur Petrus de la Vallas Beschreibung der Irrlehren [3] durchzulesen, die von den Ketzern von Toulouse, namentlich von ihrem Oberhaupt, dem Grafen Raymond, vertreten wurden, um ihren deutlich manichäischen Charakter festzustellen [4].

[2] Abgedruckt bei Kessler, Mani I, Berlin 1889, 403—405; besser in Mignes Petrologia Graeca I, 1461 ff.

[3] Petri Vallium Sarnaii monachi Hystoria Albigensis publ. par P. Guébin et E. Lyon, I, Paris, Champion, 1926.

[4] Interessant ist es, daß unter diesen Irrlehren auch die Behauptung vorkommt, daß, wenn Christus leiblich im Abendmahl gegenwärtig wäre, sein Körper, selbst wenn er größer wäre als die Alpen, längst verzehrt sein würde (l. c. 13). Im Jahre 1311 verurteilte Erzbischof Nils Allesson von Uppsala den Bauern Botulf von Gottröra als Ketzer, weil er gesagt hatte:

Der Manichäismus war also lange genug ein brennend aktuelles Problem innerhalb der Kirche, und, merkwürdig genug, ist die neuere europäische Forschung davon nicht ganz unberührt geblieben. Die erste größere wissenschaftliche Monographie über Mani ist von BEAUSOBRE verfaßt, dessen ›Histoire critique de Manichée et du Manichéisme‹ in zwei Bänden zu Amsterdam 1734—39 erschien. Beausobre, der Protestant war, sah im Manichäismus eine christliche Sekte, eine Art Protestantismus vor dem Protestantismus, in dem das wahre Christentum sich, wenn auch ohne vollen Erfolg, vom katholischen Aberglauben zu befreien suchte. Das Werk ist im übrigen die Frucht einer glänzenden Gelehrsamkeit und kann noch heute für einzelne Punkte mit Gewinn befragt werden.

Ein Bericht über die ältere Forschung im einzelnen kommt hier natürlich nicht in Frage. Das Wichtigste findet man in KESSLERS Artikel *Manichäismus* in Herzogs Realenzyklopädie verzeichnet. Hier muß nur ein Werk hervorgehoben werden, weil es bis heute für die Maniforschung bedeutsam ist: die Abhandlung des berühmten Tübinger Theologen F e r d i n a n d C h r i s t i a n BAUR ›Das manichäische Religionssystem‹, Tübingen 1831 (1928 in anastatischem Neudruck erschienen). Baurs Untersuchung trägt natürlich in hohem Maße das Gepräge der konstruktiven geschichtlichen Methode der Tübinger Schule, ist aber in vielfacher Hinsicht ihrer Zeit weit voraus. Sie gründet sich ganz auf die altkirchliche Literatur, verwertet diese aber mit außerordentlicher Gründlichkeit und Ideenfülle. Baur dringt tief in die Irrgänge der manichäischen Spekulation ein. Er nahm seinerseits an, daß im Manichäismus das buddhistische Element überwiege. Unzweifelhaft ist seine These in dieser Zuspitzung unhaltbar, aber gerade die neuesten Funde machen es glaubhaft, daß Indien doch für Mani mehr bedeutete, als man zeitweilig zugeben wollte, und vielleicht wird es sich herausstellen, daß Baur in verschiedenen Punkten recht gesehen hat.

„Wenn die Hostie Christi wahrer Leib wäre, so hätte der Priester allein ihn schon längst aufgegessen" (Brilioth in der Festschrift für Stave 1922, S. 73 A. 2). Hat die albigensische Ketzerei sich sogar bis Uppland verbreitet?

Ziemlich bald nach Baur veränderte sich die Lage der Mani-Forschung durch das Hinzutreten neuer Quellen. Der deutsche Orientalist G u s t a v FLÜGEL begann sich um 1850 mit einer großen, bis dahin unveröffentlichten arabischen Enzyklopädie unter dem Titel *Kitāb al-Fihrist,* ›Katalog‹, zu beschäftigen, die er auch nach jahrzehntelangen Vorbereitungen in Leipzig 1871 herausgab. Der Verfasser, al-Nadīm mit dem Beinamen „der Buchhändler", ist kaum bekannt; er starb in Bagdad um das Jahr 1000. Sein Werk ist eine Art arabische Literaturgeschichte, teilweise in Katalogform und auf den Bücherbestand begründet, der zur Zeit des Verfassers im Bagdader Buchhandel zugänglich war oder sich in den großen Bibliotheken fand. Am Schluß hat er auch eine religionsgeschichtliche Abteilung, in der er die nichtislamischen Religionen behandelt, von denen man damals in Bagdad Kenntnis hatte. Er berichtet ausführlich über die harranischen Sabier (eine hermetische Gemeinde in Harran, der es gelang, sich unter islamischer Oberhoheit zu erhalten), über den Manichäismus und die Religion der Inder; daneben macht er Bemerkungen über die kleineren gnostischen Gemeinden, die zu jener Zeit Mesopotamien in erstaunlicher Fülle bevölkerten. Den Abschnitt, der vom Manichäismus handelt, gab Flügel schon 1862 in Text und Übersetzung nebst einer umfangreichen Monographie über Mani heraus [5]. Man erhielt hier Aufschlüsse über Mani, seine Schriften und seine Lehre in einem Umfang und einer Vollständigkeit, wie sie bis dahin unbekannt war. Im allgemeinen hat man wohl angenommen, daß al-Nadīm seine Darstellung auf mündliche Berichte von Manichäern oder von in die Verhältnisse eingeweihten Muhammedanern begründet oder auch aus christlichen Quellen geschöpft habe. Aller Wahrscheinlichkeit nach hat er indessen zu den wichtigsten manichäischen Originalschriften in arabischer Übersetzung Zugang gehabt. Wir können heute mit ziemlicher Sicherheit behaupten, daß es auch einen arabisch sprechenden, islamischen Manichäismus gab. Die Manichäer, die unter den Verfolgungen der Sassanidenzeit es für gut hielten, ihr Zentrum von Babylonien nach Samarkand zu verlegen, haben offenbar die politische Umwälzung, die der Siegeszug des Islam

---

[5] Mani. Seine Lehre und seine Schriften, Leipzig 1862.

hervorrief und die den Untergang ihrer Feinde, der Sassaniden, mit
sich brachte, zur Wiederaufrichtung ihrer Positionen in Mesopotamien benutzt. Dort suchten sie sich nun im Islam einzunisten, wie
sie es vorher in der Christenheit getan hatten, um die neue Weltreligion für ihre Ziele zu gewinnen [6]. Wie wir sehen werden,
gehörte es schon zu Manis Grundprinzipien, daß seine Schriften in
alle Sprachen übersetzt wurden. Sofern das Vorhandensein eines
islamischen Manichäismus konstatiert werden kann, hat man
a priori das Recht, arabische Übersetzungen manichäischer Schriften
zu postulieren. Alles spricht dafür, daß es Fragmente und Auszüge
aus diesen Schriften sind, die al-Nadīm mitteilt.

Von arabischer Seite kamen weitere wertvolle Beiträge zur Kenntnis Manis. Im Jahre 1878 gab E. Sachau in Leipzig die ›Chronologie orientalischer Völker von Albêrûnî‹ heraus, d. i. die arabische
Schrift ›Denkmäler, die von vergangenen Geschlechtern übrig sind‹
von al-Bīrūnī aus Chwārizm (heute Chiva), gest. 1048; eine englische Übersetzung wurde gleichzeitig vom Herausgeber besorgt.
al-Bīrūnī ist der größte wissenschaftliche Name der islamischen Welt
und einer der größten Gelehrten aller Zeiten. Es erhellt die geistige
Situation des damaligen Islam, daß al-Bīrūnī durch seine natur-
wissenschaftlichen und naturphilosophischen Studien mit dem Manichäismus in Berührung gesetzt wurde. Nachdem er zufällig bei dem
Mediziner al-Rāzī (dem Rhazes des Mittelalters) eine Notiz aus
Manis ›Buch der Mysterien‹ gefunden hatte, begann er ein Exemplar
der Schrift zu suchen; erst nach 40 Jahren gelang es ihm, in Chwārizm eins aufzutreiben. Die Bemerkung ist von besonderem Interesse; sie beweist einerseits, daß der Manichäismus bedeutenden Einfluß auf die islamische Naturwissenschaft gewonnen hatte, aber
andererseits auch, daß seine Schriften selten und schwer zugänglich
waren. al-Bīrūnī hat indessen mehrere von ihnen gekannt. Er widmet
Mani, außer einigen einzelnen Notizen, nur zwei Seiten zusammenhängenden Text, aber auf diesen Seiten ist jede Zeile Goldes wert.
al-Bīrūnī besitzt das Streben nach Klarheit und den Sinn für Exakt-
heit, wie sie dem geborenen Forscher eigen, und jederlei Fanatismus

---

[6] Über Islam und Manichäismus vgl. Verf., Zum Kampf zwischen Islam
und Manichäismus, OLZ 1929, 425—441.

war ihm fremd. Was er über Manis Leben zu berichten hat, ist bis jetzt für dessen Darstellung grundlegend gewesen, besonders soweit es Manis Auftreten und Tod angeht. Die neuesten Funde scheinen dies Bild ein wenig zu verrücken, aber jedenfalls gibt er sehr exakt wieder, was zu seiner Zeit autoritative manichäische Geschichtsauffassung war. — Auch bei den arabischen Geschichtsschreibern al-Jaᶜkūbī († gegen Ende des 9. Jh.) und al-Tabarī († 921) trifft man beachtenswertes Material über Mani; das Werk des ersteren wurde 1883 herausgegeben, das des letzteren 1879—1901.

Unverkennbar zog der Manichäismus nun immer mehr aus den Studierstuben der Kirchenhistoriker aus, um ernstlich bei den Orientalisten Einzug zu halten. Die ganze Lage der Forschung im späteren 19. Jh. trug dazu bei. Sie erhielt ihr Gepräge vor allem durch die revolutionierenden Entdeckungen der Assyriologie. Die babylonisch-assyrische Religion tauchte aus der Vergessenheit auf und wurde alsbald wegen ihres Alters als Mutter aller vorderorientalischen Religionen betrachtet, so wie man in der alten mesopotamischen Kultur alsbald die Quelle aller orientalischen Kultur, ja schließlich aller Kultur überhaupt suchte. Auch der Gnostizismus und der Manichäismus wurden unter den Aspekt Babels gerückt. K. Kessler, der in mehreren Arbeiten den Manichäismus behandelte und auch in einem zusammenfassenden Artikel in Herzogs Realenzyklopädie eine Übersicht über seine und die gleichzeitigen Forschungen gab, leitete Manis Religion aus der Sphäre der altbabylonischen Religion her und betrachtete ebenso wie mehrere ältere Forscher das christliche Element als einen losen Anhang. Die Religion Zarathustras oder der Parsismus, wie man diese etwas unangemessen nach ihrer allerspätesten Erscheinungsform zu nennen pflegt, wurde fast ganz aus der Diskussion über den geschichtlichen Ursprung des Manichäismus ausgeschieden; noch Baur hatte den Manichäismus zunächst als Verschmelzung zwischen Zoroastrismus und Buddhismus aufgefaßt. Kessler begann auch eine große Monographie über Mani, von der indessen nur der erste Band erschien [7]. Hier sind alle damals bekannten Hauptquellen für die Geschichte des Manichäismus benutzt, aber vor allem die Acta Ar-

---

[7] Mani. Forschungen über die manichäische Religion. Ein Beitrag zur

chelai und die syrischen und arabischen Schriftsteller. Die Arbeit ist noch heute wegen der Reichhaltigkeit des Materials wichtig, sie leidet aber an großen Mängeln, sowohl in der geschichtlichen Analyse wie in philologischer Hinsicht: in diesem Betracht wurde sie von dem Orientalisten Th. NÖLDEKE scharf getadelt[8]. An Kesslers Grundauffassung schloß sich HARNACK an[9]. Die Theorie von der Abhängigkeit des Manichäismus von babylonischer Religion ist noch 1915 von G i l l i s P : s o n WETTER verfochten worden[10]. Wetter ging jedoch von der spätbabylonischen Religion aus und sah den Manichäismus in näherem Zusammenhang mit dem Mandaismus und dem hellenistischen Gnostizismus. Ungefähr den gleichen Standpunkt nahm auch der vor einiger Zeit verstorbene O. G. VON WESENDONK in seiner Schrift ›Die Lehre des Mani‹, Leipzig 1922, ein. Auch hier wird Manis enge Abhängigkeit vom Gnostizismus hervorgehoben und wird gegen die Annahme eines zoroastrischen Hintergrundes seiner Religion polemisiert.

Das Verhältnis des Manichäismus zum Mandaismus ist übrigens immer noch ein ungelöstes Problem. Bevor dieses bereinigt und seiner Lösung nähergebracht werden kann, müßte der Mandaismus einer durchgreifenden Prüfung unterworfen und müßten die gangbaren Ansichten über seine Geschichte und seine Stelle in der religiösen Entwicklung gründlich revidiert werden.

Das zu Ende gehende 19. Jh. erhielt noch eine wichtige Quelle für den Manichäismus. Der französische Konsul in Aleppo H. POGNON war auf eine Anzahl von Schalen mit mandäischen Inschriften gestoßen und hatte sich bei ihrem Studium für den syrischen Kirchenvater Theodor bar Kōnai zu interessieren begonnen, der in seinem Werk *Liber scholiorum* eine Menge gnostischer Sekten

---

vergleichenden Religionsgeschichte des Orients. Erster Band: Voruntersuchungen und Quellen. Berlin 1889.

[8] ZDMG 43, 536 ff.

[9] Lehrbuch der Dogmengeschichte[5] II, Beigaben: I. Der Manichäismus, S. 513—527.

[10] Phös. Eine Untersuchung über hellenistische Frömmigkeit. Zugleich ein Beitrag zum Verständnis des Manichäismus; in: Skrifter utg. af K. Hum. Vet.-Samf. i Uppsala 17, 1.

aufzählt (er lebte wahrscheinlich um 700, möglicherweise später) und auch einen langen Abschnitt über den Manichäismus hat. In seinem Werk über die mandäischen Schalen [11] teilt Pognon aus ihm zugänglichen Handschriften — Theodors Werk war noch nicht herausgegeben — den betreffenden Abschnitt in syrischem Text und französischer Übersetzung mit. Daß wir hier auf eine Quelle ersten Ranges für die Kenntnis des Manichäismus gestoßen waren, stand der Forschung alsbald klar vor Augen. Sie wurde zum Gegenstand einer eingehenden Behandlung durch Fr. CUMONT und M.-A. KUGENER [12], wo man eine neue Übersetzung nebst Kommentar findet — eine glänzende und in jeder Hinsicht für die moderne Mani-Forschung grundlegende Arbeit. Wichtig sind in Theodors Text die Zitate aus manichäischen Schriften; H. H. SCHAEDER hat später gezeigt, daß wir hier einmal teilweise auf Manis *ipsissima verba* in seiner eigenen Muttersprache, dem Syrischen, dessen er sich auch in seinen Schriften bediente, treffen [13]. Cumonts Schrift liegt auch in schwedischer Übersetzung vor [14]. Theodors Werk wurde vollständig 1910—12 im Corpus Scriptorum Christianorum Orientalium in Paris herausgegeben.

II

Als CUMONT seine Untersuchung über Theodor bar Kōnai schrieb, war schon ein neuer Tag für die Mani-Forschung angebrochen. Seit Sven Hedin um 1890 Überreste alter Städte im Sande der Wüsten Ostturkestans gefunden und auch das eine und andere Schriftfragment hervorgesucht hatte und nachdem andere Dokumente hier und dort aufzutauchen begonnen hatten, wurde zu Beginn des neuen Jahrhunderts eine deutsche Expedition unter Lei-

[11] Inscriptions mandaïtes des coupes de Khouabir, Paris 1898.

[12] Recherches sur le Manichéisme I: La cosmogonie manichéenne d'après Theodor bar Khôni, Brüssel 1908.

[13] Ein Lied von Mani, OLZ 1926, 104 ff.

[14] Franz Cumont, Den manikeiska kosmogonien efter Theodorus bar Khôni. Översättning jämte historisk inledning av Carl J. E. Hasselberg, Örnsköldsvik 1930.

tung von A. GRÜNWEDEL in diese Gegenden gesandt und widmete sich insbesondere den Ruinen bei der Stadt Turfan, nicht weit südöstlich von Urumtschi. Man befand sich hier auf dem Gebiet, das im frühen Mittelalter von den türkischen Uiguren beherrscht wurde, und es bestätigte sich bald, daß man auf ihre Hauptstadt Chotscho gestoßen war. Hier in den Ruinen traf man auf eine Menge von Fragmenten und herausgerissenen Blättern von Schriften, die in teilweise unbekannten Alphabeten aufgezeichnet waren. Sie gelangten schließlich in das Museum für Völkerkunde zu Berlin, wo der Orientalist F. W. K. MÜLLER († 1930) sich ihrer annahm, der eigentlich Sinologe war, aber so gut wie alle asiatischen Sprachen von einiger Bedeutung beherrschte. Er konnte bald eine Deutung der meisten neuen Schriftarten vorlegen und die Sprachen bestimmen, die darin zur Verwendung kamen. Es zeigte sich jetzt, daß eine bedeutende Anzahl von Fragmenten in mittelpersischer Sprache (Pehlevi) und einem mit der syrischen Estrangelo-Schrift verwandten Alphabet geschrieben waren und manichäischen Inhalt hatten. Im Jahre 1904 konnte er der Preußischen Akademie der Wissenschaften mitteilen, daß er die Lösung des Rätsels dieser mittelpersischen Fragmente gefunden hatte [15]; ein großer Textband, eine Menge manichäischer Fragmente in Umschrift und Übersetzung enthaltend, erschien im folgenden Jahre in den Abhandlungen der Akademie [16]. Zwei weitere Expeditionen, die jetzt von A. v o n LE COQ († 1930) geleitet wurden, bargen neue bedeutende Handschriftenreste, die im Museum für Völkerkunde konserviert wurden.

Das Uigurenreich war ein höchst internationaler Staat, entstanden an einem der Knotenpunkte der großen zentralasiatischen Handelsstraßen nach China; es war der Treffpunkt für alle Völker, Sprachen und Religionen Asiens. Man hat hier mehrere neue Sprachen kennengelernt, so u. a. die türkische Landessprache, das Uigurische, sowie das Sogdische, eine ostiranische Sprache, die zu dieser Zeit die *lingua franca* Zentralasiens gewesen zu sein scheint.

[15] Handschriftenreste in Estrangelo-Schrift aus Turfan, SBAW 1904, 348—352.
[16] Handschriftenreste usw. II

Alle Religionen fanden hier Duldung, und sowohl der Buddhismus wie das nestorianische Christentum waren stark vertreten. Die meisten Schriften auf uigurisch und sogdisch, die in diesen Gegenden zum Vorschein kamen, sind buddhistischen Inhalts; auf sogdisch hat man eine Übersetzung des Neuen Testamentes und anderer christlicher Schriften. Die manichäischen Schriften indessen sind zum allergrößten Teil mittelpersisch verfaßt, in der heiligen Sprache des Manichäismus hier im Osten. Die erhaltenen Urkunden liegen in zwei Dialekten vor, teils im südwestiranischen oder eigentlich persischen, der in der Provinz Pārs gesprochen wurde und die Reichssprache der Sassaniden war, teils im nordwestiranischen Dialekt, einer Sprache, die man als Regierungssprache der arsakidischen Könige zu betrachten pflegt. Selbstverständlich hat der Manichäismus sich auch der allgemein verbreiteten und verstandenen sogdischen Sprache bedient; eine nicht unbedeutende Anzahl von Fragmenten ist sogdisch. Ins Uigurische sind ebenfalls eine Menge manichäischer Schriften übersetzt; sie sind von v. Le Coq in drei Abhandlungen der Preußischen Akademie der Wissenschaften veröffentlicht worden (seit 1908). Wichtig ist die Schrift *Chuastuanift*, ›Bekenntnis‹, ein Beichtspiegel für Laien (auditores); sie ist erneut mit einer sehr zuverlässigen Übersetzung von dem 1934 verstorbenen Turkologen W. Bang in der belgischen Zeitschrift Muséon [17] herausgegeben worden.

Im Uigurenreiche nahm der Manichäismus eine besonders starke, vielleicht vorherrschende Stellung ein. Im Jahre 762 hatte die regierende Dynastie ihn als ihre Religion angenommen, und obgleich dies keineswegs bedeutete, daß er zur Staatsreligion in dem gleichen Sinne wurde wie z. B. der Mazdaismus im Sassanidenreich, so gewann er doch in dem bunt schillernden Leben des Uigurenreiches eine ganz besondere Bedeutung. Es ist der einzige Punkt in der Welt, wo wir den Manichäismus als begünstigte und nicht als verfolgte Glaubensform kennenlernen. Durch die Turfanfunde gewann die Forschung auch zum erstenmal Kenntnis von unanfechtbar echten manichäischen Originalurkunden, aus denen eine ganz andere Kunde zu erwarten war als aus den polemisch gefärbten und

[17] Bd. 36 (1923) 137—242.

haßerfüllt verzerrten Darstellungen der Gegner, mit denen man bis dahin zu operieren hatte.

F. W. K. Müller kam nicht dazu, das ganze reiche Pehlevi-Material zu veröffentlichen, das geborgen wurde. Von seiner Hand liegt außer einigen gelegentlichen Veröffentlichungen nur noch eine Textpublikation vor [18]. Das Mahrnāmag kann am ehesten mit dem Register unseres Gesangbuchs verglichen werden; es gibt die Anfangszeile jedes der Hymnen, die um 760 in der manichäischen Gemeinde von Turfan in Gebrauch waren. Die von Müller 1904 herausgegebene Textsammlung wurde nochmals 1907 von dem russischen Iranisten C. SALEMANN in hebräischer Transkription und mit Glossar herausgegeben [19]; er veröffentlichte auch einige Fragmente, die nach Petersburg gelangt waren [20].

Indessen hatte die gelehrte Welt vorläufig vergeblich auf die Hauptmasse des neuen Materials zu warten. Die Ursache hierfür war, daß die Urkunden zur Bearbeitung dem Iranisten Prof. F. C. ANDREAS in Göttingen († 1931) überlassen worden waren. Andreas war ein Mann von weit umfassender Gelehrsamkeit, großem Ideenreichtum und lebhafter Phantasie und besaß in hohem Maße die Voraussetzungen für die Deutung der neuen, sowohl in sprachlicher wie in sachlicher Hinsicht verwirrenden Welt, die sich in den Urkunden auftat. Er hat auch auf rein sprachlichem Gebiet eine Pionierarbeit von grundlegender Bedeutung geleistet. Aber er war ein seltsamer Mann mit wunderlichen Gewohnheiten und litt an einer unüberwindbaren Scheu vor der Feder. Die Texte blieben unveröffentlicht. Der eine oder andere Text wurde indessen zur Publikation freigegeben, so in den unten erwähnten Arbeiten von WALDSCHMIDT und LENTZ und von SCHAEDER. Jetzt nach Andreas' Tod ist die Publikationstätigkeit in Gang gekommen. Sein Schüler W. HENNING hat in zwei Abhandlungen die Hauptmasse der im

---

[18] Ein Doppelblatt aus einem manichäischen Hymnenbuch (Maḥrnâmag), ABAW 1912.

[19] Manichäische Studien I, Mémoires de l'Académie Impériale de St.-Pétersbourg sér. VIII, vol. 8 Nr. 10, 1908.

[20] Manichaica I, Bulletin de l'Académie Imp. de St.-P. 1907, 175 ff.; Manichaica III, Bulletin 1912, 1 ff.

Südwestdialekt abgefaßten Dialekte veröffentlicht[21] und hat soeben die im Nordwestdialekt abgefaßten Texte als Teil III der Mitteliranischen Manichaica folgen lassen[22], alles in Umschrift und mit Übersetzung, Anmerkungen und Glossar. In diesen Veröffentlichungen dürften sich die meisten größeren, zusammenhängenderen Texte finden. Uigurische Texte wurden von W. BANG und A. VON GABAIN mitgeteilt[23].

Als einmal das Interesse für Ostturkestan erweckt war, kamen die wissenschaftlichen Expeditionen in rascher Folge; zuerst kamen die Engländer (1907) unter Leitung von Sir Aurel Stein, darauf die Franzosen (1908) unter Leitung von Pelliot. Sie verlegten ihre Arbeit weiter ostwärts und richteten ihre Aufmerksamkeit besonders auf die sogenannten „Höhlen der tausend Buddhas" in der Gegend der Stadt Tun-huang, die bereits an der Ostgrenze von Chinesisch-Turkestan liegt. Hier war ein taoistischer Mönch zufällig auf eine große Bibliothek gestoßen, die im Jahre 1035, wie aus einem Siegel hervorging, in einer Höhle eingemauert worden war. Offenbar hatte jemand auf das Gerücht von einer herannahenden feindlichen Invasion hin seine Bücherschätze hier versteckt und war dann gestorben, worauf die Sache in Vergessenheit geraten war. Hier fanden sich vornehmlich chinesische, aber auch sogdische und uigurische Schriften, alle wohl erhalten. Ein Teil des Materials wurde nach London gebracht, ein anderer nach Paris; die meisten chinesischen Bücher gelangten indessen nach Peking, wo eine Nationalbibliothek für ihre Aufbewahrung begründet wurde. Die Schriften waren hauptsächlich buddhistisch, aber man traf hier auf ein vollständiges Exemplar des oben erwähnten manichäischen Beichttextes, des *Chuastuanift*, und außerdem erwies es sich bald, daß sich unter den chinesischen Schriften, merkwürdig genug, auch manichäische Bücher fanden. Ein solches, das nach Peking gelangte, stellte sich als eine manichäische dogmatische Schrift heraus; es

[21] Mitteliranische Manichaica aus Chinesisch-Turkestan von F. C. Andreas. Aus dem Nachlaß herausgegeben von Walter Henning I—II, SBAW 1932—33.
[22] SBAW 1934.
[23] Türkische Turfantexte I—V, SBAW 1929—31.

wurde mit Übersetzung und Kommentar von E. CHAVANNES und P. PELLIOT im Journal Asiatique 1911 herausgegeben [24]. Dazu kam ein Fragment, das in Paris aufbewahrt wird und 1913 von denselben Gelehrten im Journal Asiatique herausgegeben wurde. Die Londoner Sammlung enthält eine Anzahl großer manichäischer Hymnen auf chinesisch; sie sind zum Teil von Waldschmidt und Lentz herausgegeben und bearbeitet worden (s. unten). Schon um 1820 hatten die Sinologen Erwähnungen Manis und seiner Religion in chinesischen Quellen festgestellt; jetzt bekam man also Originalurkunden des chinesischen Manichäismus in die Hand.

Es ist klar, daß die iranischen Texte von Anfang an einen tiefen Eindruck auf die Mani-Forscher machen mußten. Daß Mani ein starkes Interesse an dem gerade zur Zeit seines Auftretens neugebildeten Sassanidenreich in Persien hatte, wußte man seit langem aus den arabischen Quellen. Nach der gangbaren manichäischen Tradition, die sie widerspiegelten, hatte Mani zum erstenmal öffentlich seine Lehre bei der Krönung Schāpūrs I. im J. 242 verkündet; die Schrift *Schāpūrakān,* deren Titel und Anfang man durch die Araber kannte, stand offenbar mit diesem Ereignis in Zusammenhang. Jedenfalls war es deutlich, daß sie eben dem genannten Herrscher zugeeignet worden war. Daß Mani später ernstliche Versuche gemacht hatte, die neue Dynastie zur Annahme seiner Lehre zu bewegen, konnte man ahnen, und es war angesichts der geschichtlichen Situation in jeder Hinsicht wahrscheinlich. Es ergab sich auch klar genug, daß verschiedene Mitglieder des Herrscherhauses von ihm gewonnen worden waren, und man konnte darauf schließen, daß ein ziemlich heftiger Streit zwischen ihm und der mazdaistischen Priesterschaft ausgekämpft wurde. So sollte endlich Bahram I. bei seiner Thronbesteigung der Sache ein Ende gemacht und sie zum Vorteil des Mazdaismus entschieden haben, indem er sogleich zu Anfang seiner Regierung — man glaubte das Jahr 273 dafür feststellen zu können — Mani im Gundēschāpūr hinrichten ließ. Manis persische Beziehungen waren also klar genug. In den neuen manichäischen Texten in iranischer Sprache fand man nun die ganze mazdaistische Götterwelt wieder: Ormuzd, Ahriman, Mihr, Narēsaf und wie sie alle

---

[24] Un traité Manichéen retrouvé en Chine.

heißen. Was Wunder also, wenn die alte Hypothese, der zufolge der Manichäismus nur eine Reformbewegung innerhalb des mazdaistischen Zoroastrismus war, sich nun mit erneuter Kraft in den Vordergrund drängte? Man glaubte die Divergenzen zwischen dem Manichäismus und dem Zoroastrismus, wie man ihn aus den Urkunden kannte, zum Teil so erklären zu können, daß man mit einem *x* operierte, nämlich der iranischen Volksreligion und volkstümlichen, von der Orthodoxie nicht anerkannten zoroastrischen Vorstellungen. Der alte Panbabylonismus wurde von einem Paniranismus abgelöst, der bald ebenso verstiegene Formen annahm wie sein Vorgänger.

In der Erforschung des Gnostizismus war trotz den panbabylonistischen Tendenzen Kesslers und anderer die alte Hypothese von einer iranischen („parsistischen") Grundlage der gnostischen Systeme nie ganz aufgegeben worden. W. Bousset stellte sich auf diesen Standpunkt. In seinen ›Hauptproblemen der Gnosis‹ (Göttingen 1907), worin auch das Problem des Manichäismus zur Sprache kam, suchte Bousset vor allem gegenüber Harnack zu beweisen, daß die gnostischen Systeme auf eine iranische Erlösungsreligion zurückgingen, deren Grundtypus er zu rekonstruieren versuchte. Gegen Boussets Arbeit sind verschiedene gewichtige Einwendungen erhoben worden, sowohl von Erforschern des Gnostizismus (E. de Faye, Gnostiques et gnosticisme, Paris 1925), die der Ansicht waren, daß Bousset die positiven Synthesen der Gnostiker übersehen hatte, als auch von iranistischer Seite (H. H. Schaeder), wo man geltend machte, daß Bousset iranische Stilelemente mit wirklichen iranischen Theologumena verwechselte. Das Problem der Bedeutung Irans für den Gnostizismus ist sicherlich bedeutend komplizierter, als er annahm, aber seine Hauptthese scheint mir Momente zu enthalten, an denen man schwerlich vorbeikommen kann.

An Bousset schloß sich in mancher Hinsicht R. Reitzenstein an, ein persönlicher Freund des Iranisten Andreas, der die iranische Betrachtungsweise auf die Spitze trieb. Er konnte in seinen Schriften verschiedene manichäische Materialien in Übersetzung mitteilen, mit denen ihn Andreas bei den berühmten nächtlichen Unterredungen in seiner Wohnung zu Göttingen versah. Hier muß vor allem Reitzensteins Schrift ›Das iranische Erlösungsmysterium‹

(Bonn 1921) genannt werden. Darin suchte Reitzenstein zu beweisen, daß ein fragmentarisch vorliegender manichäischer Hymnus tatsächlich der Text eines iranischen Erlösungsmysteriums sei, den Mani übernommen habe und der schon von einer zarathustrischen Gemeinde, wenn auch nicht in streng orthodoxen Kreisen, verwendet worden war. Den Beweis dafür fand er in einem manichäischen Hymnus, in dem Zarathustra redend auftritt und sich mit seinem Ich unterredet, d. h. seinem himmlischen Urwesen, auf Pehlevi *manōhmēd* oder, wie Andreas umschrieb, *monuhmed*. Von diesem Erlösungsmysterium wollte er dann durch die ganze hellenistische Welt Spuren finden. In ihrer Grundthese muß diese Arbeit als verfehlt bezeichnet werden. Zunächst ist es ein Mißbrauch des Wortes, wenn man hier den Begriff ›Mysterium‹ anwendet: darunter kann nur eine Kultform verstanden werden, bei der die heiligen Worte von besonderen Handlungen begleitet und illustriert werden, die in sinnenfälliger Form dem Ausdruck geben, wovon der Text handelt. Solche Mysterien sind indessen dem Manichäismus durchaus unbekannt, und es gibt keinen Beweis dafür, daß sie sonst im alten Iran vorkamen, wenn dies auch nicht a priori als unmöglich angesehen zu werden braucht. Der Zarathustra-Hymnus ist zweifellos religionsgeschichtlich fehlgedeutet; er ist rein manichäisch, und der Name Zarathustra ist nur ein persisches Stilelement. Mit dem wirklichen Zoroastrismus oder mit altiranischer Religion hat er nichts zu schaffen. Aber trotz allem hat Reitzenstein ein Werk von gewaltiger Tragweite zustande gebracht. Sein bleibendes Verdienst ist es, die Vorstellungen vom Urmenschen herausgearbeitet zu haben, so daß wir jetzt die Umrisse dieser mythologischen Gestalt, die unleugbar eine zentrale Stelle in der religiösen Welt nicht nur Irans einnimmt, greifen können. Reitzensteins Auffassung vom Manichäismus muß dagegen als im Prinzip überwunden angesehen werden. Über seinen Versuch, den Manichäismus als Exponenten altiranischer Religion für die Evangelienforschung heranzuziehen, kann ohne weiteres zur Tagesordnung übergegangen werden.

   Die neuen Funde rückten das alte Material, mit dem die Mani-Forschung vorher zu arbeiten hatte, für eine Zeit in den Schatten. Aber bald genug machte sich die Forderung einer Gegenüberstellung der beiden Textgruppen nachdrücklich geltend. Es war daher besonders dankenswert, daß der grundgelehrte französische Augustin-Kenner P r o s p e r ALFARIC eine allgemeine Bestandaufnahme des ganzen zugänglichen Materials durchführte und eine kritische Analyse desselben unter historischem und literarischem Gesichtspunkt gab [25]. Dies Werk wird auf lange Zeit für die Mani-Forschung als grundlegende Analyse und Gruppierung des Materials unentbehrlich sein. Alfaric hat auch dem Problem von Manis Milieu eindringende Aufmerksamkeit zugewendet. Er betrachtet Mani als Gnostiker und hebt besonders die nahe Beziehung zwischen ihm und Bardesanes hervor, der ihm zeitlich und örtlich besonders nahestand (er wirkte in Edessa und starb 222, sechs Jahre nach Manis Geburt). Er unterstreicht auch die geistige Beziehung, die Mani mit Marcion vereinigt; es ist kein Zweifel, daß jener von diesem seine Lehre vom Alten Testament übernommen hat. Die Konstellation Marcion — Bardesanes — Mani war auch den alten Kirchenvätern nicht entgangen, von denen besonders Ephraem der Syrer sie stark hervorhebt. Alfaric legt auf Manis Wirken als religiöser Organisator und Kirchenbildner Gewicht. Ungefähr dieselben Gesichtspunkte finden sich in F. C. BURKITTS vortrefflicher kleiner Schrift ›The religion of the Manichees‹ (Cambridge 1925), die in wohltuender Weise die Diskussion wieder zu den christlichen und arabischen Quellen zurückführt, ohne deswegen das zentralasiatische Material, das jedoch mit gebührender Vorsicht behandelt wird, zu vernachlässigen. Neu an dem Buch ist ein sehr fragmentarisches syrisches Material, das aus den unerschöpflichen Papyrusvorräten Ägyptens aufgetaucht war; einige unbedeutende Papyrusfetzen hatten, wie festgestellt worden war, manichäischen Inhalt und gehörten der manichäischen Originalliteratur an — ein Vorbote dessen, was uns einige Jahre später dasselbe Land in ausgiebigem Maße bescheren sollte.

Es wird berichtet, daß ein dänischer Literaturforscher sich in einer Vorlesung über das schwere Problem beklagte, das H. C. Andersens Tagebücher der Literaturgeschichte bereiteten; alle Theorien von der Entwicklung des Dichters gingen im übrigen vortrefflich auf,

---

[25] Les écritures manichéennes, I: Vue générale, II: Étude analytique, Paris 1918.

aber nun hatte man „diese verdammten Tagebücher", die alles ver-
darben. Die Turfanforscher hatten in Gestalt der christlichen Traditionen über Mani einen solchen Pfahl im Fleisch, der ihnen alle
Freude an den iranischen Funden verdarb. Nachdem sich der erste
iranische Enthusiasmus gelegt hatte, sah man sich vor eine Reihe
von anscheinend ganz unlösbaren Problemen gestellt. Die manichäischen Originalurkunden aus Turkestan machten mit dem ganzen mazdaistischen Pantheon Staat; davon fand sich im Westen
keine Spur. Die Terminologie wechselte proteusartig von Quelle zu
Quelle; ihre Mannigfaltigkeit und die Möglichkeit von Neubildun-
gen schienen grenzenlos zu sein. Sogar in den beiden Hauptgruppen
der iranischen Urkunden, denen des Nordwest- und denen des
Südwest-Dialekts, herrschte eine merkwürdige Unstimmigkeit. Das
Schāpūrakān, das offenbar für König Schāpūr I. bestimmt war und
mit vollkommener Sicherheit von Mani selber herrührte, erwies
sich, als man auf Fragmente von ihm stieß, nicht nur dem Namen,
sondern auch dem Inhalt nach als dem Westen durchaus unbekannt.
Bis zu einem gewissen Grade konnte man sich mit der Hypothese
einer späteren Entwicklung in der manichäischen Gemeinde helfen,
aber das Problem war damit nicht aus der Welt geschafft. War der
Manichäismus eine iranische Religion, etwa geradezu eine zoroastrische Reformbewegung, so fand sich für Jesus eigentlich kein
Platz im System; seine Gestalt mußte folgerichtig als ein loser syn-
kretistischer Anhang betrachtet werden. Dem wurde indessen bestimmt von der westlichen Überlieferung widersprochen, und es
zeigte sich, daß *Mani selber* im Schāpūrakān die ganze evangelische
Eschatologie mit Jesus als Mittelfigur aufgenommen hatte; die
große Gerichtsperikope in Mt. 25 ist uns in manichäischer Fassung
eben in dieser Schrift erhalten. Man konnte vielleicht von Zuge-
ständnissen an die christlichen Anschauungen reden; aber warum
wurden diese mit so aufsehenerregender Augenscheinlichkeit gerade
in einer Schrift gemacht, die ausschließlich dem Iranier Schāpūr
gewidmet war, der noch keineswegs eine so überwältigend große
christliche Bevölkerung in seinem Reiche hatte, um auf sie Rücksicht zu nehmen? Die Gestalt Jesu war offenbar tiefer im System
verankert, als es mit der Hypothese seines rein iranischen Ursprungs
vereinbar war.

Die Ehre, zuerst in diesen Wirrwarr Ordnung gebracht zu haben, kommt dem jungen deutschen Orientalisten H. H. Schaeder zu. In ihm hat die Mani-Forschung eine Kraft ersten Ranges mit ungewöhnlichen Voraussetzungen für die Inangriffnahme ihrer riesenhaften Aufgaben gewonnen. Er begann seine Laufbahn als Religionshistoriker als Schüler Reitzensteins und arbeitete mit diesem an seiner Schrift ›Studien zum antiken Synkretismus. Aus Iran und Griechenland‹, Leipzig 1926 (Studien der Bibliothek Warburg 7). Später löste er sich von Reitzenstein, um seine eigenen Wege zu gehen. 1927 gab er in Leipzig eine Schrift heraus, in der er seine Auffassung vom Problem des Manichäismus vorlegte [26]. Es ist keine umfangreiche Schrift — 92 Seiten —, aber unwidersprechlich die wichtigste Programmschrift, die jemals in Hinsicht auf das Problem des Manichäismus verfaßt worden ist. Ausgehend von Alexander von Lykopolis, der die Grundgedanken von Manis System ohne jede mythologische Verkleidung vorträgt, sucht er das Verhältnis zwischen dem Lehrinhalt des Manichäismus und dem verwirrenden mythologischen Apparat zu bestimmen, der überall und nicht zum wenigsten in den Turfanfragmenten sowohl in der Lehrdarstellung wie in den Hymnen zur Anwendung kommt. Er kommt zu dem Schlusse, daß Mani seiner Religion ein klar durchdachtes philosophisches System zugrunde legte, das eine Welt- und Lebensdeutung zum Ziel hatte und den Menschen das Wissen, die γνῶσις, deren sie für die Erlösung bedurften, mitzuteilen beabsichtigte. Dies System konnte in klar rationalen Denkformen ausgedrückt werden, es war ein λόγος im griechischen philosophischen Sinne. Um diese Lehre den Menschen mitzuteilen, verwendete Mani indessen ein mythologisches Vokabular. Anknüpfend an die gewöhnlichen Vorstellungen der Menschen verwendete er die in den Kreisen, an die er sich wandte, gangbaren Mythologumena als Stilelemente; neben seinen philosophischen λόγος stellte er einen μῦθος, wie schon Platon es tat. Der Gedanke ist genial und macht mit einem Schlage die manichäische Mythologie im Prinzip begreifbar. Es will mir indessen scheinen, als ob Schaeder in seiner Entdeckerfreude seine These etwas

[26] Urform und Fortbildungen des manichäischen Systems (Sonderabdruck aus: Vorträge der Bibliothek Warburg 1924—25).

zu stark zugespitzt hat; sie macht Mani wohl zu einem bewußteren Philosophen, als er tatsächlich war. Mani war doch vor allem eine religiöse Persönlichkeit und ein Religionsstifter, und davon, daß er selber mehr in mythologischen als in rationalen Kategorien gedacht hat, kann ich mich schwer losmachen; aber ich will gerne zugeben, daß Manis Gedankenwelt ein mythologisches Denken im Auflösungszustand darstellt, das schon stark mit rationalen Elementen und religionspolitischen Berechnungen versetzt ist. Jeder Vergleich mit Platon erscheint mir irreführend. Aber wichtig war es, daß Schaeder, wie wir zu hoffen wagen, endgültig den hartnäckig festgehaltenen Satz von Mani als rein *iranischem* Religionsstifter oder Reformator der nationaliranischen Religion erledigte. Mani wird aufs neue in die große Reihe der hellenistisch beeinflußten Gnostiker gerückt, neben Marcion und Bardesanes, aber als selbständiger religiöser Denker, der in sich den Begriff der Gnosis überhaupt zusammenfaßt und vollendet. Mani wird mit einem Wort in den großen geistigen Zusammenhang des *asiatischen Hellenismus* gerückt — wie er noch heutzutage den Vordern Orient beherrscht. Er hat genug vom Hellenismus in sich, um rational denken und die spätantike hellenistische Wissenschaft verwerten zu können, aber die bunte religiöse Welt Vorderasiens ist die Lebensluft, die er atmet.

Mani hat, so vollendet Schaeder seinen Gedankengang, allen Ernstes eine Welt- und Universalreligion stiften wollen. Schaeder stellt *Mani den Missionar* in den Vordergrund und gewinnt erst damit den richtigen Aspekt für den schillernden Reichtum der manichäischen Mythologie. Mani hat sich an alle Völker der alten Welt wenden wollen und hat daher selber nicht bloße Übersetzungen, sondern „Umstilisierungen" seiner Schriften zu Nutz und Frommen der verschiedenen Kreise veranstaltet, denen er sich annähern wollte. Es war daher ganz natürlich, daß seine Schriften mit christlichen Begriffen und Ausdrücken operierten, wenn sie Christen zugänglich gemacht wurden, dagegen mit iranischer Mythologie und iranischen Begriffen, wenn er sich an Iranier wandte. Wir haben daher die manichäischen Schriften in zwei große Kategorien zu scheiden: eine westlich-christlich und eine östlich-zoroastrisch bestimmte.

Schaeder hebt auch mit Nachdruck Manis volle Abhängigkeit

vom Christentum hervor. Man muß ihn durchaus ernst nehmen, wenn er sich — nach Paulus' Vorbild — als „Apostel Jesu Christi" bezeichnet. Seine ganze Lehre ist nichts andres als eine gigantische, selten folgerichtige gnostische Ausdeutung von Christi Erlösertat. Christus ist die zentrale Gestalt in seiner Religion; auf den übernatürlichen Erlösergott Christus hin konvergieren alle Linien seines Systems.

Diese These von der zentralen Stellung Christi in Manis Religion erhielt unmittelbar ihre Bestätigung durch eine Abhandlung des Sinologen E. Waldschmidt und des Iranisten W. Lentz [27]. Darin wird eine Menge neues iranisches Material vorgelegt, aber im Vordergrunde stehen einige der großen manichäischen Hymnen in chinesischer Sprache, die nach London gelangt waren. Unter diesen chinesischen Texten finden sich auch einige, die der Sprache nach iranisch, aber mit chinesischen Zeichen geschrieben sind: eine seltsame Erscheinung. Sie zeigen, daß das Mittelpersische sich als liturgische Sprache sogar auf chinesischem Gebiet gehalten hat. Der chinesische Manichäismus hatte, wie man bereits aus den von Chavannes und Pelliot veröffentlichten Schriften erschließen konnte, rein epigonenhaften Charakter und hatte sich weit vom Geiste seines Stifters entfernt. Im Lehrsystem überwiegen eine haarspaltende Scholastik und eine unglückliche Neigung zur Ausspinnung der Zahlenreihen und Schemata des Systems. Die Hymnen schwelgen in stereotypen Redensarten. Sie sind begreiflicherweise Bearbeitungen der Hymnen der manichäischen Gemeinde von Turfan, scheinen aber nicht auf älterem, Mani näher stehendem Material zu beruhen. Sie repräsentieren die manichäische Frömmigkeit in Turfan in ihrer späteren, ein wenig degenerierten Form und sind sogar unter dies Niveau gesunken.

Waldschmidt und Lentz kommen hinsichtlich der Gestalt Christi im Manichäismus zu ungefähr demselben Ergebnis wie Schaeder: Mani hat die Gestalt des christlichen Erlösers nach seinem eigenen System interpretiert, und seine Eschatologie, die ihrerseits den Blickpunkt seiner Religion ausmacht, ist im wesentlichen christlich bestimmt. In religionsgeschichtlicher Hinsicht steht diese Arbeit

---

[27] Die Stellung Jesu im Manichäismus, ABAW 1926, Nr. 4.

nicht auf der Höhe; in der Auffassung des Problems kann sie sich in keiner Weise mit Schaeders kleiner Schrift messen [28].

Waldschmidt und Lentz haben ihre Forschungen in der Arbeit ›Manichäische Dogmatik aus chinesischen und iranischen Texten‹ [29] fortgesetzt. Diese Arbeit hat, was die Ideengeschichte angeht, eine recht unsanfte Kritik erfahren. Die Verfasser haben sich von ihren chinesischen Quellen anstecken lassen und das manichäische Lehrsystem in eine Reihe pedantisch durchgeführter dualistischer Zahl-, Begriffs- und Namenserien verwandelt. Was sie so herausbringen, ist eine späte, dekadente Abart des Manichäismus, die für die Deutung der ursprünglichen Lehren und Intentionen desselben nicht taugt. Offenbar ist der chinesische Manichäismus nicht geeignet, einen richtigen Begriff von dem zu geben, was der Manichäismus in den Tagen seiner Kraft war und wollte. Es ist, wie Schaeder treffend bemerkt hat, ungefähr so, als wollte man einen Begriff von dem, was das Christentum ist, nach der Literatur der äthiopischen Kirche geben.

III

Als ich im Frühsommer 1931 Berlin besuchte, hörte ich in eingeweihten Kreisen von einem großen Papyrusfund in Ägypten raunen, der, wie man erwartete, Manis Schriften der Forschung zurückgeben würde. Einige Jahre später fand das Gerücht seine Bestätigung durch die kleine Schrift ›Ein Mani-Fund in Ägypten. Originalschriften des Mani und seiner Schüler. Von Prof. D. Dr. Carl Schmidt und Dr. H. J. Polotsky. Mit einem Beitrag von Dr. H. Ibscher‹ (SBAW 1933). Der bekannte Kirchenhistoriker und Koptologe C. Schmidt in Berlin hatte bei seinem Besuch in Kairo das Glück gehabt, bei einem Antikenhändler auf einen Haufen unglaublich übel zugerichteter koptischer Papyri aus dem Fajjūm zu stoßen, die er sogleich als manichäisch identifizieren konnte. Der Fund war von den Antikenhändlern geteilt worden, und der andere Teil war an einen englischen Sammler, Mr. A. Chester Beatty, ge-

---

[28] Vgl. meine Anzeige in Le Monde Oriental 24, 1929, 354 ff.
[29] SBAW 1933.

langt, der die Handschriften nach London brachte. Der Fund, der sich jetzt zur Konservierung bei dem bekannten Berliner Konservator Dr. Ibscher befindet, ist der größte, der je gemacht wurde; es scheint sich um beinahe 1000 Seiten zu handeln. Aber er befindet sich in so schlechter Verfassung, daß es Jahre dauern kann, bis er der Forschung voll zugänglich wird. Stichproben aus fast allen Papyrusbündeln haben indessen ziemlich bald vorgenommen werden können, und was daraus bekannt wird, ist allerdings von revolutionierender Bedeutung und zeigt, daß der Fund eine neue Epoche der Maniforschung bezeichnet.

Man ist auf eine ganze manichäische Bibliothek gestoßen, die einem Mitglied einer manichäischen Gemeinde im Fajjūm gehörte. Die Papyri scheinen aus dem 5. Jh. zu stammen (so neuerdings Polotsky), aber die Gemeinde kann natürlich viel älter sein; da Alexander von Lykopolis, der zu Beginn des 4. Jh. wider die Manichäer schrieb, sicher eine praktische Absicht mit seinem Buche verfolgte, so müssen sich bereits zu seiner Zeit manichäische Gemeinden in Ägypten befunden haben. Folgende Schriften haben in der neuentdeckten Bibliothek festgestellt werden können.

1. Die Kephalaia, eine große manichäische Lehrschrift; in dem Papyrushaufen hat Ibscher die Seitenzahl 514 lesen können, womit aber nicht die Schlußseite bezeichnet ist. Es scheint sich um ca. 520 Seiten zu handeln. In der Form von Gesprächen zwischen Mani und seinen Jüngern wird darin die manichäische Dogmatik entwickelt. Schmidt glaubte die Schrift mit gewissen Vorbehalten Mani selber zuschreiben zu können, was jedoch von andern für sehr unwahrscheinlich gehalten wird. Der Titel war schon aus christlichen Schriftstellern bekannt, dagegen hat sich keine Spur der Schrift in der östlichen Überlieferung gefunden.

2. Manis Briefsammlung, die sicher wenigstens in ihrem Grundstock auf Mani selber zurückgeht. Manis Briefe finden sich im Kitāb al-Fihrist aufgezählt.

3. Eine Art Geschichtswerk, das mit Manis Gefangennahme und seinem Wirken im Gefängnis beginnt. Sicher ist weiterhin seine Hinrichtung geschildert worden; danach wird von den Ereignissen gesprochen, die die manichäische Gemeinde in Persien gegen Ende des 3. Jh. betreffen. Wir hören von Verfolgungen seitens der per-

sischen Staatsgewalt, erfahren aber auch, daß gewisse Vasallen-
fürsten den Manichäismus unterstützten. Unter diesen wird an
erster Stelle ein gewisser Amarō genannt, der deutlich mit dem
arabischen Lehensfürsten ᶜAmr von Hīra aus der noch bis zur mu-
hammedanischen Eroberung existierenden Dynastie der Lachmiden
identisch ist. Es ist von Interesse, den klaren Beweis dafür zu erhalten, daß dieser seinerzeit mächtigste Beduinenfürst Nord-
arabiens Anhänger des Manichäismus gewesen ist. Diese Religion
ist also unverkennbar nicht ohne Einfluß auf das religiöse Leben
der arabischen Halbinsel gewesen.

4. Ein erst wenig untersuchtes Papyrusbuch, das Homilien oder
λόγοι von verschiedenen manichäischen Autoritäten zu enthalten
scheint. Nur ein Teil des Buches befindet sich in Berlin; über den
Rest s. unter 6.

Die bisher genannten Schriften werden in Berlin aufbewahrt; die
folgenden liegen in London und gehören der Sammlung Chester
Beatty.

5. Eine große Hymnensammlung, in der verschiedene Hymnen
als auf Mani selber zurückgehend angesehen werden können, die
aber im ganzen gesehen aus der ältesten manichäischen Gemeinde
stammt. Der Hymnus hat eine besonders bedeutende Rolle im
manichäischen Gottesdienst gespielt, wie schon aus den Kirchenvätern bekannt war und wie die zahllosen Hymnenfragmente aus
Turfan bezeugen.

6. Ein Stück des unter 4 erwähnten Buches. Dieser Text ist jetzt
von H. J. POLOTSKY herausgegeben [30].

7. Eine Schrift, die mit Manis ›Lebendem Evangelium‹ in Zusammenhang zu stehen scheint, das aus der westlichen Überlieferung
wohlbekannt ist.

8. Eine noch überhaupt nicht bearbeitete Schrift unbekannten
Inhalts.

Es ist noch zu früh, sich über die Tragweite der neuen Texte zu
äußern. Aber so viel ist deutlich, daß wir jetzt endlich Originalurkunden des westlichen Manichäismus in die Hand bekommen

---

[30] Manichäische Homilien, in: Manichäische Handschriften der Sammlung A. Chester Beatty, Bd. I, Stuttgart 1934.

haben, so wie die Turfanfunde uns die des östlichen Manichäismus gaben. Von dem wenigen, was bisher aus dem Fajjūm-Funde ans Licht getreten ist, geht klar hervor, daß die beiden Lehrformen der Sache nach identisch sind. Alles spricht dafür, daß die westliche Darstellungsform, die unmittelbar an hellenistischen und christlichen Sprachgebrauch anschließt, im wesentlichen der von Mani selber angewandten entspricht, während die zoroastrisch-mythologische, die Mani im Schāpūrakān anwendet, offenbar die von ihm selber vorgenommene Anpassung seiner Lehre an die Vorstellungen der Iranier darstellt. Schaeders These von Manis ideengeschichtlicher Stellung und seiner Missionspraxis ist offensichtlich in glänzender Weise bestätigt worden.

Der Fajjūm-Fund hat bereits Klarheit über die Unstimmigkeit in der turkestanischen Überlieferung verbreiten können, von der oben die Rede war. Es zeigt sich jetzt, daß die östliche Überlieferung in ihrer Reinheit nur von den Texten in südwestiranischer Sprache vertreten wird: dies war die Reichssprache der Sassaniden, die Mani gebrauchte, als er sich mit dem Schāpūrakān an Schāpūr I. wendete. Die in nordwestiranischer Sprache abgefaßten Texte zeigen dagegen die nächste Verwandtschaft mit der westlichen Überlieferung, wenn sie auch dem Einfluß der rein östlichen nicht entgangen sind. Diese nordiranischen Texte müssen aus einer iranischen Gemeinde im nordwestlichen Iran, d. h. aus Manis unmittelbarer Nachbarschaft herrühren. Kolonisten derselben sind offensichtlich ostwärts gewandert und haben sich im Uigurenreiche niedergelassen. Der chinesische ist eine Abart des westlich orientierten Manichäismus. Hinzugefügt mag werden, daß der islamische Manichäismus deutlich auf westlichem Grund steht.

Über Manis Leben und Auftreten als Prophet enthalten die neuen Texte Angaben, die von den bisher bekannten stark abweichen und, wenn sie sich als richtig erweisen, eine gründliche Revision von Manis Geschichte mit sich führen müssen. Es scheint aus ihnen hervorzugehen, daß Mani nicht an Schāpūrs Krönungstag im Jahre 242 gepredigt hat. Folgendermaßen scheint es sich zu verhalten. Mani weilte zu diesem Zeitpunkt in Indien, wo er sich lange aufgehalten hat — Manis Beziehungen zu diesem Lande erweisen sich hier als viel stärker, als noch Schaeder 1927 zugeben wollte. Er wurde nun von Schāpūr I. heimgerufen, der ihn in seiner Hauptstadt aufnahm, ihn vor sich predigen ließ, ihm großes Wohlwollen erzeigte und ihn für längere Zeit in seiner unmittelbaren Umgebung behielt. Es sieht so aus, als hätte Mani während der ganzen Regierungszeit Schāpūrs einen starken Einfluß auf ihn behalten. Wenn dies richtig ist, so ist der Streit zwischen Mazdaismus und Manichäismus im Sassanidenreich von sehr viel tiefer gehender Natur gewesen, als man annahm. Es würde geradezu bedeuten, daß Schāpūr I. während seiner ganzen Regierungszeit zwischen den beiden Religionen schwankte und sogar für den manichäischen Rivalen Partei ergriff. Der Verlauf des Streites ist indessen noch ganz dunkel. Für die Erklärung, die ich hier gegeben habe, könnte es sprechen, daß, wie die neuen Texte an die Hand geben, Bahram I. Mani nicht zu Anfang, sondern gegen Ende seiner Regierung (276) hinrichten ließ. Auch er hat, wie man annehmen könnte, lange Zeit mit der Entscheidung gezaudert. Wieweit die Furcht vor dem gestürzten arsakidischen Herrscherhaus in diesem Falle eine Rolle gespielt hat, darüber sich zu äußern ist es zu früh. Mani gehörte mütterlicherseits diesem Geschlecht an, und ein arsakidischer Prinz tritt bei seinen Beziehungen zum sassanidischen Hof in undeutliche Erscheinung. Daß Manis religionspolitisches Streben jedenfalls von tief eingreifender Bedeutung für die Entwicklung des sassanidischen Mazdaismus war, scheint mir schon jetzt über jeden Zweifel gesichert.

II. GESAMTAUFFASSUNG

The Religion of the Manichees. By Francis Crawford Burkitt. (Donnellan Lectures for 1924.) Cambridge: Cambridge University Press 1925, pp. 97—104. Ins Deutsche übersetzt von Rüdiger Schmitt.

DIE AUFFASSUNG VON DEM BÖSEN PRINZIP IM MANICHÄISCHEN SYSTEM UND VON SEINER ÜBEREINSTIMMUNG MIT DEM CHRISTENTUM

Von FRANCIS CRAWFORD BURKITT

Niemand kann sich mit den manichäischen Fragmenten von Turkestan beschäftigen, ohne sich des buddhistischen Einflusses in vielen dieser Dokumente bewußt zu werden, und es kann kaum einem Zweifel unterliegen, daß buddhistische Vorstellungen, Mythologie und Literatur in starkem Maße Anteil hatten an der gesamten Kultur der manichäischen Gemeinden in jenem Teil der Welt. In den Sitzungsberichten der Preußischen Akademie der Wissenschaften von 1909 hat von Le Coq ein türkisches Fragment veröffentlicht (T II, D 173 e), das sogar erweist, daß die berühmte Legende von Barlaam und Joasaph, die in der ganzen christlichen Welt im Mittelalter so beliebt war, durch manichäische Vermittlung in den Westen gelangte oder vielmehr durch die Manichäer in die arabischsprechende Welt kam und so den Griechen in Westsyrien bekannt wurde [1]. Über dieses bedeutende Fragment sagt von Le Coq (p. 1204): „Ich möchte daher unser Blatt als einen Beweis dafür betrachten, daß auch der Buddhismus in dem synkretistischen Religionssystem des Mani (jedenfalls in diesen Gegenden) einen wichtigen Platz eingenommen hat." Obwohl von Le Coq sie in Klammern setzt, ändern diese vier Worte die Sache vollständig. Der Buddhismus war in Turkestan zu Hause, schon lange bevor die Manichäer dort Fuß faßten (von Le Coq, p. 1213), und wenn die neue Religion auch viele Anhänger gewonnen haben muß, wurde

---

[1] Die Verbindung mag kurz angedeutet werden durch den Hinweis darauf, daß *Bodhisattva* bei den Manichäern zu *Bodisav* und dieses *Bodisav* durch eine Verwechslung in arabischer Schrift zu *Yoasaf* wurde.

sie doch durch den Glauben beeinflußt, den sie für eine Zeit verdrängte, ebenso wie sie durch das katholische Christentum in Nordafrika und überhaupt im Westen beeinflußt wurde. Aber ich habe mich in diesen Vorlesungen besonders bemüht um die ursprüngliche Lehre Manis, um die Missionsreligion, die anderthalb Jahrhunderte lang unter anscheinend fast gleichen Bedingungen mit der Kirche des Römischen Reiches kämpfte. In dieser Religion sehe ich keine sichere Spur des Buddhismus als formendes Element. Buddha wird von Mani mit Hochachtung angeführt, so wie er Plato und Hermes Trismegistos erwähnt. Aber er wußte, glaube ich, sehr wenig über diese Denker außer ihren großen Namen.

Der buddhistische Einfluß in den Dokumenten aus Turkestan sollte uns nicht überraschen. Es war eine halb-buddhistische Gegend, und die rein buddhistischen Länder waren nicht weit. Die syrischen und noch mehr die griechischen Elemente müssen andererseits die Manichäer selbst eingeführt haben; mit anderen Worten, diese sind ein wesentlicher Bestandteil des babylonischen Manichäismus, des Manichäismus von Mani selbst. Unter den Umständen ihrer Überlieferung dürfen wir, denke ich, mit einigem Recht überrascht sein, daß diese syrischen und griechischen Elemente so stark sind: sie scheinen mir zu zeigen, daß der hlg. Ephraim recht hatte, wenn er die nicht-katholischen Bestandteile des syrischsprachigen Christentums, m. a. W.: Bardesanes und Markion, als die wirksamen Quellen von Manis Inspirierung ansah.

Was sollen wir nun, da wir am Ende unseres Überblicks angelangt sind, über die Religion der Manichäer als ganzes sagen? Warum nahm sie einen so erfolgreichen Lauf? Hat sie uns heute etwas zu sagen? Als Mani als Prophet seiner neuen Religion hervortrat, so müssen wir sicher zugeben, war in ihr viel, was die religiösen Neigungen der Menschen ansprach. Es ist etwas Natürliches zu wünschen, daß man ein Sohn des Lichts ist. Kinder schreien in der Finsternis, und „es ist etwas Angenehmes, die Sonne zu schauen", auch in dem heißen Mesopotamien. Überdies schien Mani seinen Anhängern erklärt zu haben, was die alten Religionen, die vor ihm dahingegangen waren, nur angedeutet hatten. Aber über diese Allgemeinheiten hinaus scheint mir die Weltanschauung, die

dem ganzen Gedankengebäude zugrunde liegt, selbst heute eine
gewisse Anziehungskraft zu haben, die durch die phantastischen,
uns fremden Ausschmückungen hindurch noch wahrzunehmen ist.
Die Religion Manis ist ein Versuch, die Gegenwart des Bösen in der
Welt, in der wir leben, zu erklären, und sie vereint praktischen
Pessimismus mit letztlichem Optimismus — vielleicht die günstigste
Atmosphäre für das religiöse Empfinden. Es ist wahr, daß die Manichäer die Welt, in der wir leben, für das Ergebnis eines bedauer-
lichen Zufalls hielten, so daß keine wirkliche Besserung möglich ist,
bis sie völlig vernichtet sein wird. Was diese Welt betrifft, sind sie
ausgesprochen pessimistisch: sie war schlecht zu Anfang, und sie
führt in immer größeres Elend. Aber sie glaubten, daß das Licht
wirklich größer und mächtiger ist als die Finsternis und daß am
Ende alles, was gut war in ihrem Sein, gesammelt würde in dem
Reich des Lichts, einem Reich, das ganz regiert wird durch Vernunft, Erkenntnis, Verstand, guten Gedanken und gute Absicht;
und obwohl zugleich immer ein anderes Reich existierte, dunkel und
beherrscht von der ungezügelten Begierde, würde es nur von Wesen
bevölkert sein, für die ein solches Land angemessen wäre, und diese
würden für immer davon ausgeschlossen sein, in das Reich des Lichts
einzutreten und so einen weiteren Schmutzfleck zu schaffen, wie
unsere gegenwärtige Welt wirklich einer ist nach manichäischer
Ansicht.

Die Welt ein Schmutzfleck: das ist Manis Ansicht, und es war
eine, die er mit Bardesanes gemein hatte. Er teilte mit ihm die Anschauungen vom Angriff der uranfänglichen Finsternis auf die
Lichtelemente; von der folgenden Vermischung, oder (wie ich sie zu
nennen wagte) dem Schmutzfleck; von der Kontrolle des Guten
Gottes über den erlittenen Schaden, und von einem Plan für die
mögliche Erlösung der Seelen aus der Macht der Finsternis. Der
Grundgedanke ist der, daß diese die beste aller möglichen Welten
ist — wenn man die Umstände abwägt und die Trümmer, aus
denen sie aufgebaut werden mußte. Ich habe dieser Vorlesung ein
Zitat aus einem geistreichen Werk eines sehr bekannten modernen
Geistlichen vorangestellt, der sich nicht mit dem Studium toter Re-
ligionen beschäftigt, sondern mit dem Leben von Männern und
Frauen unter den Verhältnissen der gegenwärtigen Industrialisie-

rung. Der Schluß, zu dem Kanonikus Peter Green gekommen ist, steht der Grundannahme der manichäischen Religion so nahe, daß wir mit gutem Grund fragen können, ob Mani und Bardesanes nicht in gewissem Sinn recht hatten mit ihrer Behauptung. Wer weiß?

Ich möchte aber nicht mit einer Frage schließen, auf die keiner von uns eine Antwort wissen kann, sondern lieber mit einem Hinweis auf den Einfluß des Manichäismus auf unsere traditionellen Ansichten über den Ursprung des Bösen. „Aus der ersten Ungehorsamkeit des Menschen und der Frucht von dem verbotenen Baum" — erfahren wir durch den hlg. Paulus; Adams Sündenfall und seine Wirkungen — besagte eine der ganzen Christenheit gemeinsame Lehre. Aber Adam war nicht der einzige große Übeltäter. Was sollen wir über Satan und seine Genossen sagen? Wann und warum fielen die Engel?

In den Antworten, die die alten christlichen Denker auf diese Frage gegeben haben, können wir drei Stufen unterscheiden. Zunächst ist da die Antwort, die in vorchristlichen Tagen durch das Henochbuch gegeben wurde, das uns erzählt, daß sich der Fall der Engel ereignete, als der Mensch sich auf Erden vermehrt hatte, und daß die Söhne Gottes die Töchter der Menschen sahen und daß sie schön waren, und daß sie all die zu Frauen nahmen, die sie wollten. So fielen die Engel durch ihre *Begierde,* viele Jahre nach Adams Ungehorsamkeit: diese Antwort gaben Justin der Märtyrer, Athenagoras, Clemens von Alexandrien und Tertullian [2]. Eine zweite Antwort besagt, daß Satan durch den *Neid* fiel, den Neid gegen den Menschen, das neue Geschöpf Gottes, und daß Satan so den Adam in Versuchung führte, Unrecht zu tun. Nach dieser Ansicht war deshalb der erste Anfang des Bösen nach der Erschaffung des Menschen, aber vor seinen Übertretungen: diese Antwort findet sich bei Irenaeus und Cyprian [3]. Die dritte Antwort sagt uns, daß Satan durch den *Hochmut* fiel, und das ist die Antwort, die gewöhn-

---

[2] Siehe Gen. 6, 1 ff.; Henoch 6 ff.; ferner Just., Apol. 2, 5; Athenag. 24; Clem. Alex., Paid. 2, 2 und Stromat. 3, 329; 5, 401; Tert., Cult. fem. 1, 2.

[3] Iren., Adv. haer. 4, 40, 3 und Epideixis 16; Cypr., Zel. 4.

lich gegeben wird. Sie findet sich allerdings nicht vor Eusebius, doch von Eusebius an ist sie allgemein üblich, z. B. bei Athanasius, bei Kyrill von Jerusalem, bei Gregor von Nazianz und Chrysostomus[4].

Der Autor, durch den diese Ansicht am meisten Geltung gewann, ist jedoch Augustinus. Er weiß in der Tat nicht, wie der Böse Wille entstand (Civit. Dei 12, 7) — wie konnte er auch? —, aber es scheint, als habe er alles andere gewußt. Es ist amüsant oder ergreifend, je nachdem wie wir es nehmen, Augustinus durch das elfte Buch des „Gottesstaates" zu folgen und zu sehen, wie er Schritt für Schritt nachweist, daß die Engel vor den Sternen erschaffen worden sein müssen (siehe Ijob 38, 7), nicht am dritten oder am zweiten Tag, sondern als Gott sagte „Es werde Licht!" (Civit. Dei 11, 9); und als er Licht und Finsternis voneinander schied, schied er auch die Guten von den Schlechten Engeln (11, 18. 33), denn Satan fiel mit einemmal, obwohl das Übel nicht unmittelbar ersichtlich war.

Nach dieser Ansicht also — in den Worten des heiligen Columban —

> Superbiendo ruerat   Lucifer quem formauerat,

und das Übel geschah durch den Hochmut, bevor der Mensch überhaupt erschaffen war. Nach Augustinus wurde demzufolge der Mensch in einem Universum geschaffen, in dem es schon zwei Mächte gab, Gott und Satan, und in dem ersten Kampf zwischen diesen beiden Prinzipien des Lichts und der Finsternis kam der erste Mensch zu Fall. Ist das nicht die manichäische Vorstellung? Ich wage die Vermutung, daß Augustinus noch mehr manichäische Gedanken mit sich herumtrug, als ihm bewußt war. Die darnach suchen, können noch die manichäischen Bilder in diesem elften Buch von Augustinus' großem Werk aufspüren. Augustinus wußte, daß Finsternis nichts anderes war als Fehlen von Licht, aber für all das verwendet er Worte mit merkwürdig manichäischem Klang, wenn er in 11, 33 die beiden Engelsgemeinschaften gegenüberstellt, die eine *ruhig* in ihrer *lichtvollen* Frömmigkeit, die andere *stürmisch*

---

[4] Euseb., Praep. ev. 7, 16; Athan., Virgin. 5; Cyr. Hier., Cat. 2, 3; Greg. Naz., Arc. 6.

mit ihren *finsteren* Begierden und aus dem unreinen Mund *qualmend* von ihrem eigenen Hochmut. Und indem er dies tat, band er die Vorstellungen von fünfzig nachfolgenden Generationen. Die gelehrte Konstruktion des Augustinus ging über in die dichterischen Vorstellungen des Avitus, des Columban und schließlich (mit einer charakteristischen Umkehrung) in die Miltons.

Es ist nicht nur eine Frage des Urmythos, es ist eine Verhaltenslehre, denn diese Ansicht über das menschliche Leben lehrte, daß der Mensch vom rechten Weg abkam und noch abkommt, weil er immer in einer dualistischen Welt lebte, einer Welt, in der Licht und Finsternis im Gegensatz zueinander standen, bevor der Mensch war, und die das Licht, obwohl stärker als die Finsternis, niemals in ihrer Gesamtheit ganz erleuchten wird. Ich wage die Vermutung, daß ein Hauptfaktor unter den Gründen, die zu der Ausbreitung dieser Ideen führten, die Lehre war, die am 20. März 242 in Babylonien begann und zu der sich für eine Zeit auch der hlg. Augustinus bekehrte.

Hans Heinrich Schaeder, Urform und Fortbildungen des manichäischen Systems. Mit Genehmigung von The Warburg Institute, London, entnommen aus: Vorträge der Bibliothek Warburg. IV. Vorträge 1924/25. Leipzig: B. G. Teubner 1927, S. 135—147. 150—157.

URFORM UND FORTBILDUNGEN
DES MANICHÄISCHEN SYSTEMS
(Auszüge)

Von Hans Heinrich Schaeder

[1.—9. . . .]

10. Die persische Form der Heilsbotschaft

Wir sahen bereits, daß Mani im Šāβuhraɣān an Stelle der ursprünglichen Begriffsnamen für seine Gottheiten persische Götternamen einführte. Dabei handelt es sich um eine, wenn man will, rein mechanische „Übersetzung" — wie wenn etwa ein Übersetzer des Neuen Testamentes ins Altdeutsche für Gott „Wodan", für Jesus Christus „Donar" eingesetzt, aber im übrigen den Text in keiner Weise umgemodelt hätte. Mani ging in dieser Form der Anpassung sehr weit, so daß es seinerzeit, als die Fragmente aus Zentralasien bekannt wurden, in der Tat so scheinen konnte, als hätte man jetzt einen Beleg dafür, daß er das ganze zoroastrische Pantheon „übernommen" hätte — wovon aber keine Rede sein kann.

Tiefer umgestaltend greift ein andres Stilmotiv, das uns in diesen Texten wie vorher schon im Fihrist begegnet, in die Darstellung der manichäischen Lehre für die Perser ein, wenn es auch ihren sachlichen Gehalt kaum betrifft. Wir finden nämlich im Fihrist, S. 333, 6, eine Angabe über die Gottheiten, an die Mani zu glauben befohlen habe; die Reihe dieser Gottheiten aber, die uns genau bezeichnet werden, weicht von der im Schöpfungsmythus, so wie wir ihn kennengelernt haben und wie ihn auch der Fihrist kennt, auftretenden Siebenzahl von Göttern völlig ab und läßt sich in keiner Weise mit ihr in Einklang bringen. Sie umfaßt nämlich eine *Vierheit* von göttlichen Wesen, die in ihrer Gesamtheit die Totalität der Gottheit ausdrücken und als solche „Gott *(allāh)* — sein Licht *(nūr)* — seine

Kraft *(qūwa)* — seine Weisheit *(ḥikma)"* heißen. *Gott,* so führt der
Text aus, ist der Herr der Lichtwelt, der Urgott, wie ihn der Schöpfungsmythus darstellt; sein *Licht* sind Sonne und Mond; seine *Kraft*
die fünf lichten Elemente Äther Wind Licht Wasser Feuer; seine
Weisheit die heilige Religion *(dīn muqaddas),* gewissermaßen die
unsichtbare Kirche, die zugleich die· irdische Kirche und, wie der
Fihrist näher ausführt, die fünffältige Hierarchie ihres Klerus in sich
schließt. Diese Aufzählung tritt nun an mehreren Stellen in den
zentralasiatischen Texten hervor, während sie der westländischen
Überlieferung bis auf eine flüchtige Andeutung ebenso fremd ist wie
den im Chinesischen Traktat (s. Schaeder, Urform S. 92 ff.) kompi-
lierten Stücken aus älteren manichäischen Lehrschriften. Eine besonders augenfällige Rolle spielt sie in dem früher erwähnten türkischen Beichtkatechismus, dessen Disposition sie bestimmt: seine ersten
vier Hauptstücke betreffen eben die Verfehlungen gegen diese Vierheit von Göttern, und im achten Hauptstück wird sie nochmals aufgeführt. Daß in diesem Text als vierte nicht die Religion selber, sondern nur ihre irdischen Repräsentanten, die Propheten und die
Electi, genannt werden, ist darin begründet, daß der Katechismus
für Laien bestimmt ist, denen die „Religion" nur durch den Dienst
an den Trägern der sichtbaren Kirche erreichbar ist.

Wir kennen bereits von diesen Gottheiten aus dem Schöpfungsmythus alle bis auf die personifizierte und vergöttlichte Religion.
Woher kommt es aber, daß gerade außer dem Urgott nur Sonne und
Mond und die fünf Lichtelemente in den Vordergrund gestellt werden und daß der *Genius* von Sonne und Mond, der Dritte Gesandte,
ebensowenig genannt wird wie der *Träger* der fünf Elemente, der
Urmensch? Wir dürfen so nicht fragen, sondern müssen untersuchen,
ob wir für das vierteilige Schema als *Ganzes* eine Erklärung finden.

Den Weg dazu weist uns die hier neu auftretende Gestalt, die vergöttlichte Religion. Denn diese Gestalt läßt sich seit sehr alter Zeit
durch die persische Religion verfolgen und hat in ihr ihre feste Stelle
2. Jahrhundert v. Chr. angehört, wird die offizielle Einführung der
als personifizierte „mazdayasnische Religion" (aw. *daēnā māzday-
asniš).* Ich nenne nur den berühmtesten Beleg: auf einer aramäischen
Inschrift von Arabsun in Kappadokien, die wahrscheinlich dem
persischen Religion als Hochzeit des Landgottes mit der als Göttin

personifizierten „mazdayasnischen Religion" (דין מזדיסנש) symbolisiert. Diese iranische Göttin ist es also, die in den erwähnten manichäischen Texten als eine der vier Hauptgottheiten bzw. der vier Aspekte der Gottheit überhaupt eingeführt wird, an die der Manichäer zu glauben hat. Ihre Einführung konnte derart vollzogen werden, daß sie mit einer der beiden im manichäischen Mythus auftretenden Gottheiten, der Mutter der Lebenden oder der Lichtjungfrau, gleichgesetzt wurde. Wenn nun eine von den vier Gottheiten als iranisch erkannt ist, so ist für die andern, vor allem aber für das vierfältige Ganze, das sie zusammen ausmachen, das gleiche zu erwarten.

Den entscheidenden Fingerzeig gibt uns der Umstand, daß in dem türkischen Beichtkatechismus und in dem Fragment M 324 der an erster Stelle unter den vieren stehende Urgott den auch sonst in den zentralasiatischen Fragmenten häufig und immer im gleichen Sinne vorkommenden Namen des alten iranischen Urgottes Zurvān (Äzrua) führt. Danach präzisiert sich uns die Frage: Können wir irgendwo in der älteren iranischen Religionsgeschichte die Vorstellung nachweisen, daß Zurvān bzw. der höchste Gott als vielfältiger Gott aufgefaßt wurde? Die Antwort darauf gibt zunächst das berühmte Denkmal des Antiochos I. von Kommagene auf dem Nemrud Dagh. Die Götter, deren Bilder der König aufgestellt hat, sind 1. Zeus Oromasdes, 2. Apollon Mithras Helios Hermes, 3. Artagnes Herakles Ares, 4. „mein Vaterland, die allnährende Kommagene". In der zweiten Reihe haben R. Reitzenstein und H. Junker den vierfältigen Aion erkennen wollen. Das hat H. Gressmann mit Recht abgelehnt — aber es zeigt sich, daß diese Deutung richtig wird, sobald man sie nicht auf die zweite Reihe für sich bezieht, sondern auf das Ganze! Daß die vier Gottheiten eine Ganzheit darstellen sollen, müßten wir annehmen, selbst wenn nicht Antiochos zweimal ausdrücklich wiederholte, daß ihm, wie bisher in seiner Herrschaft, so jetzt bei der Errichtung des Denkmals, an einer Ehrung *aller* Götter gelegen ist. Und welches ist nun der Gedanke, der dieser viergliedrigen Ganzheit zugrunde liegt? Offenbar vertreten die vier Götter die *eine* Allgottheit nach ihren sich differenzierenden Erscheinungs- bzw. Wirkensformen. Und nun: läßt sich eine sinnvollere Deutung der Vierheit finden als die, daß man in Zeus-Ahura-Mazdāh die *Gött-*

lichkeit des Allgottes, in Apollon-Miθra-Helios-Hermes sein *Licht*, in Vərəθraγna-Herakles-Ares seine *Kraft* und in der Kommagene, die natürlich nicht einfach die Landesgöttin, sondern die vergöttlichte Landesreligion, die personifizierte Religionsgemeinschaft darstellt, seine *Weisheit* ausgedrückt findet? So zeigt es sich, daß das iranisch-griechische Pantheon des Denkmals auf einem iranischen Theologoumenon beruht, dessen *Sinn* Mani uns aufklärt, indem er die zugrunde liegenden Begriffe mitteilt. Die vierteilige Götterreihe, die er, wie wir zu beweisen im Begriffe stehn, dann anwandte, wenn er zu Persern redete, stammt also aus einer iranischen Spekulation, die — was vor allem wichtig ist — im *Gedanken* konstant, in der *Ausgestaltung* jeweils variierbar ist. Die Götter*gestalten* des Denkmals von Kommagene weichen von denen, die Mani aufzählt, sehr weit ab, aber der *Sinn*, den sie repräsentieren, ist der gleiche.

Trifft dies nun zu, so ergibt sich für die Erklärung des Denkmals noch ein wichtiges Moment: die vier Gottheiten bedeuten die gewissermaßen sinnenfällige Repräsentation des *einen* Allgottes, der über und hinter ihnen steht. Dieser Allgott muß der Aion, der iranische Zurvān, sein. Und daß dies so ist, folgt daraus, daß Zurvān in der Inschrift weiterhin ausdrücklich genannt wird. Antiochos spricht in Z. 112 von dem „heiligen Gesetz", ὃν θέμις ἀνθρώπων γενεαῖς ἁπάντων, οὓς ἂν Χρόνος Ἄπειρος [Dittenberger schreibt χρόνος ἄπειρος] εἰς διαδοχὴν χώρας ταύτης ἰδίᾳ βίου μοίρᾳ καταστήσῃ, τηρεῖν ἄσυλον κτλ. Χρόνος Ἄπειρος ist als *Name* zu verstehn: es ist die Übersetzung von *Zrvan akarana* (mittelpersisch *Zurvān akanāray*), hier nennt also Antiochos als den Gott, der im Wandel der Zeiten und Generationen herrscht, den alten iranischen Urgott, der selber die Ordnung der Zeit ist. Er bleibt selber unsichtbar, aber manifestiert sich in den andern Göttern. Daraus folgt nun die bedeutsame Tatsache, daß der in der Göttervierheit des Denkmals an erster Stelle stehende Zeus-Oromasdes *nicht den höchsten Gott selber bedeutet*, sondern die erste Repräsentation der Göttlichkeit des sich vierfältig offenbarenden Urgottes Chronos-Zurvān: so wie Zeus der „Sohn" des Chronos, so ist ja, was Zarathustra selber in Yasna 30, 3 als bekannte Tatsache *voraussetzt*, Ahura Mazdāh der „Sohn" bzw. einer der beiden „Zwillinge" des Zurvān. Nun beachte man, wie genau hiermit die Auffassung übereinstimmt, die sich in den manichäischen Aufzählungen der Göttervierheit (s. Schaeder, Urform S. 136, A. 1) ausdrückt, und wie sich eine in ihnen zu beobachtende Schwankung nunmehr erklärt. In den Fragmenten M 31, M 176 und T II D 169 finden wir die *ursprüngliche* Reihe: Gott — Licht — Kraft — Weisheit, d. h. hier wird an erster Stelle nicht eine individuelle Gottheit genannt, sondern eine Eigenschaft Gottes: sein Gott-Sein. Erst sekundär tritt, wie M 324 zeigt, *neben* das Appellativ „Gott" noch der Name Zurvān, und in weiterer Entwicklung, wie sie der Beichtkatechismus vertritt, übernimmt der individuelle Gott Zurvān ganz die erste Stelle der Tetrade, die vorher ein abstrakter Begriff einnahm. Ebenso wird im Fihr. Für „Gott" umschreibend der *Name* des Urgottes: „König der Lichtparadiese" eingesetzt. Warum, so kann man fragen, trat nun in den soeben zitierten Fragmenten der Name des Urgottes selber ein und nicht, wie bei Antiochos, der des Ōhrmazd? Die Antwort ist leicht zu geben: weil Mani den Namen des Ōhrmazd bereits für eine andre Gestalt seines Mythus, nämlich für den Urmenschen reserviert hatte, so wie den des Mithras (Mihr) für den Lebendigen Geist, den des Srōš für den Gesandten. Der Urmensch aber war in der Viererreihe bereits durch die „Kraft" Gottes vertreten, d. h. durch die fünf Lichtelemente, deren Träger er ist. Also konnte er nicht auch für das erste Glied der Tetrade eintreten.

Suchen wir nach weitern Belegen für den viergestaltigen iranischen Urgott, so treffen wir auf die Zeugnisse der syrisch-christlichen Literatur, in der bisher dreimal — einmal in den Märtyrerakten des Āδurfrāzgerd und der Anāhēδ, die sich auf Ereignisse des Jahres 446 beziehen, im Zusammenhang einer polemischen Auseinandersetzung mit der persischen Religion (die, wie ich glaube, aus einer verlorenen Schrift des Theodor von Mopsuestia exzerpiert ist), das andre Mal bei dem mehrfach erwähnten Theodor bar Kōnai (um 800), drittens in einem Gedicht des ᶜAβdīšōᶜ, nestorianischen Metropoliten von Nisibis († 1318) — Erwähnungen des Gottes Zurvān zusammen mit drei Partnern gefunden sind, welche letzteren mit bisher unerklärten persischen Appellativen benannt sind. Diese drei Zitate ergeben zwar schlechterdings nichts für das Wesen der drei neben Zurvān genannten Gottheiten und erklären auch die Namen nicht, sichern

aber durch ihre übereinstimmende Schreibung deren Lautform. Eine
Erklärung der drei Namen — daß sie persisch sind, steht fest — läßt
sich mit voller Sicherheit so lange nicht geben, als sie nicht in der
parsischen Originalliteratur aufgetaucht sind. Daß aber ihr *Sinn*
derselbe sein muß wie in den bisher besprochenen Tetraden, liegt
auf der Hand, und das ermutigt mich, die folgende Erklärung vor-
zuschlagen. Daß die Namen אשוקר, פרשוקר und זרוקר ursprünglich
keine Eigennamen, sondern Appellativa sind, leuchtet ebenso ein,
wie daß sie gleicher Bildung, und zwar Komposita sind, als deren
zweites Glied man das bekannte Kompositionselement air.-*kara*
(-kāra), mp.-*kar (-kār),* np. -*gar (-gār)* „machend" erkennt. Über
die Quantität des Vokals gibt die syrische Schrift keinen Aufschluß.
Nun ist, um von dem zweiten der drei Namen auszugehn, aus dem
Awesta *frašōkara* als Eigenname und als Beiname des Vərəθraγna
bekannt, und die Bedeutung des Wortes ist gesichert durch seine Verwandtschaft mit einem Standardbegriff der zoroastrischen Dogmatik,
fraš°kərəti (in den Turfanfragmenten *frašegerd*), den man am besten
mit „Verklärung" übersetzt (andre: „Neugestaltung", „Tauglich-
machung"): er meint die von dem endzeitlichen Heiland Saošyant
herbeizuführende Erneuerung der Welt. H. Lommel, der für *fraša*
die Bedeutung „wunderbar" erwiesen hat, geht von Yašt 19, 10/11
aus, wo das Wort zwischen zwei Adjektiven steht, deren erstes
„wundervoll" und deren letztes „strahlend" bedeutet. Dieser Umstand, zusammen mit der Tatsache, daß für das iranische Denken
alles Positive in der Welt in direkter Beziehung zum Licht steht und
durch das Licht symbolisiert wird, und daß vollends die endzeitliche
Welterneuerung geradezu eine Lichtwerdung des Universums ist,
legt die Vermutung nahe, daß in der vorliegenden Tetrade *frašōkar*
„wunderbar machend, verklärend" eine Funktion Gottes bedeutet,
und zwar dieselbe, die in der bei Mani erhaltenen Tetrade Gottes
„Licht" heißt und bei Antiochos I. durch die vier Lichtgötter repräsentiert wird. Und von hier aus kann man weitergehn: *ašōkar* weist
auf ein im Awesta nicht belegtes, aber der Bildung nach typisch
awestisches **ašōkara* „die hl. Wahrheit bereitend" hin und könnte
sehr wohl Gottes Wirken ausdrücken, insofern dieses „Weisheit"
(bzw. Güte) bekundet; dann bleibt für *zarōkar,* oder wie sonst zu
lesen, die Beziehung auf die göttliche „Kraft", die natürlich sofort

an mp. np. *zōr* „Kraft" denken läßt. Aber die Annahme einer Beziehung der beiden Worte stößt auf lautliche Schwierigkeiten. Das awestische Analogon zu *frašōkara* und **ašōkara* würde **zāvarəkara*, nicht **zarōkara* heißen. Wenn man aber in Betracht zieht, daß mp. np. *zōr* nicht auf altiran. *zāvar*, sondern **zavar* zurückgeht, so verringert sich die Schwierigkeit ein wenig. Ich möchte glauben, daß *zarōkar* eine Analogiebildung zu *frašōkar* und *ašōkar* darstellt, und daß dadurch die anomale Wortform sich erklärt. Die Bedeutung wäre dann „Kraft bereitend". Das sind natürlich unbewiesene Vermutungen, denen man aber ein genügendes Maß innerer Wahrscheinlichkeit nicht absprechen wird. Sicher steht jedenfalls das fest, daß die drei in der syrischen Tetrade neben Zurvān genannten Mächte nicht individuelle Gottheiten bedeuten, wie die Götter des Antiochos, sondern Manifestationen des *einen* göttlichen Wesens. Insofern entsprechen sie genau der Dreiheit Licht — Kraft — Weisheit (Güte). An erster Stelle ist anstatt der „Göttlichkeit" der Name Zurvāns selber eingetreten; den parallelen Vorgang in den manichäischen Zeugnissen lernten wir bereits kennen.

In den Schriften der orthodoxen Parsen dürfen wir freilich nach keinen Belegen für diese Anschauung suchen. Wohl finden wir aber hier eine interessante Parallele, wenn nämlich im Anfang des parsischen Buches von der Weltschöpfung, dem Bundahišn, eine ganz ähnliche Viergestaltigkeit des von der Orthodoxie allein anerkannten höchsten Gottes, Ohrmazd, zutage tritt. Ich muß die Stelle hier wörtlich mitteilen: *čiyōn az dēn i mazdēsnān āngōn [an dn; l. an a = ēn?] payδāy ku ōhrmazd bārist pa harvisp-āgāhīh u vēhīh andar rōšnīh ahamkay* [? vgl. West z. St.] *būδ. ān rōšnīh gāh u vyāy i ōhrmazd ast kē asar-rōšn gōβēnd, u harvisp-āgāhīh (u) vēhīh (i) ahamkay ōhrmazd ast kē gōβēnd dēn.* „Wie aus der hl. Schrift der Mazdayasnier so (? dies ?) offenbar ist, daß Ōhrmazd der höchste an Allwissenheit und Güte im Lichte ohne Rivalen (?) war. Jenes Licht, Thron und Ort Ōhrmazds, nennen einige ‚unendliches Licht', und die Allwissenheit und Güte des rivalenlosen (?) Ōhrmazd nennen einige ‚Religion'." Wir beobachten hier die leider nur dürftigen Reste einer theologischen Spekulation, die offenbar in unsern Zusammenhang gehört. Von Gott (Ōhrmazd) werden sein Licht, seine Allwissenheit (wörtlicher: Allkundigkeit) und seine Güte unter-

schieden. Aus einer andern Tradition werden die Gleichungen:
Licht = unendliches Licht, Allwissenheit und Güte = Religion mitgeteilt. Uns interessiert hier nur die erstere Auffassung. Die Reihe
Gott — Licht — Allwissenheit — Güte kommt der bisher erörter-
ten: Gott — Licht — Kraft — Weisheit (Güte) sehr nahe. Besonders
zu bemerken ist, daß wir hier in orthodox-parsischer Überlieferung
an vierter Stelle eben den Begriff der „Güte" finden, der auch in den
Fragmenten M 31 und M 324 (s. Schaeder, Urform S. 136. A. 1). —
gegenüber „Einsicht" in M 176 und T II D 169 — erscheint, so daß
es zweifelhaft wird, ob F. W. K. Müller hier mit Recht wegen der
Parallelen „Weisheit" substituiert hat. Vielmehr liegt offenbar eine
Variante vor. Im türkischen Beichtkatechismus und im Fihrist, die
den Sachverhalt am konkretesten zum Ausdruck bringen, heißen
die beiden letzten Begriffe jedenfalls „Kraft" und „Weisheit". Und
der Grund dafür, daß die Manichäer diese beiden Termini bevorzugen, ist noch klar zu erkennen: es sind paulinische Begriffe.
Paulus bezeichnet an einer berühmten Stelle Christus als „Gottes
Kraft und Gottes Weisheit" (1. Kor. 1, 24). Daß gerade diese Stelle
den Manichäern wichtig war, werden wir noch sehn.

Nachdem nun die Tetrade als solche und von ihren vier Gliedern
das erste und vierte: Zurvān und die vergöttlichte Religion, historisch erklärt sind, ist der Beweis erbracht, daß die Einführung des
viergestaltigen Urgottes in die manichäische Dogmatik — noch im
9. Jahrhundert heißt er in der griechischen Abschwörungsformel,
die im byzantinischen Reiche den manichäischen Konvertiten vorgelegt wurde, der „vierfältige Vater der Größe" — ein Zugeständnis an die persische Religion war, genauer: an die *Zurvāntheologie,*
für deren Wesen und Geschichte wir nunmehr eine Reihe von neuen
Anhaltspunkten gewonnen haben. Als ihren Grundgedanken haben
wir die Lehre von dem sich viergestaltig manifestierenden Urgott
festgestellt. Außerdem aber haben wir zwei neue Datierungen für
sie. Wir fanden sie in der Inschrift des Antiochos von Kommagene
bezeugt und stellen jetzt das Wichtigere fest, daß die Zurvāntheologie diejenige Form der iranischen Religion war, zu der Mani
in Beziehung trat. Zwar finden wir in den mit Sicherheit auf ihn
zurückzuführenden Texten Zurvān zufällig nicht erwähnt. Aber
daß er, wenn er persisch schrieb, den Urgott selber Zurvān nannte —

so, wie es später seine zentralasiatischen Missionare fortsetzten —, können wir mit völliger Sicherheit aus den authentischen Belegen dafür erschließen, daß er den Namen des höchsten Gottes der parsischen Orthodoxie, Ōhrmazd, nicht auf den Urgott, sondern auf dessen „Sohn", den Urmenschen, anwandte. Und daraus, daß er im Šāβuhraγān, d. h. in einer dem sasanidischen Großkönig gewidmeten Schrift sich der Terminologie der Zurvāntheologie anpaßte, ergibt sich weiter, daß diese zur Zeit seines Auftretens, also in der ersten Hälfte des dritten Jahrhunderts, im sassanidischen Reich offiziell anerkannt war.

Wir haben noch zu fragen, wie sich aus der iranischen Religion die Einführung der beiden noch nicht erklärten Glieder der Vierheit: Sonne-Mond und Lichtelemente verstehn läßt. Darüber können wir hier kurz hinweggehn. Die Verehrung von Sonne und Mond ist seit Herodot (I 131) und seit dem 6. und 7. Yast, die diesen beiden Gottheiten gewidmet sind, für die iranische Religion so reichhaltig bezeugt, daß es keiner weitern Nachweise bedarf. Daß Sonne und Mond auch in der Zurvāntheologie einen besonderen Platz hatten, zeigt die Polemik des armenischen Apologeten Eznik (II, 8, 9), die wohl auf Theodor von Mopsuestia zurückgeht und speziell die Zurvāntheologie berücksichtigt. Er berichtet eine Legende, nach der Sonnne und Mond von Ōhrmazd durch Mutter- und Schwesterehe (*xvēδvaγdas*) erzeugt wären. Für Mani waren die beiden Gestirne, wie wir gesehn haben, die wichtigsten kosmischen Träger des Lichtbefreiungswerkes, aber er lehnte es — wie ein von Bērūnī erhaltenes Originalzitat zeigt — ausdrücklich ab, sie als *selbständige* Götter zu verehren. — Was endlich die fünf Lichtelemente angeht, so entsprechen ihnen in dem System der Zurvāntheologie die Reihe der fünf Amahraspands (Aməšaspəntas), die aber hier nicht dieselbe Bedeutung haben wie bei Zarathustra, also nicht personhaft geistige Partner Ōhrmazds sind, sondern, wie anderswo bewiesen, selber auch die Elemente bedeuten. Den Elementenkanon der Zurvāntheologie, der von dem, wie wir sahen, von Mani über Bardesanes rezipierten *hellenistischen* Kanon scharf unterschieden werden muß, möchte ich jetzt, über das Stud. S. 280 A. 1 Gesagte hinausgehend, folgendermaßen rekonstruieren. In den soghdischen Fragmenten M 14 und M 133 (Müller, Handschriftenreste II S. 98 f.) werden die drei Elemente Wind, Wasser, Feuer mit den gewöhnlichen Vokabeln *vāδ, āβ, āδar* bezeichnet, aber die dem manichäischen System eigentümlichen Elemente: Licht (statt Erde, s. Schaeder, Urform S. 125) und Äther, in ganz andrer Weise: für „Licht" tritt der Name des zoroastrischen Genius des Feuers, des Amahraspand Ardvahišt ein, für „Äther" der aus dem Awesta bekannte Terminus „gerechte Fravahrs" (= Fravahrs, oder Fravašis, d. h. „transzendente Formen" [Junker] der Gerechten). Hieraus folgt nun eins mit Sicherheit: der Elementenkanon der Zurvāntheologie, mit dem der manichäische kombiniert wurde, kannte das Element „Licht" nicht; darum war für dieses kein unmittelbar passendes begriffliches Äquivalent vorhanden, so daß Mani statt dessen den Namen des Feuergenius einführen mußte. Und welches Element stand nun in der iranischen Theologie an der Stelle, die bei Mani vom „Licht" eingenommen wurde? Die Antwort kann nicht zweifelhaft sein: es kann sich nur um eben das Element handeln, das Mani durch das „Licht" *ersetzte*, also das Element Erde. Wir erhalten also zunächst die Reihe der kosmischen Elemente: Wind Erde Wasser Feuer — und finden nun ebendiese Tetrade in dem einzigen bis auf die Gegenwart erhaltenen Originaltext der Zurvāntheologie, dem Parsentraktat ᶜUlamā i Islām, als die vier Elemente des Menschen aufgezählt, neben die als Inbegriff seiner geistigen Kräfte — es werden dreie aufgezählt — sein Fravahr tritt. Damit ist auch das fünfte Glied der Aufzählungen in M 14 und M 133, die „gerechten Fravahrs", erklärt und als der Zurvāntheologie angehörig erkannt.

Wir übersehn nun, in welcher Weise Mani seine Lehre der iranischen Theologie anpaßte: indem er, ohne den Inhalt seiner eigenen Doktrin anzutasten, sozusagen eine Umgruppierung seiner Götterreihe vornahm, derart, daß die der Zurvāntheologie am meisten entsprechenden göttlichen Wesen in die erste Reihe traten und mit iranischen, der Zurvāntheologie entnommenen Begriffen etikettiert wurden. Wenn auch diese Umformung der manichäischen Dogmatik, oder vielmehr nur: der dogmatischen Terminologie, in den 500 und mehr Jahren, die zwischen Mani und der Abfassung der weitaus meisten Urkunden aus Zentralasien liegen, in Kleinigkeiten der Entwicklung unterworfen gewesen ist, so steht es doch, wie wir gesehn haben, ganz fest, daß sie von Mani selber in Angriff genommen und durchgeführt worden ist. Vor allem aber ist jetzt klar, daß die zurvānistischen und überhaupt die iranischen Elemente in den manichäischen Schriften, wie sie besonders in den Turfanfragmenten hervortreten, *nicht* — wie man bisher annahm — auf „Entlehnung" beruhen, also auch *nichts* für die Frage hergeben, wieweit Mani von der älteren iranischen Religion „beeinflußt" war. Dies alles beruht vielmehr auf bewußter und planmäßiger *Umstilisierung* des in seinem Lehrgehalt feststehenden und durch diese Umformung nicht angetasteten manichäischen Systems, in Anpassung an iranische Theologie.

Dieser Anpassung an die iranische Religion, deren positive Beweggründe wir vorhin festzustellen versucht haben — es ist so billig wie verkehrt, in solchen Annäherungen nur Kompromisse aus Zweckmäßigkeitsgründen zu erblicken —, steht nun — und eben das zeigt, daß die Anpassung eine rein formale ist — eine entschiedene Ablehnung einzelner iranischer Lehren gegenüber, die uns der türkische Beichtkatechismus kennen lehrt (bes. I C und II C). Die Ideen der Zurvāntheologie, daß der Urgott sowohl das Licht als auch die Finsternis hervorgebracht habe, daß er das Gute *und* das Böse, Ōhrmazd *und* Ahriman geschaffen habe, das Leben *und* den Tod verleihe, daß er vollends die Götter „gebildet" habe — so wie der sichtbare Kosmos gebildet wurde —, endlich daß Ōhrmazd und Ahriman Brüder seien, mußten allerdings dem gläubigen Manichäer als die ungeheuerlichsten Irrlehren erscheinen. Als nicht minder lästerlich empfand er den Zweifel an der ewigen und göttlichen Natur von Sonne und Mond und an ihrem Geschaffensein vor der Welt und dem Menschen. Gegen all diese Irrlehren kämpft der Beichtkatechismus.

[. . .]

11. Die christliche Form der Heilsbotschaft

Nach der Scheidung zwischen der Urform und der *persischen* Fortbildung der manichäischen Lehre, die sich relativ leicht durchführen läßt, haben wir nun eine feste Grundlage, von der aus wir die schwierigere Frage in Angriff nehmen können, wie sich einerseits

Mani zum Christentum und anderseits der christianisierende Manichäismus, vertreten durch den auf seine vom 19. bis zum 28. Lebensjahre reichende manichäische Periode zurückblickenden Augustin und seine Gegner Adimantus, Felix, Fortunatus und Faustus von Mileve, zum ursprünglichen Manichäismus verhält. Diese Frage ist schwieriger einmal wegen der Fülle des hierfür heranzuziehenden Materials, anderseits, weil Manis Stellungnahme zu Jesus, zu seinem Evangelium, zu Paulus und zur frühchristlichen Literatur überhaupt außerordentlich viel tiefer, persönlicher und darum komplizierter ist als etwa seine Beziehung zur iranischen Theologie. Es kann sich wiederum nur darum handeln, die Grundlinien zu ziehen — was mit einigen wenigen festen Strichen möglich ist — und sie mit ein paar besonders illustrativen Einzelheiten zu erläutern.

Zunächst und vor allem steht es fest, daß man nicht von mehr oder minder zufälligen christlichen Reminiszenzen in Manis ursprünglichem Systementwurf reden darf, die für den Aufbau seines Systems keinerlei wesentliche Bedeutung gehabt hätten. Vielmehr ist zu allererst festzustellen, daß Mani — ganz zu schweigen von den zahlreichen Fällen bedeutsamer symbolischer Verwendung von neutestamentlichen Worten und Wendungen — als wesentlichen und nicht wegzudenkenden Bestandteil seines Systems in dessen ursprünglicher Anlage eine *positive Christologie* von eigentümlicher Schönheit und Tiefe hat. Diese Christologie läßt sich aus Theodor bar Kōnai, in Verbindung mit der vorhin gefundenen Tatsache, daß Mani in Christus den Nous sah, klar und einheitlich ablesen und ist in besondrer Knappheit und Präzision in den griechischen Anathematismen zusammengefaßt. Sie entfernt sich allerdings vollkommen und grundsätzlich von den katholischen Glaubensansichten über Jesus Christus, insbesondre über das Verhältnis des Gottes Christus zu dem historischen Menschen Jesus. Mani leugnet nämlich jede Beziehung zwischen dem rein göttlichen „glänzenden Jesus" und dem von den Juden gekreuzigten Judenmessias, welchen letztern er vielmehr für einen Teufel ansah. Der wirkliche Jesus ist ihm der im Weltanfang zu Adam niedergestiegene Bote, der Vertreter des Dritten Gesandten. Als diesen sieht er ihn, wenn er sich, nach dem Vorbilde des Paulus, in der Überschrift seiner Episteln als Apostel

Jesu Christi bezeichnet, und wenn er sich den von Jesus verheißenen Parakleten nennt. Als solcher ist ihm Jesus Geist, doch steht seiner geistigen Christusnatur — wir erwähnten das noch nicht — eine quasi-materielle Natur gegenüber: das sind die in der materiellen Welt zerstreuten und gequälten Lichtelemente. Wir lernten diese bisher nur als Attribute des Urmenschen, als seine „Söhne" oder seine Rüstung kennen, und finden sie nun als Natur Jesu wieder. Diese Übertragung darf uns nicht verwundern: Jesus ist ja nach seinen eignen Worten der „Sohn des Menschen"! Man wird diese Art des sinnreichen Kombinierens, wie sie der manichäische Mythus in immer neuen Formen zeigt, nicht spielerisch nennen dürfen. Man muß vielmehr darauf achten, welche Mühe Mani sich gab, und wie ernst es ihm damit war, ältere religiöse Traditionen, die seinem von der griechischen Wissenschaft erweckten Denken in der Form, wie sie ihm zugänglich wurden, als „mirakulöse Anekdoten" erscheinen mußten, durch Einordnung in einen sinngebenden Zusammenhang ihrer Banalität und Abgeschmacktheit zu entledigen und dafür ihren unvergänglichen Gehalt zu sichern. Kein Zweifel: Mani gehörte allerdings zu den „Griechen", denen das Evangelium von dem aus der Jungfrau geborenen, von den Juden gekreuzigten und am dritten Tage auferstandenen Jesus eine „Torheit" war. Aber die Idee des „leidenden Jesus" (Jesus patibilis) war ihm keine Torheit. Wir werden sogleich die Worte hören, in denen er ihren ewigen Sinn aussprach. Wenn er die Gestalt Jesu in seinen Schöpfungsmythus einreihte, so lag ihm nicht an ihrer Verflüchtigung und spiritualisierenden Auflösung in einen mystischen Nebel, vielmehr an dem Gegenteil: an der möglichst reinen und deutlichen Darstellung der ewigen *menschlichen* Bedeutung Jesu, wie er sie aus Überlieferungen herausgelesen hatte, die ihm als verzerrende Fabeln erscheinen mußten und denen er sein „Lebendes Evangelium" gegenüberstellte. Allerdings war ihm der Weg bereits durch die Christologie Marcions bereitet. Aber nicht darauf kommt es hier an, sondern wir haben zu fragen, wie er selber die Erscheinung Jesu verstand und aussprach. Freilich war er dabei an die einmal gewählte, und mit innererer Notwendigkeit gewählte, Form des Mythus gebunden. Das darf uns nicht hindern, zu erkennen: so fern er uns durch diese *Darstellungsform* seiner Christuserfahrung rückt, so merkwürdig nahe ist er uns in seiner Tendenz, unbekümmert um alle überkommene Christusdogmatik seine eigne, selbsterarbeitete und *ins Menschliche übersetzte* Christuserfahrung in seiner Sprache auszusprechen. Und was ist es hierin, das ihn uns nahebringt, wenn nicht der Hauch griechischen, das heißt: reinen menschlichen Denkens, der ihn berührt hat!

Theodor bar Kōnai hat uns — und das ist das Korstbarste, was wir in seinem Exzerpt finden — die Worte erhalten, mit denen Mani das Zeugnis umschreibt, das Jesus dem Adam über sein eignes Wesen gibt: „Der lichte Jesus näherte sich dem unwissenden Adam; er erweckte ihn aus dem Schlafe des Todes, damit er von vielen Geistern befreit würde. Und wie ein Mensch, der gerecht ist und einen Menschen von einem furchtbaren Dämon besessen findet und ihn durch seine Kunst besänftigt — dem glich auch Adam, als ihn jener Freund in tiefen Schlaf versenkt fand, ihn erweckte, ihn sich rühren ließ, ihn aufrüttelte, von ihm den verführenden Dämon vertrieb und die mächtige Archontin abseits von ihm gefangensetzte. Da erforschte Adam sich selber und erkannte, wer er sei. Er (Jesus) zeigte ihm die Väter der Höhe und sein eignes Selbst, hineingeworfen in alles, vor die Zähne der Panther und die Zähne der Elefanten, verschlungen von den Verschlingern, verzehrt von den Verzehrern, gefressen von den Hunden, vermischt und gefesselt in allem, was ist, gefangen in dem Gestank der Finsternis." Die leidenschaftliche Klage, die Adam darauf erhebt, bezeugt nicht minder deutlich als diese wenigen Worte, wie tief Mani von dem Gedanken an die „in die Welt gekreuzigte", allen Qualen und Schändungen preisgegebene Lichtnatur Jesu erschüttert war, wie tief er das Leiden der Welt als das Leiden Jesu empfand. Damit vergleicht es sich, wenn Faustus von Mileve Jesus den „an jedem Holze Hängenden" nennt — immer und an jedem Holz in der Welt, nicht nur einmal und an dem Holz des Kreuzes.

Was ist es, was dies Jesusbild vor allem auszeichnet? Jesus hat für Mani eine doppelte Bedeutung: seiner geistigen Christusnatur nach ist er ihm der *Lehrer* κατ' ἐξοχήν, als „leidender Jesus" ist er ihm das unvergängliche Symbol der in die finstere Welt gekreuzigten Weltseele. Durch beide Betrachtungen ist — mag das auch im ersten Augenblick paradox klingen — das für die katholische

Christologie charakteristische *magische* Element aus dem Jesusbild reinlich ausgeschieden. Jesus gewinnt für Mani Bedeutung nicht durch die magischen Vorgänge der menschlichen Geburt, des menschlichen Leidens und Sterbens des Gottessohnes, mit dem sich seine Gläubigen nach seiner Auferstehung doch noch substantiell durch den magischen Akt des Sakramentes zu verbinden vermögen. Er ist ihm keine geschichtliche Person, sondern eine übergeschichtliche und überpersönliche Wirklichkeit des Geistes und der Natur, ja geradezu der Geist und die Natur selber. Damit ist die Gestalt Jesu der Dogmenbildung wenigstens grundsätzlich entzogen, *aber keineswegs der religiösen Betrachtung.* Denn in der Betrachtung seines Wesens konzentriert sich geradezu jener Glaube an einen einheitlichen Sinn der Welt, an seine Begreifbarkeit im Denken und an die aus diesem Denken zu gewinnende geistige und sittliche Freiheit — jener Glaube, den wir vorhin als die eigentliche religiöse Wurzel von Manis System erkannt haben.

Das Wort des Faustus von dem „an jedem Holz hängenden" Jesus zeigt uns zugleich — wie schon das Gleichnis von der „in die Welt gekreuzigten" Seele bei Alexander von Lykopolis, s. Schaeder, Urform S. 108 —, welche Seite an der Christologie Manis besonders hervorgehoben werden konnte und mußte, wenn seine Lehre an christliche Hörer herangebracht wurde: eben der tiefe symbolische Sinn, der sich in der Überlieferung vom *Kreuzestode* Jesu finden ließ. Im übrigen war es vor allem notwendig, in ähnlicher Weise wie den viergestaltigen Gott der Zurvāntheologie, so auch die *christliche Trinität* der manichäischen Götterreihe anzupassen. Daß Mani bereits selber diesen Schritt getan hat, nicht erst seine im Westen missionierenden Jünger, zeigt die bisher dreimal belegte Erwähnung von Vater, Sohn und heiligem Geist, die zweimal noch mit der Erwähnung der „Mutter" kombiniert wird, in den zentralasiatischen Fragmenten. Dabei ist die Übersetzung von „Hl. Geist" durch *vāxš yōždahr* beachtenswert: diese Worte sind die genaue Übersetzung des syrischen *rūhā ḏquḏšā* und wären eigentlich durch „Geist der Heiligung" wiederzugeben; *yōždahr* ist ein Substantiv und bezeichnet einen zoroastrisch-theologischen Fachausdruck „Heiligung, Vervollkommnung", speziell im Sinne ritueller Reinheit. Auch die Gleichsetzungen mit manichäischen Gottwesen, die

dabei vollzogen wurden, sind deutlich zu erkennen. Der Vater
wurde natürlich mit dem Urgott, der Sohn mit dem in Sonne und
Mond residierenden Gesandten, mit dem ja Jesus schon in der Urform der manichäischen Lehre wesenseins ist, bzw. mit seinem
πάρεδρος, der Lichtjungfrau, indentifiziert, der heilige Geist wird
zunächst mit dem lebendigen Geist, weiter mit der Mutter und
wohl auch mit dem ersten und höchsten der fünf Lichtelemente, dem
Äther oder Lufthauch, gleichgesetzt. Das läßt sich aus den originalen Urkunden feststellen und wird durch eine Äußerung des Faustus
über seinen Trinitätsbegriff bestätigt, die ich hier zur Illustrierung
folgen lasse:

„Wir verehren des Vaters, des allmächtigen Gottes, und Christi,
seines Sohnes, und des heiligen Geistes eine und selbige Gottheit
unter dreifacher Benennung. Aber der Vater selber, so glauben wir,
bewohnt das höchste und erste Licht, das Paulus auch unzugänglich
nennt, der Sohn hingegen weilt in diesem zweiten und sichtbaren
Licht. Da er selber zwiefach ist, wie ihn der Apostel erkannt hat,
indem er sagt, Christus sei Gottes Kraft und Gottes Weisheit [vgl.
oben S. 44], so glauben wir, daß seine Kraft in der Sonne wohnt,
seine Weisheit aber im Monde. Endlich ist, so bekennen wir, des
heiligen Geistes, der dritten Majestät, Sitz und Quartier dieser
ganze Ätherumkreis. Aus seinen Kräften und geistiger Ausströmung
empfängt auch die Erde und gebiert den 'leidenden Jesu', der Leben
und Heil der Menschen ist, an jedem Holze hängend. Daher haben
wir vor *allem* die gleiche Verehrung wie ihr gegenüber Brot und
Kelch."

Damit ist die Skizze der Fortbildungen des manichäischen
Systems, soweit ich sie hier zu geben vermochte, abgeschlossen. Trotz
ihrer Kürze hoffe ich, den einwandfreien Beweis dafür erbracht zu
haben, daß die beiden sekundären Formen des Systems, die iranisie-
rende und die christianisierende, nicht erst das Werk manichäischer
Missionare, sondern von Mani selber angelegt sind, und daß sie
nicht flüchtige Zurechtstutzungen, sondern planvoll ersonnene und
durchgeführte Umstilisierungen der ursprünglichen Darstellungs-
form sind. Der Lehrgehalt ist in ihnen unverändert der gleiche wie
in der Urform, und er kann es sein, da diese schon von vornherein
sozusagen auf stilistische Abwandlung oder Übersetzung angelegt

war, da die Fortbildungen geradezu schon in dem Plan und der Idee der Urform beschlossen waren.

Außerdem aber haben wir den Gedankenzusammenhang und die geschichtliche Stellung dieser Urform, des von Mani selber entworfenen Systems, neu festgestellt. Ist Mani ein christlicher Häretiker oder ein Erneuerer altiranischer oder altbabylonischer Religion? Man kann ihn unter diesen drei Gesichtspunkten betrachten, aber man sieht dann die Schalen, nicht den Kern. Mani war wohl dies alles in einem gewissen Sinne, aber er war es, insofern er in seinem eigentlichen Wesen etwas andres war: *der bedeutendste Träger und Vollender der hellenistisch-orientalischen Gnosis.* Nicht daß seinen Geist die Überlieferungen persischer, babylonischer und christlicher Mythen und Theologien beschäftigten, sondern daß er einen archimedischen Punkt *außerhalb* ihrer hatte, von dem er sie frei überblicken konnte, ist das Entscheidende. Gewiß läßt er sich nicht in die christliche oder die iranische Dogmengeschichte einschachteln. Aber das ist nur ein Symptom dafür, daß diese Rubriken künstlich sind. Die Geschichte der orientalischen Religionen in vorhellenistischer oder, vorsichtiger gesagt: in vorachämenidischer Zeit läßt sich in Sonderentwicklungen zerlegen. Aber mit dem Hellenismus hört das auf. Die Auseinandersetzung des orientalischen mit dem griechischen Denken ist von da an auf anderthalb Jahrtausende, bis zur beginnenden Agonie der islamischen Kultur, das *eine* große Thema der orientalischen Geistesgeschichte. In ihr und nirgendwo sonst hat Mani seine Stelle. Das Hauptproblem der geistigen Epoche, der er angehört, ist auch der Angelpunkt seines Denkens.

Von der Urform aus begreifen sich die Fortbildungen seines Systems. Was in ihnen bei gleichbleibendem Lehrgehalt wechselt, das sind die Bildungen der Götterreihen und die Götternamen. Ihr Verhältnis zueinander mag die folgende Tabelle veranschaulichen, die den Ertrag dieser Arbeit zusammenfaßt. An dieser Stelle mag es genügen, nur die deutschen Begriffe zu geben. Die erste Kolumne zeigt die dem System zugrunde liegenden hellenistischen Begriffe, die zweite das Schema des Mythus nach Theodor bar Kōnai, die dritte die Tetrade der Zurvāntheologie nach ihrer begrifflichen Grundlegung, die vierte die ihr entsprechende Götterreihe, die fünfte die christliche Triade. Die von Mani identifizierten Begriffe und Namen

I.	II.	III.	IV.	V.
θεός	Vater der Größe Mutter des Lebens Urmensch	1. Gott	Zurvān Rāmratūx Ōhrmazd	(Gott) Vater (Hl.Geist) Mutter
ψυχή	5 Lichtelemente: Äther Wind Licht Wasser Feuer	3. Seine Kraft	5 Amahraspands Fravahrs Wind Erde (Ardvahišt) Wasser Feuer	(Hl. Geist)
δημιουργός	Lebender Geist		Mithras (Mihr)	Hl. Geist
νοῦς	{ Gesandter Lichtjungfrau } Jesus 2 Lichtschiffe: Sonne und Mond	4. Seine Weisheit (Güte) 2. Sein Licht	Srōš hl. Religion (Dēn) Sonne und Mond	(Jesus) Sohn
ὕλη	König der Finsternis		Ahriman	

stehn nebeneinander. Die nach einem ganz andern Prinzip gebauten Reihen der Fragmente M 2 und M 583 sowie des Chinesischen Traktates gehören nicht in diesen Zusammenhang; ich verweise für die beiden ersten auf Stud. S. 347 f.

[...]

[Die Anmerkungen aus dem Originalbeitrag sind in diesen Sammelband nicht mit übernommen worden.]

[Zusatzbemerkung. Die Stelle in *Bdhn* wird vom Verf. nach *Ind. Bdhn* mitgeteilt. Der Text (und also auch die Übersetzung) ist in Einzelheiten schlecht. Hrsg.]

Richard Reitzenstein, Die Vorgeschichte der christlichen Taufe. Leipzig, Berlin: B. G. Teubner 1929, S. 91—102.

DIE VORGESCHICHTE DER CHRISTLICHEN TAUFE
(Auszug)

Von RICHARD REITZENSTEIN

[. . .]

Damit sind wir nun endlich zu der Frage nach dem Wesen der Gnosis gekommen, die Prof. H. H. Schaeder in dem zur Buchform ausgeweiteten Vortrag ›Urform und Fortbildungen des manichäischen Systems‹, Vorträge d. Bibl. Warburg IV S. 65 f. behandelt. Daß der Verfasser, der bis vor kurzem mein gütiger Helfer und Berater in sprachlichen Dingen gewesen ist, hier geradezu alles bestreitet, was das Lebenswerk mir teurer Forscher wie Bousset und Wetter gebildet hat und was ich selbst in fast dreißigjähriger Arbeit auf religionsgeschichtlichem Gebiet vertreten habe, macht mir ein Eingehen darauf zur Pflicht, mehr noch freilich die Überzeugung, daß die Forderung, die er gleich im Eingang auf Grund dieser Einzelarbeit an die gesamte religionsgeschichtliche Forschung erhebt, mir nicht nur unberechtigt, sondern für sie hochgefährlich erscheint, so verlockend sie klingt.[1]

Ich muß, ehe ich auf die Frage der Gnosis eingehe, ein Wort über die Grundlage sagen, die Prof. Schaeder für seine Auffassung Manis

---

[1] Erschwert wird die Auseinandersetzung dadurch, daß Prof. Schaeder für vieles nur zukünftige Beweise in Aussicht stellen muß, so wenn er seine Auffassung Manis als Philosoph aus der Tatsache rechtfertigt, daß dieser sich mit Marcion und Bardesanes auseinandergesetzt hat, die tiefe Philosophen gewesen seien. Marcion betrachte ich nicht so, sondern wie W. Bauer (Gött. Gel. Anz. 1923 S. 10); von Bardesanes weiß ich bisher zu wenig, der Verweis Prof. Schaeders auf Haases Schriftchen erfüllt mich eher mit Sorge. Die Beschäftigung Manis mit ihnen erklärt sich mir dadurch, daß an beide sich religiöse Gemeinschaften anschlossen, die Mani in seiner nächsten Umwelt vorfand. Eine weitere Erschwerung sehe ich darin, daß Prof. Schaeder etwas stark mit Definitionen arbeitet, die im Grunde vorausnehmen, was er beweisen will.

wählt, da dessen System — ich würde lieber sagen Religion — uns bekanntlich ganz verschiedenartig dargestellt wird. Frühzeitig ist der Manichäismus, wie wir wußten, nach Ägypten gedrungen und hat hier Anhänger sowohl im christlichen Asketentum wie bei den neuplatonischen Philosophen gefunden. Gegen letztere schreibt ein uns sonst unbekannter Neuplatoniker, Alexander von Lykopolis im Anfang des 4. Jahrhunderts eine kleine uns erhaltene Schrift, etwa wie im 3. Jahrhundert Plotin [2] seinen Traktat gegen die Gnostiker. Der Vergleich beider Schriften ist lehrreich: auch Plotin behandelt die Gegner als Philosophen und scheidet doch scharf zwischen Philosophie und Religion.[3] Von Manis Schriften hat Alexander offenbar keine selbst gelesen, sondern kennt sein System nur in den Grundzügen, wie es seinen neuplatonischen Genossen von einem Schüler Manis dargestellt war und wie sie es weiter verkündeten.[4] Dieser Sachverhalt geht klar daraus hervor, daß Alexander zwar von einer immer wieder vorgebrachten (θρυλουμένη) Begriffsbestimmung der ὕλη als ἄτακτος κίνησις τῶν ὄντων redet, dennoch aber *nicht weiß, ob sie auf Mani selbst zurückgeht* (vgl. p. 10, 4 Brinkmann: εἰ δέ, ὅπερ μᾶλλον δοκεῖ λέγεσθαι ὑπ᾽ αὐτοῦ, ἡ ἄτακτος κίνησις τῶν ὄντων ἐστὶν ⟨ἡ⟩ ὕλη).[5] Er oder sein neuplatonischer Gewährsmann — denn daß er selbst einen der manichäischen Sendboten gesprochen hat, scheint mir durch die Einleitung ausgeschlossen — hat in der Prägung der Worte eine Wendung aus Platos Timaios (30 A) benutzt, und Alexander hat diesem Begriff

[2] Vgl. mein Buch ›Poimandres‹, S. 306 f.

[3] Genau wie Alexander betont er an den μῦθοι der Gegner die Willkürlichkeit und vermißt den wissenschaftlichen Beweis, die ἀπόδειξις.

[4] Dies deutet er selbst an p. 4, 23 τοιάδε οὖν τις φήμη τῆς ἐκείνου δόξης ἀπὸ τῶν γνωρίμων τοῦ ἀνδρὸς ἀφίκετο πρὸς ἡμᾶς. Er charakterisiert die Gnostiker: einer will den anderen durch neue Erfindungen überbieten und Mani alle τῷ θαυμάσια λέγειν (S. 10—16).

[5] Wir erkennen die Zurechtmachung zu einem bestimmten Zweck ganz ähnlich in den Worten 10, 17 ὁ ἥλιος καὶ ἡ σελήνη, οὓς μόνους θεῶν αἰδεῖσθαί φασιν, Worte, die mir übrigens zu dem von Prof. Schaeder entworfenen System der Götterlehre Manis recht wenig zu passen scheinen. — Auch Plotin setzt vielfach platonische Termini ein, wo seine Vorgänger andere gewählt haben (Poimandres a. a. O.).

dann die platonische und aristotelische Auffassung der ὕλη entgegengestellt. Das ist bei dem Zweck seiner Schrift begreiflich, berechtigt uns aber nicht im geringsten zu dem Schluß, daß Mani selbst diese Definition verwendet oder aus dem Timaios des Plato herausgebildet hat, oder gar den Timaios-Kommentar des Poseidonios dabei benutzt hat. Alexander nennt ein charakteristisches *Merkmal* der Hyle-Schilderungen, die uns aus Manis exoterischen Schriften Augustin bewahrt hat, und stellt ihm die philosophischen Definitionen gegenüber. Damit kann man nicht beweisen, daß er allein von Vertrauten Manis dessen innerste Gedanken erfahren habe. Es wäre mir das auch schwer denkbar, denn in die innersten Gedanken Manis durften ja nicht einmal die Auditores eingeweiht werden; die esoterischen Schriften des Meisters sind ihnen verwehrt.

Prof. Schaeder glaubt einen weiteren Beweis aus einer einzigen Stelle eines Liedes über den Aufstieg der Seele bringen zu können[6] und nennt sie zu diesem Zweck eine *Formel:* „Über die blinde Begierde, über die feindselige Lust und über das flammende, verzehrende Feuer jammert laut die vorübergehende [d. h. aufsteigende][7] Seele." Nun hat Alexander in anderem Zusammenhang (38, 17) das verzehrende Feuer als Wesen der manichäischen ὕλη bezeichnet (es ist das oberste ihrer fünf *Elemente*)[8] und wieder an einer anderen (22, 5) Lust und Gier als die κακά bezeichnet, um derentwillen die Manichäer die ὕλη hassen (sie begegnen in den

[6] F. W. K. Müller, Handschriftenreste II, 1904, S. 53.

[7] Die auf Konjektur begründete Deutung scheint mir zweifelhaft; in den zahlreichen entsprechenden Schilderungen weckt immer der göttliche Bote die noch im Körper schlafende Seele, und sie jammert aufwachend über die schauerliche Umgebung, in die sie geraten ist; dann erst folgt der Befehl zum Aufstieg. Die Übersetzung von Prof. Andreas lautet ganz anders, doch habe ich kein Recht, sie mitzuteilen, da er sie selbst zu veröffentlichen versprochen hat.

[8] Der Zusammenhang ist bei Alexander: Wo soll man sich das brennende und dunkle Feuer, das nach ihnen *außerhalb* des Kosmos sein soll, denken? Berührt es den κόσμος, wie kann er bis jetzt ungeschädigt sein? Ist es abgesondert von ihm, aus welchem Grunde stürzt es plötzlich auf ihn und verläßt seinen Ort? Durch welchen Zwang oder Gewalt? Wie ist überhaupt ein Feuer ohne Materie (ὕλη hier: kosmische Stoffe) denkbar? Und doch ist das Feuer *außerhalb des Kosmos* das, was sie ὕλη nennen.

Katalogen der mit der ὕλη verbundenen πάθη).[9] Genannt, aber sichtbar geschieden werden die beiden Laster und das Element des Feuers auch an zwei Stellen eines chinesisch erhaltenen Traktates, dem Prof. Schaeder sonst keine allzuhohe Bedeutung beimißt. Hier folgert er (S. 117) daraus, daß das Feuer nach Mani in den niederen Geschöpfen, Begierde und Lust dagegen in dem Menschen die eigene *Natur* ausmachen, die Definition der ὕλη als ἄτακτος κίνησις τῶν ὄντων also auf Mani zurückgehen und dieser von der griechischen Philosophie entscheidend beeinflußt sein muß. Ich bin nicht überzeugt und bekenne — um nicht mehr zu sagen — daß sich für mich ohne diese Annahme alle Stellen einfacher erklären lassen.

Warum ich auf diese eine Schrift nicht gern meine Vorstellung von dem Religionsstifter aufbauen möchte, darf ich durch einen ähnlichen Hergang in unserer eigenen Religion vielleicht begründen. Die Schriften der ältesten Apologeten stellen sie bekanntlich sehr nüchtern und fast ganz als eine Philosophie dar. Wir erkennen die äußere Notwendigkeit, die das erzwingt — eine Lehrmeinung (Philosophie) kann im römischen Reich nicht strafrechtlich verfolgt werden — und geben gern zu, daß es auch der Seelenstimmung der wirklich von antiker Bildung getränkten Kreise entsprochen haben wird;[10] eine wesentlich orientalische Religion kann von ihnen noch nicht anders aufgenommen werden; hier würde ich eine „akute Hellenisierung des Christentums" sehen, ohne darum irgendwelchen Schluß auf das Empfinden und Denken Jesu daraus zu ziehen. Ja, ich gehe noch weiter: auch die zeitlich ihm noch näher stehende

[9] Auch hier ist der Zusammenhang zu berücksichtigen. Alexander fragt: Woher stammen ἡδονή und ἐπιθυμία? Sie sind nur bei *Lebewesen,* nicht bei den Elementen an sich, und hängen bei ihnen mit der sinnlichen Wahrnehmung und der Notwendigkeit der Nahrung zusammen. Da der Mensch außer ihnen noch die Urteilskraft hat, kann er sich durch die σοφία über sie erheben. Dazu hilft Lehre und Erziehung. Kann niemand σοφός werden, ist es auch Mani nicht; kann es einer, so können es alle; so ist, wenn sie es tun, die ἄτακτος τῆς ὕλης κίνησις (man beachte diese Form der Definition) aufgehoben! Diese Erziehung hat Jesus besser und einfacher als Mani verstanden.

[10] Man denke an Männer wie Minucius Felix, der ganz in Cicero lebt, aber auch seinen Plato noch kennt.

Literatur mit ihrer übersteigerten Betonung des äußeren Wunders
— auch sie ist ja aus Volkstum und Bildungsgrad der Verfasser
begreiflich — würde mich nie bestimmen, sein innerstes Empfinden
aus dem Bewußtsein seiner Herrschaft über die Dämonen zu erklären; es erklärt sich für mich aus einem ganz neuen Empfinden
der Verbundenheit mit Gott [11], des Verhältnisses zwischen Gott und
Mensch. Doch das habe ich ja oft genug an anderer Stelle betont.

Das führt von den Fragen nach der äußeren Bezeugung zu dem
Hauptgegensatz in der Auffassung des Manichäismus, ja der gesamten Gnosis zwischen mir und Prof. Schaeder. Ich mag, so schwer
seine Erörterung mir fällt, nicht den Schein auf mich laden, als ob
ich mich dem Angriff entziehen wollte. Von den Begriffen Religion
und Philosophie geht Prof. Schaeder aus, deren reinliche Scheidung
wir sonst wohl von historischen Untersuchungen ausschließen, weil
wir ihre Verschiedenheit zwar empfinden, die Grenzlinien aber
nach unserem eigensten Wesen und Erleben ziehen und sie in der
Anwendung auf bestimmte geschichtliche Persönlichkeiten nie mit
voller Schärfe ziehen können. Eine Widerlegung einer abweichenden Schätzung oder Definition wird dabei nur möglich sein, wenn
der Gegner an der seinen nicht festhält, sondern von der einen zur
anderen abirrt; sonst kann die Debatte schwerlich zu einem Ziel
führen. Nun hatte ich seit der ersten Auflage der ›Hellenistischen
Mysterienreligionen‹ in dem Zusammenstoß orientalischen und
griechischen Denkens in der hellenistischen Zeit jenem mehr die religiös, diesem mehr die philosophisch wirkende Kraft zugeschrieben,
freilich mit dem Zusatz, daß auch die orientalischen Religionen
eine starke Priesterspekulation entwickeln und die Philosophie für
das Griechentum auch religiöse Bedeutung gewinnt. Den Unter-

---

[11] Gewiß verbindet es sich mit der Überzeugung, daß Gott, wenn er
will, immer den Sieg über die Dämonen davontragen kann; aber dieser
zeitgebundene Glaube an die Existenz der Dämonen ist nicht das Be-
stimmende in dem Personenbild und nicht das Bleibende. Der Unterschied
zu der Formulierung, die Prof. Schaeder (Or. Lit.-Zeit. 1928 Sp. 171) dem
Gedanken gibt, ist nur scheinbar klein, aber zeigt vielleicht, wie stark die
Bestimmung 'des Sinngehalts', die er an den Anfang der religionsgeschichtlichen Arbeit setzen möchte, von der inneren Einstellung des Betrachten-
den abhängt.

schied, den ich dennoch sah[12], suchte ich in den Ausführungen zu erklären: das Wissen, das beide geben wollen, begründet die eine auf Offenbarung (einmal abgeschlossene oder beständig sich erneuernde), also auf Glauben, die andere auf wissenschaftliches Denken, also auf Erkenntnis. Nach Prof. Schaeder (S. 99 A. 1) ist das eine ganz unhaltbare Alternative, aus heutigem Empfinden entnommen und daher für die religionsgeschichtliche Forschung ganz ungeeignet. Die orientalischen Religionen — einzelne israelitische Propheten nimmt Prof. Schaeder allerdings aus — wurzeln nicht in der Idee des *Glaubens,* sondern in der des *erlösenden Wissens,* in dem, allerdings mit verschiedenen Akzentsetzungen, religiöse, ethische, metaphysische, im weitesten Sinne wissenschaftliche, schließlich auch ästhetische Fragestellungen zusammentreffen. Hier scheint mir Prof. Schaeder eine Alternative zwischen *Wissen* und *Glauben* aufzustellen, die in dieser Form unberechtigt und dieser Zeit fremd ist, und die Frage nach dem Ursprung dieses Wissens zu ignorieren. Auf der nächsten Seite lese ich dann: „Wege zum e r - l ö s e n d e n W i s s e n sind allerdings im Altertum allerorten gesucht und g e f u n d e n [13] worden: in China, in Indien, im Iran, in Mesopotamien und Ägypten. Aber der B e g r i f f d e s W i s - s e n s — und von der Tatsache, daß er bereits erarbeitet war, ist die Gnosis bedingt, wenn sie ihn auch keineswegs festzuhalten vermochte — ist nur einmal in der Welt gewonnen worden, in der attischen Philosophie." Prof. Schaeder schließt hieraus, daß nur durch ihr Eindringen in den Orient die Gnosis ermöglicht wurde. Aber wenn das erlösende Wissen *schon vorher* allerorten im Orient vorhanden war — nur bei dieser Deutung seines Wortes „gefunden" wird mir die aus S. 99 angeführte Behauptung verständlich —, folgt für mich daraus nicht mehr, als daß *die Bezeichnungen* Γνῶσις und Γνωστικός erst durch die attische Philosophie in das Barbarenland gekommen sind, während die Sache schon da war. Nicht ein-

---

[12] Zarathustras Lehre gilt dem Griechen seit dem 4. Jh. v. Chr. als seine Philosophie, dem Perser zu aller Zeit als 'die Religion', ein *Gottwesen* in seiner Gesamtheit wie in seiner Erscheinung im einzelnen Menschen. Es wechselt in der Gnosis mit der personifizierten Ἀλήθεια ab.

[13] Nur diese Sperrung rührt von mir her, alle anderen von Prof. Schaeder.

mal in dieser Form entspräche die Behauptung dem Tatbestand[14], doch würde ich nicht mehr um sie streiten.

Ich gehe lieber gleich zu dem Einzelfall über. Mein Grundfehler ist nach Prof. Schaeder, daß ich mich beschränkt habe, die manichäische Lehre von der Seele darzustellen und mit anderen zu vergleichen: ich hätte von dem eigentlich w i s s e n s c h a f t l i c h e n[15] Interesse ausgehen müssen, das Mani in seinem Systementwurf verfolge. „Geht man von dem Versuch aus, sich z u n ä c h s t einmal den g a n z e n Lehrgehalt der manichäischen Religion zu vergegenwärtigen und die einzelnen Lehrstücke nach ihrer Stellung im Ganzen zu beurteilen, so ergibt sich, daß der Mythos (!) vom Seelenaufstieg weder sachlich noch historisch gesehen im Mittelpunkt der manichäischen Lehre steht und daher zur Bestimmung weder ihres gedanklichen Inhaltes noch ihrer historischen Stellung unmittelbar verwertet werden kann." Ein etwas weitgehender Schluß! Aber sei's drum! Ich habe über den Manichäismus als Ganzes weder reden können noch wollen, da mir viel zu viel von ihm damals unbekannt war und jetzt noch unbekannt ist.[16] Meine Aufgabe war, eine religiöse *Idee* durch verschiedene Religionen vergleichend zu

---

[14] Vgl. die Wortuntersuchung in Nordens großem Buch ›Agnostos Theos‹ und die ihr vorausliegenden lexikalischen Untersuchungen in meinen ›Mysterienreligionen‹. — Es handelt sich um das 'Wissen' oder 'Kennen' allgemein. Nicht unsere Religion allein oder erst jetzt faßt den Glauben als eine gewisse Zuversicht, ein Wissen ohne allgemeingültigen Beweis — ἄνευ ἀποδείξεως, wie es recht bezeichnend Alexander von Lykopolis bei dem manichäischen Glauben nennt — oder ein Kennen, was nicht durch die allgemein anerkannten Wahrnehmungsorgane vermittelt wird. Diesen Sinn finde ich fast überall, wo Christ oder Heide von einem γιγνώσκειν θεόν oder einer γνῶσις θεοῦ sprechen. Sie geben die griechischen Bezeichnungen für ein inneres Erleben, das wohl fast alle orientalischen Religionen vor allem Eindringen des Griechentums auch kennen. So wären Wörter, die sie dafür gebrauchen, wichtiger als die griechischen.

[15] Von Prof. Schaeder gesperrt.

[16] Ich kenne weder das in Berlin noch das in London schon angehäufte Material so weit, um zu sagen, ob auch nur die Hälfte des bereits vorhandenen publiziert ist, und jede größere Publikation hat bisher Überraschungen und neue Gesichtspunkte gebracht. So lassen wir uns zwar alle gern widerlegen, aber den jedesmal letzten Fund zu einer neuen ab-

verfolgen; ich erwarte von dieser Methode die Feststellung noch
mancher religionsgeschichtlichen *Tatsache* und freue mich, daß mein
Angreifer mir hier ohne weiteres zugibt, diese Lehre stamme aus der
persischen. Mich in die Seele der Stifter der verschiedenen Religionen zu versetzen und das *wissenschaftliche* Interesse zu bestimmen,
das sie an dem Einzelstück nahmen, ja danach dann die Entwicklung ihrer Religion aprioristisch zu bestimmen, wäre mir zu gefährlich, selbst wenn die manichäischen Urkunden uns schon voll
erschlossen wären. Daß Prof. Schaeder bei seinem kühnen Versuch
so viel ignorieren muß, was teils überliefert, teils mit Sicherheit zu
erschließen ist, auf Grundbegriffe wie den des Electus oder die
Frage, wie man zu dem erlösenden Wissen kommt, so gar nicht
eingeht, überhaupt nicht berücksichtigt, daß eine Religion noch
etwas mehr enthält als ein wissenschaftliches System, würde es mir
sehr bedenklich machen, wenn das von ihm geforderte Verfahren
in der Religionsgeschichte allgemein angenommen würde. Wir haben oft genug in ihr das Scheitern fein ersonnener und zunächst
allgemein angenommener Schematismen erlebt. Zu dem Einzelfall
könnte ich nur bemerken, was ich einst gegen Brandt einwendete,
als er den Ursprung der mandäischen Lehre vom Seelenaufstieg aus
der persischen herleitete, ohne dem doch für die mandäische Religion irgendwelche Bedeutung beizumessen: für eine lebendige Religion kann das Verhältnis zwischen Seele und Gott nie ein ganz
gleichgültiges „Traditionsstück" sein. Ich könnte hier nur zufügen:
für eine religiös schöpferische Persönlichkeit, wie sie Mani nach
seiner Wirkung doch wohl gewesen ist, auch nicht. Sie kann nach
meinem subjektiven Empfinden des wissenschaftlichen Systems oder
Interesses ermangeln, nicht aber der innersten Eigenart des Emp-
findens. Mir persönlich würde der Mani, den Prof. Schaeder mir
schildert, mit jenem Japaner Ähnlichkeit haben, der uns auf dem
zweiten internationalen Kongreß für allgemeine Religionsgeschichte [17] die günstigen Aussichten für eine neue Religions-

schließenden Lösung der ganzen Frage zu benutzen, wird man nicht von
jedem verlangen dürfen. *Vestigia terrent.*

[17] Die ›Verhandlungen des Kongresses‹ S. 102 bieten nur eine un-
genügende Skizze.

gründung auseinandersetzte. Aus den durch die Geschichte als die
kräftigsten erwiesenen Religionen, Christentum, Buddhismus und,
nach meiner Erinnerung, auch dem Islam müßte man eine Auswahl
nach festen Gesichtspunkten treffen; so könne eine Weltreligion
erstehen. Der Gedanke hat vielleicht etwas Großartiges, aber ich
fürchte, dieser Art Esperanto-Religion müßte schon darum die
innere Kraft fehlen, weil sie selbst in ihren Schöpfern nicht aus
wurzelechtem eigenstem Empfinden, nicht aus dem Erlebnis, sondern nur aus einer Berechnung erwachsen könnte.

Die Möglichkeit, die Lehre von der Erlösung der Seele von dem
„Mythos" des Seelenaufstieges zu trennen, hat sich Prof. Schaeder
dadurch gewonnen, daß er seiner Definition des für diese Zeit philosophischen Wissens das Epitheton ‘erlösend' beifügte. Wir lesen in
der Definition (S. 99): „Gnosis heißt im Sinne der Zeit richtiges
u n d   d a r u m   e r l ö s e n d e s [18] Wissen. Die Idee der Gnosis enthält die Forderung, einen universalen Zusammenhang des die Erlösung verbürgenden Wissens (?) herzustellen, in dem alle vom
Wissen gewonnenen bzw. dem Wissen zugänglichen Einzeltatsachen
sich in lückenloser Ordnung vereinigen lassen, derart, daß sie in
diesem Zusammenhang und nur in ihm verstehbar, sinnvoll werden."
Schade, daß sich bisher meines Wissens auch nicht ein einziges System
eines Gnostikers als auch nur schattenhafte Erfüllung dieser Forderung hat erklären lassen. Mani, etwa in der Auffassung von Prof.
Schaeder, können wir auch nicht dafür anführen. Ich kenne keine
Stelle, in der er sich als Gnostiker bezeichnet oder diesem Wissen die
erlösende Wirkung zuschreibt, ja weiß überhaupt nicht, woher Prof,
Schaeder dies Epitheton des Universalwissens, auf dem im Grunde
für ihn alles beruht, sich nimmt. Sollte Lentz' neue Deutung des
umstrittenen Wortes *monuḥmēd* als γνῶσις dafür verwendet werden, so müßte ich einwenden, daß sie mir unmöglich scheint.[19] Ge-

---

[18] Von mir gesperrt. Ist das, was wir wohl ‘mathematisches Wissen'
nennen, immer ‘erlösend'?

[19] Dagegen spräche ebensowohl die Umschreibung des griechischen
δίψυχος durch die Worte ‘die in zwei *monuḥmēd* stehen', wie die Scheidung
einer großen (und allgemeinen) und einer dem Individuum entsprechenden
monuḥmēd (vgl. Mysterienrel. ³ S. 14). Eher könnte man wegen des persischen Yašt 22 an die *daēna* (die Religion und das religiöse Ich) denken;

wiß, die Mandäer nennen sich Gnostiker — *mandā* gibt etwa das Wort γνῶσις wieder — und ihr Taufgott Mandā d'Haijē erlöst, aber das, was der Mandäer in der Taufe empfängt, bezeichnet er als „**Vereinigung mit dem Leben**, d. h. Gott" (vgl. Lidzb. Liturgien S. 13 n. 3 und sonst); das bedeutet also *mandā* hier. Nun werden wir im letzten Kapitel noch sehen, wie ganz verschieden die ältesten Auffassungen der christlichen Taufe sind; suche ich sie auf einen Generalnenner zu bringen, *so finde ich für das, was die Taufe verleiht, kein anderes Wort als „Vereinigung mit Gott".* Wenn von ihr gesagt wird, daß sie das Leben oder die γνῶσις bzw. das πνεῦμα verleiht — Justin Dial. 14 nennt die Taufe τὸ λουτρὸν τῆς μετανοίας καὶ τῆς γνώσεως τοῦ θεοῦ und meint offenbar das πνεῦμα —, so ist das selbst für ihn, den früheren Philosophen, nicht ein universales und rationelles Wissen, sondern die Verbindung mit Gott, die Religion mit allem, was sie wirkt und fordert, und ähnlich ist es in den Dankgebeten der Διδαχὴ τῶν ἀποστόλων, die sich auf die Taufe beziehen, und für ζωὴ καὶ γνῶσις oder γνῶσις καὶ πίστις καὶ ἀθανασία danken.

Mein geehrter Gegner behauptet, daß Mani als Typus eines Gnostikers seine Mythen nur als „Traditionsstücke" den verschiedenen

aber nur eine volle Erklärung aller Stellen, an denen das Wort vorkommt, könnte uns einige Sicherheit geben. Mir ist an dem Griechisch des Neuen Testaments zuerst zum Bewußtsein gekommen, wie verfehlt es ist, wenn wir mit den religiösen Termini wie πνεῦμα, νοῦς, ψυχή kurzweg den Sinn verbinden, den sie in der klassischen Gräzität oder auch in deren Übertragung in der eigenen modernen Sprache oder gar Philosophie haben, und trotz manchen Spottes bereue ich nicht im geringsten, daß ich ein paar Jahre und zwei volle Bücher zweien dieser Worte gewidmet habe, um Bedeutung und Anschauung in der frühchristlichen Literatur und dem Leben nachzuweisen. Das ist Philologenarbeit und daher Pflicht; nur schmerzlich, daß wir für die orientalischen Sprachen bisher so wenig Hilfe bei den Orientalisten finden. Mit der bloßen allgemeinen Wortdeutung ist gar nichts getan, solange wir nicht den Vorstellungsinhalt kennen, der sich mit dem Wort verbindet (man denke an die Ausführung über den νοῦς oben S. 77 [hier nicht abgedruckt]). Die Arbeit ist nicht lockend, aber ohne sie ist ein psychologisches Verständnis der in Frage kommenden Religion unmöglich.

Volksreligionen entnahm, weil er als tiefer und originaler Denker eine Welt*religion* gründen wollte; sein wissenschaftliches Erkennen richtete sich nur auf die Begriffspaare θεός und ὕλη, ν ο ῦ ς und ψ υ χ ή.[20] „Die Frage, die wir an den Manichäismus zu richten haben, ist: a u f   w e l c h e r   g e s c h i c h t l i c h e n   S t u f e   d e r   D e n k r a t i o n a l i s i e r u n g   s t e h t   M a n i ? Was versteht er unter Wissen und wie weit ist sein Wissen ein   r a t i o n a l e s ?" Aber die Antwort gibt nur die anhaltslos gebildete Definition des 'richtigen und darum erlösenden Wissens'. Was bewiesen werden soll, wird vorausgesetzt; das religiöse Element wird willkürlich ausgeschaltet, die Religionsgeschichte nur als Geschichte der Denkrationalisierung gefaßt. An Stelle einer Geschichte der Religionen, die zunächst die historischen Tatsachen in der Beobachtung von Sprache und Kult ergründen will, tritt eine bewertende Philosophie der Religionsgeschichte, die aprioristisch bestimmen will, wie die noch so wenig bekannten Tatsachen gewesen sein müssen. Sie bietet uns eine auf moderne Begriffe aufgebaute Formel und ein geistvoll ausgedachtes, graphisch zierlich dargestelltes System mit einer Anweisung, wie sich die einzelnen Glieder variieren und permutieren lassen, nur leider — ἄνευ ἀποδείξεως. In dem Blendenden, das die kurze Formel und der kühne Subjektivismus immer haben, liegt die Gefahr, welche die von dem Philosophen weit mehr als von dem Orientalisten, d. h. Philologen, erhobene Forderung für die Religionsgeschichte hat.

---

[20] Die Begriffe scheinen mir hier modern, ein Beweis nicht erbracht. Den Gegensatz soll offenbar das augustinische Begriffspaar *deus* und *anima* geben.

Carl Schmidt und H. Polotsky, Ein Mani-Fund in Ägypten. Originalschriften des Mani und seiner Schüler. (= Sitzungsberichte der Preußischen Akademie der Wissenschaften. Jahrgang 1933. Philosophisch-historische Klasse. Stück I, S. 80—82.) Berlin: Verlag der Akademie der Wissenschaften 1933.

EIN MANI-FUND IN ÄGYPTEN

Originalschriften des Mani und seiner Schüler
(Auszug)

Von Hans Jakob Polotsky

[. . .]

Die Turfantexte. Im Laufe der Arbeit an den beiden oben[*] mitgeteilten Texten haben sich sowohl in der Nomenklatur wie in einzelnen Lehrstücken zahlreichere und weitergehende Berührungen mit der Literatur des turkestanischen Manichäismus ergeben, als ich anfangs erwartet hatte. Bei näherem Zusehen zeigt sich, daß es sich dabei ganz überwiegend um nordiranische sowie um — zum allergrößten Teil nachweislich aus nordiranischen Vorlagen übersetzte — türkische und chinesische Texte handelt. Dieser Sachverhalt erklärt sich dadurch, daß die nordiranischen Texte, so paradox das zunächst klingen mag, zur 'westlichen' Überlieferung zu rechnen sind; schon Syriasmen wie *Yišōᶜ Mšīhā, Yišōᶜ Zīvā,* die von Schaeder, Stud. 243 n. 2 erklärte Bezeichnung des Großen Baumeisters als *Bām,* zeigen, wo die Quellen liegen. Die paar iranischen Götternamen sind ganz oberflächlich und unorganisch auf eine rein 'westliche' Nomenklatur aufgepfropft. — Von einer 'östlichen' Überlieferung kann nur mit Bezug auf die großen persischen Lehrtexte die Rede sein, die mit teils voller teils großer Sicherheit auf Mani selbst zurückzuführen sind. Bei aller sachlichen Übereinstimmung hat ihre Nomenklatur mit der westlichen fast gar nichts gemein. Schon das Prinzip der Namengebung ist völlig anders: statt der mystisch klingenden, über das Wesen der Gottheiten meist wenig aussagenden Namen, die dort gebraucht werden, findet man hier nüchtern-sachliche Funktionsbezeichnungen, die im Zusammenhang des Mythus ohne weiteres verständlich sind; iranische Namen

[*] Schmidt/Polotsky, Mani-Fund, S. 22 ff.

werden nur sparsam gebraucht — in einem Falle neben der Funk-
tionsbezeichnung —, wobei die Namen Mihr und Narisah andere
Gottheiten bezeichnen als in den nordiranischen Texten (s. Andreas-
Henning I 177 n. 3; 192 n. 6). Unverkennbar liegen in der
westlichen und der östlichen Überlieferung zwei voneinander
unabhängige und in gleicher Weise als primär anzusehende Parallel-
stilisierungen vor, was nicht ausschließt, daß die westliche, gnostisch-
christliche Stilisierung die dem Wesen und den historischen Voraussetzungen des Systems gemäßere ist.

In der Mitte zwischen den nordiranischen Hymnentexten und
den persischen Lehrtexten stehen die persischen Hymnentexte, von
denen bisher allerdings nur wenig veröffentlicht ist. Soviel sich vorläufig erkennen läßt, stimmen sie in der Beziehung der Namen Mihr
und Narisah mit den persischen Lehrschriften überein, während im
übrigen von ihnen dasselbe gilt wie von den nordiranischen. Beiden
gemeinsam ist der Name Jesus, die Lichtjungfrau und ihre Bezeichnung als *kanīγ-rōšn* = παρθένος τοῦ φωτός, der Noῦς als Emanation
Jesu, der Name Srōš für die Säule der Herrlichkeit und andere
Dinge, die man in den Stücken aus dem Šāpūrakān und im Fragment
T III 260 vergeblich sucht.

Es ist hier nicht der Ort, diese ganz oberflächlichen Andeutungen
auszuführen; es handelt sich um die Folgerungen, die sich für die
Bewertung der Turfantexte ergeben.

Die erwähnten Übereinstimmungen zwischen der westlichen Überlieferung und den Turfantexten verlieren an Auffälligkeit, aber
auch an Zeugniswert.

Es scheint nicht zuzutreffen, daß das System der Turfantexte der
westlichen Überlieferung gegenüber in seinem Bestand an Gestalten
und Begriffen sekundäre, nicht authentische Zutaten aufzuweisen
hätte. Für die beiden einzigen Begriffe, die für diese Annahme zu
sprechen schienen, *Manuhmeδ-Vahman-Nom qutï* und *grīv žīvanday*,
haben sich jetzt ihre westlichen Entsprechungen gefunden, und zwar
sind das gerade die Begriffe, die den Kern des Systems umschreiben
und von Schaeder für dessen Urform in Anspruch genommen worden sind. Die durch die Publikation von Waldschmidt-Lentz deutlich gewordene Tatsache, daß ebendiese beiden Begriffe im Kultus
der zentralasiatischen Manichäer eine besonders hervorragende Stel-

lung eingenommen haben, wird daher jetzt auch in etwas anderem Lichte erscheinen. — Dagegen ist natürlich mit Verderbnissen verschiedener Art zu rechnen, die desto stärker werden, je mehr Überlieferungsstufen vorausliegen. Daß beispielsweise dem chinesischen Traktat gegenüber schärfste Kritik am Platze ist, dürfte der Kommentar zu den 'Drei Tagen' gezeigt haben.

Alexander von Lycopolis. Die koptischen Texte bestätigen die Authentizität der von Alexander überlieferten Ausdrücke ψυχή νοῦς ὕλη. Allerdings läßt der biblische Zusatz, mit dem ψυχή gebraucht wird (s. Mani-Fund, S. 72), auch für die beiden anderen Termini eher an eine Herkunft aus dem Begriffsschatz der christlichen Gnosis als aus der hellenistischen Philosophie denken. Immerhin sind es Begriffe und keine mythologischen Gestalten. Daneben nimmt in den koptischen Texten das rein mythologische Element einen sehr erheblichen Raum ein, und diese Tatsache nötigt dazu, in aller Kürze thetisch die aus ihnen zu gewinnende Auffassung des Verhältnisses von 'begrifflichem Kern' und mythologischer Einkleidung zu formulieren. Der Ausgangspunkt der Systembildung läßt sich begrifflich fassen, ist aber rein religiöser Art: die Hoffnung auf die Erlösung der in der ὕλη gefangenen ψυχή durch den νοῦς. Die Aufgabe des Mythus ist es, diese Hoffnung als begründet erscheinen zu lassen. Das geschieht, indem der Mensch in einen Pragmatismus hineingestellt wird, der durch seine alles umfassende Vollständigkeit, seine Geschlossenheit, Folgerichtigkeit, Symmetrie und Harmonie den 'Beweis' seiner 'Richtigkeit' in sich trägt. Alle diese Eigenschaften, die sich heutigen Beurteilern als künstlerisch-ästhetische Leistung darstellen, dienen eben dem 'Beweise'. Wie Mani selbst die Aufstellungen seines Mythus hat angesehen wissen wollen, hängt von der doch vermutlich negativ zu beantwortenden Frage ab, ob bei dem Typus, dem er angehört, überhaupt die subjektive Überzeugung und der Anspruch unterstellt werden darf, mit der eigenen ποίησις den konkreten Sachverhalt rekonstruiert zu haben.

Gnomon. Kritische Zeitschrift für die gesamte Klassische Altertumswissenschaft. 9 (1933),
S. 337—362.

REZENSION VON:
CARL SCHMIDT UND H. J. POLOTSKY,
EIN MANI-FUND IN ÄGYPTEN *

Von Hans Heinrich Schaeder

Von der umfangreichen literarischen Produktion Manis und der
Seinen hatte man vor hundert Jahren nur das Wenige, was in gegnerischen Schriften des 4. und 5. Jh. erhalten war, in erster Linie
bei Augustin. Die reichhaltigen Auszüge aus manichäischen Schriften in einem arabischen Schriftstellerkatalog des ausgehenden
10. Jh., dem Fihrist des Ibn an-Nadim, wurden erst 1862 zugänglich. Die unmittelbar aus einer Originalschrift gezogene Darstellung des Hauptstücks der manichäischen Lehre, der Kosmogonie,
bei dem kurz vor 800 schreibenden Syrer Theodor bar Konai —
unschätzbar, weil das bis heute einzige Stück von Manis Rede in der
Ursprache — wurde 1898 bekannt, aber erst zehn Jahre später
durch F. Cumonts bewunderungswürdigen Kommentar inhaltlich
erschlossen und fruchtbar gemacht. Seit 1903/04 gelangten durch die
Expeditionen in Chinesisch-Turkestan Reste des literarischen und
künstlerischen Schaffens der östlichen Manichäer nach Europa und
Rußland: einiges nach Leningrad, Paris und London, die Hauptmasse aus der Oase Turfan, im Norden von Turkestan an der
großen westöstlichen Handels- und Kulturstraße gelegen, nach Berlin. Die Veröffentlichung der iranischen Texte, unter denen sich
nicht wenige Reste von Schriften Manis befinden, ist im vergangenen Jahre verheißungsvoll in neuen Gang gebracht worden. In
wenig bekannten mitteliranischen Dialekten verfaßt und durchweg

---

* Carl Schmidt und H. J. Polotsky: Ein Mani-Fund in Ägypten.
Originalschriften des Mani und seiner Schüler. Mit einem Beitrag von H.
Ibscher. Berlin: W. de Gruyter i. Komm. 1933.. 2 Taf. (Sonderausgabe
aus den Sitzungsberichten der Preuß. Akad. d. Wiss., Phil.-hist. Kl.
1933, 1.)

nur fragmentarisch erhalten, haben sie bisher mindestens so viele Fragen gestellt wie gelöst. Ähnliches gilt von den ins Türkische übersetzten Schriften, unter denen ein fast vollständig erhaltener und aufschlußreicher 'Laienbeichtspiegel' hervortritt. Der Zufall hat es gewollt, daß zwei chinesische Übersetzungstexte die umfangreichsten und besterhaltenen Stücke der östlichen Überlieferung sind: ein in Peking aufbewahrter Prosatraktat, den E. Chavannes und P. Pelliot vor zwanzig Jahren meisterhaft bearbeitet haben, und eine nach London gelangte Hymnenrolle, von der vor sieben Jahren ein Viertel veröffentlicht worden ist. Beide Schriften vertreten eine sich inhaltlich und stilistisch von der sonstigen Überlieferung deutlich abhebende, entartete Sonderform des östlichen Manichäismus. Es bedeutet eine Umkehrung der wirklichen Verhältnisse und zugleich eine schwere Belastung der gegenwärtigen Forschung, daß neuerdings von den Bearbeitern der Hymnenrolle gerade diese beiden Texte in der Verhandlung über das Wesen des Manichäismus als Kronzeugen angerufen werden: es ist, als wollte man die Verkündigung Jesu aus Erbauungsschriften der späteren abessinischen Kirche ermitteln.

Für ihr Verständnis wie für das des 'klassischen' Manichäismus überhaupt beginnt eine neue Epoche durch den außerordentlichen Fund, mit dem der glückliche Findersinn Carl Schmidts einen neuen Triumph gefeiert hat. Wußten wir auch von der intensiven manichäischen Missionsarbeit in Ägypten im 3./4. Jh. — wer hätte sich's träumen lassen, daß Ägypten uns manichäische Schriften in koptischer Version schenken würde, und gleich eine ganze Privatbibliothek! S. erzählt, wie er im Frühjahr 1930 beim Kairiner Händler auf dem obersten Blatt des ihm vorgelegten trostlos aussehenden Papyrusbuches außer den Worten 'Wiederum sprach der Erleuchter (φωστήρ) zu seinen Jüngern' die Seitenüberschrift 'Kephalaia' entzifferte und darin — er las damals gerade die Korrekturen von Holls Epiphanius — den Titel einer der vier manichäischen Hauptschriften erkannte, die Epiphanius aufzählt. Nicht minder als sein Finderglück ist die Unbeirrbarkeit zu rühmen, die er, in der sicheren Überzeugung von dem Wert seines Fundes, wohlgemeinten Warnungen entgegensetzte, und die Energie, mit der er drei Papyrusbücher und bedeutende Stücke eines vierten für Berlin

gewonnen hat. Das wurde ihm durch das Eingreifen eines ungenannten Mäzens möglich, dem die Wissenschaft großen Dank schul-
det. Vier weitere Bücher aus dem gleichen Funde sind nach London
und in den Besitz des bekannten Sammlers Mr. Chester Beatty gekommen. Auch sie befinden sich jetzt zur Konservierung in Berlin —
denn hier ist der Mann an der Arbeit, ohne dessen unvergleichliche
Kunst der Fund für die Wissenschaft dennoch verloren wäre, Hugo
Ibscher. Er, der für die Erhaltung des Codex Argenteus in Upsala
und der Kopenhagener Awesta-Handschriften, der Wiener Genesis
und des Turiner Königspapyrus, für die Herstellung zahlloser
Pergamene und Papyri in Berlin, London und Rom seine Meisterschaft eingesetzt hat, ist hier vor die schwierigste Aufgabe seines an
Arbeit und Erfolgen reichen Lebens gestellt. Denn die neuen
Papyrusbücher sind durch Feuchtigkeit so mitgenommen, daß sie in
absehbarer Zeit zu Moder zerfallen wären. Die Blätter sind fest
miteinander verklebt und mit Salzkristallen so durchsetzt, daß jetzt
bei der Konservierung keine Spur von Feuchtigkeit an sie herangebracht werden darf. Sie sind schwarzbraun verfärbt, so daß man
beim ersten Hinsehen kaum die Schriftzeichen vom Grund sich abheben sieht — die Reproduktion einer Seite der Kephalaia auf
Tafel 1 gibt eine viel zu günstige Vorstellung. Aber Ibschers Hand
löst ein Blatt nach dem andern ab und bringt es unter Glas; seine
Arbeit ist ein Wunder von Andacht und Konzentration. Freilich
wird sie noch manche Jahre in Anspruch nehmen — von der Erschließung des ganzen Fundes ist sie noch weit entfernt.

Ibscher ergreift in dem vorliegenden Bericht selber das Wort, und
es ist eine besondere Freude, ihn in seiner schlichten und sachkun-
digen Art aus dem Reichtum seiner Erfahrung reden zu hören (82
bis 85). Er schätzt den gesamten Fund auf 1200—1500 Blatt. Alle
Bücher zeigen Codexform, wie sie auch unter den Buchresten der
östlichen Manichäer von Turfan vorherrscht. Inzwischen ist nun
durch die erstaunlichen neuen griechisch-christlichen Papyrusfunde
in Ägypten, von denen 190 Blätter ebenfalls von Mr. Chester
Beatty erworben worden sind, die Geschichte des Papyruscodex bis
ins 2. Jh. n. Chr. zurückverfolgbar geworden. Die Aussagen über
die manichäische Buchkunst bei Augustin und Gahiz finden, wie
schon in Turfan, so auch hier ihre Bestätigung. Der Schreibstoff ist

von erlesener Feinheit und Zartheit, die Schrift klar und regelmäßig, ihre Anordnung auf der Buchseite voller Geschmack. Obwohl die Ränder mehr oder minder beschädigt sind, vermag I. aus der Beschaffenheit des Papyrus zu erkennen, daß je drei Doppelblätter eine Heftlage bilden. Die alten Einbände, die vermutlich mit nicht geringerer Sorgfalt ausgeführt waren, sind nicht erhalten.

Der größte Teil des Berichts (4—63) ist von Schmidt verfaßt. Er handelt von den Umständen und der Herkunft des Fundes sowie von seiner Sprache (6—12), von der manichäischen Mission in Ägypten und ihrer Abwehr (12—17), beschreibt die sieben Papyrusbücher, soweit es heute möglich ist (18—35), und geht dann an Hand einiger Kapitel der Kephalaia — des Buches, von dem die Entdeckung ausging — auf einzelne Fragen der Literatur, Geschichte und religionsgeschichtlichen Stellung des Manichäismus ein. Er spricht über Manis schriftstellerische Tätigkeit nach Kap. 148 (35—41), über die Gründe, aus denen Mani die Überlegenheit seiner Verkündigung über die früheren Religionen herleitet, nach Kap. 154 (41—47), über Manis Reise nach Indien und seine späteren Lebensschicksale nach Kap. 1 (48—53), über seine Berufung und den Charakter seiner Mission nach Kap. 1 und 143 (53—63). An S.s übersichtlich klare, an Stoff und Anregungen reiche Darlegungen schließt die in mediam rem gehende Interpretation der Kapitel 7 und 4 — dazu zweier Stücke aus Kap. 138 und einem Kapitel eschatologischen Inhalts — durch H. J. Polotsky (63—83); sein Beitrag, so kurz er ist, gehört zu dem Gediegensten und Wertvollsten, was über den Manichäismus geschrieben ist.

Der Fundort der Papyri ist, wie S. herausbekommen hat, die heutige Ruinenstätte Medinet Madi im Südwesten des Fajjum, unweit vom Südende des Moerissees, nach Wessely die aus einer ptolemäischen Militärkolonie hervorgegangene κώμη Ἰβιὼν (τῶν) Εἰκοσιπενταρούρων, später eine rein koptische Niederlassung. Die Bücher sind dort im Keller eines früheren Wohnhauses in einer zerfallenen Holzkiste gefunden worden. Sie sind aber nicht am Fundorte entstanden: ihre Sprache weist weiter südwärts. Sie sind im sog. subachmimischen Dialekt verfaßt, der zwischen dem eigentlichen Achmimischen und dem es literarisch allmählich verdrängenden Sahidischen (Thebanischen) steht und in der Gegend von Assiut

— das ist das alte Lykopolis — gesprochen wurde. Dem gleichen
Dialekt gehören, ihrerseits sprachliche Besonderheiten aufweisend,
das 1924 von H. Thompson veröffentlichte Johannesevangelium
und die von S. selber vor dreißig Jahren aus der Heidelberger
Sammlung veröffentlichten Acta Pauli zu. Das sprachliche Verhältnis der neuen Texte zu diesen beiden Büchern erläutert eine von
Polotsky aufgestellte Übersicht (11 f.). Die manichäischen Schriften
sind also in der Gegend von Assiut entstanden und von dort nach
Norden ins Fajjum gebracht worden. Auch auf die Zeit ihrer Entstehung läßt die sprachliche Form einen Schluß zu: sie liegt vor der
Durchsetzung des sahidischen Dialektes zur christlichen Liturgie-
und Literatursprache Oberägyptens, die in dem Lebenswerk des
zweiten Vorstehers des Weißen Klosters im Gebiet von Achmim,
des Schenute von Atripe († 451), zum Abschluß kam.

S. nimmt an, die neuen Bücher seien durchweg aus dem Griechischen
übersetzt. Ob das generell entschieden werden kann, muß die Zukunft
lehren. Seitdem wir zuverlässig bestimmte, wenn auch armselige Reste
manichäischer Literatur in syrischer Sprache und manichäischer Schrift aus
Ägypten kennen (17), ist mit der Möglichkeit von Übertragungen unmittelbar aus dem Syrischen ins Koptische zu rechnen. Einige Syrismen
hat Polotsky festgestellt (78 A. 1 und bes. 73 — s. auch unten S. 78).
Beachtenswert ist, daß zwar die Namen von Manis Jüngern (so Πάππος
Σισίννιος Ἰνναῖς Κουσταῖος Σαλμαῖος) sowie geläufige orientalische
Namen in normaler Wiedergabe nach griechischer Art erscheinen, dagegen
entlegenere orientalische Namen in Formen, die erst verständlich werden,
wenn man sie als ungenaue Transkriptionen aus einer die Vokale nicht
eindeutig oder überhaupt nicht bezeichnenden, also semitischen Schrift
auffaßt. Das beste Beispiel ist wohl Αδιβ (48 A. 3) für gr. Ἀδιαβηνή syr.
Ḥḏajjaḇ: es ist ein Transkriptionsversuch für ein aus חדיב in manichäischer
Schrift, in der ה und א sehr ähnlich sind, verderbtes oder verlesenes
אדיב. Ebenso ist der später zu besprechende Name Αμαρω (28) aus עמרו
oder vielmehr, nach manichäischer und mittelpersischer Orthographie:
אמרו umschrieben. Und **TANAXIT** (28) ist, mit dem koptischen Artikel
fem. sg. versehen, gr. Ἄνζητα (Ptol. 5, 12) Ἀνζιτηνή, später Χανζίτ, arm.
Hanjitᶜ Anjitᶜ (j = dz), syr. הנזיט אנזיט, ein Gebirgsgau im südlichen
Armenien unweit von Amid.

Nach dem Lügenroman, den die Acta Archelai von Mani und seinen
beiden Vorgängern Scythianus und Terebinthus erzählen, kam Scythianus
in die Thebais. Epiphanius, den Acta folgend, präzisiert dies, indem er ihn

nach Hypsele gelangen läßt. Hypsele lag in südöstlicher Richtung nahe
bei dem heutigen Assiut, also im Dialekt- und Entstehungsgebiet der
neuen Texte. Ob man aber mit S. (13 ff.) daraus folgern darf, Epiphanius
habe von manichäischer Missionstätigkeit in der Gegend von Hypsele
gewußt? — Es ist von Bedeutung, daß nun die Heimat des Alexander von
Lykopolis, des Verfassers der ältesten auf uns gekommenen Streitschrift
wider den Manichäismus, als Zentrum der manichäischen Mission in Oberägypten festgestellt ist. Der von ihm Πάπος genannte erste manichäische
Sendbote in Ägypten heißt in den neuen Texten Πάππος und tritt nach
ihnen zu Manis Lebzeiten in Babylonien auf. Also wird auch sein Name
nicht mit dem ägyptischen Παᾶπις, sondern mit dem in Babylonien für
Juden und Christen bezeugten Pāpā zusammenzustellen sein.

Von antimanichäischer Literatur in koptischer Sprache sind nur Bruchstücke bekannt geworden, neuerdings ein von Bilabel herausgegebenes
Heidelberger Fragment, das S. als Exzerpt aus der 6. Katechese des Cyrill
von Jerusalem erkannt hat, und einige von Lefort veröffentlichte, von
Polotsky identifizierte Zitate aus den Acta Archelai (17). Die Acta waren,
wie ich hinzufügen möchte, dem Schenute inhaltlich bekannt, er erwähnt
die in ihnen enthaltene Manilegende in einer Predigt. Vielleicht sind damit
die in einer Pariser Handschrift enthaltenen, aus dem Weißen Kloster des
Schenute stammenden und im 10. Jh. geschriebenen Fragmente einer koptischen Version der Acta in Zusammenhang zu bringen. Von ihr soll die
arabische Version abhängig sein, die in der Geschichte der Patriarchen von
Alexandria, verfaßt von Severus von Aschmunein (um 970), steht. Das
alles bedarf erneuter Untersuchung. — Eine Frage von großer Tragweite,
die sich im Anschluß an die neuen Texte erneut stellen wird, ist diese: steht
das oberägyptische Mönchstum, das bald nach dem Eindringen der manichäischen Mission sichtbar zu werden beginnt, seiner Herkunft nach zu
dieser in — positiver und negativer — Beziehung? Wird der Weitblick
F. Cumonts recht behalten, der schon vor 13 Jahren schrieb: « Nous
pouvons ainsi saisir sur le fait en Égypte — et il en fut de même en Syrie
et en Asie Mineure — l'intervention du facteur manichéen dans le
développement d l'idéal monastique? » Im Zusammenhang der Abwehr
des Manichäismus in Ägypten hätte das von Alexandria, leider ohne
Jahresangabe, datierte Edikt des Diokletian an den Prokonsul Julian von
Africa, das G. Haenel in den Fragmenta codicis Gregoriani herausgegeben
hat, Erwähnung verdient. Eindrucksvoll verwahrt sich darin der männliche römische Geist gegen das verwirrende und seelenschwächende Sekten-
wesen, das neuerdings vom persischen Reichsfeinde her einzudringen begonnen hat. — Dagegen ist mit großer Vorsicht aufzunehmen, was der
arabisch schreibende Patriarch von Alexandria Eutychius Saʿīd († 940)

von den Maßnahmen des Patriarchen Timotheus I. (um 380) wider die Manichäer erzählt. Denn wenn er die Manichäer in Electi *(ṣiddīqūn)* und 'Fischesser' *(sammākīn)* einteilt, um den Letzteren längere, aus ihrem Namen abgeleitete Betrachtungen zu widmen, so liegt auf der Hand, daß hinter den angeblichen Fischessern die Auditores *(sammāᶜīn)* stecken. Das spricht nicht für die Zuverlässigkeit dieser Überlieferung. Die aus ihr gewonnene abenteuerliche, gleichwohl bis in die Gegenwart wiederholte Behauptung, daß zur Zeit des Timotheus die meisten Metropoliten, Bischöfe und Mönche in Ägypten Manichäer gewesen seien, fällt freilich nicht dem Eutychius selber zur Last, sondern denen, die ihn ungenau gelesen haben. Denn er behauptet dies nicht für die Zeit des Timotheus, sondern ausdrücklich für die Zeit Manis. Dadurch wird seine Angabe freilich nur noch unglaubwürdiger.

An der Spitze der nach Berlin gekommenen Bücher stehen die Kephalaia. Ihre Blätter zeigen durchweg auf der Rückseite die Überschrift 'Kephalaia', auf der Vorderseite 'des Lehrers'; solche rückläufigen Überschriften waren schon aus den Turfanfragmenten als Eigentümlichkeit der manichäischen Bücher bekannt. Oben und außen stehen die Seitenzahlen; die höchste gelesene Ziffer ist 514, das Buch enthielt also über 250 Blatt. Die Kapitel, aus denen es besteht und nach denen es betitelt ist, sind fortlaufend gezählt — höchste gelesene Ziffer 172 — und mit besonderen Überschriften versehen, von denen 24 von P. mitgeteilte als Probe dienen (22 f.). Ihre feste Form ist die Rede Manis an seine Jünger, oft durch Fragen derselben veranlaßt; wir kannten sie schon aus dem in Tunhuang gefundenen sog. Chinesischen Traktat. Ob sie auf indische Herkunft weist? Sie findet sich auch gelegentlich in apokryphen christlichen Schriften (21 A. 3 = 23 A. 2). Daß Mani in ihr auch Gespräche Jesu mit seinen Jüngern stilisierte, zeigen die Zitate aus seinem 'Buch der Mysterien' bei Beruni. Mit der gepflegteren Dialogform der christlichen Apologeten und des Bardesanes — im 'Buch der Gesetze der Länder' — ist sie schwerlich in Zusammenhang zu bringen. Wohl aber darf man die Kephalaia in eben dem Sinne als Manis geistiges und literarisches Eigentum betrachten, in dem das 'Buch der Gesetze der Länder' dem darin als Dialogführer auftretenden Bardesanes zugehört. Die einzelnen Kapitel sind lose und ohne inhaltliche Beziehung aneinander gereiht. Sie beziehen sich auf die verschiedensten Lehrgegenstände und scheinen die bei

Mani bliebte Form der 'katalogosierenden' Darstellung zu bevorzugen, der ein in Zahlen ausdrückbares Schema zugrunde liegt. Auffällig bleibt, daß die Kephalaia zwar bei mehreren griechischen Vätern erwähnt werden, aber den beiden griechischen Abschwörungsformeln und der ganzen orientalischen Überlieferung unbekannt sind (19).

Den Kephalaia folgt die große Briefsammlung. Die Überschriften und Adressaten derselben sind, großenteils zur Unverständlichkeit entstellt, in einer im Fihrist erhaltenen Liste überliefert; jetzt dürfen wir auch hierfür weitere Aufklärung erwarten.

In der koptischen Sammlung steht der Titel jeweils auf der Rück-, der Adressat auf der Vorderseite; Seitenzahlen fehlen. Drei Briefe an Sisinnios, Manis Nachfolger als ἀρχηγός der Gemeinde, sind festgestellt; von vieren wußten wir aus dem Fihrist. Ein Londoner Text berichtet von dem Kreuzestod, den er in der Nachfolge seines Meisters unter Bahram II. (276—293) erlitt. Unbekannt (25) war diese Tatsache bisher nicht: das Leningrader mittelpersische Fragment S erwähnt sie. Als Absender des dritten Briefes an Sisinnios erscheint neben Mani sein Jünger Κουσταῖος: das ist der bisher unerklärliche כושתיה, der als Manis Begleiter in dem Berliner mittelpersischen Fragment M 3 Vorderseite Z. 2 auftritt. Seinen zu Anfang der nächsten Zeile zerstörten Titel hat — nach Mitteilung von W. Lentz — F. C. Andreas zu דבי[ר dibīr 'Schreiber' ergänzt, wofür jetzt seine Nennung im Eingang des koptischen Briefes spricht. S. ergänzt seinen auch im koptischen Text zerstörten Titel zu [ἀπόστολο]ς (24, 20; 26, 26): ist [γραμματεύ]ς möglich? — Von den Briefen sind Fragmente, meist noch unveröffentlicht, in der Turfanüberlieferung erhalten, andere in einem byzantinischen Florilegium von ca. 700. Die letzteren hat P. Alfaric für Fälschungen antimonophysitischer Polemik erklärt; aber W. Bang (27 A. 3) hat mit Recht geltend gemacht, daß irgendwie zwingende Argumente gegen ihre Echtheit fehlen — und was wir jetzt von Manis Redeweise aus den neuen Texten kennenlernen, spricht für sie. Mani ging bewußt über Paulus hinaus, als er selber die Sammlung seiner Briefe kanonisierte und sie in das Corpus seiner Lehrschriften aufnahm.

Das dritte nach Berlin gelangte Buch, auf mindestens 250 Blatt geschätzt, bezieht sich, soweit bisher feststellbar, auf die Geschichte des Manichäismus, und zwar sowohl auf das Leben des Stifters wie auf die Geschicke der Seinen nach seinem Tode. Nichts kann erwünschter sein als die Bereicherung unserer Kenntnis von diesen

Dingen; und die wenigen vorläufigen Mitteilungen S.s geben zu der Hoffnung Anlaß, daß zugleich neues Licht auf die wenig bekannte Geschichte der Sassaniden in den letzten Jahrzehnten des 3. Jh. fallen wird.

Wenn das Buch von der 'Königin Θαδαμωρ' spricht, so möchte ich darin einen neuen eindeutigen Syrismus (s. o. S. 74) finden: zugrunde dürfte liegen מלכת תדמור 'Königin von Tadmor-Palmyra', und gemeint ist die große Zenobia, die letzte, 273 von Aurelian entthronte Herrscherin von Palmyra. Die Schreibung Θαδαμωρ stellt sich zu Θαδάμορα Josephus ant. 8. 154. — Als Förderer der Manichäer und als ihr Schützer gegenüber dem Sassaniden Narses (293—302) tritt der 'König Αμαρω' auf. Die Form seines Namens führt, wie schon oben S. 74 f. bemerkt, auf eine semitische Schreibung עמרו oder אמרו zurück. Dadurch findet nun eine Kombination E. Herzfelds ihre ebenso überraschende wie glänzende Bestätigung. Denn es ist kein Zweifel: der Αμαρω der neuen Texte ist ebenso wie der von Herzfeld erkannte אמרו der Paikuli-Inschrift kein anderer als der Herrscher, der früher nur aus viele Jahrhunderte später fixierter und lange Zeit als apokryph verworfener arabischer Überlieferung bekannt war: ᶜAmr ibn ᶜAdī, König von Hira am unteren Euphrat, dessen Regierungszeit Herzfeld vermutungsweise auf etwa 272—300 ansetzt. Inschriftlich bezeugt sind bereits für ca. 270 sein Vorgänger und Muttersbruder, Gadīmat, 'König der Tanūḫ', durch die griechisch-aramäische Bilinguis von Umm ig-Gimāl, sowie sein Sohn und Nachfolger Imraᵓalqais † 328, 'König aller Araber', durch die altnordarabische Inschrift von Namāra bei Bostra in Syrien. Ein Jahrhundert nach diesem, um 420, ist dann sein Nachkomme Nuʿmān als König von Hira und persischer Vasall durch die syrische Vita des Simeon Stylites bezeugt. Besonders wichtig ist es, daß ᶜAmr in den koptischen Texten ausdrücklich 'König' heißt. Damit erledigen sich die Bedenken, die seinerzeit Th. Nöldeke gegen den Königstitel seines Sohnes Imraʾalqais auf der Inschrift von Namāra erhob, sowie seine Annahme, Imraʾalqais sei römischer Vasall auf römischem Gebiet gewesen und erst seine Nachkommen seien persische Vasallen und Könige von Hira geworden. Nicht minder wertvoll ist die neue Erkenntnis, daß der Manichäismus um 300 einen festen Stützpunkt in Hira hatte und den Schutz des Herrschers genoß: das wird in der von Tor Andrae neu eröffneten Diskussion über manichäische Einflüsse auf die Prophetie Muhammeds in Betracht zu ziehen sein. — Als Bote des ᶜAmr an den Perserkönig Narses tritt Manis Jünger ᾽Ιvvαῖος auf. Dieser sein Name war schon aus der großen griechischen Abschwörungsformel bekannt und darf jetzt nicht mehr mit Keßler in ᾽Ιαvvαῖος geändert werden — aber wie ist er zu erklären? Innaios war der zweite ἀρχηγός der manichäischen Kirche und Nachfolger des Sisinnios. — Der neben Αμαρω genannte Hyparch Sapores ist offenbar ein ebenfalls in der Paikuli-Inschrift genannter persischer Großwürdenträger, der Argapet Schapur (šāhpuhr), ein Mitglied der königlichen Familie, nach Herzfeld vielleicht ein Brudersohn des ersten Sassaniden Ardaschir.

Von noch zwei weiteren Büchern sind Stücke nach Berlin gekommen. Sie gehören mit zwei entsprechenden Teilen des Londoner Bestandes zusammen. Das erste Buch enthält eine Sammlung von Homilien (λόγοι) verschiedener Verfasser und verschiedenen Inhalts. Ihre Veröffentlichung durch P. steht bevor. Das andere Buch wird auf ca. 250 Blatt geschätzt, von denen 31 konserviert sind. Von seinem Inhalt ist noch wenig bekannt; es scheint Beziehungen zu Manis 'Lebendigem Evangelium' zu enthalten. Ganz unerschlossen ist bisher ein drittes, gleichfalls umfangreiches Buch des Londoner Bestandes.

Dagegen läßt sich schon manches über das vierte der Londoner Bücher sagen, das zum guten Teil auf Mani selber zurückgehen dürfte und einen Fund ersten Ranges bedeutet: das große Psalmenbuch, das unsere bisher schon nicht geringe Kenntnis der kultischen Poesie der Manichäer in ungeahntem Ausmaß zu erweitern verspricht. Die Psalmen sind durchgezählt, als höchste Ziffer ist 230 gelesen. Sie sind inhaltlich von großer Mannigfaltigkeit, viele von ihnen gelten dem Preis und dem Gedenken Manis. Es finden sich auch alphabetische Psalmen, d. h. solche, die nach einem zuerst in der alttestamentlichen, und zwar schon der vorexilischen Poesie zu beobachtenden, bei den Mandäern und in der Hymnendichtung der östlichen Manichäer sehr beliebten Brauch die Stichen oder Strophen in alphabetischer Folge der Anfangsbuchstaben anordnen. Mani selber bezeichnete die 22 Bücher seines 'Lebendigen Evangeliums' nach den 22 Buchstaben des syrischen Alphabets.

Von der Beschreibung des Fundes wendet S. sich zur Charakterisierung von Manis Schriftstellerei, wobei ihm die von P. Alfaric mit bewundernswerter Gelehrsamkeit zustande gebrachte und übersichtlich geordnete manichäische Literaturgeschichte gute Dienste leistet. Das 148. Kapitel der Kephalaia teilt fünf Bücher fünf 'Vätern' zu, nämlich vier an dem Werk der Welt- und Menschen-

erlösung beteiligten Gottheiten und Mani selber: das 'Lebendige
Evangelium' dem (Dritten) Gesandten, den 'Schatz des Lebens' der
Säule der Herrlichkeit, die 'Pragmateia', das 'Buch der Mysterien'
und die 'Schrift von den Giganten', die eine Triade bilden, dem
Licht-Paargenossen, die Briefe Mani selber, die Kephalaia (? —
ergänzt) dem Licht-Nous. Nicht nur die sieben Buchtitel waren
bekannt; auch die vier Gottheiten sind in der bisher vorhandenen
Überlieferung mehr oder minder deutlich bezeugt. Klar umrissen
war bereits die Gestalt des dritten Gesandten, leidlich bestimmt die
Säule der Herrlichkeit. Dagegen sind der Licht-Paargenosse und
seine arabische Entsprechung, der Licht-Nous und seine Vertreter in
der Turfanüberlieferung erst jetzt durch die koptischen Texte und
durch P.s Forschungen verständlich geworden.

Unmittelbar leuchtet ein, daß diese Aufzählung aus dem Prokrustesbett
des im Manichäismus dominierenden Fünferschemas hervorgegangen ist:
daher die Vereinigung von drei Büchern zu einem, daher die Fortlassung
der Psalmen und Gebete. Diese erscheinen nämlich hinter den genannten
Büchern in zwei Schriftenverzeichnissen, von denen das eine im Einlei-
tungskapitel der Kephalaia, das andere in den Londoner Homilien steht.
Beide stimmen im übrigen mit dem in Rede stehenden Fünferverzeichnis
überein, nur daß in dem Verzeichnis der Kephalaia eine interessante
Variante vorkommt. Statt der 'Schrift von den Giganten' wird dort —
nach S.s Übersetzung 40 A. 2 — die 'Schrift, die ich geschrieben habe auf
Veranlassung der Parther' genannt; Vermutungen über den Sinn dieser
Umschreibung, die nicht fernliegen, halte ich zurück.

Die Bezeichnung 'Evangelion' ist auch in der Turfanüberlieferung erhalten. Aus der Sprache der östlichen Manichäer ist das Wort mit anderen
manichäischen Termini in das Vokabular der älteren neupersischen Poesie
übergegangen. Aber daneben erscheint im iranischen Sprachgebiet die spezifisch persische (nicht parthische) Benennung ארדחנג *ardhang*, die auf ein
ursprünglich wohl für die Verkündigung Zarathustras geprägtes, alt-
persisches *arta-ϑaᵘha* zurückzuführen ist. In dem Fragment T II D 79
stehen *evangelion* und *ardhang* nebeneinander, getrennt durch ein Inter-
punktionszeichen, das Lentz irrig als Trenner angesehen hat, um daraufhin
die unbezweifelbare Gleichheit der beiden Begriffe in Frage zu stellen.
Daß es sich vielmehr um ein 'Gleichheitszeichen' handelt, folgt, wie P. mir
gezeigt hat, aus seinem Auftreten zwischen den sachlich identischen Gottes-
bezeichnungen Frēhrōšn · Narisafyazd in dem Fragment M 2. Auch *ardhang* ist — in den Formen *artang arϑand aržang arjang* — als nicht mehr

verstandene manichäische Vokabel ins Neupersische übergegangen. —
Beim Titel der Pragmateia wird man nicht an „Betätigung im täglichen
Leben" und an eine praktisch-ethische Schrift (39) zu denken haben, sondern an die gewöhnliche Bedeutung von πραγματεία im literarischen
Sinne: 'Traktat, Abhandlung'; in dieser sowie in der Bedeutung 'Handel'
ist das Wort ins Syrische entlehnt worden (ins Jüdisch-Aramäische nur in
der letzteren). Mani hat es gewiß nicht aus dem Griechischen, sondern aus
dem Syrischen: er empfand es als Fremdwort, das zeigt der absolute Gebrauch als Buchtitel. — Vom Buch der Mysterien, dessen 18 Kapitelüber-
schriften der Fihrist aufführt, sind freilich in die Turfanüberlieferung
keine Fragmente erhalten (40), wohl aber fünf sehr aufschlußreiche in
Berunis Monographie über Indien. — Die Schrift von den Giganten befaßte sich wahrscheinlich mit umfassender Deutung älterer Mythen und
erstreckte sich auf die 'Göttersöhne' in Genesis 6 wie auf die griechischen
Giganten und Titanen, auf die mythisch gewordenen Könige des nord-
mesopotamischen Hatra wie auf die Heroen der ostiranischen Sage.

Das 154. Kapitel der Kephalaia handelte — vermutlich in zehn
Punkten, wie in einem unveröffentlichten Turfanfragment — über
die Vorzüge von Manis Verkündigung gegenüber den älteren Religionen. Er habe die Schriften, die Weisheit, die Apokalypsen, Parabeln und Psalmen der früheren Propheten in seine Offenbarung
aufgenommen. Er habe im Unterschied von ihnen seine Verkündigung selber aufgezeichnet und sorgsam abschreiben lassen. Seine
Verkündigung sei universal und richte sich, im Unterschied von dem
partikularen Charakter der früheren Religionen, gleichmäßig nach
Westen und Osten. Man wird diese Aussagen nicht allzu wörtlich
nehmen, sondern sie als das betrachten müssen, was sie sind: als
programmatische und darum programmatisch überspitzte Sätze.
Der erste von ihnen läßt sich wohl in gewissem Umfang für das
Verhältnis des Manichäismus zum Christentum aufrechterhalten,
wobei freilich zu bemerken bleibt, daß in den neuen Texten bisher
weder apokryphe noch gar kanonische Stücke christlicher Überlieferung gefunden worden sind, so daß also die wichtige Frage
nach dem von Mani benutzten Bibeltext noch keine weitere Aufklärung findet. Dagegen kann von der Einbeziehung originär zara-
thustrischer oder buddhistischer Literatur in die manichäische keine
Rede sein. Ebenso übertrieben ist der Satz von der lokalen Be-
schränktheit der früheren Religionen. Bereits seit den Flaviern hatte

die von Persien ausgegangene Mithrasreligion ihren Siegeszug im Westen angetreten. Umgekehrt war das Christentum bereits zu Beginn der Sassanidenzeit, also um 225 — nicht erst im Verfolg der Kriege Schapurs I. (46) —, in Persien und bis nach dem nordwestlichen Indien hin vorgedrungen. Das bezeugen einwandfrei das 'Buch der Gesetze der Länder' und die Chronik von Arbela.

Das 1. Kapitel der Kephalaia enthält eine Angabe, die unsere Kenntnis von Manis Biographie wesentlich bereichert. Danach ist Mani gegen Ende der Regierung des Ardaschir zu Schiff nach dem Lande der Inder gereist, um dort zu predigen und hat dort 'eine gute Auslese ausgewählt', d. i. nach stehendem Sprachgebrauch: er hat eine Gemeinde begründet. Von der Dauer der Reise verlautet nichts. Nach Ardaschirs Tode und Schapurs I. Regierungsantritt kehrte er, als man 'nach ihm sandte' (z. T. ergänzt), wiederum zu Schiff über die Persis und Babylonien nach Susiana zurück, um vor dem neuen Herrscher zu erscheinen. Von ihm in Ehren aufgenommen, setzte er seine Mission fort und zog im Gefolge des Königs jahrelang durch Persien und Parthien bis hinauf nach Adiabene und durch die westlichen Grenzgebiete des Reiches.

S. zieht aus diesem interessanten Text andere Folgerungen, als ich es tun möchte. Er nimmt an, Mani sei von seinem Interesse an indischer Religion nach Indien geführt worden und habe dort Kenntnis von buddhistischem Schrifttum und Leben gewonnen. Der Text sagt nichts davon. Mani ist, meine ich, so wenig zum Studium des Buddhismus nach Indien gefahren wie Paulus zum Studium der stoischen Philosophie nach Athen und Korinth. Als Missionar seiner eigenen Verkündigung zog er aus: das setzt voraus, daß seine Verkündigung bereits als feste Lehre ausgebildet war. Hierzu stimmt nun, daß nach der im Fihrist auszugsweise mitgeteilten manichäischen Stifterbiographie seine Entwicklung zum Verkünder einer neuen Religion zwischen seiner ersten und zweiten Berufung zum Abschluß kam. Die zweite Berufung, die an ihn erging, als er vierundzwanzig Jahre alt geworden war, veranlaßte ihn zu öffentlichem Auftreten. Wir zogen bisher aus einer undeutlichen Angabe des Fihrist (328, 17) die irrige Folgerung, Manis erstes öffentliches Auftreten sei am Krönungstage Schapurs I. erfolgt. Jetzt erfahren wir, daß er vielmehr zuvor nach Indien reiste. Das paßt auch genau

zu den chronologischen Ansätzen, die wir haben. Denn Mani beendete sein 24. Lebensjahr zwischen dem Herbst 240 und dem Frühjahr 241, der Krönungstag Schapurs aber war der 20. März 242.
In die Zwischenzeit fällt die indische Reise — der indische Aufenthalt dürfte also längstens anderthalb Jahre gedauert haben. — Dadurch wird nun die Angabe des Fihrist (328, 26) erklärbar, nach
der Mani vor seiner Begegnung mit Schapur etwa 40 Jahre lang
auf Reisen gewesen sei: die Zahl 'vierzig' ist im arabischen Text aus
'zwei' verdorben. — S. meint ferner, die Waage neige sich jetzt
zugunsten der Gelehrten, die für eine Beeinflussung Manis durch
den Buddhismus eingetreten sind (49). Nun, die Möglichkeit einer
solchen Beeinflussung ist gewiß nicht zu bestreiten; fragt sich nur,
ob sie auch tatsächlich geworden ist, mit anderen Worten: ob in der
Glaubens- und Sittenlehre Manis Elemente erkennbar sind, die nur
aus buddhistischem Einfluß herzuleiten und verständlich zu machen
sind. Daß für die asketische Praxis der Manichäer und für Äußer-
lichkeiten des literarischen Stils wie die oben S. 76 erwähnte
Redeform der Kephalaia indische und insbesondere buddhistische
Vorbilder in Frage kommen, mag man annehmen, wiewohl es einstweilen durch nichts erwiesen und erweisbar ist. Aber von indischen
Elementen in Manis Theologie kann angesichts der neuen Texte
noch weniger die Rede sein als früher. Ich möchte wohl wissen, ob
ein Kenner der buddhistischen Literatur in den neuen Texten einen
Hauch von buddhistischem Geist zu spüren vermag. S. hat denn
auch keinen Versuch gemacht, dergleichen zu beweisen. Was zu F. C.
Baurs Herleitung des Manichäismus aus dem Buddhismus zu sagen
war, hat sein Rezensent M. Schneckenburger vor hundert Jahren
ausreichend gesagt. Und das neuerliche Unternehmen von L. Troje,
den Manichäismus vermittels des Chinesischen Traktats auf indische Spekulation zurückzuführen, ist durch P.s Kritik am Traktat
auf Grund der neuen Texte vollends widerlegt.

Man braucht auch nicht mit Schmidt auf Grund der neuen Nachrichten
den Bericht des Fihrist zu beanstanden, nach dem Mani vor Schapur an
dessen Krönungstag, einem Sonntag, dem 1. Nisan, „als die Sonne im
Widder stand", erschienen ist. Grundsätzlich ist zu sagen, daß der Bericht
im Fihrist aus alten manichäischen Originalschriften gezogen ist und
ceteris paribus den gleichen Quellenwert beansprucht wie die neuen Texte.

Das Auftreten Manis an Schapurs Krönungstag steht nicht in Widerspruch
dazu, daß Schapur ihn nach dem Tode seines Vaters Ardaschir und seinem
Regierungsantritt aus Indien hat rufen lassen. Denn Regierungsantritt und
Krönungstag sind nicht dasselbe. Aus der Erwähnung des 1. Nisan und
des Frühlingsanfangs im Fihrist folgt vielmehr, daß noch zur Zeit
Schapurs der babylonische, von den Achämeniden übernommene Brauch
bestand, die Krönung an dem auf den Regierungsantritt folgenden Neu-
jahrstag bzw. dem Fest des Frühlingsbeginns stattfinden zu lassen. Um
also den Bericht der Kephalaia und den des Fihrist miteinander in Einklang zu bringen, bedarf es nur der Berücksichtigung der längst fest-
gestellten Tatsache, daß zwischen Ardaschirs Tod und dem nächstfolgenden
Frühlingsanfang mehrere Monate vergangen sind. Sie lassen für Manis
Benachrichtigung und Heimreise zureichenden Spielraum, zumal da er den
direkten Weg nach der neuen Hauptstadt Belapat in Susiana nahm —
nicht „einen großen Umweg" (50 A. 3).

Zwei ganz andere Schlüsse möchte ich aus dem Text ziehen:
erstens, daß um 240 bereits christliche Gemeinden in Indien bestanden, zweitens, daß Mani bereits die Überlieferung von der Missionsreise des Apostels Thomas nach Indien kannte. Was den ersten
Schluß anlangt, so stützt er sich auf die Tatsache, daß die manichäische Mission so den christlichen Gemeinden nachging wie die
paulinische den jüdischen. Und welche Bedeutung die Gestalt des
Apostels Thomas für Mani hatte, wird noch im folgenden zu zeigen
sein. Es gibt wohl heute keinen kritischen Historiker mehr, der an
die indische Missionsreise des Thomas im 1. Jh. bzw. an einen geschichtlichen Kern der Thomasakten glaubt. Daran ist aber kaum
zu zweifeln, daß die apokryphe Thomasüberlieferung schon vor
Mani entstanden und verbreitet worden ist. Sie ist es gewesen, die
ihn nach Indien geführt hat, in Nachfolge und Nachahmung des
Apostels. Aus den neuen Texten ist einstweilen nicht ersichtlich,
welche Landschaften unter 'Indien' verstanden werden; aber es
darf als sicher gelten, daß Gandhara und das Indusgebiet gemeint
sind. Das Verhältnis des Manichäismus zu den Thomasakten, deren
literarischem Charakter soeben G. Bornkamm eine vortreffliche
Untersuchung gewidmet hat, tritt in neue Beleuchtung.

Die Nachrichten der Kephalaia über Manis spätere Reisen im Gefolge
Schapurs befreien uns von den unbestimmten und einander widersprechen-
den Mitteilungen der islamischen Schriftsteller und stimmen dafür zu der

kurzen Notiz des Alexander von Lykopolis. S. geht weiter und meint:
„Dann aber wird es höchst zweifelhaft, ob Mani jemals einen Konflikt
während dessen 40jähriger (lies: 30jähriger) Regierung gehabt hat" (52).
Daß tatsächlich irgendwann ein Bruch eingetreten ist, würde das Turfan-
fragment M 3 beweisen, wenn es mit seinem ersten Herausgeber auf eine
Begegnung zwischen Mani und Schapur zu beziehen ist. — Manis Hin-
richtung wird in den Londoner Homilien in die letzte Zeit der Regierung
Bahrams I. (273—276) gesetzt. Wie damit die an sich unangreifbare, von
A. van Le Coq aus einem türkischen Turfantext gewonnene Datierung in
das Jahr 273 auszugleichen ist, läßt sich noch nicht sagen.

Im 1. Kapitel der Kephalaia spricht Mani auch von seiner ersten Berufung zur Zeit der Regierung des Ardaschir durch den 'Lebendigen
Parakleten'. Das Jahr der Berufung wird wieder nicht angegeben; aus
dem von Beruni zitierten persischen Hauptwerk des Mani, dem Schapurakan, wissen wir, daß es das Jahr 539 Sel. = 228/9 n. Chr. war — Mani
stand damals im 13. Lebensjahr. Er schildert die Berufung teilweise so,
wie die Erweckung Adams durch Jesus in der von Theodor bar Konai ex-
zerpierten Schrift. 'Ich lernte durch ihn (den Parakleten) alles kennen, ich
sah das All durch ihn, ich wurde ein Körper und ein Geist' (54). Demgegenüber läßt die Legende im Fihrist die Berufung durch den Engel
at-Taum erfolgen; der arabische Verfasser fügt hinzu, das sei nabatäisch
(= aramäisch) und bedeute den eng verbundenen Gefährten (arab. *qarīn*).
Tatsächlich ist *at-taum* die Umsetzung eines aram. *taumā* oder *tōmā* ins
Arabische. Nun bedeutet mand. תאומא syr. תאמא appellativisch vor
allem 'Zwilling'; zugleich aber ist das aramäische Wort ein bekannter
Eigenname: Θωμᾶς. Seit langem nehme ich an, daß der Engel at-Taum
des Fihrist eine Gestalt ist, die Mani aus dem Apostel Thomas abgeleitet
hat und die er, wie wir jetzt erfahren, mit dem Parakleten gleichsetzte.
Durch sie stellte er, nach allgemein gnostischem Vorbild, die apostolische
Sukzession zwischen Jesus und sich selber her; an den geschichtlichen
Thomas konnte er schon wegen der zeitlichen Distanz nicht anknüpfen.
Daß er aber zugleich den Namen des Apostels ausdeutete und in dem
'Zwilling' Thomas zugleich sein eigenes alter ego sah, das zeigte schon die
Übersetzung von at-Taum durch *qarīn* in der arabischen Überlieferung.
Sie wird jetzt durch das genau entsprechende koptische ⲤⲀⲓ̈ⲩ bestätigt, die
Bezeichnung des 'Paargenossen', der in den neuen Texten als Emanation
des Licht-Nous erscheint und zur 'dritten Schöpfung' gehört. Seine sonst
kaum zu deutende Gestalt wird durch die Beziehung auf den Apostel
Thomas verstehbar. Unmittelbar erinnert die Beziehung, die Mani zu
dem sublimierten Thomas für sich herstellt, an die Rolle, die der Apostel
zeitweilig als Doppelgänger Jesu in den Thomasakten spielt. Indem Mani

durch diese Konzeption seine Einswerdung mit dem Parakleten begründete, konnte er sich selber von seinen Gläubigen als der Paraklet verehren lassen, wie es jetzt auch die koptischen Texte bezeugen. Daß die Christen ihm darauf den Vorwurf machten, er setze sich dem Hl. Geist gleich, war eine ihnen naheliegende, aber nicht manichäisch gedachte Konsequenzmacherei, die schon Eusebius (h. e. 7, 31) bezeugt. Mani selber setzte den Hl. Geist mit der zweiten Gottheit seines Pantheons, der Mutter der Lebenden, gleich.

Weiter spricht Mani im 1. Kapitel der Kephalaia ausführlich über die Vorgeschichte seiner Verkündigung: über Jesus und Paulus und den Verfall der Kirche nach ihrem Aufstieg ins Lichtreich; über die beiden Gerechten, die eine Reform der Kirche anstrebten, ohne über ihren Tod hinaus zu wirken, und in denen man sicher mit S. Marcion und Bardesanes zu erkennen hat; endlich über das Kommen des Parakleten in dieser Endzeit und sein Einwohnen in ihm, Mani selber. Daneben bezieht er sich auf Zarathustra und Buddha; wir wußten bereits, daß er in ihnen seine Vorläufer im Osten sah.

Als vor dreißig Jahren die Turfanfragmente ans Licht traten und mit ihnen manichäische Texte, die eine Fülle von zoroastrischen Termini und Götternamen enthielten, da entstand der Schein, es sei nun der wesentlich iranische Charakter und die iranische Herkunft des Manichäismus gesichert. Es hat nicht an Gelehrten gefehlt, die sich diesem Schein gefangen gaben. S. billigt, ebenso wie P., meinen Beweis dafür, daß die Ausstattung der Turfantexte mit zoroastrischen Vokabeln und Namen eine zwar von Mani bewußt unternommene, aber nur formal-stilistische Anpassung der manichäischen Predigt im Osten an die religiöse Denk- und Redeweise der Perser bedeutet, ohne mit dem Wesen und der Herkunft des Manichäismus etwas zu tun zu haben. Seinerseits rechnet aber S., mit Rücksicht auf die neuen Nachrichten von Manis Indienreise, mit Beziehungen zum Buddhismus; dazu habe ich schon vorhin Stellung genommen. Ich versuche nun, das Verhältnis Manis zu Zarathustra und Buddha, wie es sich auf Grund der neuen Texte darstellt, zu kennzeichnen.

Im 2. Jh. tritt sowohl in griechischen wie in christlichen — katholischen und mehr noch gnostischen — Kreisen ein gesteigertes Interesse an den Religionen des Ostens, vor allem Persiens und Indiens, hervor; auf seine Ursachen ist hier nicht einzugehen. Von

den indischen Asketen, den Brahmanen und Samanäern, und vom
Buddha reden Clemens von Alexandria und Tertullian; Bardesanes schreibt über sie, aus ihm schöpfen Porphyrius, Eusebius und
Hieronymus. An die Namen Zoroasters und seines Patrons, des
Königs Hystaspes, lehnt sich eine bereits im hellenistischen Judentum des letzten vorchristlichen Jahrhunderts einsetzende, umfangreiche Apokryphenliteratur an. Später ist sie auf griechischer Seite
Männern wie Lucian, Celsus, Porphyrius und Proclus, auf christlicher dem Clemens von Alexandria bekannt; auch in den pseudoclementinischen Recognitionen und im arabischen Kindheitsevan-
gelium ist sie bezeugt.

Daß Mani diese Literatur kannte und sich mit ihr beschäftigte, geht
aus einer bisher nicht zureichend erklärten Aussage des Fihrist hervor. Das
2. Kapitel des 'Buches der Mysterien' handelte danach (336, 9) über das
'Zeugnis des Hystaspes über den Geliebten'. Der 'Geliebte' heißt Jesus, der
Erwecker Adams, bei Theodor bar Konai (130, 27 Pognon). Es handelt sich
also um eine Weissagung des Hystaspes auf Jesus, die in den Zusammenhang der unlängst von H. Windisch behandelten Hystaspesorakel tritt. In
dieser Überlieferung wird Zarathustra mit Seth, Nimrod, Bileam, Baruch
gleichgesetzt. W. Bousset hat den engen Zusammenhang erkannt, der mit
der christlichen Zoroaster-Überlieferung die an den Namen des Seth an-
geschlossene Apokryphenliteratur verbindet. Daß Mani sich auch mit
dieser zu schaffen machte, ergab sich schon aus der im Fihrist (331 f.) mitgeteilten Geschichte der Protoplasten, in der Seth ganz in den Vordergrund tritt und die nach ihrem thematisch strengen Aufbau und ihrer
durchgeführten Tendenz als Manis eigene Schöpfung gelten muß. Jetzt
wird es durch die Mitteilung bestätigt, daß das 10. Kapitel der Kephalaia
der Deutung eines 'Gebetes des Sethel' gewidmet war (22). Im Eingangs-
kapitel der Kephalaia redet Mani von Ζαράδης 'Υστάσπης Βουδδᾶς.
Darauf, daß dies die Namensformen der westlichen, hellenistischen Überlieferung sind, soll kein Gewicht gelegt werden: sie könnten erst durch
die Übersetzer hineingekommen sein. Aber eindeutig ist, was Mani über
Jesus, Zarades und Buddas sagt. Jesus hat im Westen gepredigt und eine
Gemeinde geschaffen, aber er hat kein Buch geschrieben, sondern erst seine
Jünger haben es getan. Zarades, ein gerechter und wahrhaftiger Schüler,
der zum König Hystaspes kam, hat in Persien gepredigt, aber er hat
gleichfalls keine Bücher geschrieben, sondern seine Jünger, die nach ihm
kamen, erinnerten sich und schrieben die Bücher, welche sie heute lesen.
'Als nun Buddha seinerseits gekommen war — wir haben in bezug auf

ihn erfahren, daß auch er gepredigt hat seine Hoffnung und viel Weisheit,
daß er hat ausgewählt seine Kirchen und vollendet hat seine Kirchen und
offenbart hat ihnen [. . .]. Aber nur das ist es, daß er seine Weisheit nicht
in Bücher geschrieben hat. Seine Jünger, die nach ihm kamen, sind es, die
sich erinnerten an das bißchen Weisheit, das sie von Buddha gehört hatten,
und es in Schriften schrieben' (58 f.). Soll man das für bare Münze nehmen?
Ist ernstlich daran zu zweifeln, daß Mani hier nur ein Urteil über Jesus,
von dem er einiges wußte, schematisch auf Zarades und Buddha übertragen hat, von denen er wenig oder nichts wußte? Hatte er Kenntnis von
der Aussage der gesamten Parsenüberlieferung, daß Zarathustra nicht nur
die Gathas verkündet, sondern das ganze Awesta gebracht habe, als er
behauptete, Zarades habe nichts Geschriebenes hinterlassen? Hatte er
Kenntnis von dem durchgehenden und unausgleichbaren Widerspruch
zwischen der buddhistischen und seiner eigenen Heilslehre, als er sich auf
den Buddha als seinen Vorläufer und den Träger der gleichen, gemeinsamen Offenbarung berief? Woher kommt es, daß in den Resten seiner
Schriften keine Spur von Aneignung der echten zarathustrischen oder
buddhistischen Literatur wahrzunehmen ist, trotz seiner gegenteiligen
Behauptung? Woher kommt es, daß gegenüber den zahlreichen indischen
Lehnworten in den nordiranischen und türkischen Schriften seiner späteren
Anhänger im Osten in den auf ihn selber zurückgehenden kein einziges
belegt ist, trotz seiner Indienreise?

Wie aber, wenn man annimmt, Mani habe nicht den historischen
Zarathustra und Buddha im Auge gehabt, sondern den Zarades und
den Buddas, wie sie das romantisierende Interesse der Griechen
und Christen im 2. und 3. Jh. sah? Auf den Zarades, von dem die
Christen Weissagungen auf das Erscheinen Jesu überlieferten,
konnte er sich ebenso beziehen wie auf den Buddas, in dem man den
Inbegriff des indischen Asketismus sah. Und angesichts der literarischen Überlieferung von beiden, wie sie im Westen umlief, konnte
er auch von beiden wenigstens mit einem gewissen Recht behaupten,
daß sie wie Jesus selber nichts geschrieben hätten. So führen die
neuen Texte, wenn ich recht sehe, den abschließenden Beweis dafür,
daß sich Mani in der Beurteilung der östlichen Religionen und ihrer
Stifter, in denen er seine Vorläufer sah, an der w e s t l i c h e n
Überlieferung orientiert hat. Die Anpassung seiner persischen Mis-
sionsschriften an die religiöse Sprache der Zoroastrier, die er wohl
veranlaßte, aber selber durchzuführen schwerlich in der Lage war,
steht auf einem anderen Blatt; das Eindringen weiterer zoroastri-

scher und buddhistischer Elemente in die spätere Literatur der östlichen Manichäer wieder auf einem anderen.

Indem wir von den Mitteilungen Schmidts mit wiederholtem Dank Abschied nehmen, wenden wir uns dem Beitrag von H. J. Polotsky zu. Es muß als ein besonders glücklicher Umstand bezeichnet werden, daß er in die Arbeit an den neuen Texten eingetreten ist. Wer die manichäische Forschung wirklich vorwärtsbringen will, muß mit vielen Sprachen umgehen und in die weit verstreute und fragmentarische Überlieferung so eingelebt sein, daß er frei mit ihr schalten kann. P.s Domäne ist das Koptische; die griechischen und lateinischen, syrischen und arabischen, iranischen und türkischen Zeugen verhört er, ohne eines Dolmetschers zu bedürfen; die ganze Überlieferung ist ihm gegenwärtig. Seine Forschungsergebnisse, nach allen Seiten hin abgewogen und mit lakonischer Präzision dargelegt, kommen vor allem der Turfanüberlieferung zugute; sie läßt sich jetzt deutlicher ordnen und kritisieren, und eine Menge von bisher unverständlichen Einzelheiten werden sinnvoll. Über seine Ergebnisse kann ich hier nur kurz berichten: sie sind dazu angetan, als fester Bestand in die Forschung einzugehen.

Das 7. Kapitel der Kephalaia enthält eine sechs 'Generationen' umspannende Göttergenealogie, die P. zu einem Stammbaum ordnet (54). Sie gibt die uns schon bisher deutlich faßbaren Gottheiten der 'ersten' und 'zweiten Schöpfung' nicht vollständig, dafür aber um so reichlicher die der 'dritten Schöpfung', des eigentlich soteriologischen Stadiums der Kosmogonie. Es stellt sich heraus, daß die bisher reichhaltigste und klarste Darstellung der Kosmogonie, nämlich die des Theodor bar Konai, dies Stadium und seine Träger, die verschiedenen Emanationen des Dritten Gesandten, verkürzt und unzureichend wiedergibt. Der koptische Text läßt in klarer und verständlicher Ordnung aus dem Dritten Gesandten neun weitere Emanationen (eine davon ist wegen Textzerstörung nicht erkennbar) in drei 'Generationen' hervorgehen. Sie sind einzeln und in Gruppen sämtlich bekannt, zumal aus Turfan und der arabischen Überlieferung. Aber erst jetzt wird es möglich, sie einzuordnen und in ihrem gegenseitigen Verhältnis verständlich zu machen. Dadurch werden zugleich die Übergänge zwischen ihnen und die Möglichkeiten ihrer Angleichung aneinander und ihrer gelegentlichen Vertauschung — ein für den manichäischen Stil sehr wichtiger Faktor — begreifbar, während anderseits einer gewaltsam vereinfachenden und vereinheitlichenden Tendenz, die womöglich alle soteriologischen Gestalten des manichäischen Pantheons in die eine Gestalt Jesu zusammenziehen möchte, der Boden entzogen wird. Differenzen zwischen verschiedenen Gruppen der Turfanüberlieferung werden scharf faßbar (Narisaf ist in den persischen Texten sporadisch der Dritte Gesandte, in den nordiranischen der 'Geliebte der Lichter'; Mihr in den persischen der 'Lebendige Geist', in den nordiranischen und sogdischen sporadisch der Dritte Gesandte). Eine der umstrittensten Gestalten der Turfantexte, die Manuhmeδ, wird endgültig erklärt. Sie ist nicht die 'Seele', wie R. Reitzenstein wollte, der an sie die iranische Herleitung der 'Göttin Psyche' und damit die Konstruktion des „iranischen Erlösungsmysteriums" anknüpfte. Sie ist auch nicht die hypostasierte Gnosis, wie andere wollten. Vielmehr ist sie, in nordiranischer Wiedergabe, der Licht-Nous, der im koptischen Text 'der Vater aller Apostel, der Erste aller ἐκκλησίαι' zubenannt wird, eine Emanation Jesu und ihm daher so nahestehend, daß die vereinfachende Gleichsetzung Christi und des νοῦς in der von Alexander von Lykopolis benutzten griechisch-manichäischen Missionsschrift verstehbar und gerechtfertigt wird. — Diese Entdeckung P.s ist von großer Tragweite. In dem bereits erwähnten, von Chavannes und Pelliot herausgegebenen Chinesischen Traktat erscheint als beherrschender soteriologischer Faktor ein Begriff, den die Herausgeber als 'Lumière bienfaisante' deuteten. Mittlerweile haben Waldschmidt und Lentz festgestellt, daß er vielmehr als 'Licht der Manuhmeδ' zu fassen ist — wobei sie aber in dem Irrtum befangen blieben, daß Manuhmeδ soviel wie 'Gnosis' bedeute. Jetzt ist die Sachlage klar: gemeint ist der Licht-Nous. Dadurch wird Komposition und Gedankengang des Chinesischen Traktats auf weite, bisher unverständliche Strecken hin mit einem Schlage verständlich und interpretierbar.

Als Objekt der Erlösung steht dem Nous das 'Lebendige Ich' oder die 'Lebendige Seele', die *viva anima* Augustins gegenüber; P. vermag auch die syrische Entsprechung in einem Martyrologium zu belegen. Er ist geneigt, den Begriff aus der ψυχὴ ζῶσα 1. Kor. 15, 45 (nach Gen. 2, 7) herzuleiten. Das wird in der Tat ein Ausgangspunkt sein, aber nicht der einzige und nicht der unmittelbare. P. erwähnt nicht, daß wir den Begriff ja auch aus der arabischen Überlieferung kennen, nämlich aus der im Fihrist (336, 14) mitgeteilten Überschrift des 13. Kapitels in Manis 'Buch der Mysterien' und aus einem ihm angehörigen Zitat bei Beruni, das ich unlängst besprochen habe. Es bezieht sich auf die manichäische Auffassung der 'Lebensseele' *(nafs al-ḥajāt)* und polemisiert gegen ihre Auffassung bei Bardesanes. Daraus folgt, daß Mani den Begriff, wie so vieles andere, von Bardesanes übernommen und in seinem Sinne umgedeutet hat. Das schließt nicht aus, daß er zugleich die Stelle des Korintherbriefes im Auge hatte. P. hat schön beobachtet, daß er in ihrem Wortlaut — ἐγένετο ὁ πρῶτος ἄνθρωπος ᾿Αδὰμ εἰς ψυχὴν ζῶσαν —, wenn er die Nennung Adams außer acht ließ, seinen ganzen Urmenschmythos in nuce enthalten finden konnte. Dadurch wird auch die vereinfachende Gleichsetzung des Urmenschen mit der ψυχή bei Alexander von Lykopolis verständlich. In der östlichen Überlieferung ist das 'Lebendige Ich' seinerseits zur Erlösergottheit gesteigert.

Mit der Manuhmeδ wechselt, wie P. weiterhin erkannt hat, eine bisher isolierte Gestalt des turkestanischen Manichäismus, die 'Herrlichkeit der Religion' (pers. *farrah i dēn* türk. *nom qutī).* Die Erklärung, die ich für sie vorschlagen möchte, macht auch ihre Isolierung verständlich: sie gehört nicht der Urform des manichäischen Systems an, sondern der persischen Fortbildung. Wie ich früher gezeigt habe, findet sich in mehreren Urkunden des östlichen Manichäismus eine im Westen unbekannte Anpassung der Gotteslehre an das eigentümlich iranische, bereits in vormanichäischer Zeit sicher nachzuweisende Theologoumenon vom viergestalteten Gott, der sich in seiner Göttlichkeit, seinem Licht, seiner Kraft und seiner Weisheit vierfach manifestiert. Diese Anpassung ist, soweit man sehen kann, von Mani selber eingeleitet worden. Für das erste Glied der Tetrade behielt er den iranischen Namen des Urgottes, Zurvan, bei oder setzte dafür eine seiner eigenen Bezeichnungen für den höchsten Gott. Für das Licht setzte er Sonne und Mond bzw. ihre göttlichen Lenker, den Gesandten und die Lichtjungfrau, für die Kraft die fünf dem Urmenschen zugehörigen Lichtelemente. Als Repräsentanten der Weisheit endlich behielt er entweder, wiederum dem zugrundeliegenden iranischen Theologoumenon folgend, die 'Heilige Religion' bei oder hypostasierte diese eben zu der in Rede stehenden 'Herrlichkeit der Religion'. Wollte er sie in das ursprüngliche Pantheon eingliedern, so legte sich die Gleichsetzung mit dem Licht-Nous, dem Schutzpatron der ἐκκλησίαι, bzw. mit seinem iranischen Vertreter, der Manuhmeδ, unmittelbar nahe.

Der zweite von P. übersetzte und erklärte Text, das vierte Kapitel der Kephalaia, betrifft das Symbol der vier Tage und vier

Nächte, das bisher nur aus östlicher Überlieferung bekannt war, hauptsächlich aus dem Chinesischen Traktat, und zwar in zweifacher Fassung. P. weist nach, daß das Symbol im chinesischen und im koptischen Text verschieden gedeutet ist. In jenem ist der ursprüngliche Symbolsinn besser erhalten, während die Ausführung mancherlei sinnfremde und darum notwendig unverständliche Elemente aufgenommen hat, an denen wir nun nicht weiter herumzuraten brauchen. In diesem ist die Durchführung sinngemäß, aber der ursprüngliche Symbolgehalt verundeutlicht. So enthalten beide Fassungen Primäres und Sekundäres nebeneinander, und die Untersuchung liefert die bisher vermißten Handhaben für die dringend erforderliche einschneidende Kritik am Chinesischen Traktat.

Als Schlußfolgerung aus seinen bisherigen Forschungen stellt P. die für die weitere Interpretation der Turfanüberlieferung, wie sich jetzt schon sagen läßt, maßgebende These auf, daß nur im Falle der auf Mani selber zurückzuführenden persischen Lehrtexte von eigentlich 'östlicher' Überlieferung zu reden ist, während die nordiranischen samt den zumeist aus ihnen übersetzten türkischen (und chinesischen) Texten zur 'westlichen' Überlieferung zu rechnen sind. Mit anderen Worten: es gibt zwei Perioden der manichäischen Übersetzungsarbeit für die östliche Mission und die von ihr geschaffenen Gemeinden. Die erste, ältere, ist von Mani selber eingeleitet worden; ihren Charakter macht die sorgsame Anpassung der Übersetzungen an persischen und zoroastrischen Stil aus. Die zweite, spätere, gab die Anforderung der älteren Periode auf und übertrug die Literatur der westlichen Gemeinden, in erster Linie wohl die syrisch verfaßte der manichäischen Kirche Babyloniens, ohne besondere Umstände. Dazu stimmt die Dialektverteilung. Mani wandte sich an den Sassaniden Schapur, um ihn für seine Lehre und ihre Verbreitung zu gewinnen. Darum erfolgte die Aufzeichnung des Schapurakan, das er dem König überreichte und mit dem er das persische Übersetzungswerk einleitete, in der neuen Reichssprache, dem eigentlich Mittelpersischen (Südwestdialekt). Die Übersetzungssprache der späteren Periode, der Norddialekt, ist im wesentlichen eine Fortsetzung des Parthischen, der Reichssprache der Arsakiden. Ich sehe in ihm die Sprache der manichäischen Gemeinden in der nordostiranischen Provinz Chorasan, wo die Manichäer in den mit Manis Tode einsetzenden Verfolgungen Zuflucht suchten. Dort erhielt sich die Reichssprache der von den Sassaniden abgelösten Parther länger als im Westen. An die beiden älteren Übersetzungsperioden schließt sich eine 'persische Renaissance' an, die im 8. Jh. faßbar wird und offensichtlich mit dem großen Ereignis zusammenhängt, das dies Jahrhundert den östlichen Manichäern brachte: die Einführung des Manichäismus als Staatsreligion im Uigurenreiche. Während man gleichzeitig eine manichäische Literatur in türkischer und chinesischer Sprache schafft, schließt man sich bewußt an die älteste Zeit der manichäischen Mission in Iran an und bedient sich wie sie wieder des Persischen. Aber unverkennbar ist das Persische auf dieser Stufe eine im Wesentlichen tote Liturgie- und Literatursprache.

Zu P.s grundlegender Erkenntnis möchte ich nur zwei unerhebliche Einschränkungen vorbringen. Erstens ist ein so wichtiger Text wie der türkisch erhaltene, aber sicher nicht original türkische Laienbeichtspiegel, das Chuastuanift, in seiner Disposition auf das Theologoumenon vom viergestaltigen Gott gegründet. Da es der westlichen Überlieferung fremd ist, so läßt sich der Beichtspiegel ihr nicht zuordnen. Gegen die Annahme aber, daß er aus dem Persischen übersetzt sei, spricht außer anderem die ständig wiederkehrende nordiranische Formel *man astār hirzā* 'meine Sünde vergib'. Zweitens wird die Sonderstellung des degenerierten chinesischen Manichäismus stärker betont werden müssen. Er kann mit dem Manichäismus des Ostens so wenig ohne weiteres in eins gesetzt werden wie der seltsame Nestorianismus der Stele von Singanfu mit dem zentralasiatischen Nestorianismus im allgemeinen. Im übrigen aber möchte ich ausdrücklich zugeben, daß eine Unterschätzung der östlichen Kultpoesie nunmehr endgültig als unberechtigt erwiesen ist: freilich ist sie auch erst jetzt durch P.s Eingreifen eigentlich interpretierbar geworden.

Seine Schlußbemerkungen gelten der von Alexander von Lykopolis zugrunde gelegten manichäischen Lehrdarstellung. Sie erledigen den Versuch, ihren Zeugniswert möglichst zu annullieren, den R. Reitzenstein in mehreren polemischen Abhandlungen seiner letzten Jahre unternommen hat, zuletzt unter dem programmatischen Titel „Eine wertlose und eine wertvolle Überlieferung über den Manichäismus". Mit der ersteren war die Darstellung bei Alexander gemeint, mit der letzteren die bei Titus von Bostra. P. urteilt: „Die

koptischen Texte bestätigen die Authentizität der von Alexander
überlieferten Ausdrücke ψυχή νοῦς ὕλη" (81). Für ψυχή und νοῦς
gilt dies in dem vorhin S. 90 f. näher gekennzeichneten Sinn.
Reitzenstein hat sich zuletzt (a. O. 52) darauf zurückgezogen, der
ὕλη bei Alexander einen stärker philosophischen, bei Titus einen
stärker mythologisch-religiösen Charakter zuzuerkennen — ein
einziger Blick in Alexanders Text lehrt, daß sie bei ihm genau wie
bei Titus die durchgängige Funktion einer mythologischen Gestalt
hat. Reitzensteins Hilfskonstruktion, nach der Alexander die Aufzeichnung eines zum Manichäismus übergetretenen Neuplatonikers
benutzt hätte, ist nicht nur unerwiesen und unerweisbar, sondern sie
betrifft das eigentliche Problem gar nicht. Freilich weicht die von
Alexander benutzte Schrift von der Darstellungsweise der Kephalaia
deutlich ab: sie ist für griechische Leser von gewissen Ansprüchen
zurechtgemacht. Aber es hat auch nie jemand behauptet, daß sie das
αὐτὸς ἔφα Manis sei, sondern das war die Frage, ob sie die Gedanken
Manis sinngemäß wiedergibt, zumal mit der Einführung der Begriffe
ψυχή νοῦς ὕλη, oder nicht. Diese Frage hat Reitzenstein verneint,
R. Harder und ich haben sie bejaht; jetzt ist sie entschieden.

Woher hat nun Mani diese Begriffe? Da, wie schon oben S. 90 f.
erwähnt, der Begriff der ψυχή bei Mani den biblischen Zusatz ζῶσα
führt, möchte P. „auch für die beiden anderen Termini eher an eine
Herkunft aus dem Begriffsschatz der christlichen Gnosis als aus der
hellenistischen Philosophie denken". Nun ist oben gezeigt worden,
daß Mani den Begriff der 'Lebensseele', also der ψυχὴ ζῶσα von
Bardesanes übernommen hat. Daß beide den Begriff der ὕλη hatten,
sagt Ephraem der Syrer ausdrücklich. Mit Bardesanes ist aber ein
Denker genannt, in dem christliche Gnosis und hellenistische Philosophie zusammentreffen, für den also die Alternative zwischen
beiden nicht gilt. Es ist mir nie in den Sinn gekommen, Mani zum
unmittelbaren Adepten hellenistischer Philosophie und Wissenschaft
zu machen — ganz zu schweigen von der nicht ernsthaft zu diskutierenden Alternative, ob der Manichäismus 'griechisch' oder 'orien-
talisch' ist. Vielmehr habe ich seinerzeit die Frage, durch welche Vermittlung Mani mit griechischem Denken in Berührung gekommen
ist, ausdrücklich offengelassen und als Voraussetzung für ihre Beantwortung eine neue Untersuchung des Systems des Bardesanes für

notwendig erklärt. Diese Untersuchung ist mittlerweile vorgelegt worden und hat die durchgängige Abhängigkeit Manis von Bardesanes im Hauptstück seiner Lehre, dem kosmogonischen Mythos, zu zeigen unternommen. Die Annahme, daß Mani von Bardesanes auch die Grundbegriffe seiner Lehrdarstellung übernommen hat, läge danach von vornherein sehr nahe, selbst wenn sie sich nicht unmittelbar beweisen ließe.

Alexander von Lykopolis aber wird in Hinkunft nicht mehr für die Frage nach dem Wesen des Manichäismus bemüht werden müssen. Vor einigen Jahren war seine Konfrontierung mit Theodor bar Konai und Stücken der Turfanüberlieferung nützlich, als es sich darum handelte, Grundsätze für die Beurteilung ihres Verhältnisses zueinander zu finden, zwischen dem begrifflich faßbaren Gehalt der Lehre und ihrer mythologischen Darstellung zu sondern und vor allem von ihrer Urform die für die persische und die christlich-westländische Mission bestimmten, von Mani selber geschaffenen Fortbildungen abzuheben. Heute bedarf es dieses umständlichen induktiven Verfahrens nicht mehr, da die koptischen Schriften uns alles das unmittelbar zu lehren versprechen, was wir wissen wollen. So mag Alexander wieder in seine eigentliche geschichtliche Funktion zurücktreten: des neben Simplicius einzigen Zeugen des neuplatonischen Protestes wider die manichäische Propaganda um 300. Theodor wird uns weiter kostbar bleiben, als Erhalter einiger Sätze Manis in der syrischen Ursprache — bis vielleicht eines Tages der ägyptische Sand, nach den wenigen bisher gefundenen Fetzen, auch noch syrisch-manichäische Texte größeren Umfangs hergibt.

Aber es bleibt noch die letzte Frage, in welchem Verhältnis zueinander in Manis System das theoretisch-begriffliche Substrat und seine mythische Einkleidung stehen. P. beantwortet sie so: „Der Ausgangspunkt der Systembildung läßt sich begrifflich fassen, ist aber rein religiöser Art: die Hoffnung auf die Erlösung der in der ὕλη gefangenen ψυχή durch den νοῦς. Die Aufgabe des Mythus ist es, diese Hoffnung als begründet erscheinen zu lassen. Das geschieht, indem der Mensch in einen Pragmatismus hineingestellt wird, der durch seine alles umfassende Vollständigkeit, seine Geschlossenheit, Folgerichtigkeit, Symmetrie und Harmonie den 'Beweis' seiner 'Richtigkeit' in sich trägt" (81 f.). Das ist treffend und richtig — und es ist doch noch nicht das Ganze. Denn neben der Erlösungshoffnung steht nicht minder kräftig ein Erkenntniswille, der sich auf die Ursachen der Dinge richtet. Der Aufbau von Himmel und Erde, die Bewegungen der Himmelskörper, ihre Wirkung auf die niedere Welt, ihre Beziehung zur Einteilung des Jahres und seiner Abschnitte, die Witterungserscheinungen, die Bewegung der Elemente, Entstehung und Wachstum der Pflanzen und Tiere, Entstehung und Geschichte des Menschen und der Religionsgemeinschaften, kurzum alles, was oben und unten, was zwischen dem Anfang und dem Ende der Dinge ist, soll gleichzeitig mit der Rechtfertigung der menschlichen Erlösungssehnsucht 'erklärt' und begreiflich gemacht werden. Ich zweifle nicht daran, daß P. dies ebenso sieht. Und eben hierin lag die Anziehungskraft des Manichäismus für die Gebildeten seiner Zeit. Wir haben darüber unzweideutige Aussagen derer, die den Manichäismus annahmen. So das von S. (56) angeführte Bekenntnis des Manichäers Felix (Aug. c. Fel. 1, 9): *et Paulus venit et dixit et ipse quia venturus est, et postea nemo venit; ideo suscepimus Manichaeum. et quia venit Manichaeus et per suam praedicationem docuit nos initium, medium et finem: docuit nos de fabrica mundi, quare facta est et unde facta est, et qui fecerunt; docuit nos quare dies et quare nox; docuit nos de cursu solis et lunae: quia hoc in Paulo non audivimus nec in ceterorum apostolorum scripturis, hoc credimus, quia ipse est paracletus.* Gibt es eine klarere Sonderung eines auf das Wesen der Dinge gerichteten Interesses vom eigentlichen Heilsverlangen? Verwandte Beweggründe führten Augustin zum Manichäismus, was weniger klar aus den Confessionen als etwa aus folgender Stelle im Eingang seiner Schrift *De utilitate credendi* hervorgeht: *nosti enim, Honorate, non aliam ob causam nos in tales homines incidisse, nisi quod se dicebant terribili auctoritate separata mera et simplici ratione eos, qui se audire vellent, introducturos ad deum et errore omni liberaturos. quid enim me aliud cogebat annos fere novem spreta religione, quae mihi puerulo a parentibus insita erat, homines illos sequi ac diligenter audire, nisi quod nos superstitione terreri et fidem nobis ante rationem imperari dicerent, se autem nullum premere ad fidem nisi prius discussa et enodata veritate:* Verlangen nach W i s s e n war es, was ihn zum Manichäismus führte. Diesen intellektualistischen Grundzug verleugnen denn auch in Stil und Inhalt die koptischen Texte nicht. Wie charakteristisch dafür und wie sehr der christlichen Vorstellung vom Glauben zuwider ist eine Überschrift wie die des 142. Kapitels der Kephalaia (22): 'Der Mensch darf nicht glauben, wenn er die Sache nicht mit eigenen Augen sieht.' Der manichäische Mythos will also nicht nur die Erlösungshoffnung begründen, er will zugleich und in einem die Gründe der Dinge ans Licht bringen. Wohl sind in Manis Bewußtsein Erkenntniswille und Heilsverlangen untrennbar eins: aber die wissenschaftliche Betrachtung muß beide gesondert auffassen, um dann ihre Einheit im Geiste Manis begreiflich zu machen.

Manis Denken ist nimmermehr allein aus der orientalischen religiösen Entwicklung begreiflich zu machen, aus der er hervorging und der er eine neue Wendung gab. Auch ist die Art seines literarischen Vortrags, wie sie nun aus den koptischen Texten lebendig wird, etwas unvergleichbar anderes, als was wir in autochthonen religiösen Urkunden der Zeit aus Babylonien oder Persien wahrnehmen: sie ist ein Ausläufer hellenistischer Rhetorik. Gewiß ist schon in den Proben der neuen Originalschriften manches Ärgerliche und Abstruse; es ist auch damit zu rechnen, daß unsere erste Freude an ihnen größer ist, als sie auf die Dauer bleiben kann. Aber in ihnen allen steckt doch eine immanente Logik, ein verständlicher Sinn, der die Beschäftigung mit ihnen zu einer nicht unwerten und auch nicht reizlosen Angelegenheit macht; mit dem dumpfen Blödsinn der mandäischen und koptisch-gnostischen Bücher haben sie nichts gemein — erst in den chinesischen Texten sinkt der Manichäismus auf deren Niveau. Dies alles aber fordert, um verstehbar zu werden, die Annahme eines von außen her auf Mani wirkenden geistigen Antriebes. Daß dieser Antrieb, durch Bardesanes vermittelt, auf griechisches Denken zurückgeht, kann nicht mehr bezweifelt werden.

[Die Anmerkungen aus dem Originalbeitrag sind in diesen Sammelband nicht mit übernommen worden.]

III. DIE LEHRE MANIS

[August Friedrich] Paulys Real-Encyklopädie der Classischen Altertumswissenschaft. Neue Bearbeitung, begonnen von Georg Wissowa. Supplementband VI. Stuttgart: Metzler 1935, Sp. 240—271.

MANICHÄISMUS

Von HANS JAKOB POLOTSKY

Abkürzungen: M. = Mani; M.er = Manichäer; M.ismus = Manichäismus

1. Die Quellen

(umfassende Übersicht ALFARIC, Les écritures manich., Paris 1918/19)

[Sie] zerfallen in drei Gruppen:
1. Originalschriften in manichäischer Überlieferung,
2. Exzerpte aus Originalschriften bei nicht-manichäischen Autoren,
3. referierende Darstellungen, mit Räsonnement und Polemik versetzt, bei Bestreitern des M.ismus.

Die Gruppen 2 und 3 gehen öfters ineinander über, und zwischen 1 und 2 besteht überhaupt kein grundsätzlicher Unterschied. Ein völlig unbrauchbares Einteilungsprinzip wäre die geographische Herkunft bzw. die Sprache der Texte. Obwohl das System in einigen Missionsgebieten nicht nur seine Nomenklatur und Terminologie der herrschenden Religion angepaßt, sondern auch das eine oder andere Lehrstück stärker betont oder neu aufgenommen hat, so ergibt sich doch immer deutlicher die wesentliche Einheitlichkeit aller Überlieferungszweige von Nordafrika und Ägypten bis China.
— Ich führe nur die allerwichtigsten an:

1. Originalschriften sind an zwei weit auseinander liegenden Stellen des Überlieferungsgebiets ans Licht getreten: in Turfan (Chinesisch-Turkestan) und in Ägypten. In den Turfan-Texten sind drei iranische Dialekte: Persisch, Parthisch, Sogdisch, — ferner das Türkische (Uigurische) und das Chinesische vertreten. Hervorzuheben sind persische Bruchstücke von M.s Schapurakan (MÜLLER, Hss.-Reste in Estrangelo-Schrift II Abh. Akad. Berl. 1903); eine persische, möglicherweise zum Schapurakan gehörige ausführliche

Darstellung der Kosmogonie (ANDREAS-HENNING, Mitteliran. Manichaica I, S.-Ber. Akad. Berl. 1932, X); ein türkischer 'Beicht-spiegel' für Katechumenen (BANG, Muséon XXXVI); ein chinesischer Traktat lehrhaften Inhalts (CHAVANNES-PELLIOT, Journ. as. 1911) und eine ebenfalls chinesische Sammlung von Hymnen (WALD-SCHMIDT-LENTZ, Stellung Jesu i. M.ismus, Abh. Akad. Berl. 1926; Manich. Dogmatik aus chin. u. iran. Texten, S.-Ber. Akad. Berl. 1933, XIII); daneben viele kleine Fragmente, besonders Hymnen, verschiedenen Inhalts und sehr ungleichen Wertes. — Die in Ägyp-ten gefundenen Texte sind im subachmimischen Dialekt des Kop-tischen geschrieben. Sie enthalten u. a. die Κεφάλαια (s. u. S. 106); ein Hymnenbuch; M.s Briefe; eine Sammlung von Homilien. Die Erschließung dieser Texte steht noch in den ersten Anfängen, vgl. einstweilen SCHMIDT-POLOTSKY, S.-Ber. Ak. Berl. 1933, I.

2. Unter den Exzerpten ist an erster Stelle der M.er-Abschnitt im 'Buche der Scholien' des Syrers THEODOR BAR KONAI (Ende des 8. Jh. BAUMSTARK, Gesch. d. syr. Lit. 218) zu nennen: sein be-sonderer Wert besteht darin, daß er eine Sprache schreibt, die mit der M.s mindestens aufs engste verwandt ist; daß man ihn als Zeu-gen für den originalen Wortlaut betrachten darf, zeigt u. a. der Umstand, daß zwei Götternamen, die er überliefert, gerade k e i n edessenisches Syrisch bieten: B ā n rabbā 'der Große Baumeister' und Ṣ ā p e ṭ zīu̯ā 'der Festhalter des Glanzes *(Splenditenens)*' (s. BUR-KITT, Rel. of the Manich. 28 n. 1). — Vor dem Bekanntwerden Theodors (1898) konnte der FIHRIST mit Recht die erste Stelle be-anspruchen: Muhammed b. anNadīm († 995. BROCKELMANN, Gesch. d. arab. Lit. I 147) hat in seiner Literaturgeschichte (*Fihrist* 'Kata-log') neben wertvollen historischen Nachrichten über M. und den M.ismus auch umfangreiche Auszüge aus Schriften M.s mitgeteilt; seine Vorlagen gehen auf offizielle, für den Gebrauch arabisch spre-chender Gemeinden bestimmte Übersetzungen aus teils syrischen (s. u. S. 128), teils iranischen (s. u. S. 114) Texten zurück. Zum Teil dieselben Vorlagen wie anNadim benutzten Schahrastani (schrieb im J. 1127; ed. CURETON, London 1846) und alMurtada (1363—1437; der betr. Abschnitt bei K e ß l e r Mani, Berl. 1889, 346 ff.). — Einen sehr wertvollen aus Exzerpten zusammengestellten Abriß der manichäischen Lehre enthalten die ACTA ARCHELAI (erste Hälfte des

4. Jh.); das griechische Original dieses Abrisses ist bei EPIPHANIUS, panar. haer. LXVI 25—31 erhalten.

3. Der bedeutendste, wenn auch nicht älteste Polemiker ist AUGUSTIN (354—430), der selbst neun Jahre lang manichäischer Auditor war. Seine antimanichäischen Schriften — allein diejenigen, die er von 391—405 in Hippo Regius schrieb, füllen einen starken Band des Wiener Corpus — gehören nach wie vor zu den wichtigsten Quellen des M.ismus. — Von griechisch schreibenden Schriftstellern sind zunächst der Neuplatoniker ALEXANDER VON LYCOPOLIS (um 300?) und der Bischof TITUS VON BOSTRA († um 370) zu nennen: von der Schrift des letzteren ist aber ungefähr ein Drittel nur in einer syrischen Übersetzung erhalten. — Der im 6. Jh. schreibende Aristoteles- und Epiktet-Kommentator SIMPLICIUS (s. PRAECHTER, o. Bd. V A S. 204 ff., bes. 209, 24 ff.) gibt zu Epict. enchir. c. 27 eine ausführliche Widerlegung der Dualisten. Er zeigt sich über das manichäische System auch in Details gut unterrichtet; seine Darstellung zeichnet sich durch Präzision aus, seine Polemik durch Scharfsinn, eindringendes Verständnis und Objektivität.

Zitate: ACTA ARCH. nach Beeson (Griech. christl. Schriftst. Bd. XVI, Lpz. 1906); ALEX. LYC. nach Brinkmann (Lpz. 1895); AUGUSTIN nach Zycha (CSEL XXV, Wien 1891/92; enthält auch Euodius de fide); FIHRIST nach Flügels Mani; die noch unedierten koptischen Keph(alaia) nach Seiten und Zeilen der Hs., die in der Publikation beibehalten werden; SIMPLICIUS nach Dübner (Paris 1840 hinter seinem Theophrast); THEODOR nach Pognon (Inscr. mand. Paris 1898/99); TIT. BOSTR. nach Lagarde (Berl. 1859). Ohne Verfasser wird zitiert Mani-Fund = Schmidt-Polotsky S.-Ber. Akad. Berl. 1933, I. Man. Hom(ilien) ed. Polotsky, Stuttg. 1934.

Sonstige Literatur (Gesamtdarstellungen, wichtigere Einzeluntersuchungen und Kommentare): BAUR, Das manich. Religionssystem, Tüb. 1831 (grundlegend und methodisch vorbildlich; Bespr. von v. C[ölln], Allg. Lit.-Zit. 1832, I 425—440. SCHNECKENBURGER, Theol. Stud. u. Krit. VI 1833, 875—898). FLÜGEL, Mani, seine Lehre u. seine Schriften, Lpz. 1862. CUMONT (zum Teil mit KUGENER), Recherches sur le manichéisme I—III, Brüssel 1908 ff. (zur Einführung besonders zu empfehlen). HARNACK, Lehrb. d. Dogmengeschichte[4] II, Tüb. 1909, 513—527. BANG, Manich. Laien-Beichtspiegel Muséon XXXVI 1923, 137—242; Manich. Hymnen ebd. XXXVIII 1925, 1—55. BURKITT, Religion of the Manichees, Cambr. 1925. SCHAEDER, Studien z. antiken Synkretismus, Lpz. 1926; Urform u. Fortbildungen des manich. Systems, Lpz. 1927. JACKSON, Researches in Manichaeism, New York 1931. HENNING, GGN 1932, 214—228. 1933, 306—318. —Ausführliche Bibliographie bei WALDSCHMIDT-LENTZ, Stellung Jesu 3—4; Manich. Dogmatik 484 n. 1 und 2. JACKSON XXIV ff.

2. Lebensdaten des Stifters

Manichaeus (neben *Manes, -is*; Μανιχαῖος neben Μάνης, -η; iran. syr. arab. *Mani*) wurde nach authentischer Angabe (alBīrūnī, Chronol. 208, 8—9) im J. 527 'der babylonischen Astronomen', d. i. der Aera κατὰ Χαλδαίους, der babylonischen Seleukiden-Aera = A. D. 216/17 geboren. Die Angaben über seinen Geburtsort schwanken: jedenfalls lag er im südlichen Babylonien. Die Sprache, in der er schrieb, war dementsprechend das Ost-Aramäische (ob das Syrische im strengen Sinne, d. h. der zur Schriftsprache erhobene Dialekt von Edessa, ist nicht sicher, s. Burkitt, Rel. of the Manichees 116): Σύρων φωνῇ χρώμενος Tit. Bostr. I 17 p. 10, 13. Fihrist 72, 10—11 (dasselbe kann *Chaldaeorum lingua* Acta Arch. 59, 21 meinen, doch ist diese Stelle von zweifelhaftem Wert); über die Bezeichnungen 'syrisch' und 'chaldäisch' s. Nöldeke, ZDMG XXV 115 ff. 129. Westliche Schriftsteller bezeichnen M. jedoch nicht als Babylonier, sondern als Perser: Alex. Lyc. 4, 14. Acta Arch. 59, 19 (Wert zweifelhaft). Secundin. ad Aug. epist. p. 896, 7. Doctr. patrum ed. Diekamp 306, 11: das wird sich wohl nur darauf beziehen, daß M. als Babylonier persischer Reichsangehöriger war; tatsächlich war er aber auch iranischer Abstammung: von mütterlicher und anscheinend auch von väterlicher Seite (s. Schaeder, Urform 68 n. 4) war er mit dem parthischen Königshaus der Arsaciden verwandt, das im J. 226 von dem Sasaniden Ardaschir (Artaxares) I. gestürzt wurde. M.s Vater Patek (über den Namen s. Schaeder, Iranica 69) war aus seiner medischen Heimat Hamadan (Ekbatana) nach Babylonien ausgewandert und hatte sich in Ktesiphon niedergelassen. Kurz vor der Geburt seines Sohnes hörte er in einem Götzentempel, den er zu besuchen pflegte, eine Stimme, die ihm befahl, in Zukunft Fleisch, Wein und Geschlechtsverkehr zu meiden. Er gehorchte dem Befehl, begab sich nach Dast-Maisān in Südbabylonien und schloß sich einer Täufersekte an, deren Ritus diesen Vorschriften entsprach. In dieser Umgebung wuchs M. auf. Daß er zu Außergewöhnlichem bestimmt sei, kündigte sich schon früh durch seltsame Träume seiner Mutter und durch die Weisheit seiner Reden an. Mit zwölf Jahren hatte er seine erste Offenbarung: ein Engel Gottes, der 'Zwilling' oder 'Paargenosse', eine Art spiritus familiaris M.s (s. Mani-Fund 72) bereitete ihn auf seine Mission vor; er solle sich von der Religionsgemeinschaft, in der er lebte, abwenden und sich auf die Aufgabe vorbereiten, für die er ausersehen sei; für ein öffentliches Auftreten sei er aber noch zu jung. Nach weiteren zwölf Jahren erschien ihm der 'Zwilling' abermals, übermittelte ihm die formelle Erwählung zum ἀπόστολος und hieß ihn seine Wirksamkeit aufnehmen. Soweit die manichäische Legende, wie sie im Fihrist 49—51 überliefert ist. Obwohl die Offenbarung an den Zwölfjährigen ein übernommenes Motiv sein dürfte (der Gnostiker Iustin läßt nach Hippolyt refut. V 26, 29 p. 131, 20 f. Wendland Jesus als παιδάριον δυωδεκαετές durch Baruch die Offenbarung empfangen), hindert nichts anzunehmen, daß M. sein System wirklich schon in einem für abendländische Verhältnisse sehr frühen Alter ausgebildet habe (an orientalischen Parallelen fehlt es nicht): das würde die Starre erklären, mit der M. sein ganzes Leben lang die einmal gefundene Form der Darstellung auch in Einzelheiten festgehalten hat. — M. begann seine öffentliche Wirksamkeit damit, daß er nach Indien reiste und dort bereits seine erste Gemeinde gründete. Die Gründe, die ihn veranlaßten, außer Landes zu gehen, sind ebensowenig bekannt wie die Umstände, die es ihm geraten scheinen ließen, unmittelbar nach dem bald darauf erfolgten Tode Ardaschirs wieder zurückzukehren: am Krönungstage seines Nachfolgers Schapur (Sapor) I. trat M. in Ktesiphon auf — die Regierungsjahre der ersten Sassaniden stehen immer noch nicht völlig fest, und das scheinbar so genaue Datum des Fihrist 51, 6 (Sonntag der 1. Nisan, während die Sonne im Widder stand) ist unbrauchbar —, wurde vom König gnädig empfangen und erhielt die Erlaubnis, im persischen

Reich zu missionieren. Wie gewogen Schapur dem M.ismus gewesen sein muß, geht auch daraus hervor, daß M. für ihn eine persisch geschriebene Darstellung seiner Lehre unter dem Titel Schapurakan 'das Schapurische (Buch)' verfaßte. Als Schapur nach 30jähriger Regierung starb, genoß M. auch die Gunst seines Nachfolgers Hormizd I. (Man. Hom. 48, 9—10). Aber schon nach einem Jahre kam Bahram I. zur Regierung, unter dem die Dinge für M. eine andere Wendung nahmen: die mazdayasnische Priesterschaft, die Magier (Μαγουσαῖοι), erreichte, daß er angeklagt und zum Tode verurteilt wurde: im J. 276 (?) wurde er in Belapat in Susiana gekreuzigt (nach orientalischer Überlieferung geschunden) und sein Kopf am Stadttor aufgehängt.

An Schriften M.s sind mit Sicherheit die folgenden bezeugt:

1. das *Schapurakan (Šāβuhrayān)*, persisch verfaßt,
2. das *Lebendige Evangelium,* wozu anscheinend als eine Art Tafelband das 'Bild (εἰκών)' gehört (s. Man. Hom. 18, 5 m. Anm.),
3. der *Schatz* des Lebens,
4. die Πραγματεία ('Abhandlung'),
5. das *Buch der Mysterien,*
6. die *Schrift von den Giganten,*
7. das *Corpus der Briefe.*

Mit einer der unter 2—6 aufgezählten fünf Schriften wird wohl die *Epistula fundamenti* zu identifizieren sein, die bei den nordafrikanischen M.ern als Handbuch der Lehre in bevorzugtem Gebrauch war; bei Aug. c. Felic. I 14 p. 817, 18 ff. erscheint sie zusammen mit dem 'Schatz' als Bestandteil eines Kanons von *quinque auctores.* Man könnte auf die Πραγματεία raten (so auch Alfaric II 59); Cumont, Rech. 4—5 n. 2, zieht es vor, was der Titel allerdings nahelegt, sie mit dem 'Sendschreiben von den beiden Prinzipien' zu identifizieren, das im Verzeichnis der Briefe (Fihrist 73, 12) an erster Stelle aufgeführt ist.

Von den meisten dieser Schriften sind kürzere, selten längere Stücke direkt oder indirekt überliefert. Für die Zeugnisse und Fundstellen kann auf Alfaric verwiesen werden.

Als Werk M.s führen einige abendländische Schriftsteller auch die Κεφάλαια 'Hauptstücke' auf (s. Alfaric II 21 ff.), deren koptische Übersetzung C. Schmidt entdeckt hat (s. o. S. 102). Es handelt sich

dabei um eine Sammlung von Lehrvorträgen M.s, die auf seine eigene
Anordnung nach seinem Tode als Ergänzung seiner Schriften zusammengestellt worden sind, auf daß nichts verlorenginge. Aus dem
posthumen Charakter dieses Werks erklärt es sich, daß man im
einzelnen der Sachkritik durchaus nicht enthoben ist; es kann leider
keine Rede davon sein, daß wir nunmehr 'unbedingt M.s Lehrsystem
ohne jede Verfälschung' vor uns hätten. Das hindert aber nicht, daß
sie im ganzen von unschätzbarem Wert sind: sie erweitern unsere
Kenntnis in wesentlichen Punkten, sie bestätigen und erläutern die
anderweitige Überlieferung, sie helfen die sprachlichen Schwierigkeiten der orientalischen, namentlich der turkestanischen, Texte
überwinden und ermöglichen bisweilen erst deren richtiges Verständnis (so sind die fundamentalen Begriffe *manuhmeδ* = νοῦς und
grīv žīvandaγ = ψυχή erst mit Hilfe der koptischen Texte richtig
bestimmt worden: Mani-Fund 69—71).

3. Grundgedanken und Ausgestaltung des Systems

Das gegebene Schlagwort zur Kennzeichnung der manichäischen
Religion ist 'dualistische Gnosis': sie verneint mit äußerster Konsequenz die Möglichkeit, das Gute und das Böse auf *ein* Urprinzip
zurückzuführen; sie lehrt die Erlösung vom Bösen durch die Erkenntnis des Dualismus und durch die Befolgung der sich aus dieser
Erkenntnis ergebenden Lebensvorschriften. Die Hauptsätze ihres
Lehrbegriffs, aus denen alle übrigen sich ableiten lassen, sind folgende:

1. Das Böse ist ein dem Guten selbständig gegenüberstehendes
und nicht nur essentiell sondern ursprünglich auch existentiell von
ihm getrenntes Prinzip (ἀρχή). Als waltende Mächte nannte M. die
beiden Prinzipien Gott und Hyle, in der Natur sah er sie durch die
δύο φύσεις des Lichts und der Finsternis vertreten.

2. Die gegenwärtige Welt als Ganzes und der Mensch im Beson-
dern stellt eine Vermischung der beiden Prinzipien dar, die durch
eine der Hyle zur Last fallende Durchbrechung der zwischen beiden
bestehenden Schranken notwendig geworden ist.

3. Zugleich zielt die Einrichtung der Welt darauf hin, die beiden

Prinzipien allmählich wieder voneinander zu scheiden; ihr Zweck, nach dessen vollständiger Erreichung ihr Fortbestehen überflüssig wird, ist die Wiederherstellung des ursprünglichen Zustands (ἀποκατάστασις τῶν δύο φύσεων Acta Arch. 22, 1), jedoch mit der Einschränkung, daß das böse Prinzip für die Zukunft unschädlich gemacht und einer Wiederholung der Vermischung vorgebeugt wird.

4. Der Mensch hat innerhalb dieser Weltordnung die besondere Aufgabe, an der Erreichung dieses Ziels tätig mitzuarbeiten. Vermöge des ihm von Gott gesandten Noῦς, durch den er sich vor der übrigen Schöpfung auszeichnet, hat er sich der Vermischung bewußt zu werden, den Sinn der Weltordnung zu erkennen und seine Lebensführung entsprechend so zu gestalten, daß jede weitere Schädigung des Lichts vermieden und seine Loslösung aus der Vermischung mit der Finsternis gefördert wird. Tut er das in vollkommener Weise, so wird sich an seiner Person schon gleich nach seinem Tode die Trennung der beiden Prinzipien vollziehen: der leibliche Tod wird für ihn die Erlösung, das wahre Leben, die Heimkehr des in seinem Körper gefangen gewesenen Lichts bedeuten. Andernfalls bleibt das im Menschen enthaltene Licht auch nach seinem Tode noch mit der Finsternis vermischt, bis es einmal in den Körper eines Vollkommenen gerät.

Abstrakter, als es hier versucht worden ist, lassen diese Grundgedanken sich kaum formulieren. Das sinnlich-bildhafte Element ist vom Ansatz an so stark, daß es sich nicht ausschließen läßt. Die Substanzialisierung der Begriffe, die Gleichordnung von Physischem und Geistig-Sittlichem (die sich nicht etwa als Symbolisierung des letzteren durch das erstere verstehen läßt) ist für M. offenbar nicht nur ein die Darstellung erleichterndes Stilmittel, sondern eine das Denken erst ermöglichende Notwendigkeit. Es steht fest, daß er keinen Wert darauf gelegt hat, seine Theorie begrifflich-dialektisch zu entwickeln; alles spricht dafür, daß er dazu auch beim besten Willen nicht imstande gewesen wäre. Wohl aber legte er Wert darauf, ein System zu bieten, das die Ratio befriedigte. Stand ihm dafür das Mittel der Dialektik nicht zu Gebote, so versuchte er dasselbe mit der Pragmatik zu erreichen. Er konstruierte eine den Menschen in den Mittelpunkt stellende, Uranfang, Gegenwart und Zukunft umfassende Geschichte der Welt, die, soweit sie Prähistorie und

Prognose war, durch vier Eigenschaften den Anspruch erheben konnte, als glaubhaft angenommen zu werden:

1. sie war von eindrucksvoller Geschlossenheit und stellte die einzelnen Vorgänge in sinnvoller und verständlicher Verknüpfung dar;

2. sie berücksichtigte alle wichtigen 'Welträtsel' und wies ihnen historisch und sinndeutend ihren Platz an;

3. sie war mit sorgfältiger Rücksicht auf Symmetrie und Harmonie aufgebaut — fast der gesamte Gestalten- und Begriffsapparat des Systems ist in Triaden, Pentaden oder Dodekaden ('Reihen') gegliedert —, sie wirkte dadurch klar und ästhetisch befriedigend und erweckte ein günstiges Vorurteil für die Richtigkeit dessen, was sich so befriedigend ausdrücken ließ;

4. sie verdächtigte sich nicht durch schroffe Ablehnung früherer Religionen, sondern beanspruchte, das wirklich Gute und Wesentliche an ihnen in sich aufgenommen zu haben; sie knüpfte in ihrem ganzen mythologischen Charakter und in vielen Einzelzügen an ältere Lehren an, die den Kreisen, an die M. sich zunächst wandte, vertraut waren.

Wieweit M. selbst überzeugt war, mit seiner Konstruktion den wirklichen Sachverhalt rekonstruiert zu haben; wieweit er das überhaupt für erforderlich hielt; ob ihm nicht vielmehr eine gewisse 'symbolische Richtigkeit' ausreichend schien — das sind Fragen, die leichter zu stellen als zu beantworten sind. Für die manichäische Gemeinde ist jedenfalls in weitestem Umfange das Urteil des Simplicius 72, 13—16 als richtig anzuerkennen: τέρατα γὰρ πλάττοντές τινα, ἅπερ μηδὲ μύθους καλεῖν ἄξιον, οὐχ ὡς μύθοις χρῶνται οὐδὲ ἐνδείκνυσθαί τι ἄλλο νομίζουσιν, ἀλλ' ὡς ἀληθέσιν αὐτοῖς τοῖς λεγομένοις πιστεύουσι; vgl. auch Alex. Lyc. 16, 9 ff.

Dieser 'kosmogonische Mythus', die Hauptleistung M.s, ist der rationale, naturphilosophische Unterbau für die manichäische Ethik und Erlösungshoffnung. Wer das von M. gebrachte Wissen von den 'zwei Prinzipien' und den 'drei Zeiten': *initium medium et finis* in sich aufgenommen hat, weiß, was er in diesem Leben zu tun und im künftigen zu erwarten hat. *Ausculta prius*, redet M. den Adressaten der Epistula fundamenti an, *quae fuerint ante constitutionem mundi et quo pacto proelium sit agitatum*, ut possis *luminis seiungere naturam ac tenebrarum* (p. 208, 23—26). 'Scheidung der beiden

Naturen' umschreibt knapp und umfassend die Pflichten des wahren M.ers (vgl. auch Man.Hom. 12, 25 f.); im geistigen Sinne betätigt er sie, indem er die Verschiedenheit erkennt und diese Erkenntnis weiter verbreitet, — im physischen, indem er sich jeder Schädigung des Lichts enthält und durch seinen Lebenswandel die Voraussetzung dafür schafft, daß nach seinem Tode das in ihm enthaltene Licht erlöst wird.

Das richtige Verständnis des Mythus besteht darin, 'das Konkrete und Abstrakte, das Mythische und Logische, das Bild und den Begriff stets so aufeinander zu beziehen, daß das Eine in dem Andern sich ausgleicht und beide Formen der Darstellung nebeneinander bestehen können' (Baur, Manich. Rel.-System 9—10). Dazu ist es erforderlich, den rein formalen, das Wesentliche nicht berührenden Charakter einiger Stilelemente der mythologischen Darstellung im Auge zu behalten.

1. Die Notwendigkeit, von den Vertretern des Lichtreichs Handeln und Leiden auszusagen, bringt es mit sich, daß Anthropomorphismen und Anthropopathien eine sehr erhebliche Rolle spielen. Das ist in dem Maße der Fall, daß einzelnen 'Göttern' — wenn auch nur gewissermaßen δοκήσει — so hylische Dinge wie eine menschenartige Erscheinung, ja sogar männliches und weibliches Geschlecht beigelegt werden: *omnia corpora ex tenebrarum gente esse dicitis, quamvis substantiam divinam cogitare nisi corpoream numquam valueritis* Aug. c. Faust. XX 11 p. 551, 3—5. Man darf vielleicht annehmen, daß M. sich über die rettungslose Hylisierung aller menschlichen Vorstellungen und Ausdrucksmöglichkeiten klar war und bewußt aus der Not eine Tugend zu machen suchte, um seinem Mythus zu größerer Anschaulichkeit zu verhelfen.

2. 'Bezeichnend ist das Streben, Gott im Hintergrund zu lassen und als Exponenten seiner Beziehungen zur Welt und zum Menschen allerhand Mittelwesen einzuschieben, über die dann ungescheut fabuliert werden darf. Die göttlichen Eigenschaften und Wirkungsweisen werden hypostasiert ...' (Wellhausen, Isr. u. jüd. Gesch.[6] 302). Dieses Charakteristikum der spätjüdischen Angelologie teilt der manichäische Mythus mit allen gnostischen Systemen, wenn auch wohl kein anderes so weit geht, daß sogar das 'Selbst' Gottes hypostasiert wird (s. u. S. 115). Zur Bezeichnung des Aktes, durch

den Gott diesen 'Göttern' Selbständigkeit verleiht, dient der Ausdruck 'berufen'; sie sind seine 'Berufungen' (Mani-Fund 66); dasselbe Verhältnis besteht zwischen den 'Göttern' und ihren 'Unter-'
oder 'Hilfsgöttern'. Die 'Berufungen' werden öfters auch 'Söhne'
des 'Berufenden' genannt, doch werden Verben wie 'erzeugen', 'ge-
bären' oder 'erschaffen' vermieden. Im griechischen Sprachgebiet ist
für 'berufen' und 'Berufung' προβάλλειν und προβολή substituiert
worden (s. ebd.); wenn man die für diese valentinianischen Termini
gebräuchlichen Wiedergaben 'emanieren' und 'Emanation' auf den
manichäischen Mythus überträgt, muß man sich vor Augen halten,
daß M.s Götterapparat etwas wesentlich anderes ist als das Aeonen-
system Valentins. Vor allem handelt es sich bei M. nicht um eine
Stufenfolge mit progressiv absteigender Göttlichkeit; vielmehr ist
die Göttlichkeit sämtlicher 'Götter' grundsätzlich die gleiche; sie
werden eingesetzt, wenn der Verlauf der mythischen Ereignisse es
verlangt, und ihre Bewertung, soweit von einer solchen die Rede
sein kann, richtet sich lediglich nach der Wichtigkeit ihrer Funktion.
Ferner muß man sich von der Vorstellung freimachen, daß die 'Berufung' in irgendeiner Weise eine Nach- oder Unterordnung gegenüber dem 'Berufenden' bedeute. Unter Umständen ist sogar — für
unsere Anschauung — das Gegenteil der Fall: das 'Berufene' ist
manchmal der Begriff — für uns und gewiß auch in M.s Konzeption
also das Primäre — und der 'Berufende' nur sein mythischer Träger.
In andern Fällen ist das Verhältnis des 'Berufenden' und einer Mehrzahl von 'Berufenen' das eines Ganzen und seiner Teile. — Mutatis
mutandis gilt dasselbe auch von der Hyle und ihren Mächten.

3. Sollen zwei Begriffe, deren jeder durch eine 'Reihe' ausgedrückt
wird, miteinander in Verbindung gesetzt werden, so werden die
Glieder der beiden Pentaden oder Dodekaden usw. *einzeln* der
Reihe nach aufeinander bezogen. Soll beispielsweise ausgedrückt
werden, daß die manichäische Kirche die irdische Manifestation des
Νοῦς ist, so werden die fünf Klassen der manichäischen Hierarchie:
διδάσκαλοι, ἐπίσκοποι, πρεσβύτεροι, ἐκλεκτοί, κατηχούμενοι einzeln
der Reihe nach als 'Söhne' je eines der fünf Glieder des Νοῦς: νοῦς,
ἔννοια, φρόνησις, ἐνθύμησις, λογισμός bezeichnet, ohne daß damit
ein besonders enges und ausschließliches Zusammengehörigkeitsver-
hältnis etwa zwischen den πρεσβύτεροι und der φρόνησις statuiert

werden soll. Wie sehr diese Stileigentümlichkeit geeignet ist, den Sinn zu verdunkeln, zeigt die Tatsache, daß gerade in bezug auf das angeführte Beispiel gelegentlich geäußert worden ist: 'Die fünf Stufen [der Hierarchie]werden hier spielerisch zu den fünf „Gliedern" des Lichtäthers [das sind νοῦς, ἔννοια usw. freilich auch] in Beziehung gesetzt.'

4. Der Mythus

a) Die beiden Prinzipien

Im Uranfang bestanden die beiden Prinzipien voneinander getrennt in Gestalt zweier übereinander gelegener und durch eine Grenze geschiedener Reiche. Genauer erstreckt sich das Lichtreich endlos nach oben, nach rechts und nach links — das Finsternisreich endlos nach unten (Fihrist 53, 6 f.); geographisch ausgedrückt: dem Licht gehört Norden, Osten und Westen, der Finsternis der Süden (Sev. Ant. bei Cumont, Rech. 96; weitere Stellen bei Baur 26—28). In dem oberen, dem Lichtreich, herrschte Gott, der 'Vater der Größe'. Sein Wohnsitz war die Licht-Erde, ihrerseits vom Licht-Äther umgeben. Gottes Wesen wird durch eine Reihe von fünf Begriffen umschrieben, die Verstandeskräfte bezeichnen (in allen Quellen mit Ausnahme der persischen belegt s. Waldschmidt-Lentz Jesus 42; hier nach Acta Arch. 15, 11):

νοῦς ἔννοια φρόνησις ἐνθύμησις λογισμός.

Syrisch heißen sie seine šᵉkīnā's (Theodor 127, 7), eigentlich 'Wohnungen', Hypostasen des göttlichen Da-Seins (s. Schaeder, Studien 316); im Fihrist 52, 15. 54, 1—2 sind sie als Gottes 'Glieder' bezeichnet und ganz räumlich als übereinander liegende 'Welten' gedacht.

Das Lichtreich wird bewohnt von zahllosen Aeonen und 'Aeonen der Aeonen' (s. Henning, GGN 1933, 310 f.; vgl. Iren adv. haer. I 3, 1 von den Valentinianern: ... ἀλλὰ καὶ ἡμᾶς ἐπὶ τῆς εὐχαριστίας λέγοντας 'εἰς τοὺς αἰῶνας τῶν αἰώνων' ἐκείνους τοὺς Αἰῶνας σημαίνειν ... θέλουσιν). Zwölf Aeonen umgeben den Vater der Größe, zu dreien auf die vier Himmelsrichtungen verteilt; sie heißen seine 'Erstgeborenen', zum Unterschied von den Göttern, die erst später nach dem Angriff der Hyle berufen werden (s. Muséon XLVI 262f.).

Das ganze Lichtreich wird vom 'Großen Geist' durchwaltet, einer Art σύζυγος des Vaters der Größe, welche eigentlich die präexistente Form der 'Mutter der Lebendigen' (s. u. S. 115) darstellt. Das Reich des Bösen, 'das Land der Finsternis', besteht aus 'fünf Welten (κόσμοι)', den fünf 'finsteren Elementen':

Rauch   Feuer   Wind   Wasser   Finsternis.

(Dies die bestbezeugte Anordnung, z. B. Theodor 127, 10 f. Keph. 68, 17 u. ö.; vgl. Henning, GGN 1932, 216 n. 5. Die arabischen Quellen [Fihrist 53, 3 f. 54, 13 f. u. ö. Schahrastani 191, 1—3. alMurtada bei Keßler, Mani 347, 7 f. 348, 7—12] haben zur Unterscheidung von den Lichtelementen statt Feuer: Brand, statt Wind: Samum, statt Wasser: Schlamm.) Diese Elemente sind aus fünf ταμιεῖα 'hervorgesprudelt', aus den Elementen ihrerseits sind fünf Bäume hervorgegangen und aus den Bäumen wiederum die fünf Gattungen von Lebewesen (Dämonen, Teufel, Archonten), die die fünf Welten bevölkern (Keph. 30, 18—22. Aug. c. Faust. VI 8 p. 297, 17—19. Simplicius 71, 18—22): zweibeinige (Dämonen im engeren Sinne), vierbeinige, fliegende, schwimmende und kriechende. Jede dieser Gattungen zerfällt in die beiden Sexus und ist daher von ἐπιθυμία und ἡδονή erfüllt. Ferner gehören zum Reich der Hyle, auf die fünf Welten verteilt, die fünf Metalle: Gold, Kupfer, Eisen, Silber, Blei und Zinn (diese als eins gerechnet), und die fünf Geschmacksarten: salzig, sauer, scharf (? brenzlig?), süß, bitter. Jede der fünf Welten hat einen König, dessen Gesicht der dazugehörigen Klasse von Lebewesen entspricht: Dämon, Löwe, Adler, Fisch, Drache; über ihnen allen herrscht der 'König der Finsternis', der zugleich ihre Gesamtheit darstellt. An seinem Körper sind die μορφαί aller fünf Gattungen vereinigt (Keph. 30, 34 ff. Fihrist 53, 10—12 [daµābb, 'Kriechtiere' — diese sind schon durch den 'Drachen' vertreten — ist verderbt: es muß 'Dämonen' heißen. Hier liegt dieselbe Verwechslung von mpers. dēv 'Dämon' und dēvay 'Wurm' vor wie nach einer Bemerkung W. Hennings in der deutschen Übersetzung bei Waldschmidt-Lentz, Jesus 113, 4, wo übrigens die Pentade nicht angemerkt ist. Für den betreffenden Fihrist-Abschnitt ist damit eine iranische Vorlage erwiesen]. Simplicius 72, 16—18 πεντάμορφον τὸ κακὸν ἀναπλάττοντες, ἀπὸ λέοντος καὶ ἰχθύος καὶ ἀετοῦ καὶ οὐ μέμνημαι τίνων ἄλλων συγκείμενον, vgl. 71, 20. [Auch bei den Mandäern: Ginza R 280, 2 f. = Lidzbarski's Übers. 278, 19—21; die manichäische Quelle des Kapitels über den König der Finsternis ist in den Keph. erhalten.]). Der König der Finsternis ist in den Texten teils die Personifikation der "Υλη, der *formatrix corporum* (Aug. de nat. boni 18 p. 862, 9 u. ö.; kopt. ζωγράφος), der "Ενθύμησις des Todes' (Mani-Fund 78), — teils ihr oberstes Werkzeug.

Infolge der ihnen innewohnenden 'ἐνθύμησις des Todes' liegen die 'Welten' des Finsternisreiches miteinander in dauerndem Kriege; sie sind ständig von Aufruhr und unruhiger Bewegung (ἄτακτος κίνησις Alex. Lyc. 5, 8) erfüllt.

Der Vorwurf des Dyotheismus, gegen den zuletzt Bang, Muséon XXXVI 1923, 204, den M.ismus hat verteidigen wollen, ist zwar dem Namen — insofern der Name Gott dem guten Prinzip vorbehalten ist — aber nicht der Sache nach unberechtigt. Der M.ismus ist allerdings, was Bang bestreitet, 'auch die konsequenteste Form des Dualismus'. Sehr treffend sagt Simplicius 72, 20—24 τὸ θαυμαστόν, ὅτι πάντα ταῦτα ἀνέπλασαν διὰ θεοσεβῆ δῆθεν εὐλάβειαν (eine Objektivität der Betrachtung, die man bei jedem anderen Bestreiter des M.ismus vergeblich suchen würde)· μὴ βουλόμενοι γὰρ αἴτιον τοῦ κακοῦ τὸν θεὸν εἰπεῖν, ἀρχὴν ὑπεστήσαντο ἰδίαν τοῦ κακοῦ ἰσότιμον αὐτὴν καὶ ἰσοσθενῆ τιθέντες τῷ ἀγαθῷ ...; die wesentlichsten Attribute der Gottheit legt M. sowohl dem guten wie dem bösen Prinzip bei: 71, 41—43 ὁμοίως ταῦτα τῷ ἀγαθῷ καὶ τῷ κακῷ ὑπάρχειν φασί, τὸ ἀγένητον καὶ ἄφθαρτον, τὸ ἄναρχον καὶ ἀτελεύτητον· ὧν τί ἂν εἴη σεμνότερον; — vgl. auch Aug. c. Faust. XXI 4 p. p. 572, 23—26 u. ö.

b) Kampf und Vermischung der beiden Prinzipien

Bei ihrer ἄτακτος κίνησις kam die Hyle auch einmal an die obere Grenze ihres Reiches und erblickte das Lichtreich in seiner Herrlichkeit. Der Anblick erregt ihr Verlangen und sie versammelt ihre

Dämonenscharen (bzw. die fünf finsteren Elemente), um zur Eroberung des fremden Gebiets zu schreiten.

Durch die Verstandeskräfte dringt die Erkenntnis der drohenden Gefahr zu Gott, und er beschließt, sie abzuwehren. Und zwar will er 'keinen von den Aeonen (ʿālmai ist st. cstr.) seiner fünf šḵīnāʾs entsenden', sondern 'selbst' (syr. b-nap̄š wörtlich 'durch meine Seele' d. h. 'durch mein Selbst') zum Kampfe ausziehen (Theodor 127, 16). Wenn das Folgende diesem Entschluß zu widersprechen scheint, indem der Vater der Größe dem Wortlaut nach doch nicht 'selbst' auszieht, sondern 'Emanationen' — zunächst die 'Seele', s. u. — mit den erforderlichen Maßnahmen beauftragt, so beweist das nur den wesentlich formalen Charakter der 'Götter' als Hypostasen der Handlungen Gottes. Der Vater der Größe beruft also zunächst den Großen Geist (der 'weiblich' zu denken ist) als 'Mutter der Lebendigen'. Diese beruft den 'Urmenschen' (die Quellen — mit Ausnahme der arabischen — bezeichnen ihn als Ersten Menschen, mit demselben Ausdruck, den sie auch für Adam gebrauchen). Der Urmensch seinerseits beruft die fünf Elemente

$$\text{ἀὴρ ἄνεμος φῶς ὕδωρ πῦρ}$$

(aus dem Koptischen und der verderbten Aufzählung Acta Arch. 10, 7 — ἀήρ ist ausgefallen und dafür am Ende ὕλη hinzugefügt — kombiniert; auch in den übrigen Quellen belegt, s. Waldschmidt-Lentz, Dogm. 506 f.). Diese Elemente, die nach dem Fihrist (Flügel, Mani 61 pu) die 'Glieder' der Licht-Erde, also die eigentliche Substanz des Lichtreiches bilden, sind die Seele. 'Seele' oder vielmehr das durch ψυχή und anima nur unvollkommen wiedergegebene syr. nap̄šā bedeutet für M. gleichzeitig sowohl den Gegensatz zum hylischen Körper wie das 'Selbst' Gottes, der 'selbst' zum Kampfe auszieht, dabei aber eben dank der Hypostasierung seines 'Selbst' seine Transzendenz nicht aufzugeben braucht. — Den Gegensatz der 'Seele' zur Hyle, dem Prinzip des 'Todes' (Belege bei Henning, GGN 1933, 314 n. 1) brachte M. durch den Zusatz 'die lebendige' zum Ausdruck. Die Wendung stammt aus 1. Kor. 15, 45 ἐγένετο ὁ πρῶτος ἄνθρωπος ᾿Αδάμ εἰς ψυχὴν ζῶσαν: M. hat offenbar ᾿Αδάμ als Glosse gestrichen, so daß der Vers den wesentlichen Kern seines Urmensch-mythus enthielt (s. Mani-Fund 71—72).

Der Urmensch bewaffnet sich mit seinen 'Söhnen', den Elementen, wie mit einer Rüstung und steigt hinab, um den Angreifer abzuwehren. Der Kampf verläuft nicht ganz so, wie man es vielleicht erwarten sollte. Dem Angriff der Finsternis wird in einer Weise begegnet, die scheinbar zunächst einer Niederlage des Lichts gleichkommt, und in der Tat erst auf langwierigen und für die Elemente leidvollen Umwegen zum Ziele führt: der Urmensch wirft die Elemente den Dämonen gleichsam als Köder hin, den sie denn auch gierig verschlingen. Der Plan geht dahin, durch die zeitweilige Preisgabe eines Teils des Lichts die Finsternismächte für den Augenblick zu befriedigen und sie damit von weiteren Übergriffen abzuhalten, zugleich aber auch sie zu überlisten und schließlich in die Gewalt des Lichts zu bringen. Ein in den Acta Arch. 40, 33—41, 7 überliefertes und durch die koptischen Texte als echt erwiesenes Gleichnis (gegen das vielleicht Aug. c. Faust. XX 17 p. 557, 15—18 polemisiert) veranschaulicht, wie die Preisgabe verstanden werden soll: *Similis est malignus leoni, qui inrepere vult gregi boni pastoris; quod cum pastor viderit, fodit foveam ingentem et de grege tulit unum hedum et iactavit in foveam, quem leo invadere desiderans, cum ingenti indignatione voluit eum absorbere, et adcurrens ad foveam decidit in eam, ascendendi inde sursum non habens vires; quem pastor adprehensum pro prudentia sua in caveam concludit, atque hedum qui cum ipso fuerit in fovea incolumem conservabit. Ex hoc ergo infirmatus est malignus, ultra iam leone non habente potestatem faciendi aliquid, et salvabitur omne animarum genus ac restituetur quod perierat proprio suo gregi;* vgl. Simplicius 70, 42—45 ὥσπερ στρατηγός, πολεμίων ἐπιόντων, μέρος αὐτοῖς τοῦ οἰκείου στρατοῦ προΐεται, ἵνα τὸ λοιπὸν διασώσῃ (bei diesem Bilde handelt es sich aber um wirkliche und dauernde Preisgabe).

Mit der Verschlingung der Lichtelemente durch die Dämonen ist die *Vermischung der beiden Naturen* geschehen. Unter dieser Vermischung hat man sich nicht eine bloße Durcheinandermengung vorzustellen, sondern eine Verschmelzung, die auf beiden Seiten zu einer Beeinträchtigung der ursprünglichen Qualität führt: die Lichtelemente unterliegen in verschieden starkem Maße dem Einfluß der Hyle, sie vergessen ihre Heimat (Beichtspiegel I B Bang, Muséon XXXVI 145; vgl. Schaeder, Studien 250 n. 6), sie werden bewußtlos (ebd. Theodor 127, 27); die finsteren Elemente werden zwar nicht besser, aber sie gewöhnen sich so an die Symbiose mit dem Licht, daß sie ohne es nicht mehr zu leben vermögen und daß die dereinstige Trennung von ihm den Tod der Hyle bedeuten wird (Alex. Lyc. 5, 23—25. Tit. Bostr. I 39 p. 24, 15 f.; ähnlich III 5 p. 68, 14). Die bedenkliche Auffassung von der Qualitätsverschlechterung der vermischten ψυχή, die für die Lehre von der Verdammnis die Voraussetzung bildet (s. u. S. 127; für Augustin war die *corruptibilitas* der doch mit Gott substantiell identisch sein sollenden Seele der Hauptangriffspunkt, an dem er seine Gegner, wie die Disputationen mit Fortunatus und Felix zeigen, auch am sichersten zu Fall bringen konnte; c. Felic. II 21 p. 851, 22 ff. stellt er der manichäischen Blasphemie das katholische Dogma gegenüber: *nos autem dicimus quidem peccasse animam per liberum arbitrium et paenitendo purgari per misericordiam creatoris sui, quia non est ex deo tamquam pars eius vel tamquam proles eius, sed ex deo vel a deo facta est tamquam opus eius: quid intersit inter nostram fidem et vestram perfidiam, omnibus manifestum est*, vgl. auch ebd. I 19 p. 825, 16 ff.), wird bei Alex. Lyc. 6, 3—6 mit folgendem Gleichnis erläutert: ὥσπερ γὰρ ἐν φαύλῳ ἀγγείῳ συμμεταβάλλεσθαι πολλάκις τὸ ἐνυπάρχον, οὕτω δὲ καὶ ἐν τῇ ὕλῃ τοιοῦτό τι τὴν ψυχὴν παθοῦσαν παρὰ τὴν οὖσαν ἠλαττῶσθαι φύσιν εἰς μετουσίαν κακίας. (Für die Beurteilung von Alexanders Quelle ist zu beachten, daß dieses Gleichnis zur 'Vermischung' gar nicht paßt, wohl aber zu der ausgesprochen mythologischen 'Verschlingung': die mythologische Urform hat in der 'philosophischen' Bearbeitung ein Residuum hinterlassen.)

Obwohl der Urmensch mit den Lichtelementen, seinen 'Söhnen', eigentlich wesenseins ist, wird im weiteren Verlauf der Ereignisse sein Schicksal von dem ihrigen abgesondert. Er verkörpert das 'Bewußtsein' — den νοῦς —, das ihnen abhanden gekommen ist und einstweilen im Lichtreich geborgen wird, um später zu gegebener Zeit wieder zu ihnen zurückzukehren. Der Mythus drückt das folgendermaßen aus: Zwar verliert auch der Urmensch zunächst sein Bewußtsein, er findet es aber bald von selbst wieder und betet siebenmal zum Vater der Größe (Theodor 127, 30 f.). Dieser erhört sein Flehen und beruft zu seiner Befreiung die 'zweite Berufung':

den Geliebten der Lichter → den Großen Baumeister → den Lebendigen Geist. Der Lebendige Geist ist die Hauptgestalt dieser Gruppe; die Rolle des Geliebten der Lichter dagegen ist völlig unklar, und der Große Baumeister nimmt seine Funktion erst später auf. (Zum Folgenden vgl. Jackson, Res. in Manich. 255—270.)

Der Lebendige Geist steigt zur Grenze des Finsternisreiches hinab und richtet an den Urmenschen einen 'Ruf', den der Urmensch mit einer 'Antwort' erwidert. Ruf und Antwort, zu einem Götterpaar hypostasiert, steigen zum Lichtreich empor, und zwar der Ruf zum Lebendigen Geist, der ihn entsandt hat, und die Antwort zur Mutter der Lebendigen, der 'Mutter' des Urmenschen. Nachdem so der Urmensch durch seine 'Antwort' auf den 'Ruf' des Befreiers seinen Erlösungswillen kundgetan hat, begeben sich der Lebendige Geist und seine fünf Söhne, die er unterdessen berufen hat (*Splenditenens, Rex honoris, Adamas* [Syrisch und Koptisch setzen hinzu: *des Lichts*], *Gloriosus rex, Atlas* ['Ωμοφόρος], vgl. Jackson, Res. in Manich. 296—313) sowie die Mutter der Lebendigen in die Tiefe, befreien den Urmenschen und führen ihn ins Lichtreich hinauf. Nach dem Fihrist 56, 7 durchschneidet der Urmensch vorher noch die 'Wurzeln' der fünf Dämonenklassen (sie sind ja aus 'Bäumen' hervorgegangen), um weiteren Zuzug aus dem Finsternisreich zu verhindern.

Daß der Lebendige Geist den Elementen irgendwelche Fürsorge angedeihen läßt, wird in dem bisher bekannten Material nicht berichtet, kann aber vielleicht erschlossen werden. In drei iranischen Texten (s. Waldschmidt-Lentz, Dogm. 571, und dazu Muséon XLVI 263 f.) ist folgende Reihe von Lebenskräften belegt:

Leben   Kraft   Lichtheit   Schönheit   Duft

Die Seele, das geht aus einer der erwähnten Stellen (Andreas-Henning, Mir. Man. I 201) hervor, ist schon *vor* den Erlösungsmaßnahmen der dritten Berufung im Besitze dieser Kräfte. Dieser chronologische Grund zusammen mit der appelativischen Bedeutung von Ζῶν Πνεῦμα (syr. *rūḥā ḥaiiā*) läßt es denkbar erscheinen, daß sie als 'Gabe' des Lebendigen Geistes anzusehen sind: ψυχή/*napša* wäre die Lichtsubstanz, πνεῦμα/*rūḥā* die vitale Potenz der 'Seele'.

Jedenfalls bleibt die Befreiung des Urmenschen für die zurück-
gelassenen Elemente nicht ohne unmittelbare Wirkung: 'Ruf' und
'Antwort' bilden zusammen die Ἐνθύμησις des Lebens (s. Mani-
Fund 78—80) und gesellen sich zu den Elementen hinzu (die 'Antwort' gilt geradezu als 'sechster Sohn' des Urmenschen). Die
Ἐνθύμησις des Lebens kennzeichnet sich schon durch ihren Namen
als Gegenspielerin der Hyle, der Ἐνθύμησις des Todes; wie diese
ζωγράφος ist (s. o. S. 114), so ζωγραφεῖ jene beim Weltende die
Letzte Statue (s. u. S. 130). Was sie bis dahin zu tun hat, ist nicht
völlig klar: sie scheint eine Art Ersatz für den verlorenen νοῦς und
zugleich eine Vorbereitung für seine künftige Wiedererlangung zu
bedeuten, gewissermaßen das natürliche Empfinden für die Zugehörigkeit zum Lichtreich (s. u. S. 124), die Fähigkeit, auf den
'Ruf' des Νοῦς zu 'antworten'.

c) Erschaffung der Welt

Die Hauptfunktion des Lebendigen Geistes ist aber diejenige, der
er die Bezeichnung δημιουργός bei Alex. Lyc. 6, 8 verdankt. Mit
Hilfe seiner fünf Söhne läßt er über die Archonten ein strenges
Strafgericht ergehen. Einen Teil von ihnen läßt er töten und
schinden und als Material für die Erbauung der Welt verwenden.
Unter Hinzuziehung der Mutter der Lebendigen werden aus den
abgezogenen Häuten zehn (mit dem Tierkreis elf: Andreas-Henning,
Mir. Man. I 183 n. 2) Himmel, aus dem Fleisch acht Erden und aus
den Knochen die Berge geschaffen (Belege bei Jackson, Res. 314 ff.),
und am Firmament werden die am Leben gelassenen Archonten
gekreuzigt. Mit der Aufsicht über den Kosmos betraut der Lebendige Geist seine fünf Söhne. Dann bemächtigt er sich derjenigen
Lichtteile, die von der Vermischung unberührt geblieben sind und
ihre Lichtnatur daher noch unverfälscht bewahrt haben (ἐκεῖνο τῆς
δυνάμεως, ὅσον ἀπὸ τῆς μίξεως οὐδὲν ἦν ἄτοπον πεπονθός Alex. Lyc.
6, 9—11) und bildet aus ihnen die Sonne und den Mond: was ἐν
μετρίᾳ γεγονὸς κακίᾳ ist, dient als Stoff für die Sterne (ebd. 12).
Ferner erschafft er die *tres rotas* (in den koptischen Texten τροχοί)
ignis aquae et venti, deren Betrieb dem *Gloriosus rex* obliegt; was

man sich unter diesen Rädern vorzustellen hat, ist nicht ganz klar: irgendwie sollen auch sie bei der Ausläuterung des Lichts dienen (s. Cumont 31 ff.).

Somit ist die Welt, 'ein Gefängnis für die Mächte der Finsternis, aber ein Läuterungsort für die Seele', geschaffen und alles für die Erlösung vorbereitet. Die Gottheiten der beiden ersten Berufungen treten vor den Vater der Größe und bitten ihn, den Erlöser zu berufen.

d) Der Dritte Gesandte

Der Vater der Größe beruft den Dritten Gesandten, dessen Aufgabe darin besteht, den Archonten das von ihnen verschlungene Licht zu entziehen bzw. es aus der Vermischung mit der Hyle auszuläutern, und — auf Umwegen — seine Heimkehr ins Lichtreich ins Werk zu setzen. Zu diesem Zwecke macht er sich die natürliche ἐπιθυμία der Archonten zunutze. Er nimmt in der Sonne Platz und beruft zwölf Götter wandelbaren Geschlechts (an und für sich sind es aber 'Jungfrauen'), die sich den Archonten *investes* zeigen. Beim Anblick der *virgines pulcherrimae* pollutionieren die männlichen Archonten, mit der 'Sünde' verbunden entweicht ihnen aber auch das geraubte Licht. Die 'Sünde' fällt auf die Erde herab, und zwar zu einem Teil auf das Feuchte: daraus entsteht ein fürchterliches Meerungeheuer, das vom Adamas des Lichts, dem *heros belligerens,* einem der Söhne des Lebendigen Geistes, erlegt wird. Ein anderer Teil fällt auf das Trockene und aus ihm entsprießen die fünf Arten von Bäumen und Pflanzen (aufgezählt Andreas-Henning, Mir. Man. I 181; Theodor 130, 11 kurz 'die fünf Bäume'). Nunmehr zeigt der Dritte Gesandte bzw. seine zwölf Helfer(innen) den weiblichen Archonten seine männliche Gestalt, mit der Wirkung, daß die Archontinnen, die infolge des im Finsternisreich getriebenen Geschlechtsverkehrs ständig schwanger sind, abortieren. Die Aborte fallen auf die Erde, merkwürdigerweise, wie Aug. c. Faust. XXI 12 p. 583, 12f . hervorhebt, ohne durch den Sturz Schaden zu nehmen, und beginnen die Früchte der aus dem Sperma der männlichen Archonten entstandenen Bäume zu fressen; infolge von deren Gehalt an ὕλη werden sie von Libido erfüllt, begatten sich und setzen

Dämonenkinder — wiederum fünf Gattungen zu je zwei Geschlechtern (s. o. S. 113) — in die Welt.

Unterdessen trifft der Dritte Gesandte weitere Maßnahmen für die Lichtbefreiung. Er beruft die 'Säule der Herrlichkeit, den vollkommenen Mann', an der die befreiten Lichtteile zu den Lichtschiffen aufsteigen sollen; er beauftragt den schon der zweiten Berufung angehörigen Großen Baumeister, die Erbauung des Neuen Aeons, der ihnen zum Aufenthaltsort bestimmt ist, nunmehr auszuführen; vor allem aber setzt er Sonne und Mond, die beiden 'Lichtschiffe', in Bewegung und weist ihnen ihre Funktion an: sie sollen die in der Welt verstreuten Lichtteile ausläutern — wie man sich das konkret vorzustellen hat, ist nicht ganz klar — und ihre Beförderung in das Lichtreich bewerkstelligen: der Mond übernimmt sie von der Säule der Herrlichkeit und bringt sie zur Sonne, in der sie dann den Rest der Reise zurücklegen. Die mit dieser Zweckbestimmung der 'Lichtschiffe' verbundene Erklärung der Mondphasen ist eine der Punkte, denen gegenüber die antimanichäische Polemik ihre leichtesten Triumphe feiern konnte: πόση δὲ καὶ ἡ περὶ τοῦτο ἀλλοκοτία, sagt Simplicius 72, 9—12, τὸ . . . καὶ τὸ φῶς τῆς σελήνης οὐκ ἀπὸ τοῦ ἡλίου νομίζειν, ἀλλὰ ψυχὰς εἶναι, ἃς ὑπὸ νουμηνίας ἕως πανσελήνου ἀπὸ τῆς γῆς ἀνασπῶσα, ἀπὸ πανσελήνου πάλιν ἕως νουμηνίας εἰς τὸν ἥλιον μεταγγίζει; vgl. Alex. Lyc. 6, 25—7, 6. Acta Arch. 13, 4—8. Tit. Bostr. I 40 p. 25, 4. Epiph. haer. LXVI 9, 8 (III 30, 17—20 Holl). Andreas-Henning Mir. Man. I 187 mit n. 4; übrigens wird Alexanders Frage 31, 7—11: ὅτε τοίνυν ἀπὸ τῆς πανσελήνου ἡ σελήνη μειοῦται, ⟨ἡ⟩ ἀποχωριζομένη δύναμις τὸν χρόνον τοῦτον ποῦ μένει ἕως ἂν κενωθεῖσα ἡ σελήνη τῶν προτέρων ψυχῶν . . . δευτέραν πάλιν δέξηται ἀποικίαν; beantwortet durch die schon vom lateinischen Übersetzer mißverstandene Stelle Acta Arch. 13, 9—12 τῆς οὖν σελήνης μεταδιδούσης (das Praes. ist zu beachten) τὸν γόμον τῶν ψυχῶν τοῖς αἰῶσι τοῦ πατρός, παραμένουσιν (περιμ. suspicor) ἐν τῷ στύλῳ τῆς δόξης, ὃς καλεῖτα ἀ⟨ν⟩ὴρ ὁ τέλειος.

e) Erschaffung des Menschen

In ohnmächtiger Wut beobachtet die Hyle, wie durch die Maßnahmen des Dritten Gesandten das geraubte Licht ihr wieder verlorenzugehen droht. Sie faßt den Entschluß, den göttlichen Heilsplan, dem die Welt dient, durch eine Gegenschöpfung zu vereiteln, in der sie das Licht dauernd an die Materie binden zu können hofft. Unter den Dämonen, die auf die Erde gefallen sind, wählt sie zwei aus, einen männlichen namens Ašaqlon und einen weiblichen namens Nemrael (Σακλᾶς und Νεβρώδ Abschwörungsformel Migne PG I 1464 B; Cumont, Rech. 42 n. 3, belegt aus Priscillian *Saclas* und *Nebroel*); dieses Paar soll nach dem Ebenbilde des Dritten Gesandten, den die Dämonen (eigentlich vielmehr ihre am Himmel gefesselten 'Eltern': das wirkliche Subjekt ist aber die in den einen wie in den andern wirkende Hyle) im Lichtschiff gesehen hatten und der immer noch ihre Phantasie beschäftigt, den Menschen zeugen. Die beiden lassen sich von den übrigen Dämonen deren Kinder geben, fressen sie auf, um alles verfügbare Licht in sich aufzunehmen, begatten sich, und Nemrael gebiert das erste Menschenpaar, Adam und Eva. Die Zweiheit der Geschlechter, die die Dämonen dem Menschen vererben, und der mit ihr verbundene Fortpflanzungstrieb soll die dauernde Fesselung der 'Seele' an das 'Fleisch', den sozusagen mikrokosmischen Aspekt der Hyle, gewährleisten und sie damit dem Lichtreich immer mehr entfremden: ... ἀναδραμεῖν μὲν αὖθις αὐτὴν οὐκ ἐῶντες (sc. οἱ ἄρχοντες), εἰ δὲ καὶ ἀναδράμοι, ἀναξίαν ἀποφαίνεσθαι τῶν ἄνω, μεμιασμένην σαρκί, ὡς ἀδύνατον εἶναι πάντη τῷ ἀγαθῷ τὴν παρ᾽ ἑαυτοῦ ψυχὴν ὁλόκληρον διασώσασθαι, ταῖς μηχαναῖς τῶν ἀρχόντων τῆς ὕλης ἡττωμένην Tit. Bostr. III 6 p. 68, 31—34.

f) Jesus und der Νοῦς

Die Hoffnungen der Hyle werden aber zuschanden. Aus dem Lichtreich steigt Jesus der Glanz (s. Mani-Fund 67 f.) herab, weckt Adam aus dem 'Todesschlaf' (Theodor 130, 24) und bringt ihn zur Erkenntnis seiner Lage: er belehrt ihn über seine göttliche Herkunft und zeigt ihm, wie seine — Adams, s. u. S. 126 — 'Seele' eins ist

mit der göttlichen Lichtsubstanz, die in der ganzen Welt in der Vermischung mit der Hyle leidet. 'Da schrie Adam auf (conj. Schaeder,
Studien 347) und weinte und erhob mächtig seine Stimme wie ein
brüllender Löwe, er raufte sein Haar und schlug sich die Brust und
rief: „Wehe, wehe über den Schöpfer meines Körpers und über den
Feßler meiner Seele und über die Rebellen, die mich geknechtet
haben!"' (Theodor 131, 4—7).

Was Jesus im Mythus an Adam vollbracht hat, das vollbringt hic
et nunc der Noῦς als seine 'Emanation' (s. Mani-Fund 68 ff.). Der
Noῦς ist es, auf den die Religionsstiftungen zurückgehen; er ist 'der
Vater aller Apostel', durch deren Lehre er in den Menschen eingeht:
er 'bekleidet' die fünf Glieder der Seele, d. h. die Elemente Luft,
Wind, Licht, Wasser, Feuer mit seinen eigenen Gliedern

$$νοῦς, ἔννοια, φρόνησις, ἐνθύμησις, λογισμός,$$

aus denen weiterhin die fünf 'Tugenden' entstehen:

Liebe (ἀγάπη), Glaube, Vollendung, Geduld, Weisheit

(arabische, sogdische, chinesische, türkische Belege bei Waldschmidt-
Lentz, Dogm. 574; koptisch z. B. Keph. 97, 20—21). Durch diese
'Gaben' wird die Seele in den Stand gesetzt, den Anfechtungen des
Fleisches zu widerstehen und den Kampf gegen die Rebellions-
versuche der 'Sünde' aufzunehmen. Auf die mit den 'Gaben' aus-
gestattete Seele und ihren Gegenspieler, das σῶμα τῆς ἁμαρτίας mit
seinen Lastern, übertrug M. das paulinische Bild vom Neuen und
Alten Menschen (Col. 3, 9—10 und besonders Eph. 4, 22—24
... ἀνανεοῦθαι δὲ τῷ πνεύματι τοῦ νοὸς ὑμῶν ...). Den 'Kampf des
Neuen mit dem Alten Menschen' findet man im Chinesischen Traktat
schematisch ausgeführt: Chavannes-Pelliot, Journ. as. 1911, 546 ff.

Durch den Noῦς wird der Seele das 'Bewußtsein' ihrer selbst
wiedergegeben, das durch die Vermischung eingeschläfert worden
war: das syr. haṷnā an der o. S. 117 zitierten Stelle Theodor 127,
27 f. ('das Bewußtsein der fünf glänzenden Götter wurde fortge-
nommen') bezeichnet zugleich die erste der fünf Verstandeskräfte
= νοῦς. Es muß daher genügen, die Seele 'wachzurütteln' (Theodor
130, 28), um sie bereit zu finden, die Belehrung über die Wider-
natürlichkeit, aber auch über den Grund und den Sinn ihres gegen-

wärtigen Zustandes anzunehmen. M.s Lehre appelliert an das natürliche Empfinden der Seele, kraft dessen sie den von ihm gezeigten Weg zur Erlösung eben als den richtigen, ihrer Natur entsprechenden erkennen *muß*. Wessen natürliches Empfinden so weit erstorben ist, daß er diese Erkenntnis nicht mehr aufbringen kann oder will, dem ist nicht zu helfen: er muß verloren gegeben werden. [Den Ausdruck 'wollen', den ich eben gebraucht habe, hat M. selbst sich einmal an einer von Aug. c. Felic. II 5 p. 832, 26 zitierten Stelle aus dem Thesaurus entschlüpfen lassen: *qui ... legem sibi a suo liberatore datam servare plenius* noluerint. In M.s Sinne beruht dieses *nolle* aber trotzdem nicht auf *liberum arbitrium*, worauf Augustin ihn festlegen will, sondern auf Entartung infolge der Vermischung, die eben die Fähigkeit zum *velle* erstickt hat.]

[In Götterlisten und Hymnen zeigt sich mehrfach das Bestreben, die soteriologischen Gottheiten (die 'dritte Berufung') so zu gruppieren, daß der Dritte Gesandte und Jesus als ihre Führer nebeneinander geordnet werden und beide eine gleiche Anzahl von Hilfsgottheiten erhalten (s. Mani-Fund 69 n. 2. Muséon XLVI 254). Der Grund dafür ist in der Zweiheit der 'Lichtschiffe' zu suchen, die eine entsprechende Zweiheit der in ihnen wohnenden und von ihnen aus das Erlösungswerk leitenden Götter zu verlangen schien. Der Dritte Gesandte erhielt die Sonne und Jesus den Mond. Um die gleiche Anzahl von Hilfsgottheiten herauszubekommen, wurde von den zwölf Jungfrauen des Dritten Gesandten die ursprünglich mit ihnen identische 'Lichtjungfrau', die Σοφία, abgespalten (s. Mani-Fund 68) und Jesu und dem Monde zugeteilt. Es ergeben sich auf diese Weise zwei parallele Reihen, 'dritte Berufung a und b':

a	b
Dritter Gesandter	Jesus
zwölf Jungfrauen	Lichtjungfrau
Säule der Herrlichkeit	Νοῦς.

Bei den nordafrikanischen M.ern — und ebenso bei den chinesischen — nimmt Jesus nicht nur am kosmisch-physischen Erlösungswerk teil, sondern verdrängt den Dritten Gesandten vollständig. Bei Augustin kommt der Dritte Gesandte überhaupt nicht vor: an seiner Stelle steht stets *Christus*; nur bei Euodius de

fide 17 p. 958, 1 wird einmal beiläufig der *tertius legatus* genannt.—
Eine von allen andern Quellen abweichende Darstellung des Erlösungswerks findet sich in den Acta Arch. 12, 7 ff. Der Erlöser ist
hier Gottes Sohn; die Ausdrücke, die in bezug auf ihn gebraucht
werden, zeigen, daß darunter Jesus zu verstehen ist. Er vollzieht die
σωτηρία durch eine μηχανὴ ἔχουσα δώδεκα κάδους (vgl. Schlier,
Rel.gesch. Unters. z. d. Ign.-Briefen 110 ff.), eine Schöpfmaschine,
ἥτις ὑπὸ τῆς σφαίρας στρεφομένη ἀνιμᾶται τῶν θνησκόντων τὰς
ψυχάς und sie zu den 'Lichtschiffen' befördert. Die Lichtjungfrau und
die Verführung der Archonten kommt auch hier vor (13, 14 ff.),
aber in ganz andrem Zusammenhang: der Mythus dient hier zur
Erklärung des Todes der Menschen. Der Dritte Gesandte mit seinen
zwölf Jungfrauen, die hier als οἱ δώδεκα κυβερνῆται erscheinen (21,
11), tritt völlig unvermittelt erst bei der Schilderung des Weltendes
auf, ohne daß sich erkennen ließe, welche Funktion er neben Jesus
noch zu erfüllen hat.]

Durch den erretteten Urmenschen ist der den Lichtelementen von
Haus aus eigene νοῦς im Anfangsstadium der Vermischung in
Sicherheit gebracht worden (s. o. S. 117); durch Jesus wird er ihnen
wieder zugeführt. Daraus erklärt sich zunächst die enge Verbindung,
ja sogar volle Identität (so der persische Hymnus S 9, bearb. von
Henning, GGN 1932, 214 ff.), in der ein großer Teil der Überlieferung Jesus und den Urmenschen erscheinen läßt: bei Augustin
wird Jesus mehrfach als 'Sohn' des Urmenschen bezeichnet (Stellen
bei Baur 210; freilich könnte diese Bezeichnung auch erst aus der
gleich zu besprechenden Lehre vom Jesus patibilis abstrahiert sein);
in den koptischen Texten ist der *Mond* bald das 'Schiff' des Urmenschen und bald Jesu; der *Neue Aeon* steht in naher Beziehung zu
Jesus, der in persischen und parthischen Hymnen geradezu 'Neuer
Aeon' genannt wird (s. Muséon XLVI 259 f.) —, anderseits ist der
Urmensch 'der König des Neuen Aeons' (Man. Hom. 41, 20 m.
Anm.); die *Lichtjungfrau* ist die Begleiterin Jesu, in den koptischen
Texten (z. B. Keph. 84, 18 f. und oft in den Hymnen) ist sie aber
auch die 'Seele' (an einer Stelle speziell das Element 'Feuer'), mit der
der Urmensch die Dämonen ködert, usw. — Ferner erklärt sich
daraus die Vorstellung vom *Jesus patibilis,* die Deutung des gekreuzigten Jesus auf die in der Hyle gefesselte Seele (s. Baur 71—77.

211. 395 [seit Cumont, Rech. 48, ist es üblich geworden, Theodor 130, 31—131, 3 als locus classicus für diese Lehre zu zitieren. Mir scheint es nötig, das Poss.-Suffix in *napšeh* 'seine Seele' 130, 31 nicht auf Jesus, sondern auf Adam zu beziehen, da nur so Adams Schmerzausbruch 131, 4 ff. verständlich wird]): durch diese Deutung wird die Wesenseinheit, die die Elemente mit dem Urmenschen verbindet, auch mit Jesus hergestellt. Im übrigen ist es ein ausgesprochen 'gnostischer' Zug der manichäischen Christologie, daß sie das Leiden Jesu seiner Geschichtlichkeit entkleidet und in ein Symbol für das Mythologumenon von der vermischten Lichtseele verwandelt (s. Bousset Art 'Gnosis' Bd. VII S. 1525, 44 ff.); bei Alex. Lyc. 7, 17 bis 19 scheint jedoch Geschichtlichkeit und symbolische Deutung verbunden zu sein: der Χριστός = Νοῦς sei nach Vollbringung seines Erlösungswerks schließlich gekreuzigt worden und παρασχέσθαι γνῶσιν τοιῷδε τρόπῳ καὶ τὴν δύναμιν τὴν θείαν ἐνηρμόσθαι, ἐνεσταυρῶσθαι τῇ ὕλῃ. Für M. selbst ist der Jesus patibilis nicht mit Sicherheit in Anspruch zu nehmen.

g) Erlösung und Verdammnis, Sünde und Sündenvergebung

Erlösung bedeutet nichts weiter als die Rückkehr der Seele in ihre göttliche Heimat, 'ihre erste (ursprüngliche) οὐσία'; geistlos spottet Tit. Bostr. I 37 p. 23, 28—30 καὶ τοῦτό γε ἐστιν ἡ παρ' αὐτοῖς ἐλπιζομένη σωτηρία καὶ μακαριότης, τὸ ἀποδοθῆναί γε τῷ θεῷ τὸ οἰκεῖον αὐτοῦ. Wie schnell der Einzelne dieses Ziel erreicht, hängt davon ab, in welchem Grade er die 'Trennung der beiden Naturen' (s. o. S. 109) für sich selbst durchzuführen vermag. Je nachdem zerfallen die Gläubigen in zwei Klassen: die ἐκλεκτοί-*electi,* die die strikte Befolgung aller Vorschriften auf sich nehmen: diesen wird die Erlösung gleich nach ihrem Tode zuteil; und die κατηχούμενοι-*auditores,* die vom Fleisch nicht völlig los können, aber die Lehre annehmen und für den Lebensunterhalt der Electi sorgen: auch ihnen steht die Erlösung in fester Aussicht, jedoch haben sie zunächst eine Seelenwanderung (μεταγγισμός) durchzumachen und nach dem Talionsprinzip ihre Sünden bzw. Unvollkommenheiten solange zu büßen, bis ihre Seele in den Körper eines Electus eingeht.

Die Sünde ist die natürliche Funktion und eigentliche Manifestation der Hyle. Die Seele als reine Substanz, d. h. ohne mit dem νοῦς gewappnet zu sein, ist gegen den Körper und damit gegen die Sünde von vornherein völlig machtlos; sie kann nur dann Widerstand leisten, wenn sie im Besitz des νοῦς ist. Das Streben des Körpers ist demnach darauf gerichtet, der Seele diese Waffe aus der Hand zu schlagen, ihr das 'Bewußtsein' zu rauben, sie 'vergessen' zu machen —, also das Drama der urzeitlichen Vermischung zu erneuern. Eben das wird aber durch die Religion und ihre Einrichtungen verhindert: durch Katechese, Liturgie und Observanzen wird die Seele ständig bei 'Bewußtsein' gehalten, und wenn sie doch einmal 'vergißt', so steht die Kirche bereit, sie wieder zur Besinnung zu bringen. — Wie im urzeitlichen Kampf die Vermischung der beiden Naturen ohne Schuld des Lichts erfolgt ist, so ist auch die menschliche Seele für die fleischlichen Sünden, zu denen der Körper sie treibt, nicht verantwortlich zu machen; wird sie sich der begangenen Sünde bewußt, kehrt sie — unter der belehrenden Einwirkung der Geistlichkeit, die den Noῦς auf Erden vertritt — reumütig zur Erkenntnis ihrer Herkunft und Bestimmung zurück, so ist auch ihr Recht auf Heimkehr ins Lichtreich wiederhergestellt. Durch eine Sünde, welcher μετάνοια folgt, wird dieses Recht nicht verwirkt, sondern nur suspendiert: die verdiente Strafe besteht lediglich in der Verzögerung der Erlösung. Eine kirchliche Bußdisziplin hat im M.ismus schon aus diesem Grunde keine Stelle; wohl aber die Beichte, die eben der Bekundung der μετάνοια und zugleich der erneuten Belehrung dient, s. Bang, Manich. Laien-Beichtspiegel Muséon XXXVI 1923, 137—242. — Unvergebbar wenn auch eigentlich nicht schuldhaft (s. o. S. 124) ist nur die eine geistige Sünde: sich der Belehrung des Noῦς zu verschließen, μὴ γνῶναι τὴν ἀλήθειαν (Acta Arch. 18, 10), die γνῶσις τοῦ παρακλήτου (ebd. 19, 4. 45, 12) nicht anzunehmen, μὴ λέγειν δύο ἀρχὰς εἶναι τῶν πάντων (Simplicius 71, 1): diesen Seelen, die in dem Maße deterioriert und der Hyle assimiliert sind (s. o. S. 116), daß sie überhaupt nicht mehr zur Erkenntnis ihrer selbst, d. h. ihrer göttlichen Natur zu gelangen vermögen, bleibt die Erlösung versagt; sie wandern von Körper zu Körper und werden schließlich am Ende der Tage mit der besiegten Finsternis in den βῶλος, das ewige Gefängnis (s. Muséon XLVI 260 n. 13) gefesselt. Von den zahlreichen gegnerischen Einwänden gegen diese Lehre dürfte auf M.er höchstens der des Simplicius 71, 4 f. Eindruck gemacht haben, daß Gott nach erfolgter Apokatastasis unvollständig (ἀτελής) bleiben müsse, weil μέρη αὐτοῦ ἀπολέσας.

h) Das Schicksal der Seele nach dem Tode

Es wird in verschiedenen Ausgestaltungen dargestellt, zu deren Verständnis es zweckmäßig ist, von dem zugrundeliegenden Begriff auszugehen: der Aufstieg der Seele ins Lichtreich hat zur Voraussetzung, daß ihr 'Sündlosigkeit' zuerkannt werden kann. Der von M. hierfür gebrauchte aramäische Ausdruck (zum Folgenden s. Mani-Fund 72 f.) war zākūtā; der Stamm bedeutet 'rein sein', 'frei von Schuld sein', 'für schuldlos erklärt werden', 'vor Gericht obsiegen', schließlich 'siegen' überhaupt, das Subst. zākūtā kann sogar ganz konkret den 'Siegespreis' bedeuten. Aus diesen Möglichkeiten ergeben sich zwei Symbolisierungen: (A) Die Seele tritt zusammen mit dem Alten Menschen vor den 'Großen Richter' var. 'Richter der Wahrheit' (nach der Göttergenealogie Mani-Fund 74 ist er eine Emanation Jesu), von dessen Richterstuhl drei Wege (Keph. 83, 6—8. Fihrist 71, 9) ausgehen: der eine führt zum 'Leben' (Erlösung), der zweite zur 'Vermischung' (Fortdauer der Vermischung mit der Finsternis unter Aussicht auf spätere Erlösung), der dritte zum 'Tode' (ewige Verdammnis). Die Seele des Vollkommenen wird 'für schuldlos erklärt', der Neue Mensch 'obsiegt' über den Alten Menschen und geht den Weg des Lebens. — (B) Der Seele des Vollkommenen tritt, wenn sie den Körper verlassen hat, die 'Lichtgestalt' entgegen, d. i. ihr 'zweites Selbst', ihre verkörperte Frömmigkeit [zum Folgenden s. Muséon XLVI 1933, 270 f.]. Die Lichtgestalt, die nach der obenerwähnten Genealogie eine Emanation des Licht-Noῦς ist (das bedeutet, daß die Bildung des 'zweiten Selbst' eine Wirkung des Noῦς ist), trägt die Züge eines der drei Bringer der Erkenntnis, Jesu oder des Noῦς oder Manis; sie hat drei Engel bei sich, die die Insignien des 'Sieges' — Siegespreis (βραβεῖον, zākūtā indirekt durch das in dieser Bedeutung dem Arabischen fremde *zakāh* Fihrist 70, 1. 6 bezeugt), Kleid und Krone — tragen und diese der Seele überreichen. Mit diesen Insignien angetan wird sie von der Lichtgestalt die Säule der Herrlichkeit hinaufgeleitet. Dann geht es mit dem Mond weiter zur Sonne — wer das Unglück hat, nach Vollmond auf der Spitze der Säule anzukommen, findet das Mondschiff abgefahren und muß bis zu 14 Tagen warten (s. o. S. 121) — und die Sonne schließlich bringt die Seele in den Neuen Aeon zur ewigen Seligkeit. (Im Fihrist ist die 'Lichtgestalt' gespalten: hier steht neben dem 'Geleitenden Weisen' und seinen drei Engeln noch eine 'Jungfrau' als verkörperte Frömmigkeit; im Koptischen [Mani-Fund 73. Man. Hom. 6] werden beide Darstellungen — Gericht vor dem Großen Richter und Überreichung des Siegespreises usw. durch die Lichtgestalt — kombiniert: das mußte in allen Sprachen naheliegen, die nicht wie das Aramäische für die ganze Begriffsreihe von 'Schuldlosigkeit' bis 'Siegespreis' *ein* Wort haben.)

Diese Schilderungen bezogen sich auf die Electi. Den beiden anderen Klassen von Seelen ergeht es entsprechend: die Unvollkommenen, die Katechumenen, müssen den Weg der 'Vermischung' gehen, die Sünder den des 'Todes' oder der 'Hölle'. Für die Einzelheiten der Ausgestaltung kann auf den Fihrist 70, 12—71, 9 verwiesen werden.

i) Weltende und Apokatastasis

Wenn durch die Tätigkeit von Sonne und Mond und durch die Wirkung des Noῦς die Ausläuterung des Lichts einen gewissen Grad erreicht hat, wird das Ende der Welt herbeigeführt. Wann das zu erwarten ist, hat M., soweit bekannt, nicht gesagt; nach Keph. c. 147 (s. Mani-Fund 23) scheint er allzu bestimmte Voraussagen über zukünftige Ereignisse überhaupt grundsätzlich vermieden zu haben. Erst im späteren M.ismus sind Spekulationen in dieser Richtung angestellt worden: Schahrastani 192, 13 ff. berichtet von einem ἀρχηγός namens Abu Saʿīd, der im J. 271 d. H. = A. D. 884/85 die Gesamtdauer der 'Vermischung' auf 12 000 Jahre, von denen 11 700 bereits vergangen seien, angegeben habe.

Für die Schilderung der Endzeit entnahm M. das Material dem

Neuen Testament: der 'synoptischen Apokalypse' Mt. 24. Mc. 13.
Lc. 21 (verarbeitet in dem koptischen 'Sermon vom Großen Krieg'
Man. Hom. 7 ff.) und namentlich dem 'Jüngsten Gericht' Mt. 25,
31—46 (Müller, Hss.-Reste II 11—15. Man. Hom. 32 ff.). Das bevorstehende Weltende kündigt sich durch die Parusie Jesu an. Jesus
wird als 'Großer König' einige Zeit unter der Menschheit herrschen,
die infolge der immer weiter um sich greifenden Erkenntnis mittlerweile vorwiegend aus M.ern besteht; er wird seinen Richterstuhl
inmitten der οἰκουμένη errichten und die Böcke von den Schafen
sondern: zur Rechten werden die Katechumenen stehen und den
'Sieg' empfangen, zur Linken die Sünder; die Electi werden zu
Engeln verklärt. Dann kehrt Jesus ins Lichtreich zurück und gibt
damit das Zeichen zur Auflösung. Die Götter, die den Bau der Welt
zusammenhalten, die Säule der Herrlichkeit und die fünf Söhne des
Lebendigen Geistes, verlassen ihre Plätze und begeben sich ebenfalls
zur Höhe; der gesamte Kosmos stürzt in sich zusammen; ein ungeheures Feuer bricht aus und vernichtet die Welt, die nun ihre
Bestimmung erfüllt hat (die Dauer des Brandes beträgt — eine Erklärung für die sonderbare Zahl ist bisher nicht gefunden — 1468
Jahre: Schapurakan Müller Hss.-Reste II 19 und die Araber Fihrist
58, 4 = Schahrastani 192, 1 = alMurtada bei Keßler, Mani 348, 4
v. u.). Die bei Ausbruch des Brandes in der Welt noch vorhandenen
Lichtteile, durch die in ihnen wirkende Ἐνθύμησις des Lebens (s. o.
S. 119) zu zweckmäßigem Handeln angeleitet, sammeln sich, formieren sich zur 'letzten Statue' (s. Mani-Fund 79) und steigen zum
Lichtreich auf.

Auf das Gründlichste wird die Unschädlichmachung der Hyle besorgt. Außer der Abscheidung vom Licht (s. o. S. 117) und außer
der Verbrennung werden noch weitere Maßnahmen getroffen, denen
gegenüber sich allerdings die Frage aufdrängt, ob sie notwendig erst
durch die Vermischung vorbereitet werden mußten. Die Hyle wird
eingekerkert; damit aber nicht genug, werden die beiden Geschlechter, die samt der durch ihr Vorhandensein bedingten ἐπιθυμία und
ἡδονή ein so wesentliches Charakteristikum der Hyle im Urzustande
waren (s. o. S. 113), voneinander abgesondert, so daß eine weitere
Vermischung und Fortpflanzung nicht mehr erfolgen kann: das
Männliche wird in den βῶλος, das Weibliche in das 'Grab' gesperrt

(Keph. 105, 32 f.; andere Texte erwähnen die Trennung der Geschlechter nicht und reden entweder nur vom βῶλος oder nur vom 'Grab': so Fihrist 58, 7. Ephraem bei Jackson, Res. 284 f., wohl auch Man. Hom. 41, 6 f.). Schließlich wird, um ein etwaiges Entweichen unbedingt zu verhindern, das 'Grab' mit einem riesigen Stein verschlossen (Fihrist a. O.).

5. Gemeindeordnung, Ethik und Kultus

Die Einteilung der manichäischen Gläubigen in Electi und Katechumenen ist bereits oben erwähnt. Sie ergibt sich zwangsläufig aus der Spannung zwischen der konsequenten religiösen Forderung einerseits und der Schwäche des Fleisches andererseits; ihre Herleitung aus dem Buddhismus, die seit Baur immer wieder versucht wird, ist daher überflüssig.

Neben dieser Einteilung nach der religösen Vollkommenheit steht eine Gliederung nach dem Rang in der Hierarchie. Der 'Führer (ἀρχηγός)' der manichäischen Kirche, der jeweiligen Nachfolger M.s, steht außerhalb der eigentlichen hierarchischen Rangordnung, die folgende fünf Stufen umfaßt:

1. διδάσκαλοι,
2. ἐπίσκοποι,
3. πρεσβύτεροι; diese drei Stufen sind ihrem religiösen Grad nach Electi; ihnen folgen
4. die ἐκλεκτοί, die nicht Amtsträger in der Kirche sind, und
5. die Masse der κατηχούμενοι;

über diese Rangordnung und namentlich über die zweite Stufe s. Schaeder, Iranica 11 ff. Frauen sind von den kirchlichen Ämtern, aber nicht vom Electus-Grade ausgeschlossen.

Der Grundgedanke der manichäischen Ethik, soweit sie die praktische Lebensführung betrifft (s. o. S. 110), äußert sich wesentlich in negativer Form, in der Forderung, alles zu vermeiden, was das im Menschen und in der Welt enthaltene Licht schädigen könnte. Dazu gehört einerseits die Fleischeslust (s. o. S. 122) und alles was zu ihrer Erregung geeignet ist, andererseits alles 'Quälen' und 'Schädigen' der Natur. Strikt verboten ist dem Electus also zunächst der

Geschlechtsverkehr und der Genuß von Fleisch und Wein (erlaubt sind dagegen frische Weintrauben und — offenbar unvergorener — Apfelsaft s. Lagarde, Mitteilungen III 47 f.). Der Begriff des 'Quälens' ist in der Theorie außerordentlich weit: er umfaßt nicht nur die Mißhandlung der Tiere, das Ausreißen der Pflanzen, das Verunreinigen des Wassers u. dgl., sondern auch εἴ τις περιπατεῖ χαμαί, βλάπτει τὴν γῆν· καὶ ὁ κινῶν τὴν χεῖρα βλάπτει τὸν ἀέρα, weil die Luft die Seele aller Lebewesen ist [vgl. Fihrist 62, 13 'und die Luft ist das Leben der Welt'], Acta Arch. 17, 9 f. Da auch vegetarische Nahrung nicht ohne solches 'Quälen' gewonnen und genossen werden kann, würde die konsequente Durchführung dieser Grundsätze für die Electi den Hungertod zur Pflicht machen und sie damit ihren Aufgaben auf dem Gebiete der Lehre und Kirche entreißen. Um sie für diese Aufgaben zu erhalten, wird die Beschaffung und Zubereitung der Nahrung den ohnehin immer wieder in die Sünde zurückfallenden Katechumenen übertragen (die im Dienste der Electi begangenen 'Sünden' werden aber sofort vergeben), und weiterhin die Hilfskonstruktion eingeführt, daß der Durchgang durch den reinen Leib eines Electus für die von ihm verzehrten Vegetabilien keine 'Schädigung', sondern im Gegenteil Läuterung bedeute. — Im übrigen haben die Electi der Welt gänzlich zu entsagen und ausschließlich der Religion zu leben; sie dürfen keinen festen Wohnsitz haben, sondern müssen ständig predigend in der Welt umherziehen; sie sind zur Armut verpflichtet und dürfen nicht mehr besitzen als Nahrung für einen Tag und Kleidung für ein Jahr (alBiruni Chronol. 208, 1. alMurtada 349, 8, vgl. Müller, Hss.-Reste II 33); sie haben tagelanges Fasten zu üben (*muṯāṣalat aṣṣaṳm* alBiruni ebd.; zu diesem arab. Ausdruck s. Schaeder, Iranica 21 n. 2).

Das Verhältnis der Electi und der Katechumenen ist also dahin zu bestimmen, daß nur jene die eigentlichen M.er sind und diese lediglich einer notwendigen Konzession an die hylischen Bedingungen der menschlichen Existenz ihre Zugehörigkeit zur manichäischen Kirche verdanken. Sie sind Anhänger der manichäischen Theorie, ohne die praktischen Konsequenzen auf sich nehmen zu müssen. Was strikt von ihnen verlangt wird, sind die 'Almosen' für die Electi; sonst leben sie in der Welt, gehen ihren Geschäften nach, haben Frauen (nur müssen sie sich auf *eine* Frau beschränken, alBiruni

Chronol. 208, 4), zeugen Kinder, trinken Wein und essen Fleisch (nur dürfen sie nicht selbst schlachten). — 'Die Electi [widmen sich] ihren ἐντολαί, die Katechumenen ihren Almosen', Man. Hom. 30, 24 f.: diese Worte aus einer Schilderung des idealen Gemeindelebens kennzeichnen den Sachverhalt mit unübertrefflicher Prägnanz.

Wenig Bedeutung haben die verschiedenen 'reihenmäßigen' Formulierungen der ethischen Vorschriften. Für die Electi gab es fünf Gebote, die bisher nur türkisch und sogdisch belegt sind; ihre sprachliche Deutung ist noch nicht so weit gesichert, daß sich ihre Aufführung lohnte: vgl. Waldschmidt-Lentz, Dogm. 579 ff. Zehn Verbote gab es für die Katechumenen; sie sind am vollständigsten, aber nicht in allen Einzelheiten klar, im Fihrist 64, 12 ff. aufgeführt (vgl. alMurtada 349, 9 ff.; von einer ausführlichen persischen Aufzählung ist leider nur ein kleines Stück erhalten: Andreas-Henning, Mir. Man. II 296 f.): verboten wird u. a. der Götzendienst, das Lügen, der Geiz [vermutlich beim 'Almosen'abliefern an die Electi], das Töten, die Unzucht, der Diebstahl, die Zauberei; Schahrastani 192, 8 führt auch die Goldene Regel auf.

Über das ganze Überlieferungsgebiet verbreitet ist die Reihe der 'drei Siegel': *tria signacula ... oris et manuum et sinus,* vgl. die ausführliche Darstellung bei Baur 248 ff. *Os, manus* und *sinus* sind die drei Körperregionen, die durch die Gebote und Verbote 'versiegelt' und damit gegen die hylischen Mächte gesichert sind (der Begriff 'Tabu' ist in diesem Zusammenhang schlechterdings nicht am Platze; Waldschmidt-Lentz, Dogm. 589, versuchen vergebens, Bousset gegen Bang, Muséon XXXVI 230 f., in Schutz zu nehmen). — Anderes, wie die 'vier (Eigentums)zeichen' (zuletzt Waldschmidt-Lentz, Dogm. 527 ff.; Andreas-Henning, Mir. Man. II 309 mit n. 3), kann hier beiseite bleiben.

Die Hauptformen des Kultus sind Gebet und Fasten. Nach dem Fihrist 64, 15 ff. sind täglich 'vier oder sieben' Gebete vorgeschrieben; weiterhin (65, 15 ff.) erwähnt er aber nur vier und dasselbe tut Schahrastani 192, 6. Fihrist 64 apu ff. werden einige Stücke im Wortlaut mitgeteilt, von denen Flügel, Mani 310 n. 241, mit Recht bemerkt, sie seien 'mehr Hymnen oder Lobgesänge als Gebete': es sind Doxologien auf Mani, den Vater der Größe, die lichten Gottheiten im allgemeinen und die fünf Söhne des Urmenschen im besonderen.

Über die Fastenordnung unterrichtet wiederum am eingehendsten der Fihrist 65 u ff.; hier genügt es zu erwähnen, daß nach 64, 5 allmonatlich sieben Tage gefastet wird; wie diese sieben Tage sich auf den Monat verteilen, ist nicht ganz klar.

Von besonderen Festen ist das des Βῆμα am bekanntesten. Nach Aug. c. Ep. fund. 8 p. 202, 11 ff. wurde es zur Erinnerung an M.s Tod gefeiert; es fiel zeitlich ungefähr mit dem Osterfest zusammen und wurde als dessen manichäische Entsprechung betrachtet. Eine größere Anzahl von Hymnen auf das Βῆμα enthält das koptische Hymnenbuch; nach ihnen werden Augustins Angaben über den Sinn dieses Festes zu modifizieren oder mindestens zu erweitern sein. — Sieben jährliche Festtage zur Erinnerung an die früheren ἀρχηγοί hat Schaeder, Iranica 22 ff., ermittelt.

In der Frage der manichäischen Sakramente ist immer noch nicht wesentlich über Baur 273—280 hinauszukommen. Eine Wassertaufe haben die M.er zweifellos nicht gehabt: sie ist eine hylische Institution, in der der 'Geist' der finsteren Welt des Wassers zum Ausdruck kommt (Keph. 30); und andere Taufriten sind nicht bezeugt. — Eine eucharistische Feier der Electi ist durch Aug. c. Fort. 3 p. 85, 9 ff. bezeugt: *nam et eucharistiam audivi a vobis saepe quod accipiatis; tempus autem accipiendi cum me lateret, quid accipiatis unde nosse potui?* Vermeintliche turkestanische Zeugnisse für sakramentale Mahlzeiten der M.er hat Schaeder, Iranica 19 ff., entkräftet. Daß es kultische Mahlzeiten gab, die formell dem christlichen Abendmahl entsprachen, wird freilich kaum zu bezweifeln sein (vgl. die τράπεζα Man. Hom. 16, 21. 28, 11; weiteres werden die Keph. lehren); damit ist aber nicht gesagt, daß es sich um Sakramente handelt.

6. Manis religionsgeschichtliche Selbsteinordnung

M.s Aufgabe ist zunächst die, der Wirkung des Νοῦς in Lehre und Kirche eine feste Form zu geben. Als besondere Beauftragte des Νοῦς, als ἀπόστολοι, hatten schon andere vor ihm gewirkt: als erster Adam, der erste Empfänger einer göttlichen Offenbarung; weiterhin Seth, Enosch, Henoch, Noah, Sem (s. Henning, S.-Ber. Akad. Berl. 1934, 27). In Indien trat Buddha auf, in Persien Zarathustra, in

Jerusalem Jesus. Jesu besondere Aufgabe war es, den jüdischen Irrglauben, den Mosaismus mit seinem νόμος τῆς ἁμαρτίας, zu vernichten: aber der Irrglaube verzog sich nur aus Jerusalem nach Babylonien (s. Man. Hom. 11) und trat hier in veränderter Gestalt in
Erscheinung, nämlich in der Religion der Magier (die in M.s Augen
sich zu dem von ihm anerkannten Zoroastrismus ähnlich verhält wie
das Judentum zu den vormosaischen Frommen des Alten Testaments). So war schon zu allen Zeiten und an den verschiedensten
Orten für die Verkündigung der wahren Erkenntnis Sorge getragen
worden. Aber dem Wirken dieser Männer fehlte die Durchschlags-
kraft sowohl in die Tiefe wie in die Breite. Über die Grenze ihrer
jeweiligen Heimatländer hinaus hatten sie sich nicht durchzusetzen
vermocht, und soweit sie als Religionsstifter aufgetreten waren und
Schüler hinterlassen hatten, war es ihnen nicht gelungen, über ihren
Tod hinaus ihre Kirchen vor Verfall und ihr Gedankengut vor Verfälschung zu bewahren. Der grundlegende Unterschied M.s gegenüber seinen Vorgängern besteht in der *Endgültigkeit* und in der
Universalität seiner Religionsstiftung (vgl. M.s persisch und koptisch
erhaltenen Aufsatz über die 'Vorzüge des M.ismus': Andreas-Henning, Mir. Man. II 295 f.; Mani-Fund 42 ff.). Von der ersteren war
er schlechthin überzeugt; die Rücksicht auf die letztere leitete ihn
sowohl beim Aufbau seiner Lehrdarstellung wie bei der Organisation der Mission. Sie äußert sich einerseits in dem 'bewußten Synkretismus' (die Urheberschaft an diesem Schlagwort — gemeint ist
vielmehr 'Eklektizismus' — beansprucht Lidzbarski, OLZ 1927,
913 n. 1), den M. geübt haben will (vgl. den soeben zitierten Text),
andererseits in der erst von Schaeder (Studien 281 ff.) in ihrem
Wesen erkannten Beweglichkeit der Terminologie und Nomenclatur
und ihrer Anpassung an die Vorstellungswelt der Kreise, an die die
Mission sich wendet: vor Mazdayasniern bedient M. sich weitgehend
zoroastrischer Ausdrücke und benennt seine Götter vielfach mit
avestischen Namen, z. B. den Urmenschen als Ohrmizd, den Dritten
Gesandten als Narisah; vor Christen wird Jesus stärker in den Vordergrund gerückt (vgl. o. S. 124); vor philosophisch gebildeten
'Hellenen' verschwinden die 'Götter' hinter den Begriffen, deren
Träger sie sind, so z. B. der Urmensch hinter der ψυχή.

So ist M.s Stellung zu seinen Vorgängern, seinen 'Brüdern',

wesentlich durch das Bewußtsein bestimmt, mit ihnen in einer Tradition zu stehen und zur abschließenden Vollendung ihres Werks berufen zu sein ('Siegel der Propheten' alBiruni Chronol. 207, 19. alMurtada bei Keßler, Mani 349, 13); ein religiöser Neuerer zu sein, lehnt er nachdrücklich ab (Man. Hom. 47, 18 ff.). Keinem andern 'Propheten' gegenüber betonte M. jedoch so geflissentlich sein Nachfolgertum wie Jesu, als dessen Apostel er sich bezeichnete (*omnes . . . eius epistulae ita exordiuntur: Manichaeus apostolus Iesu Christi* Aug. c. Faust. XIII 4 p. 381, 4 f. Tit. Bostr. III 1 p. 67, 15—17. IV 3 syr. p. 129, 31. Waldschmidt-Lentz, Stellung Jesu 59. Mani-Fund 26 f.). Dafür sind zwei miteinander zusammenhängende Gründe namhaft zu machen: erstens kann es als einigermaßen sicher betrachtet werden, daß Jesus der einzige frühere Religionsstifter war, von dessen Verkündigung M. eine konkrete, quellenmäßige Kenntnis besaß (was Buddha und Zarathustra anbetrifft, so schließe ich mich Schaeders Ausführungen, Gnom. IX 354, auch ohne die Vorbehalte Hennings, S.-Ber. Akad. Berl. 1934, 27, an); zweitens sah M. sich im Laufe seiner Wirksamkeit veranlaßt, seine Verkündigung in größerem Ausmaße, als er ursprünglich wohl vorgesehen hatte, auf die christlichen Missionsgebiete einzurichten: es handelte sich für M. darum, Jesu Rechte nicht zu schmälern und seine eigenen zu sichern: die Stellung, die Jesus im religiösen Bewußtsein der Christen einnahm, nicht anzutasten, und damit sein eigenes Unterfangen, als bloßer Apostel Jesu doch mit einer neuen Lehre hervorzutreten, in Einklang zu bringen. Das gegebene Mittel hierfür war der Schriftbeweis, und die Stellen, die sich M. boten, waren diejenigen, an denen Jesus den künftigen παράκλητος verheißt (Joh. 14, 16. 26. 25, 15, 26. 16, 7). Die christliche Auffassung, daß diese Verheißung bereits durch das Pfingstwunder (Act. 2, 4 ff.; gerade die Apostelgeschichte wurde aber von den M.ern verworfen, s. Alfaric II 162 ff. — trotzdem heißt es Keph. 13, 8, daß der Auferstandene seinen Jüngern seinen Hl. Geist eingehaucht habe) erfüllt sei, widerlegt z. B. Felix, ebenso wie es die Montanisten taten (Aug. c. Faust. XXXII 17 p. 777, 22 ff.), mit dem Hinweis auf 1. Kor. 13, 9 f. (Aug. c. Felic. I 9 p. 811, 5—8). — Hier ist noch kurz darzulegen, wie M.s Parakletentum sich in das System fügt. Der Paraklet ist (nicht nur nach der Annahme der Kirchenlehrer, wie Baur 372 versehentlich sagt, son-

dern) nach dem Wortlaut von Joh. 14, 26 (ὁ παράκλητος, τὸ πνεῦμα
τὸ ἅγιον) der Hl. Geist. Die Konsequenz, M. als Parakleten demnach
auch 'Hl. Geist' zu nennen, haben nicht, wie seit Baur behauptet
wird, die christlichen Polemiker den M.ern zugeschoben, sondern
diese selbst haben sie gezogen; den endgültigen Beweis liefern jetzt
die koptischen Hymnen, z. B. nr. 223. Den *christlichen* Hl. Geist
identifizierte M., wo er ihn brauchte, völlig sinngemäß mit dem
Noῦς seines eigentlichen Systems (s. Waldschmidt-Lentz, Dogm. 518;
Henning, S.-Ber. Akad. Berl. 1934, 27 n. 7; *gnostischer* Terminologie dagegen entstammt 'Hl. Geist' als Variante von 'Großer Geist'
— s. o. S. 113 — zur Benennung der präexistenten Form der Mutter
der Lebendigen, s. Mani-Fund 66): ein Beispiel, in dem der Hl. Geist
ganz in der Funktion des Noῦς erscheint, ist die von Aug. c. Felic. I
16 p. 819, 14 f. zitierte Stelle aus der Ep. fundamenti *pietas spiritus
sancti intima pectoris vestri adperiat, ut ipsis oculis videatis vestras
animas.* Wie nun der Noῦς überhaupt 'der Vater aller Apostel' ist
(s. o. S. 123), so steht er als Hl. Geist und Paraklet — also unter der
Benennung, die er bei M.s letztem Vorgänger Jesus trägt — speziell
zu M. in diesem Verhältnis. Wie der Noῦς sich in den früheren
Aposteln manifestiert hat, so auch *sanctus spiritus paracletus . . . in
ipso* (sc. *Manichaeo) venire dignatus est* Aug. c. Ep. fund. 8 p. 201,
25 f. Dieses Verhältnis ist für den manichäischen Stil eng genug, um
als Identität dargestellt zu werden: . . . *superbia, mater omnium
haereticorum, inpulit hominem, ut non missum se ab paracleto vellet
videri, sed ita susceptum, ut ipse paracletus videretur. Sicut Iesus
Christus homo non a filio Dei, id est virtute et sapientia Dei* [vgl.
1. Kor. 1, 24], *per quam facta sunt omnia, missus est, sed ita suscep-
tus secundum catholicam fidem, ut ipse esset Dei filius, id est in illo
ipso Dei sapientia sanandis peccatoribus adpareret: sic se ille voluit
ab spiritu sancto, quem Christus promisit, videri esse susceptum,
ut iam cum audimus 'Manichaeum',* [so zu interpungieren] *spiritum
sanctum intellegamus 'apostolum Iesu Christi', id est missum a Iesu
Christo, qui eum se missurum esse promisit. Singularis audacia ista
et ineffabile sacrilegium!* Aug. c. Ep. fund. 6 p. 200, 3 ff. Wenn Tit.
Bostr. IV 16 syr. p. 136, 17 ff. M.s Anspruch, der Paraklet zu sein,
mit folgender Argumentation zurückweist: M. an und für sich sei,
wie die M.er zugeben, ein Mensch wie andere, und habe den Para-

kleten nur empfangen; Empfangender und Empfangenes könnten
aber nicht identisch sein, 'wie auch unser Auge nicht das Licht sei,
weil es das Licht empfange' — wenn Titus so argumentiert, so ist
das begreiflich; weniger begreiflich, daß man auch in neuerer Zeit
es ernsthaft als Streitfrage behandelt hat, ob M. unter dem von Jesu
verheißenden Parakleten einen menschlichen Lehrer *oder* 'ein Wesen
der oberen Sphäre' verstanden habe.

7. Christologie außerhalb des Mythus

Der M.ismus kennt also zwei Jesus:
1. Jesus den Glanz, der zu den 'Göttern' und in den Mythus gehört,
2. Jesus Christus (oder vielmehr Χρηστός, wie die M.er der griechischen Welt — vielleicht nach marcionitischem Vorbild s. Harnack,
Marcion² 123 n. 2 — schreiben: Alex. Lyc. 34, 19. Man. Hom.
72, 9), der seinen Platz in der Religionsgeschichte hat. (Als dritter
kommt noch der *Jesus patibilis* der nordafrikanischen M.er hinzu,
dessen Sinn, wie man leicht sieht, der ist, den mythischen und den
historischen Jesus miteinander auszugleichen, s. o. S. 126).

Der eigentliche manichäische Jesus, mit dem das im Mythus be-
schlossene System es ausschließlich zu tun hat, ist nicht 'Jesus who
appeared in Judaea' (Burkitt, Relig. of the Manich. 38 ff.; Church
and Gnosis 79) sondern Jesus der Glanz: in ihm ist das Göttliche an
der Erscheinung Jesu den Schranken von Zeit, Raum und Persönlichkeit entrückt und zu einem außerhalb aller geschichtlichen Begrenzung wirkenden Erlösungsfaktor verflüchtigt: die Gestalt Jesu
als mythologisches Korrelat des Begriffes Νοῦς ist ein Kernstück des
manichäischen Systems; dagegen bedeutet seine Persönlichkeit so
wenig, daß auch der Name Jesus wie ein beliebiger anderer 'Götter'-
name 'übersetzt' werden kann (s. o. S. 135): in persischen Texten
heißt er 'der Gott, dessen Reich der Verstand ist'. Was für die
Historie übrig bleibt, ist ein Religionsstifter, der mit Buddha,
Zarathustra und schließlich M. selbst prinzipiell auf einer Stufe
steht.

M.s ursprüngliche Jesus-Auffassung charakterisiert sich also einerseits durch die Enthistorisierung des Gottessohnes, andererseits durch

die Entgöttlichung des Religionsstifters. Die erstere ist nicht M.s eigenes Werk: sie ist aus den Ansätzen, die die paulinisch-johanneische Christologie bot, von der Gnosis entwickelt worden und, wie so manches andere, von ihr aus in M.s Gesichtskreis getreten. Als M. in Dast-Maisan seinen 'bewußten Synkretismus' betätigte, mochte er glauben, mit der Stellung, die er Jesu dem Glanz im Mythus und Jesu Christo in der Religionsgeschichte anwies, dem Christentum genug getan zu haben. Die Erfahrung wird ihn bald gelehrt haben, daß der gnostisch-haeretische Charakter seiner Jesus-Auffassung den Kreis der Christen, die er gewinnen zu können hoffte, in unerwünschtem Maße einengte. Durch diesen Umstand sah M. sich genötigt, der kirchlichen Auffassung entgegenzukommen und die schroffe Scheidung zwischen dem 'Gott' und dem Religionsstifter zu mildern, in erster Linie dadurch, daß er die Gottessohnschaft des letzteren anerkannte. Der sekundäre und unorganische Charakter dieses Zugeständnisses zeigt sich darin, daß Jesus Christus nach wie vor außerhalb des eigentlichen Systems bleibt. Wenn das argumentum ex silentio zulässig ist, so hat M. sich nicht einmal darüber ausgesprochen, in welchem gegenseitigen Verhältnis stehend Jesus der Glanz und Jesus Christus zu denken seien — und wir würden einen schweren methodischen Fehler begehen, wenn wir versuchen wollten, diese höchst bezeichnende dogmatische Lücke auf spekulativem Wege auszufüllen.

Die Anerkennung der Gottessohnschaft Jesu Christi konnte aber nicht ohne einige Vorbehalte gegenüber der kirchlichen Lehre erfolgen, namentlich gegenüber dem Dogma der Gottmenschheit. Für M. konnte es hier nur ein Entweder-Oder geben: Gott oder Mensch — tertium non datur. War Jesus Christus aber 'der Sohn der Größe' (Keph. 12, 20 u. ö., *filius maiestatis* Aug. c. Faust. XXXII 7 p. 766, 10) und hatte er doch, wie 'seine Apostel predigten' (Philipp. 2, 7), bei seinem Eintritt in die Welt eine μορφὴ δούλου und ein σχῆμα ὡς ἄνθρωπος angenommen (Keph. 12, 24—26), so war das nur unter der Maßgabe zu vereinen, daß er χωρὶς σώματος gekommen sei (ebd.).

Zum Verständnis von M.s 'Doketismus' ist es dienlich, ihm die kirchliche Lehre von der leiblichen Natur Christi gegenüberzustellen, etwa in der Formulierung Augustins: ... *ut nos quidem nati essemus*

in carne peccati, — ille autem in 'similitudine carnis peccati' (Rom.
8, 3); *nos non solum ex carne et sanguine, verum etiam ex voluntate
viri et ex voluntate carnis, — ille autem tantum ex carne et sanguine,
non ex voluntate viri neque ex voluntate carnis, sed ex Deo natus est*
(Joh. 1, 13) de pecc. merit. II 38 CSEL LX 110. M. ist in demselben
Sinne 'Doketist', in dem Paulus und Augustin von ὁμοίωμα σαρκὸς
ἁμαρτίας *similitudo c. p.* reden. Der Unterschied besteht darin, daß
M.s dualistische Voraussetzungen es ihm schlechterdings nicht gestat-
ten, den Begriff *similitudo* auf die durch den Zusatz *peccati* bestimmte *caro* zu beschränken, mit anderen Worten die Realität von
Fleisch und Blut anzuerkennen und nur dessen Sündlichkeit bzw.
sündlichen Ursprung zu leugnen: Körper und Hyle sind ihm eins;
ein unsündlicher Körper daher eine contradictio in adiecto; Fleisch
und Blut, das von Gott käme, eine Unmöglichkeit, von der es keine
Ausnahme geben kann. Die notwendige Folge ist das χωρὶς σώματος
(womit auch die Leugnung der Geburt Jesu Christi ausgesprochen ist).

Damit ist der 'Doketismus' erschöpft. Obwohl M. sich auf eine
positive Bestimmung der irdischen Erscheinung Jesu Christi nicht
eingelassen hat, ist doch keine Rede davon, daß er ihr reale Substanz
abgesprochen habe: hier gilt von M. (darauf weist Schaeder, Urform
74 n. 2 hin) dasselbe, was Harnack, Marcion² 125 f., von Marcion
gesagt hat. So bezieht sich auch die 'doketische' Auffassung des Leidens und Sterbens Jesu Christi nicht sowohl auf die Realität der
Kreuzigung an sich, als auf die physische Wirkung (körperlicher
Schmerz usw.), die sie auf einen Menschenleib gehabt haben würde.
In diesem Sinne sagt Faustus: *nos specie tenus passum confitemur
nec vere mortuum* Aug. c. Faust. XXIX 1 p. 744, 1—2. Die Behauptung der Abschwörungsformel (Migne G. I 1464 D), nach manichäischer Auffassung sei ein anderer an Jesu Statt gekreuzigt worden,
während dieser hohnlachend von weitem zugesehen habe, findet sich
bei Irenaeus (adv. haer. I 24, 4 p. 200 Harvey) in bezug auf Basilides
wieder (der andere ist hier Simon von Kyrene Mt. 27, 32 par.),
wird aber durch die sonstige manichäische Überlieferung nicht
gestützt.

Es ist wahrscheinlich, daß der missionarische Zweck, dem die
Rezeption der kirchlichen Jesus-Auffassung dienen sollte, zunächst
in der Tat erreicht wurde; daß sie einem lebhaften Bedürfnis ent-

gegenkam, zeigt die zu den eigentlich manichäischen Prämissen in gar keinem Verhältnis stehende Rolle, die Jesus Christus in der Hymnenliteratur, sowohl der koptischen wie der iranischen, spielt. Auf längere Sicht gesehen waren diese Zugeständnisse jedoch für den M.ismus von verhängnisvollster Wirkung. Für M. gilt in erhöhtem Maße, was C. H. Becker, Ztschr. f. Assyr. XXVI 187 = Islamstudien I 442 von Muhammed gesagt hat: 'Man kann sagen, ohne diese christlichen Kompromisse und Entlehnungen seines Stifters wären dem Islam viele Kämpfe erspart geblieben.' Sie bedeuteten für den M.ismus eine μετάβασις εἰς ἄλλο γένος und haben dadurch im christlichen Abendland seine Zersetzung herbeigeführt: sie zwangen ihn, sich auf den Boden der biblischen Theologie zu begeben, sich kritisch, exegetisch und dogmatisch mit dem Schriftwort Alten und Neuen Testaments auseinanderzusetzen und den Erkenntnisgrund der philosophischen Einsicht lediglich als Kanon und kritisches Prinzip für diese Arbeit zu verwenden.

Einstweilen ist nicht zu entscheiden, wieweit M. selbst die theologische Auseinandersetzung mit dem Christentum gefördert hat und wieviel auf die Rechnung seiner Schüler kommt. Über die Arbeit der letzteren vgl. F. Trechsel, Über den Kanon, die Kritik und Exegese der Manichäer, Bern 1832; A. Bruckner, Faustus von Mileve, Basel 1901.

8. Zur typologischen Bestimmung des Manichäismus

De praescr. haer. c. 7 spricht Tertullian von den historischen und wesensmäßigen Beziehungen der älteren gnostischen Haeresien zur griechischen Philosophie und von ihrem Gegensatz zum Christentum. Er findet den grundlegenden Unterschied darin, daß die Haeretiker, statt einfach zu glauben und nach Sap. Sal. 1, 1 in Einfalt des Herzens den Herrn zu suchen, bei der *sapientia saecularis* Anleihen machen und einen *Stoicus et Platonicus et dialecticus Christianismus* einführen, der sich anmaßt, *interpres divinae naturae et dispositionis* zu sein. *Eaedem materiae apud haereticos et philosophos volutantur, iidem retractatus implicantur: unde malum et quare? et unde homo et quomodo?*

Verachtung des einfältigen Glaubens *(vos* [sc. Manichaei] *enim nostis, temere credentibus quam vehementer insultare soleatis* Aug. c. Ep. fund. 13 p. 210, 4 f.), der Aufbau der Ethik und Erlösungshoffnung auf dem Fundamente einer kühnen Metaphysik und Weltdeutung, die auf die Fragen nach dem Ursprung des Bösen und der Entstehung des Menschen Antwort gibt, — das ist auch für den M.ismus charakteristisch und erlaubt das manichäische System als ein philosophisches zu bezeichnen. Aber deswegen ist M. noch kein Philosoph: s. o. S. 108.

Was die Herkunft dieser philosophischen Gedanken betrifft, so wird derjenige, dem es weniger darum zu tun ist, der Durchdringung des Orients mit griechischem Gedankengut nachzugehen als die Quellen von M.s Bildung zu ermitteln, ihren griechischen Ursprung nicht allzusehr betonen dürfen (mit einer Tendenz, die der Tertullians entgegengesetzt ist): in der Gestalt, in der sie in M.s Gesichtskreis traten und auf ihn wirkten, hatten sie bereits aufgehört, etwas spezifisch Griechisches zu sein, und waren integrierende Bestandteile der Gnosis geworden. (Dagegen kann die Betonung des griechischen Ursprungs selbstverständlich das Recht der polemischen Überspitzung für sich in Anspruch nehmen, wenn man der Auffassung entgegenzutreten hat, daß dem M.ismus im Gegensatz zum katholischen Christentum das 'hellenische Element' gänzlich fehle: Schaeder gegen Harnack).

'Erkenntniswille und Heilsverlangen' stehen im M.ismus in wechselseitiger Funktionsbeziehung und sind durch sie untrennbar verbunden (aber nicht 'untrennbar eins'). Gesondert auffassen läßt sich keins von beiden, ohne seinen spezifisch manichäischen Sinn ipso facto zu verlieren. Ein rein — ohne Beziehung auf das Heilsverlangen — auf die Ursachen der Dinge gerichteter Erkenntniswille ist im M.ismus nicht nachzuweisen; daß es ihn gegeben habe, macht schon der auch für das 3. Jh. gänzlich unwissenschaftliche Charakter von M.s Naturerklärung unvorstellbar (man denke nur an die Mondphasen o. S. 121; vgl. auch Henning, S.-Ber. Akad. Berl. 1934, 34 f.). Was den M.ismus für die Gebildeten der Zeit anziehend machte, war nicht die Aussicht auf Belehrung über astronomische, biologische und ähnliche Dinge, sondern auf ein Religionssystem, das Vernunft und Erlösungsbedürfnis in gleicher Weise zu befriedigen versprach. Nichts anderes besagt auch die von Schaeder, Gnom. IX 362, zitierte Augustin-Stelle (de util. cred. 2 p. 4, 10—19): *nosti ... non aliam ob causam nos in tales homines incidisse, nisi quod se dicebant, terribili auctoritate separata, mera et simplici ratione eos, qui se audire vellent, introducturos ad Deum et errore omni liberaturos. Quid enim me aliud cogebat annos fere novem spreta religione, quae mihi puerulo a parentibus insita erat, homines illos sequi ac diligenter audire, nisi quod nos superstitione terreri et fidem nobis ante rationem imperari dicerent, se autem nullum premere ad fidem nisi prius discussa et enodata veritate?* Das Unglück des M.ismus war nur eben die wissenschaftliche Unhaltbarkeit des Mythus, der ihm als vernunftgemäßes Fundament diente; sie ist neben der oben geschilderten Selbstzersetzung durch Konzessionen an das Christentum der Hauptfaktor, der für den Untergang des abendländischen M.ismus in Betracht kommt; sie war es auch, die Augustin veranlaßte, sich vom M.ismus abzuwenden.

Die manichäische *Religiosität* ist bestimmt durch das Verhältnis der Consubstantialität, in das Gott und die menschliche Seele gesetzt sind. Die Gotteskindschaft besteht von Natur und braucht nicht erst per adoptionem hergestellt zu werden. Innerhalb dieses Verhältnisses hat der Begriff der Gnade keinen Raum: was Gott für die Erlösung der gefangenen Seele tut, tut er nicht aus unbegreiflicher Liebe, sondern letzten Endes im eigenen Interesse. — Sein persönliches Verhältnis zu Gott klärt der M.er auf rationalem Wege, durch die γνῶσις; die eigentliche 'Frömmigkeit' läßt sich etwa als 'kosmisches Verantwortungsgefühl' kennzeichnen: sie bezieht sich auf die Verpflichtung, die dem Menschen in dieser Welt aus seiner Eigenschaft als νοῦς-begabtes Wesen erwächst.

Nachträge und Berichtigungen

S. 103: add. [PLANCK] GGA 1831, 2049—63 (den anonymen Rezensenten ermittelte freundlichst G. v. SELLE aus dem hsl. Register der Göttinger Univ.-Bibliothek).

S. 105: der 'Zwilling' war schon längst durch Euod. de fide 24 p. 961, 14 f. bezeugt: *qui* (sc. *Manichaeus*) *se mira superbia adsumptum* (vgl. S. 137) *a gemino suo, hoc est spiritu sancto, esse gloriatur.* Der 'Zwilling' ist identisch mit dem Lebendigen Parakleten (= Hl. Geist), der M. nach den Keph. (Mani-Fund 54) die Offenbarung bringt; es ist aber nicht richtig, daß die beiden Gestalten sich, wie SCHMIDT will, auf die verschiedenen Überlieferungszweige verteilen.

S. 106: hinter „könnte" add. per exclusionem.

S. 118: auch Keph. 58, 15—18, unter Zitierung von Mt. 3, 10.

S. 130: auch Keph. 75, 23.

S. 136: bezieht sich nicht auf Act. 2, sondern auf Joh. 20, 22; über die *gemina clarificatio* Christi vgl. Aug. c. Ep. fund. 10 p. 205, 17 ff.

Eranos-Jahrbuch. 4 (1936): Gestaltung der Erlösungsidee in Ost und West. I. Hrsg. von
Olga Fröbe-Kapteyn. Zürich: Rhein-Verlag 1937, S. 183—286.

DER BEGRIFF DER ERLÖSUNG IM MANICHÄISMUS

Von Henri-Charles Puech

ERSTER VORTRAG

Die gnostische und die manichäische Erlösungsvorstellung
Das Problem des Bösen im Manichäismus

Eine klare Darstellung des Gegenstandes, den ich mit Ihnen behandeln möchte, stößt auf große Schwierigkeiten, selbst wenn man
sie auf drei Vorträge verteilt. Diese Schwierigkeiten sind zum Teil
in der Natur des uns vorliegenden Quellenmaterials begründet, das
unübersehbar und dazu noch räumlich und zeitlich weit zerstreut
ist. Es gibt einerseits eine Fülle indirekter Zeugnisse von sehr ver-
schiedenem Werte, die meistensteils von Gegnern des Manichäismus
stammen: griechische, lateinische, syrische, iranische, islamitische,
armenische, chinesische. Andererseits besitzen wir jetzt, außer den
Stellen aus manichäischen Schriften, die diese Polemiker oder Dar-
steller der Lehre anführen — besonders Titus von Bostra, der heilige Augustinus, Theodor bar Kōnai, an Nadīm, al Bērūnī —, ein
bedeutendes direktes Quellenmaterial. Seit 1904 haben wir Fragmente, Hymnen und Abhandlungen, die in drei iranischen Dialekten (persisch, parthisch, sogdisch) in uigurischer (alttürkischer) und
in chinesischer Sprache verfaßt sind und im Nordwesten von Chinesisch-Turkestan, in Turfan und in den Grotten von Tuen-Huang
entdeckt wurden. Wir haben ferner seit 1933 eine Sammlung manichäischer Schriften, in subachmimisches Koptisch übersetzt, die im
Südwesten des Faijum in Mittelägypten zutage gefördert wurden.
Die größten Schwierigkeiten unseres Gegenstandes liegen jedoch in
ihm selbst begründet. Von allen Erlösungsreligionen ist der Manichäismus die umfassendste und die vollständigste. Um ein Bild aus
dem 154sten Kapitel der Kephalaia, eines der neu gefundenen

Faijum-Texte, wieder aufzunehmen: dieser Gnostizismus des dritten Jahrhunderts sammelt und läßt in einen gewaltigen Strom zusammenfließen, einigt und bringt in vollendeter Form, in ein System, alle Offenbarungen, alle Erlösungsbotschaften der vorangegangenen Religionen, Weisheitslehren und Gnosen. Vor allem:
Alles im Manichäismus ist Erlösung. Die Erlösung ist das einzige
Ziel dieses Systems. Das Weltall wird aufgefaßt als eine Maschine,
die Erlösung produziert und sicherstellt. Jedes Räderwerk des kosmischen Mechanismus, jede Episode der Weltgeschichte hat eine Er-
lösungsbedeutung; das Menschenleben hat nur einen Sinn und nur
eine Bestimmung: die Erlösung. Die manichäische Religion selbst ist
in erster Linie Aposteltum: eine Religion von Missionaren, die
durch die Welt ziehen und die frohe Botschaft der Erlösung aus-
rufen. Sie predigen die vollendete endgültige Offenbarung, der sich
zu verweigern unwiderrufliche Verdammnis bedeutet. Von der
manichäischen Erlösungslehre sprechen heißt also nichts anderes als
von dem Manichäismus als Ganzem sprechen. An ein derartiges
Unternehmen darf ich hier nicht einmal denken. Dennoch scheint
es mir, daß wir zu einem Gesamtbilde des Problems kommen können, wenn wir die Erlösungsidee in den Mittelpunkt stellen und
ihre Ausstrahlungen in das ganze System sowie ihre praktischen
Anwendungen aufzeigen. Dieses Bild wird gewiß in den Haupt-
punkten mit den Darstellungen, die man allgemein von dem Manichäismus gibt, übereinstimmen, wird aber doch nicht mit ihnen
zusammenfallen.

Hiermit ist der Plan für diese drei Vorträge schon gegeben. Wenn
sich im Manichäismus alles auf die Erlösung bezieht, müssen wir
zunächst feststellen, woher dieses Bedürfnis stammt und auf welche
Weise es entsteht. Der Gegenstand unseres ersten Vortrags muß
also sein, die Gleichheit der gnostischen und der manichäischen Vorstellungen von der Erlösung zu erweisen und ferner das rein see-
lische Erlebnis des Bösen aufzufinden, aus dem der Wunsch und
auch schon die Idee einer Erlösung stammen kann. Wir werden
später sehen, wie das Erlösungsbedürfnis seinen Ausdruck und seine
Erklärung in einer — in Wirklichkeit mythologischen — Weltanschauung findet, die zum Inhalt hat: 1. daß die Welt durch ihren
Aufbau und ihre Geschichte die Notwendigkeit der Erlösung be-

weist und deren Verwirklichung zuläßt; 2. daß seinerseits der Mensch durch seinen Ursprung und sein Wesen in der Lage ist, erlöst zu werden. Diesen kosmologischen und anthropologischen Doppelmythos werde ich in dem zweiten Vortrage behandeln. Er wird also die theoretische Seite des Problems behandeln in der Form wie die manichäische Dogmatik seine Lösung zuläßt. Der dritte Vortrag wird endlich den tatsächlichen Ablauf des Erlösungsvorganges darstellen, das moralische und religiöse Verhalten, das der Mythos vorschreibt, die Rolle, die die Erlöser in ihm spielen, die Organisation der Erlösung durch die Kirche, den letzten Sinn der Erlösung, kurz die Erfüllung der Erlösung durch den Manichäismus. Mit andern Worten: dieser letzte Vortrag wird sich mit der praktischen Seite der Frage beschäftigen, die allerdings von der dogmatischen nicht getrennt werden kann, denn sie ist nur ihre Anwendung.

Durch einige seiner Wurzeln ist der Manichäismus unmittelbar mit ältern gnostischen Lehren verbunden; mehr noch: seinem ganzen Wesen nach ist er eine Erlösungsreligion gnostischen Typus. Um den Gegenstand unserer Untersuchung richtig zu erfassen, müssen wir also zeigen, in welcher besonderen Art die Gnosis das Problem der Erlösung stellt und löst. Ich unternehme diese Darstellung anhand von Dokumenten, die den Systemen aus dem Ende des zweiten und denen des dritten Jahrhunderts angehören, und von denen Mani einige gekannt haben mag.

In ihrer vollen Bedeutung kann die Gnosis definiert werden als ein Wissen, das unmittelbar Erlösung in sich schließt. Die Erkenntnis, die gleichzeitig Bewußtsein und Wissenschaft ist, ist nicht nur eine vorübergehende Bedingung oder ein unerläßliches Mittel der Erlösung, eine Offenbarung der Geheimnisse des Heilsweges; sie erlöst durch sich selbst, durch die Tatsache, daß man sie besitzt, sei es nun durch Offenbarung oder durch Initiation. Die Gnosis ist nämlich mehr als eine Erkenntnis im üblichen Wortsinne. Sie ist nicht nur ein vollständiges, vollkommenes Wissen, das den Anspruch auf Absolutheit und Universalität erhebt, sondern sie geht weiter: sie begnügt sich nicht damit, ihre Objekte von außen her wahrzunehmen: sie vereinigt und identifiziert sich mit ihnen durch

einen Akt des Erfassens, die ἔνωσις. Sie ist ferner nicht einfaches
Seiner-selbst-Bewußtwerden des Subjektes, sondern eine grundlegende Umwandlung dieses Subjektes durch dieses Seiner-selbst-
Bewußtwerden. Auf diese Weise kann Gnosis Erlösung sein: sie läßt
das erkennende Subjekt in dem erkannten Objekte aufgehen, das
heißt: sie läßt es an den übersinnlichen Realitäten teilhaben, an
ihrem höchsten Wissen und an ihrer Macht. Sie offenbart ihm nicht
nur die Welt der Götter, das System und die Geschichte dieser Gottheiten, des Weltalls und des Menschen: sie fügt das wissende Subjekt
ein in das Ganze dieses menschlichen, kosmischen und göttlichen
Schicksalsablaufes, indem sie sein Geschick und seine Substanz mit
dem Mythos der göttlichen Wesen oder des eines überirdischen
Retters verknüpft. Gleichzeitig bringt das Seiner-selbst-Bewußtwerden im Akte der Gnosis das Selbstbewußtsein zu seinem wahren
Ursprunge zurück, indem es ihm offenbart, daß es der Substanz
nach mit der der göttlichen Welt eins ist. Durch sie ist er wieder
geboren und also erlöst, in einer völligen innerlichen Metamorphose,
in der er seine tatsächliche Identität wiederfindet, sein göttliches
und wahres Ich, das er durch das Leben in dieser niederen Welt und
durch Unkenntnis vorübergehend verloren hatte. Diese Wiedergeburt, die ein zweites, himmlisches und geistiges Entstehen ist, wird
im Gnostizismus durch eine Reihe von Ausdrücken bezeichnet:
secunda oder *divina nativitas;* παλιγγενεσία; μεταμορφοῦσθαι;
μεταβάλλεσθαι; μετασχηματίζεσθαι; μεταγεννᾶσθαι oder ἀναγεν-
νᾶσθαι; *renasci, reformari, transfigurari.* Man kann im ganzen die
Gnosis als eine *transformierende Mystik* definieren, in der das Wissen die Probleme, die das Erlösungsbedürfnis stellt, nicht nur zu
einer theoretischen Lösung, sondern zu einer tatsächlichen Auflösung
bringt, die die sofortige und endgültige Befreiung des Wissenden
zur Folge hat. Die Gnosis, conditio sine qua non der Erlösung, Anfang, Mitte und Ende der Erlösung, genügt sich theoretisch selbst.
Praktisch, und besonders in den christlichen Gnostizismen des ausgehenden zweiten und des dritten Jahrhunderts, umgibt sie sich mit
äußerlichen und praktischen Heilsmitteln, mit Sakramenten wie die
Wassertaufe, Handauflegung, Salbung, mystisches Brautgemach —
wobei diese Zeremonien die Initiation in die Gnosis darstellen oder
ihren Besitz bestätigen können. Aber diese Riten, seien sie nun un-

mittelbar wirksam oder symbolischer Natur, kommen erst in zweiter Linie; sie haben ihren Sinn nur insoweit sie sich auf die Gnosis beziehen, die stets der Kern der Erlösung bleibt. Man sieht dies deutlich bei der Betrachtung der Streitigkeiten über das Sakrament der ἀπολύτρωσις (wörtlich: Loskauf; Auflösung) innerhalb der valentinianischen Schule. Es gab Valentinianer, die behaupteten, ohne dies Sakrament könnten die, die im Besitze der vollkommenen Gnosis seien, nicht wiedergeboren werden in der Macht, die über allem ist. Im Gegensatz hierzu behaupteten andere, daß diejenigen, die Kenntnis haben vom Mysterium der unaussprechlichen und unsichtbaren Macht, also Einsichten die sich auf nicht-dingliche Realitäten beziehen, die jenseits des Verstehbaren liegen, daß diese praktischer Übungen oder sinnfälliger Symbole keineswegs bedürften. Die τελεία γνῶσις, das vollkommene Erkennen, das ἐπίγνωσις, Wiedererkennen der unaussprechlichen Größe ist, ist gleichzeitig die τελεία ἀπολύτρωσις, die vollkommene Auferstehung. Im Gegensatz hierzu erklärt die *Pistis Sophia*: „Ohne Mysterien wird niemand in das Lichtreich eingehen, sei es ein Gerechter, sei es ein Sünder".

Woher stammt nun dieses Bedürfnis nach Erlösung, das die Gnosis in dieser Art befriedigt? Ihre christlichen Gegner geben oft als Ursache der gnostischen Ketzerei ein zu tiefes Eingehen auf die Probleme an, die die Frage nach dem Ursprung und dem Sinn des Bösen aufwirft. Weil sie zu lange über diese quälenden Fragen nachgedacht haben: Πόθεν τὸ κακόν; *Unde Malum et quare?*, sind die Gnostiker selbst dem Bösen anheimgefallen. Es ist in der Tat wahrscheinlich, daß das Rätsel, wieso in der Welt das Ärgernis des Bösen besteht, das Gefühl der Untragbarkeit alles dessen, was das menschliche Leben an Bösem und Schändlichem einschließt, die Schwierigkeiten, die sich ergeben, wenn wir diesem Da-sein des Bösen einen Sinn geben, es Gottes Willen zuschreiben und ihn dafür rechtfertigen wollen — daß im Grunde alles dies die religiöse Erfahrung ist, die die Wurzel der gnostischen Idee der Erlösung bildet. Der Gnostiker fühlt sich auf dieser niedern Erde von allen Seiten erdrückt durch das tyrannische Gewicht des Geschickes (Εἱμαρμένη), unterworfen den Grenzen von Zeit, Körper, Materie und ihren Versuchungen und Erniedrigungen ausgeliefert. Dies Gefühl der Versklavung und Minderwertigkeit kann nur durch einen Fall erklärt werden. Allein die Tatsache, daß er dieses Gefühl hat, beweist, daß der Mensch an sich etwas anderes ist, etwas anderes hat gewesen sein müssen, als das was er in dieser niedern Welt ist, in der er sich fremd und ausgestoßen fühlt. Daher Revolte gegen die Welt, Weigerung sie anzunehmen, Weigerung sich selbst anzunehmen. Daher aber auch das Streben nach einem Jenseits, ein Heimweh nach einer früheren Existenz, wo seine Substanz rein und seine Macht unendlich frei war; Heimweh nach einem verlorenen Paradies, das er durch die Gnosis wiedergewinnen wird. Der Gnostiker kommt zu der Einsicht, daß sein gegenwärtiger Zustand des Gefallenseins nur zufällig und vorläufig ist, und er gewinnt andrerseits das Bewußtsein eingeborener Überlegenheit, die diese Zeit, dieser Körper, diese Materie, denen er gegenübersteht, nicht haben zerstören können. Das was seine zeitliche Existenz an *Unannehmbarem* für sein *Gefühl* hatte, wird so *widersinnig* für seinen *Verstand*. Das gefühlsmäßige Bedürfnis nach Erlösung wird so zu geistigen Forderungen und Problemen und muß in einem — wenigstens theoretisch — intellektuellen Akte von Wissen und Selbstbewußtsein befriedigt werden können. Das Erlebnis des Bösen wird auf der Ebene der Erkenntnis formuliert und verlangt hier nach Erklärung und Lösung. Es gibt auf diese Weise im Bewußtsein des Gnostikers neben dem Gefühl und dem Erlebnis des Bösen und dem Abscheu vor ihm noch den Wunsch, der sich in hochmütige Gewißheit wandelt — in eine Gewißheit, die mehr ist als Hoffnung und Glaube — nach dem Besitze einer absoluten Wahrheit, nach einem All-Wissen, in dem alle Leiden und alle Rätsel des Bösen sich lösen. Wir wollen sehen, auf welche Weise dies geschieht.

Eine der vollständigsten Definitionen der Gnosis ist die, die der Auszug 78 aus den Werken des Valentinianers Theodotos gibt. Die Gnosis hat nach ihm die Aufgabe, folgende Fragen zu beantworten: „Wer sind wir? Was sind wir geworden? Wo sind wir? d. h. wohin sind wir geschleudert worden? Wohin gehen wir? Welches ist unsere Geburt (γέννησις)? Welches ist unsere Wiedergeburt (ἀναγέννησις)?" Diese Definition zeigt, daß die Gnosis zunächst eine Frage ist nach unserer gegenwärtigen Lage, die unannehmbar für unser Gefühl, widersinnig für unseren Verstand ist. Sie verlangt also eine Erklärung dieser Lage, die gleichzeitig ihre Auflösung darstellt. Diese

Erklärung besteht nun darin, daß sie unser Ich in weite Zusammenhänge, deren Zentrum unser gegenwärtiges Sein bildet, stellt und
zwar weist sie nach zwei Richtungen: Was war vor unserer jetzigen
Situation (Wer sind wir?); Was wird nachher sein? (Wohin gehn
wir?). Sie setzt also eine doppelte Offenbarung voraus: eine Offenbarung unserer Ursprünge und eine Offenbarung unserer Bestimmung. Die erste weitet sich in einen kosmologischen Mythos aus,
dessen aufeinanderfolgende Abschnitte in eine Geschichte der
Menschheit und schließlich in die Geschichte unserer Zeit aus-
münden. Dieser Mythos hat die Aufgabe, dem Gnostiker zu erklären, wieso die Gottheit das Böse nicht gewollt hat, daß das Böse
vielmehr entweder selbst Substanz ist und von jeher existiert hat in
seinem Gegensatz zum Guten (dualistische Lösung) oder aber, daß
das Böse durch ununterbrochene Verringerung der göttlichen Essenz
entsteht (emanatistische Lösung) oder durch den Sturz eines überirdischen Wesens, das den Frieden und die Vollkommenheit des
göttlichen Pleroma verletzt und jenseits des Lichtes eine unvollständige Welt geschaffen hat, in der es eine Menschheit bestehen läßt, die
dem Schicksal und der Sünde unterworfen ist. Die zweite Offenbarung enthält einen soteriologischen Mythos, der dem kosmologischen gegenübersteht, aber eng mit ihm verbunden ist. Dieser
Erlösungsmythos hat die Aufgabe, uns zu versichern, daß, wenn
wir uns auch zur Zeit im Zustande des Abfalles befinden, wir doch
aus einer jenseitigen Welt stammen, daß wir mit ihr durch unser
inneres Sein verbunden bleiben, oder aber verbunden mit dem
gefallenen Wesen, das endlich erlöst werden wird, und dessen Geschick also auch das unsrige ist. Das was in uns göttlich ist, bleibt
also unverletzt in der zufälligen Vermengung mit dem Bösen und
der Materie, die unser Leben auf dieser niederen Erde darstellt. Es
genügt also, den göttlichen Funken zu erwecken (σπινθήρ), der
immer in uns vorhanden oder uns gegeben ist durch das Πνεῦμα,
oder den νοῦς, uns von neuem eins zu machen mit der Wesenheit,
der wir konsubstantiell sind, und deren endgültiges Schicksal der
Mythos uns enthüllt. Kurz, wir werden uns von der Welt trennen
und werden uns selbst wiederfinden in unserer ersten und vollständigen, ewigen und dauernden Wahrheit. Man sieht hieraus, wie das
Wissen um uns selbst, das im Bewußtwerden unserer gegenwärtigen

Situation beschlossen ist, seinerseits wieder eine Kenntnis der göttlichen Wesen ebenso wie die der Geschichte und des Aufbaues des
Weltalls einschließt. Tatsächlich — man sieht dies beispielsweise an
dem unermeßlichen Wissensstoff, den die Kapitel 92 und 93 der
Pistis Sophia als Inhalt der Offenbarung des Mysteriums angeben —
tatsächlich umfaßt die Wissenschaft, die die Gnosis bietet, alles:
Theogonie, Kosmogonie, Astronomie, Geologie, Botanik, Geschichte
usw. Aber es muß betont werden: zunächst, daß diese Kenntnisse,
die Anspruch auf Wissenschaftlichkeit, ja sogar Rationalität erheben, sich tatsächlich in ein System von Mythen auflösen, daß,
wenn Gefühlserlebnisse in die Form begrifflicher Probleme gekleidet
werden, auch diese nicht andere als mythische Antworten finden,
ferner daß dieses erschöpfende Wissen und die Mythen, die es zum
Ausdruck bringen, es einzig und allein mit dem „pneumatischen"
Menschen zu tun haben. Sie haben nicht nur die Aufgabe, in un-
beteiligter Form dem Menschen seine Lage hier und jetzt zu erklären:
indem sie ihm seinen Ursprung und sein wahres Wesen offenbaren,
geben sie dem Menschen die Gewißheit der Erlösung als eines Zustandes, der von Ewigkeit her gegeben ist und den er nur wieder-
zufinden hat. Selbsterkenntnis ist Selbsterlösung, ebenso wie Welt-
erkenntnis Welterlösung und Weltbeherrschung ist.

Die Erlösung, die die Erleuchtung durch die Gnosis bringt, ist
also ihrem Wesen nach Befreiung und Wiedergeburt. Aber Befreiung
im stärksten Sinne: ἐλευθερία ist nicht nur negativ Loslösung oder
Freiwerden von der Tyrannei des Schicksals und von der Versklavung durch Körper und Materie, sie ist auch eine positive Freiheit,
ἐξουσία, absolutes Machthaben, das *Recht*, alles zu tun, was uns
gefällt (daher die Amoral jedes Gnostizismus, die sich gelegentlich
auch in Handlungen ausdrückt), Unabhängigkeit durch Geburts-
recht, in dieser niederen Welt so gut wie im Jenseits, von den Ge-
setzen und den Herren dieser Erde ebensogut wie später von der
niederen oder dämonischen Gottheit, die Schöpfer und Richter des
Weltalls ist. Diese Erlösung ist Wiedergeburt in dem Sinne, daß sie
ein Wiederzusammenschließen (συλλέγειν) der eigenen lichthaften
und göttlichen Substanz ist, Wiedererfassen des wahren Ichs, Rückkehr zu seinem ursprünglichen Wesen und Orte. Die Erlösung stellt
den Gnostiker also sofort aus der Zeit hinaus an eine Stelle, die

transzendent ist in bezug auf die begrenzte Existenz, die die seine war — begrenzt, also in Dienstbarkeit verhaftet —, sinnlich wahrnehmbar, also eine Illusion. Die Erlösung geht in der Zeit vor sich, aber der Akt des Erkennens, auf den sie sich gründet, ist zeitlos. Das Wissen, das er offenbart, ist allumfassend, absolut, unwandelbar in seiner erschöpfenden Vollkommenheit und in sich geschlossen; die Wiedergeburt, die er hervorbringt, ergibt einen Zustand, der selbst wieder allumfassend und unwandelbar in seiner ursprünglichen Vollkommenheit ist. Dies soll nicht heißen, daß die gnostische Vorstellung von der Erlösung gänzlich von der Zeit absehen könne. Gewiß hat die Gnosis die Tendenz, die Zeit als ein Phantom, als ein trügerisches Zerrbild ($\psi\epsilon\tilde{\upsilon}\delta o\varsigma$) der Ewigkeit anzusehen, aber sie gelangt nicht dahin, sie gänzlich zu leugnen. Die Gnosis ist der Zeit gegenüber eher ungeduldig, sie möchte sie überholen, wenn sie beispielsweise erklärt, daß durch die geistige Wiedergeburt „die Wiederauferstehung schon vollendet ist", oder wenn sie in ihren Sakramenten eine Situation vorausbildet und vorgreifend darstellt, die tatsächlich erst bei Weltende eintreten wird. Aber gerade hierdurch ist ihr der eschatologische Ausblick nicht fremd, der ja die Wirklichkeit der Welt voraussetzt. Ebenso muß der Gnostizismus zugeben, daß für einige unter den „Psychischen", d. h. für die Gruppe von Wesen, die nicht wie die „Pneumatischen" von Natur und wie sie sich auch verhalten mögen, erlöst sind, und die auch nicht unrettbar verdammt sind wie die „Hylischen", daß es für diese eine Erlösung geben kann, die erreichbar ist durch Erziehung, Mühe und gute Werke im Zeitlichen. Schließlich, und dies ist die Hauptsache, durchbricht und überschreitet der gnostische Mythos die reine Zeitlosigkeit; er gestaltet sich als Historie und gibt dadurch der Zeit einen Wert und einen Sinn. Die Erlösung vollendet sich im dramatischen Ablauf des Weltgeschehens, in das überirdische Wesen offenbarend und rettend eingreifen.

Ich möchte schließlich noch einen letzten, für uns bemerkenswerten Zug angeben in dem Bilde, das sich die Gnostiker von der Erlösung machen. Die Erlösung besteht, wie wir gesehen haben, darin, daß wir unseres wahren Ichs bewußt werden, es dadurch von der Welt, in der es ein Gefangener ist, ablösen und es in seine himmlische Heimat zurückführen. Aber dies ist nur möglich, weil das πνεῦμα oder der lichthafte νοῦς konsubstantiell ist mit der transzendenten Welt oder mit einem göttlichen Wesen, an dessen Sturz und an dessen Erlösung sein eigenes Los in dem Mythos gebunden ist. Diese mythische Wesenheit kann ihrerseits als der Prototyp der Wesen angesehen werden, die sich selbst erlösen, und sie selbst erlöst sich in dem gleichen Maße, wie die „Pneumatischen" erlöst werden. Diese Wesen stellen die Gesamheit seiner abgefallenen lichthaften, in der Materie verstreuten Substanz dar, und dieses Sich-selbst-Wiederfinden ihres wahren Ichs, das sie vollziehen, stellt das fortschreitende Zusammenfügen der „Glieder" oder Parzellen dieser Wesenheit dar, die auf diese Weise zu ihrem Körper und Ursprungsorte zurückkehren. Indem dieses mythische Wesen die „Pneumatischen" erlöst, erlöst es sich selbst, ebenso wie die „Pneumatischen", indem sie sich erlösen, zur Erlösung dieses Wesens, dessen Teile sie sind, beitragen. So kann das gnostische Drama der Erlösung schließlich auf ein einziges Thema zurückgeführt werden: das des *Erlösten Erlösers.* Das mythische Wesen, dessen Geschichte Fall und Erlösung ist, kann die Form des Anthropos annnehmen — des Menschen an sich —, dessen Teilstücke die einzelnen Menschen sind. Es ist bekannt, daß Richard Reitzenstein auf diese Figur und auf diesen, so auf eine einfache Linie zurückgeführten, Mythos alle gnostischen Richtungen, sowie ihre gemeinsame Quelle, das „iranische Erlösungsmysterium", hat zurückführen wollen. Aber das ist wohl eine unberechtigte Vereinfachung und ein willkürlicher, künstlich gemachter Aufbau. Es gibt immerhin ein gnostisches Dokument, in dem der Mythos des Erlösten Erlösers klar hervortritt: die Apokalypse des Nikotheos, eine Offenbarung, die mindestens dem Beginn des dritten Jahrhunderts angehört, die dem Porphyrius und dem Verfasser der anonymen koptischen Schrift Codex Bruce bekannt war, und deren Inhalt man, wie ich glaube, in dem Buche Ω des Alchimisten Zosimus wiederfinden kann. Der einzige Held des Mythos ist hier ein Wesen, dessen Name nicht genannt werden darf, der (mit einem Wortspiel: φῶς — φώς) Licht genannt wird und der, angezogen von bösen Mächten, in die Materie stürzt und von ihnen gefangen gesetzt wird. Dort wird er Adam. Die Weltgeschichte besteht in nichts anderem, als in dem Wiederzusammenfinden der lichthaften Substanz des Adam, die in den „Pneumatischen" weiterlebt, deren persönliche Erlösung eben darin besteht, daß sie ihr lichthaftes Ich wiederfindet, ihr πνεῦμα oder ihren νοῦς, der sie zu Herren der Welt und des Schicksals macht. Wenn einst die Lichtgestalt des Adam-Phōs wiederhergestellt sein wird, wenn alle Pneumatischen erlöst sein werden, dann wird der Urmensch mit allen seinen Gliedern in das Lichtreich wieder aufsteigen. Die Erlösung ist ermöglicht durch aufeinanderfolgende Offenbarungen einer und derselben rettenden Wesenheit, die sich unter verschiedenen Formen kundgetan hat; ihre erste Verkörperung war Adam selbst, ihre letzte ist Christus. Jesus zeigt uns in der Passion (die nichts als ein Schein ist) den Weg, wie man sich von der Welt und dem Körper durch radikale Ablehnung und Ablösung frei macht. Auch hier wieder ist dieser sich gleichbleibende Erlöser, der sich in Abständen in der Zeit manifestiert, das bei Anbeginn der Zeiten abgefallene Wesen. Wir haben es hier sicher mit dem Erlösten Erlöser zu tun. — Wir müssen diesen Punkt für die Folge festhalten: Er wird uns nicht nur beim Verständnis des manichäischen Erlösungsmythos nützlich sein, sondern es ist auch anzunehmen, daß Mani diesen grundlegenden Mythos teilweise der Apokalypse des Nikotheos verdankt. Durch das Turfan-Fragment M 299 a wissen wir heute, daß der Manichäer Nikotheos zu den Propheten der Menschheit rechnet, neben den Wesen — Šēm, Sēm, Enōš, Henoch — die im Ablauf der Zeiten Träger der wahren Offenbarung gewesen sind.

Wir werden alle diese charakteristischen Züge der gnostischen Auffassung der Erlösung in der manichäischen wiederfinden.

Es wäre eine reizvolle Aufgabe, die Entstehungsgeschichte dieser Auffassung wiederherzustellen, den persönlichen Ausdruck zu entdecken, den das Bedürfnis nach Erlösung bei Mani selbst gefunden hat, festzustellen, was bei der Ausbildung der Theorie wirklich eigenem Erlebnis entsprungen und was Erbgut der vorangegangenen gnostischen Systeme ist. Aber dies wäre ein sehr gewagtes Unterfangen. Das Wenige, was wir von der Jugend Manis wissen, ist wohl stark durch die Legende entstellt, und, wenn wir uns bemühen, unter der Bildersprache der manichäischen Texte ein reales Gefühlserlebnis aufzudecken, dürfen wir nie vergessen, daß auch diese bedeutsamen Bilder selbst wieder stereotype Wendungen sein können, die anderswoher entlehnt sind oder sich längst von jeder unmittelbar erlebten Erfahrung abgelöst haben.

Nachdem wir diese Vorbehalte gemacht haben, können wir die zwei Dokumente befragen, die wir über die Berufung Manis besitzen: eine Stelle bei *Fihrist* von an-Nadīm, die zweifellos aus einer manichäischen Hagiographie kopiert ist, und das *Kephalaion I*, das den Eindruck eines autobiographischen Fragmentes macht. In dem ersten wird berichtet, daß Futtak, der Vater Manis, dreimal in einem Tempel zu Ktesiphon diese warnende Mitteilung empfängt: „O, Futtak, iß kein Fleisch, trinke keinen Wein und halte dich von den Frauen." Diese Offenbarung veranlaßt ihn, in Nieder-Babylonien die Religion der Muġtasila anzunehmen „die, die sich waschen" oder „die, die sich reinigen", vermutlich eine Täufergemeinde, die den Mandäern oder Praemandäern verwandt ist. In diesem, von gnostischen Einflüssen getränkten Kreise empfängt Mani in seinem zwölften und in seinem vierundzwanzigsten Lebensjahre die Offenbarung eines Engels des Höchsten, at-Taum „der Zwilling": „Verlasse diese Glaubensgemeinde. Du gehörst nicht zu ihren Bekennern, deine Aufgabe ist Sittenreinheit und Unterdrückung der Lüste. Es ist aber, wegen deines jugendlichen Alters, für dich nicht an der Zeit, daß du auftrittst." Und später: „Die Zeit ist nun für dich da, daß du öffentlich hervortrittst und deine eigene Lehre laut verkündest." Und ferner: „Sei gegrüßt, Mānī, von mir und von dem Herrn, der mich zu dir gesandt und dich auserwählt hat für seine Sendung. Er befiehlt dir aber, daß du zu deiner Lehre einladest, und verkündest die frohe Verheißung der Wahrheit, die von ihm kommt, und deinen ganzen Eifer darauf verwendest." Mani bekennt seinerseits im *Kephalaion I*: „In diesem Jahre, als Ardaschir der König (?) [im Begriffe war?] die Krone [zu empfangen], da kam der lebendige Paraklet herab [zu mir und] redete mit mir. Er offenbarte mir das verborgene Mysterium, das verborgen ist vor den Welten und den Generationen, das Mysterium der Tiefe und der Höhe. Er offenbarte mir das Mysterium des Lichtes und der Finsternis, das Mysterium des Kampfes und des Krieges (?) und des großen Krieges . . .: [Darnach?] offenbarte er mir auch, wie das Licht hat . . . die Finsternis durch ihre Vermischung, und wie diese Welt aufgerichtet worden ist. Er klärte mich

auch darüber auf, wie die Schiffe befestigt worden sind, damit [die Götter] des Lichtes sich in ihnen niederlassen, um das Licht auszuläutern aus der Schöpfung, den Bodensatz und den Abfluß (?) [zu werfen in den] Abgrund; das Mysterium der Erschaffung Adams, des ersten Menschen. Er belehrte mich auch über das Mysterium des Baumes der Erkenntnis, von dem Adam gegessen hat, [wodurch] seine Augen sehend wurden. Auch das Mysterium der Apostel, die in die Welt gesandt werden, [damit sie] die Kirchen auswählen; das Mysterium der Electi [und ihrer] Gebote; das Mysterium der Katechumenen, ihrer Helfer und [ihrer] Gebote; das Mysterium der Sünder und ihrer Werke und der Strafe, die ihnen bevorsteht (?). Auf diese Weise ist alles, was geschehen ist und was geschehen wird, mir durch den Parakleten offenbart worden . . . Alles, was das Auge sieht und das Ohr hört und das Denken denkt . . . ich habe durch ihn erkannt alles. Ich habe gesehen das All [alles] durch ihn und wurde *ein* Körper und *ein* Geist."
Wenn diese Dokumente ein reales Erlebnis wiedergeben, so sehen wir in ihnen schon die zwei Seiten, die die manichäische Auffassung der Erlösung immer zeigt: 1. eine negative Seite: ein Abscheu vor dem Leben, begleitet von dem kategorischen Gebote, sich der Dinge, die für böse gelten, zu enthalten, Ablehnung, Loslösung, Trennung; 2. eine positive Seite: die Vermessenheit eines totalen Wissens, die Sicherheit einer Gnosis, die göttlichen Ursprungs ist, die die Erlösung bringt und die unverzüglich die Verbreitung der Erlösungsbotschaft durch die Predigt verlangt.

Breiter ausgeführt finden wir diese beiden Seiten in den manichäischen Texten wieder, wo sie gewissermaßen die beiden Pole des religiösen Bewußtseins des Manichäertums bilden. Hier wie in der Gnosis scheint das Erlösungsbedürfnis aus dem Erlebnis des Bösen zu stammen. Aber — wenn in fast allen anderen religiösen Erfahrungen das Erlebnis des Bösen im Gefühl der Zerrissenheit, der Trennung oder der Zweiheit besteht, und das Erlösungsbedürfnis die Sammlung, das Mit-sich-Einswerden des Bewußtseins oder der zerspaltenen Existenz anstrebt — die Haltung des Manichäers ist genau die entgegengesetzte: die Spaltung, die Zweiheit gilt als höchstes und letztes Gut. Das Suchen nach Erlösung geht hier vom Bewußtsein der Tatsache aus, daß der gegenwärtige Zustand des

Menschen unerträglich und sinnwidrig ist, weil er eine Mischung
oder — um ein dem Manichäismus geläufiges Bild wieder aufzunehmen — eine „Legierung" verschiedenartiger Substanzen darstellt, die sich gegenseitig ausschließen, eine künstliche und gewalt-
same Vereinigung von Gut und Böse, von Göttlichem und Dämo-
nischem, des Geistes und der Materie, kurz: des Lichtes und der
Finsternis. Diese Mischung bildet nicht nur unsere Existenz, insofern
sie zeitlich begrenzt und vorübergehend ist, sondern sie wird durch
das Gesetz der Existenz selbst weiter aufrechterhalten, verlängert
und verschlimmert. Denn wenn der Mensch sich nicht aus ihr frei
macht, ist er dazu verdammt, durch eine ganze Folge von Leben
hindurchzugehen, in denen er mit der Mischung das Leiden und die
Sünde wiederfindet. Dies ist das „ewige Umgefülltwerden"
(μεταγγισμός) — der Ausdruck stammt aus der Gnosis — von den
Turfantexten oft dem buddhistischen Saṃsāra angeglichen, das ein
„Geboren-Totsein" darstellt, in das uns jede neue Geburt zurückführt. Aber die Existenz bringt uns nicht nur mit dem Bösen in
Berührung insofern sie vorübergehend ist und insofern sie ewig von
neuem beginnt; sie taucht uns in das Böse ein und macht aus ihm
einen integrierenden Teil unseres gegenwärtigen Seins. Wir werden
noch sehen, daß das Böse für den Manichäismus positive Realität
hat, daß für ihn die Welt nicht eine Zone zwischen dem Lichte und
der Finsternis bildet, sondern durchaus innerhalb der Finsternisse
liegt, aus denen sie infolge der immer unerkennbarer werdenden
Mischung der abgefallenen Lichtteile mit der Dunkelheit aufgetaucht ist. Wenn es eine Welt, wenn es ein Werden gibt, so gibt es sie,
weil es Materie und Körper gibt; lebendige Materie, lebendige
Körper zweifelsohne, weil sie mit dem Lichte und der Seele verbunden sind, aber — wie die Manichäer sagen — Welt und Körper,
die durch diese Mischung vergiftet sind, und die nun ihrerseits,
gleich wie ein unsauberes Gefäß seinen Inhalt verdirbt, das Licht
und die Seele, die sie festhalten, vergiften. Daher die tiefe, konkrete
Erfahrung des Bösen, die der Mensch, der in dieser Mischung verhaftet ist, erlebt, und die in Bildern des Grauens ihren Ausdruck
findet: die Welt, gebildet aus Kadavern und Exkrementen von
Dämonen, die Vision der Abgründe des Bösen — diese „verpestete
Erde", die Rauch, fressendes Feuer, wilder Wind, schlammiges

Wasser, dichte Finsternis ist — jedes mit seinem eigentümlichen Geschmack: salzig, sauer, scharf, fade, bitter, und bewohnt von seinen stupiden Ungeheuern. Die Materie, die ewige, aus der Ordnung geratene Bewegung ist, Revolte und Kampf, und die sich selbst auflöst und verschlingt, eine Räude, die sich selbst zernagt. Aus dieser engen und grauenerregenden Verschlingung mit dem Bösen kommt dem Menschen nicht nur der Abscheu vor seiner Existenz, sondern auch das Gefühl dafür, wie seltsam diese seine Lage ist. Die Tatsache, daß er diesen Abscheu empfindet, beweist doch, daß der Mensch einen Ursprung und eine Bestimmung hat, die anders sind als die, zu denen ihn seine jetzige Versklavung zwingt.

Damit Sie alles dies lebendig nacherleben, möchte ich Ihnen aus dem Fragment Turfan M 7 das Zwiegespräch vorlesen, das Zarathustra — der Erlöser, der hier den νοῦς symbolisiert — mit seiner Seele führt, d. h. mit dem Teile seiner selbst, der in der Materie verhaftet und der gleicherweise die menschliche Seele ist, die der Erlösung bedarf: „(Zarathustra) Schwer ist die Trunkenheit, in der du schlummerst, wach auf und blicke auf mich. Heil über Dich von der Welt des Friedens, aus der ich Deinetwegen ausgesandt bin! Und sie (die Seele) antwortete: ‚Ich bin der zarte, leidlose Sohn des Srōschāv, ich bin im Zustand der Vermischung und erlebe Leid. Führe mich heraus aus der Umklammerung des Todes.‘ Mit Heil sprach Zarathustra fragend zu ihr das uralte Wort: ‚(Bist Du) mein Glied? Der Lebendigen Kraft und der höchsten Welten Heil (komme) über Dich aus deiner Heimat. Folge mir, Sohn der Milde, und setze Dir den Lichtkranz aufs Haupt. Du Sohn Mächtiger, der Du so arm gemacht bist, daß du gar betteln mußt an allen Orten ...‘ " In demselben Fragment finden wir später diese „Hymne auf die Lebendige Seele": „Vom Licht und von den Göttern stamme ich, ein Heimatloser bin ich geworden, von ihnen getrennt; über mich fielen die Feinde her, sie führten mich zu den Toten. — Gesegnet sei, auf daß erlöst werde, wer meine Seele aus der Not erlöst. — Ein Gott bin ich, von Göttern geboren, ein glänzender, funkelnder, duftender und schöner — aber jetzt bin ich ins Elend gekommen. Teufel ohne Zahl ergriffen mich, ekelerregende, die mich ohnmächtig werden ließen, sie vergewaltigten mich, zerbissen, zerfleischten und fraßen mich. Dêvs, Yakschas und Perîs, schwer abzuwehrende (?) finstere Drachen, häßliche, stinkende und schwarze — viel Schmerz und Tod erlebte ich von ihnen. Sie brüllen alle auf, greifen an, verfolgen, richten sich gegen mich . . ." Diese Ergüsse bringen alle die verzweifelte Lage der Menschheit und die Hoffnung auf Befreiung zum Ausdruck, sie zeigen zwischen dem Abscheu vor dem Leben und seinen Gefahren die Sicherheit der Erlösung. Gleichzeitig schreit das Wesen, das der Erlösung bedarf, sein Elend aus und beruft sich auf seine überirdische Abstammung. Dieser „Sohn Gottes", dieser Königssohn, dieses „Glied" des Erlösers, weiß sich kraft seines Geburtsrechtes erhaben über die Legierung mit der dämonischen Materie, in die er eingetreten ist. Er fühlt sich seinsmäßig fremd auf der Erde, anders geartet als wie er jetzt und scheinbar ist. Seine augenblickliche Lage scheint ihm eine zufällige und ungehörige Ansteckung. Um eine Reihe von Bildern wieder aufzurufen, die klassische Themen jedes Gnostizismus sind, ist sie Sklaverei, Verbannung, Vergessenheit, Unwissen, Trunkenheit, Schlaf — alles Zustände, die im Gegensatz stehen zu Freiheit, ursprünglicher Heimat, Erinnerung, Wissen, ungetrübtem Leuchten, Wachsein, d. h. zu einem vorangegangenen Zustande, der wiedergefunden und in der Erlösung wieder herbeigeführt werden kann durch das Aufgeben der Körperbindung und durch das Bewußtmachen dieser seltsamen und unnatürlichen Lage.

Welche konkreten Schritte ergeben sich nun aus diesem Erlebnis des Bösen d. h. der Vermischung? Zunächst ein *negatives* Verhalten: die Ablehnung dieser unwürdigen Berührung mit der Materie, ein Ausscheiden aus der Legierung, das eine Aufkündigung der Mischung und einen Verzicht auf die Welt bedeutet. Nur dies Sich-Zurücknehmen, das eine innerliche Trennung ist, erlaubt uns, die Beschmutzung und die Sünde zu vermeiden, die Unbewußtheit, die daraus entsteht, daß das finstere Element in die Seele eingeht. Die Sünde — wir werden auf sie noch zurückkommen — wird von dem Manichäer vor allem als Begierde und Versuchung empfunden. Die Finsternisse sind in ihrem Grunde Lust, ἡδονή, und das Böse in seiner Wurzel ἐπιθυμία, concupiscentia, ein wilder Drang, der immer und hartnäckig nach Ausbreiten und Genießen strebt, vergleichbar und schließlich identisch mit dem Sexualtrieb. In der fleischlichen Begierde und im Sexualakt gipfelt und konzentriert sich in der Tat das rastlos quälende Grauen des Bösen; die Materie ist Geschlechtlichkeit. Die Spaltung in Geschlechter und die Zeugung sind Werk der Dämonen. Nur das Aufhören der Zeugung und die absolute Trennung der Geschlechter können das endgültige Aufhören der Finsternisse herbeiführen. Dies Besessensein von der Sexualität überlebt bei den Manichäern ihre Verdrängung in solchem Maße, daß wir sie häufig in Bildern und Mythen wiederfinden, deren Eindeutigkeit in schneidendem Gegensatz zu der asketischen Strenge des manichäischen Lebens steht. Im Gegensatz hierzu projiziert das Bewußtsein des Manichäers das Ideal einer unbefleckten Reinheit, und nichts kann besser die geistige Atmosphäre des Manichäismus vor uns erstehen lassen, als die Miniaturen, die sich in Turfan erhalten haben, mit ihren sauber umrissenen Gestalten, ihren feinen Zügen, ihren klaren und reinen Farben oder auch diese Symbole, die der chinesische Traktat Chavannes-Pelliot für die Frömmigkeit findet: das Salz, die kostbare Perle, die den Namen „klarer Mond" trägt, farbloser Lack, Flächen, die gleichmäßig mit Kalk getüncht sind, oder endlich diese, bis zum Mißbrauch gehende, Liebe zur Blume in der Kosmogonie und dem Kulte der Manichäer. Ein Ideal der zarten Töne, sauber umgrenzter, in sich geschlossener Visionen, sanfter Wohlgerüche. Ein Reinheitsideal, das dem verfeinerten Geschmack eines Wesens entspricht, das sich von allem Groben und Wirren abgestoßen fühlt und sich gänzlich von den Dingen der Welt und von seinem Körper gelöst hat.

Wir betrachten jetzt zweitens die *positive* Haltung, zu der das Erlebnis des Bösen führt. Das Wahrnehmen dessen, was unsere gegenwärtige Lage an Zwiespältigem und somit Normwidrigem hat, setzt, wie wir sahen, voraus, daß der Manichäer zur Bewußtheit erweckt ist und diese Bewußtheit ein Erinnern an einen vollkommenen Zustand einschließt, der der Vermischung voranging und in ihr und trotz ihrer fortbesteht. Diese Erfahrung ist also gleichzeitig Erlösungsbedürfnis und Erlösungsgewißheit oder anders ausgedrückt: gleichzeitig stellt und löst sie das Problem der Erlösung. Das Bewußtsein ist in der Tat die erleuchtende Gegenwart des Geistes, des νοῦς — des erlösenden Elementes in der Seele, die das zu erlösende Element darstellt. Auf diese Weise bringt es der Seele, zusammen mit den intellektuellen Fähigkeiten, das Wissen (die

Gnosis) genau wie im Gnostizismus conscientia scientia ist. Sie ermöglicht dem Menschen das Verständnis seiner besonderen Lage, indem sie ihm jede Einzelheit der göttlichen, kosmischen und historischen Ereignisse enthüllt, die zu seinem Sturze geführt haben, und indem sie ihm den Aufbau der Welt, in der er sich nun einmal befindet, erklärt und die Mittel aufzeigt, die die Gottheit für seine Erlösung vorgesehen hat. Und wiederum wie im Gnostizismus: diese Gnosis ist Epignosis, dieses Erkennen ist Wiedererkennen. „Die durch dies Wissen erweckte und der Erinnerung an ihre Ursprünge wiedergegebene Seele" *(scientia admonita anima et pristinae memoriae reddita)* — sagt der Manichäer Fortunatus in seiner Disputation mit dem heiligen Augustinus — erkennt wieder *(recognoscet)* woher sie stammt, in welcher üblen Lage sie sich befindet, durch welches Gut, das von neuem die Sünden, die sie wider ihren Willen begangen hat, auslöscht, sie sich — durch die Reinigung von ihren Fehlern und die Wirkung der guten Werke — das Verdienst einer Wiederversöhnung mit Gott zuschreiben kann." Ein Satz, der in gewissem Sinne ein Echo der Definition der Gnosis ist, die wir bei Theodotos angetroffen haben. Das Bewußtsein, d. h. der νοῦς zusammen mit der Gnosis, die er einschließt, ist so die notwendige Vorbedingung der Erlösung. Die Seele kann nicht gerettet werden, wenn sie nicht teilhat an der Gnosis. „Πάλιν δὲ ψυχὴν οὐκέτι σώζεσθαι, εἰ μή τι ἂν τῆς γνώσεως τῆς αὐτῆς μετάσχοι" lesen wir bei Epiphanios. Worauf bezieht sich nun vor allem diese unerläßliche Kenntnis? Auf diese unmittelbare Gegebenheit des manichäischen Bewußtseins: Wenn eine Mischung vorliegt, so setzt sie eine Dualität voraus, und zwar eine Dualität von zwei Substanzen, die aufeinander nicht zurückgeführt werden können: Licht und Finsternis, Gut und Böse, Geistiges und Fleischliches. Die Wirkung des Bewußtseins besteht nun darin, daß sie diese Gegebenheit in eine klare Aussage umwandelt und in begrifflicher Sprache ausdrückt. „Wenn man in der Welt das begrenzte und vergängliche Gut- und Bösesein und die Vermischung des einen mit dem anderen nicht sähe", sagt das M 9, „(dann) könnte der Befehl zum Fernbleiben vom Bösesein und zum Hingelangen zum Gutsein nicht zum Denken jemandes gelangen." Man muß also diese unbezweifelbare Erkenntnis erlangen, „daß die Seele vom Körper verschiedener Substanz ist und (daß) sie mit dem Geist des Körpers — d. h. Zorn, Gier und Sinnlichkeit — im Körper ... vermischt, vermengt und verbunden ist." Oder wir lesen auch in dem Fragment Pelliot: „Wer der Religion teilhaftig werden will, muß wissen, daß die beiden Prinzipien Licht und Finsternis von grundsätzlich verschiedener Natur sind: wenn er dies nicht unterscheidet wie könnte er die Lehre in die Praxis umsetzen?" Dies Bewußtwerden der Dualität erlaubt nicht nur die Unterscheidung dessen, was die Manichäer gelegentlich die „zwei Wege", den des Lichtes und den der Finsternis nennen, und die Teilung der Mischung, d. h. die Trennung, die der Manichäer in sich selbst vornimmt, seine Ablösung von der finsteren Seite in sich selbst, und macht es möglich, dem Weg des Guten den Vorrang einzuräumen. Sie schließt auch virtuell die ganze manichäische Wissenschaft ein, das ganze System, das das Bedürfnis nach Erlösung rechtfertigt und befriedigt. Wenn der tatsächliche Befund eine Mischung darstellt und wenn Licht und Finsternis an sich eine grundsätzliche Dualität bilden, dann muß man *vor* der Mischung einen ursprünglichen Zustand annehmen, in dem die beiden Substanzen getrennt waren, und *nach* der Mischung die Möglichkeit, wenn nicht die Realität, eines *Endzustandes,* in dem die Substanzen ihre absolute Trennung wiederfinden. Ihre gegenwärtige und normwidrige Vereinigung in der Welt ist nur eine eingeschaltete Episode zwischen zwei Zuständen vollkommener und natürlicher Dualität. Auf diese Weise erwächst unmittelbar auf der Lehre der „zwei Prinzipien" eine andere, gleicherweise zentrale, Lehre, die den organischen Aufbau des ganzen manichäischen Systems ermöglicht: die Lehre der „Drei Zeiten".

Wir können jetzt die Analyse dessen, was das religiöse Erlebnis des Manichäismus *gewesen sein mag,* verlassen. Die Erfahrung des Bösen, das gefühlsmäßige Bedürfnis nach Erlösung, haben sich in Begriffe umgesetzt und verlangen eine Lösung auf der Ebene des Intellektes. Sie finden sie in einem Wissen, das dem Menschen seine Lage erklärt und ihn gleichzeitig aus ihr erlöst. Dieses Wissen — wie die Strophe 172 des chinesischen Hymnenbuches angibt — führt in alle Mysterien ein: „die beiden Prinzipien, die drei Zeiten, den Sinn von Natur und Glorie", ein ungeheures Programm, denn es umfaßt die Wissenschaft von dem Ursprung und dem Sinn des

Menschen, eine ganze Kosmogonie und darüber hinaus eine göttliche Vorgeschichte des Weltalls. „Siehe zunächst — schreibt Mani in der *Epistel der Grundlegung* — das, was vor der Erschaffung der Welt war, und wie der Kampf (zwischen dem Guten und Bösen) begann, damit du die Natur des Lichtes von der der Materie trennen kannst." Darüber noch hinaus — wir sahen es an dem Inhalt der Offenbarung, die der Engel at-Taum Mani brachte — erhebt diese Lehre den Anspruch, ein totales Wissen darzustellen, ebenso erschöpfend wie sicher, ein Wissen, das Theologie und Theogonie, Kosmologie, Astronomie, Geologie, Botanik, Anthropologie und Geschichte in sich schließt und gleichzeitig Eschatologie und Erlösungslehre gibt. Dies ist zweifellos der Ehrgeiz jeder Gnosis, aber nie hat sie sich wie im Manichäismus so den Anschein des Rationellen, sogar des Positiven, zu geben gewußt. Aus einer Reihe von Stellen beim heiligen Augustin geht in der Tat hervor, daß der Manichäismus, im Gegensatz zur katholischen Kirche, den Grundsatz vertritt, auf einer echten Wissenschaft aufgebaut zu sein und nicht auf Autorität und Glaube, und sich auf nichts anderes zu berufen als allein auf die Vernunft *(mera et simplici ratione)*. Augustinus gesteht selbst, daß, wenn er neun Jahre lang dem Manichäismus angehangen hat, er dies tat, weil er dort die wahre Philosophie zu finden glaubte. Wir haben hier einen Grundzug der manichäischen Auffassung von der Erlösung vor uns. Der Manichäismus ist eine Religion des νοῦς. Die Erlösung ist eine Frage der Einsicht und wird in ihr durch einen Akt des Intellektes und in einer anscheinend objektiven Weise gelöst. Die Erlösung ist Wissen und das Wissen Erlösung. Gewiß ist er eine Gnosis, aber eine Gnosis intellektuellen Typs. Kann man also so weit gehen, den Manichäismus einem Rationalismus anzunähern oder sonst einem System, das die Befreiung des Menschen in der positiven Wissenschaft sucht? Kann man aus der Theologie des Lichtes eine „Aufklärungsphilosophie" machen? Keineswegs, und ich meine, daß es nur in gewissem Sinne zulässig ist, das manichäische System neben die gleichzeitige hellenistische Philosophie zu stellen. Denn wie jede Gnosis ist das System des Mani nur scheinbar rationell und positiv; es erhebt nur den Anspruch darauf. Seine Begriffe lösen sich in oft sehr materielle und realistische Bilder auf, und Kosmologie und An-

thropologie drücken sich durch ihre Verknüpfung mit der Erlösungslehre in einem Mythos aus. Dieser Mythos hat den Manichäern und
Mani selbst als Wissenschaft gelten können, weil er imstande war,
auf alle Fragen zu antworten, und vor allem, weil er dem Geiste
die rein formale Befriedigung eines in sich geschlossenen, symmetrisch und unerschütterlich aufgebauten Systems darbot. Wir bleiben aber die ganze Zeit in dem Reiche der Offenbarung und der
Einbildungskraft der Mystik und des Mythos, kurz des Gnostizismus. Wenn das manichäische Problem der Erlösung im Prinzip, in
seinen Ansprüchen, ja in der Art wie es gestellt wird, verstandes-
gemäß ist — seine Behandlung und seine Lösung sind es nicht.

ZWEITER VORTRAG

Die theoretischen Grundlagen der Erlösung:
Der kosmologische und der anthropologische Mythos

Richten wir jetzt unser Augenmerk auf diese Mythologie selbst,
in der Forderungen intellektueller Art schließlich ihre Befriedigung
finden, und die die theoretische Antwort der manichäischen Dogmatik auf das Problem der Erlösung darstellt.

In gewissem Sinne ist der Mythos hier letzter Ausdruck des Er-
lösungsbedürfnisses, eines in Kosmogonie ausgeweiteten Erlebnisses,
aber es ist vor allem ein System und Gliederwerk kosmischer und
historischer Perspektiven, in denen unser gegenwärtiges Sein seinen
Platz finden kann, Aufbau eines Weltalls und einer Menschennatur,
der imstande ist, nicht nur das Erlösungsbedürfnis zu erklären, sondern es auch zu rechtfertigen und schließlich seine Befriedigung her-
beizuführen. Kosmologie und Anthropologie legen hier in Wahrheit und Wirklichkeit den Grund zur Erlösung — man könnte fast
sagen: auf physische und materielle Weise. So kommt es, daß der
Erlösungsmythos in den kosmogonischen und anthropologischen
Mythos so tief eindringt, daß er fast mit ihm verschmilzt und zwischen diesen drei Begriffen: *Welt, Mensch, Erlösung* ein engmaschi-
ges Netz von Beziehungen herstellt, das kompliziert scheinen mag,
aber in seinen großen Linien ganz einfach ist. 1. Jede Stufe der

Entstehung oder der ferneren Entwicklung der Welt enthält ein
Element der Erlösung. Bei jedem Anwachsen des Bösen tritt eine
neue Möglichkeit der Abwehr auf. Es zeigt sich ein vollkommener
Parallelismus — Waldschmidt und Lentz unternahmen es, ihn als
Diptychon darzustellen — der aufeinanderfolgenden Phasen der
Einkerkerung des Lichtes und seiner Befreiung im Weltall. Die
Kosmogonie ist Soteriologie. 2. Die gleiche Wechselbeziehung zwischen Einkerkerung und Befreiung des Lichtes finden wir im Menschen wieder: auch die Anthropologie ist Soteriologie. 3. Die Anthropologie entspricht der Kosmogonie in dem Sinne, daß die
Schaffung und die Geschichte des Menschen die Schöpfung und die
Fortentwicklung der Welt wiederholen und zusammenfassen; Makrokosmos und Mikrokosmos sind eng miteinander verknüpft und
entsprechen einander. Diese Bande sind um so enger, als sie auf
einer Konsubstantialität von Mensch und Weltall und von Weltall
und Gottheit beruhen. Es ist ein und dieselbe Substanz — das Licht,
das Gott selbst ist — die, der in Welt und Körper umgewandelten,
Materie beigemischt ist und folglich muß es der gleiche Vorgang
sein, diese Lichtsubstanz aus dem Universum zu befreien und sie im
menschlichen Organismus zu erlösen. Es ist schließlich immer und
überall Gott selbst, der in der Finsternis verschlungen ist und der
sich aus ihr befreit; es ist ein und dieselbe Wesenheit, die auf kos-
mologischer wie auf anthropologischer Ebene gleichzeitig das ist,
was erlöst werden soll und das was erlöst. Wir finden hier — aber
in vollkommener Form — die zentrale, wenn nicht einzige, Gestalt
jedes Gnostizismus: den *Erlösten Erlöser*. Hieraus erklärt es sich,
daß wir es durch den ganzen manichäischen Mythos hindurch immer
nur mit ein und demselben Helden zu tun haben und mit einer
einzigen, sich ewig wiederholenden Situation. Fast alle Personen,
die unter den verschiedenartigsten Namen in der Kosmogonie und
Soteriologie auftreten, sind im Grunde nichts anderes als Inkarna-
tionen oder aufeinanderfolgende Aspekte dieser sich gleichblei-
benden Wesenheit oder aber hypostasierte Funktionen des göttlichen Wirkens. Die auseinander hervorgehenden Emanationen der
Gottheit schließen nicht eine absteigende Hierarchie oder ein zu-
nehmendes Unvollkommener-Werden des obersten Gottes ein. Das
göttliche Wesen läßt einen Ruf ausgehen (syr.: qᵉrā) und diese An-

rufung wird zur Aufrufung eines Wesens, das nur die Personifikation oder der mythische Träger dieses Rufes ist. Überall also und immer dasselbe Wesen unter den verschiedensten Aspekten, in die es der Ablauf seines Tuns oder jedes seiner Abenteuer und Schicksalswenden kleidet: die gleiche lichthafte Substanz, die erlöst werden muß und die sich selbst erlöst.

Diese wenigen Bemerkungen erlauben gewiß schon, aus der Fülle der verwirrenden Details die großen Linien des mythischen Bildes herauszulösen, das sich der Manichäismus vom Kosmos und vom Menschen macht. Wir beschränken unsere Untersuchung auf die Episoden, die von ausschlaggebender Wichtigkeit für unser Problem sind.

Zu Anbeginn des kosmologischen Mythos, in der „Vorzeit", gab es eine durchgehende und unverletzte Dualität der zwei Naturen oder Substanzen oder Wurzeln: Licht und Finsternis, Gut und Böse, Gott und Materie. Jede ist, als ewig und nicht durch Zeugung entstanden, mit dem gleichen Rechte Urprinzip. Jede hat gleichen Wert und gleiche Macht. Nichts ist ihnen gemeinsam, aber sie sind sich in allem entgegengesetzt. Das Problem des Bösen wird so von Anfang an zu der realistischsten und extremsten Lösung gebracht: man kann das Böse nicht leugnen, da es an sich von Ewigkeit her existiert, man kann es auch nicht abschwächen, da es in keiner Weise weder vom Guten stammt noch von ihm abhängt. Einige Texte sagen zwar, das Licht sei der Finsternis „überlegen" (κρείττων), aber es ist dies nur durch seine, zu seinem Wesen gehörigen Eigenschaften der Güte, der Schönheit und der Intelligenz, die es — wie einen König einem Schweine — der Bosheit, Häßlichkeit und Dummheit der Materie entgegenstellen, und die die Manichäer dazu veranlassen, nur dem Lichte den Titel Gott zuzuerkennen. Auch in einem anderen Sinne gilt das Licht für „überlegen": die Gier der Materie ist auf das Licht gerichtet, wenn sie, von seinem Glanze geblendet, es in sich aufzunehmen trachtet, während seinerseits das Licht weder Neugier noch Wunsch nach den Finsternissen verspürt. Trotzdem bleibt die Tatsache bestehen, daß diese, im Sein begründete, Überlegenheit zunächst keine Ungleichheit der beiden Substanzen mit sich bringt, auch nicht die optimistische Sicherheit, daß das Gute, durch seine Natur selbst, notwendigerweise über das Böse siegen müsse.

Man könnte sogar behaupten, daß im Falle eines Kampfes diese friedfertige Güte des Lichtes die Gefahr der Schwäche gegenüber der kriegerischen Gewalttätigkeit der Finsternisse in sich birgt. Statisch betrachtet, werden die beiden Prinzipien als zwei getrennte Gebiete aufgefaßt, die durch eine Grenze getrennt und einander symmetrisch entgegengesetzt sind: das Gebiet des Guten im Norden und das des Bösen im Süden, jedes von einem Könige beherrscht, der „Vater der Größe" für das Lichtreich, der „Prinz der Finsternisse" für die Dunkelheit, der manchmal Personifikation, manchmal Ausgeburt der Materie ist. Jedes Gebiet besteht aus fünf Elementen (νοῦς, ἔννοια, φρόνησις, ἐνθύμησις, λογισμός, die die škīnās, die „Wohnungen" oder „Glieder" des Vaters der Größe sind; Rauch, Feuer, Wind, Wasser [oder Schlamm], Finsternisse, bei dem König des dunklen Reiches), das eine von Äonen bewohnt, das andere von unzählbaren Dämonen. Diese Antithese muß aber außerdem noch als eine dynamische erfaßt werden: Licht und Finsternis sind mehr als Substanzen, Räume, Personen, und selbstverständlich, mehr als Begriffe; sie sind vor allem Kräfte, deren Ausdehnung das Feld und deren Richtung die Natur bezeichnet. Das Gute ist immer nach oben gerichtet; es dehnt sich unendlich nach Norden, Osten und Westen aus. Das Böse hingegen, das abwärts strebt, kann sich unendlich nur nach Süden ausdehnen. Diese beiden unendlichen Ausdehnungstendenzen, die eine nach drei Richtungen, die andere nach einer einzigen, sperren einander den Weg und begrenzen sich gegenseitig, wo sie sich treffen, woraus hervorgeht, daß das Licht unten begrenzt ist, die Dunkelheit hingegen oben, wo sie wie ein Keil in das Licht eindringt, das sie von drei Seiten einschließt.

Wenn wir uns das Gute und das Böse nicht in dieser Weise vorstellen, können wir uns das Ereignis, mit dem das kosmologische Drama anhebt, nicht erklären: die Katastrophe, mit der die „mittlere Zeit" anhebt, der Bruch der ursprünglichen Dualität und die Mischung der beiden Naturen. Die Materie ist Kraft und darum hat sie das Bestreben, in das Lichtreich, das sie mit ihrer oberen Seite berührt und das sie zurückstößt, einzubrechen und es zu verschlingen. Sie ist „nicht-koordinierte" Bewegung und halb unbewußt, ein Zustand, den die Einbildungskraft der Manichäer als ununterbrochenen inneren Kampf der Dämonen darstellt, die sich gegenseitig zerfleischen und fressen, eine dauernde Abnutzung und Zerstörung der Materie durch sich selbst; Selbstvernichtung und Selbstverschlingung. Eine zufällige Kraftverschiebung dieser ungeordneten und sinnlosen Bewegungen hebt den Prinzen der Finsternisse an die obere Grenze seines Reiches, offenbart ihm den Glanz des Lichtes und läßt in ihm die Begierde entstehen, mit seinen Dämonen dieses fremde Gebiet zu erobern und sich zu eigen zu machen, indem er es verschlingt. Ich möchte darauf aufmerksam machen, daß dieser Mythos einer psychologischen Erfahrungstatsache entsprechen kann, die ihm einen tiefen Sinn geben würde. Ihrem Wesen nach ist die Materie ἐπιθυμία, *concupiscentia*, böse Gier nach Genuß (ἡδονή); vergleichbar, wenn nicht identisch mit dem Sexualtrieb, der Libido. Dieser bis zur Verwüstung heftige Trieb strebt dunkel nach Befriedigung. Er entwickelt sich frei im Unbewußten oder in einem Halbbewußtsein, und die Materie ist gewiß für den Manichäismus das Unbewußte und Werkzeug des Unbewußten, aber hier, genau ausgedrückt, vom Lichte, das das Gute und das Bewußtsein ist, *verdrängt*. Die Berührung mit dem Bewußtsein entspricht durchaus einem Aufbrechen der *Verdrängung*. Eine Rauchwolke von Bösem strebt nach unendlicher Ausdehnung; die Expansionskraft des Begehrens strebt danach, das ganze Feld des klaren Denkens zu überschwemmen und es zu besetzen. Ich neige also dazu, den Mythos von dem Angriff der Finsternis auf das Lichtreich als eine Projektion des manichäischen Erlebnisses der Sünde zu erklären. Wir werden sehen, daß die Texte die Versuchung nach einem entsprechenden Mechanismus darstellen.

Dem drohenden Unheil gegenüber beschließt der Vater der Größe, der, gerade wegen seiner Güte, jedes Mittels sofortiger Abwehr entblößt ist, zu seiner Verteidigung nicht etwa einen der Äonen, die ihn umgeben, aufs Spiel zu setzen, sondern *selbst* zu kämpfen. Er emaniert eine erste Gestaltung, „den Großen Geist" oder die „Mutter des Lebens", die ihrerseits den „Urmenschen" projiziert (syr.: nāšā qadmājā; gr. Πρῶτος ᾿Ανθρωπος; lat. *Primus Homo*; parth. mardōhm naχvēn; arab. al ᾽insān alkadīm, von gewissen Turfan-Texten dem Gotte Ōhrmizd angeglichen.) Der Urmensch steigt mit seinen fünf Söhnen (Luft, Wind, Licht, Wasser, Feuer), die seine „Rüstung" bilden, zur Grenze hinab, wo er von der Finsternis besiegt, und wo seine Söhne von den Dämonen gefressen werden. Wir

müssen einen Augenblick bei dieser Sendung und dieser Niederlage
verweilen, denn hier liegt der Ursprung der Mischung, und somit
beginnt hier das Problem der Erlösung. Wir müssen zunächst beachten, daß der Urmensch nur eine Hypostase des Vaters der Größe,
Gottes selbst, ist. In der manichäischen Kosmogonie, die Theodor bar
Kōnai wiedergibt, sagt der Vater wörtlich:

> „Von jenen [var.: meinen Äonen, den] fünf Škīnā's
> Werd ich keine zum Kampfe entsenden,
> Denn zum Frieden [und Heil] sind sie von mir geschaffen.
> Sondern ich selber werde gehn
> Und werde gegen diesen Krieg führen."

Das heißt, ich werde *selbst* kämpfen (syr. b-napši, wörtlich: „mit
meiner Seele"). Der Urmensch ist also mit dieser Seele identisch,
oder, wie der Manichäer Faustus bei Augustin sagt, er „ist gemacht
aus der Substanz Gottes, er ist dasselbe was Gott ist." (De substantia
Dei, idipsum existentem quod Deus est.) Andrerseits konstituieren
die fünf Söhne des Menschen, die seine „Rüstung" bilden, seine Seele
(syr. napšā). Sie repräsentieren — mit einem von Paulus entlehnten
Ausdruck — die „Lebendige Seele" (ψυχὴ ζῶσα), die *substantia
vitalis*, die *pars Dei* ist. Es ist also selbst ein Teil des Vaters, der die
Materie bekämpft und von ihr verschlungen wird. Der zur Verteidigung ausgezogene und geschlagene Held ist die Lichtsubstanz
Gottes selbst, die so rettend und rettungsbedürftig ist. Wir müssen
ferner genau die Bedeutung dieses Ereignisses festlegen. Es zeugt
sicherlich von einer tief pessimistischen Anschauung von dem Entstehen der Welt und von der fernen Vorgeschichte des Menschen, die
beide aus einer Niederlage des Guten und einem Siege des Bösen
entspringen. Aber man kann hier schon eine Erlösungsabsicht spüren.
Das Verschlungenwerden der Seele durch die Dämonen, d. h. die
Mischung von Licht und Finsternis, kann wie ein freiwilliges Opfer
Gottes erscheinen, oder wie eine Kriegslist, die erst später zum Heile
der Menschheit ausschlägt, die, auf alle Fälle, die Verheerungen des
Bösen eindämmt und die endliche Niederlage der Materie vorbereitet. Gleich einem General, der, um das Gros seines Heeres zu
retten, seine Vorhut dem Feinde entgegenwirft oder wie ein Schäfer,
der, um nicht seine ganze Herde zu verlieren, ein Lamm dem Wolfe

zum Fraß überläßt, hat der Urmensch den Plan gefaßt, seine Seele den Finsternissen zu opfern. Die Gier der Materie ist dadurch nicht nur für den Augenblick gestillt, sondern die Opfergabe des Lichtes wird zu einem Angelhaken mit einem Köder, der die Dunkelheit festhält und sie nunmehr auf Gnade und Ungnade dem Göttlichen ausliefert. Das Leben ist eine Nahrung, die der Natur der Materie nicht entspricht: die göttliche Seele vergiftet die Dämonen. Zweifellos ist auch das verschlungene Licht selbst durch die Finsternisse verderbt und vergiftet, aber die Finsternisse sind es genausosehr durch das Licht. Sie könnten fürderhin ohne das Leben, das ihnen so eingeflößt worden ist, nicht bestehen, denn sie wissen, daß es ihren endgültigen Tod bedeutet, wenn dieses Leben ihnen wieder entzogen werden würde. Das Ereignis bedeutet also nicht nur, daß Gott notwendigerweise seine eigene Seele, die mit den Dämonen vermischt ist, retten muß: es gibt ihm eine Handhabe der Dunkelheit gegenüber und ein Mittel, das ihn in den Stand setzen wird, sie zu besiegen und das verschlungene Licht aus ihr heraus zu befreien.

Die erste Erlösung, die vorgenommen werden muß, ist die des Urmenschen. Das ist nun ein neuer, höchst wichtiger Vorgang, der Prototyp und Gewähr aller zukünftigen Erlösungen bildet. Wenn wir die Berichte der *Acta Archelai,* des *Fihrist,* des Turfan-Fragmentes M 10 und vor allem des Theodor bar Kōnai zusammenstellen, kommen wir zu folgender Fassung:

„Der Urmensch kam wieder zu Bewußtsein (gefangengesetzt in den Finsternissen hatte er Seele und Bewußtsein verloren) und richtete siebenmal ein Gebet an den Vater der Größe. (Der Vater erhörte sein Flehen). Und er rief als zweite Schöpfung (‚Hervorrufung‘) hervor den ‚Freund der Lichter‘ und der Freund der Lichter rief den ‚Großen Baumeister‘ hervor, und der Große Baumeister rief den ‚Lebendigen Geist‘ hervor. Und der Lebendige Geist rief seine fünf Söhne hervor (ich übergehe ihre mythologischen Namen). Und sie begaben sich zum Finsterlande und fanden den Urmenschen verschlungen in der Finsternis, ihn und seine fünf Söhne. Da rief der Lebendige Geist mit seiner Stimme; und die Stimme des Lebendigen Geistes wurde einem scharfen Schwerte gleich und (er) enthüllte seine Gestalt dem Urmenschen.

Und er sprach zu ihm:
>Heil über dich, Guter inmitten der Bösen,
>Lichter inmitten der Finsternis,
>(Gott,) Der wohnt inmitten der Tiere des Zorns,
>Die seine Ehre nicht kennen,

Da antwortete ihm der Urmensch und sprach:
>Komm mit Heil, bringend
>Die Schiffslast (Botschaft? Brief?) von Frieden und Heil.

Und er sprach weiter zu ihm:
>Wie geht es unseren Vätern,
>Den Söhnen des Lichtes in ihrer Stadt?

Und es sprach der Ruf zu ihm: Sie befinden sich wohl. Und es geleiteten einander der Lebendige Geist, und Ruf und Antwort stiegen empor zur Mutter des Lebens und zum Lebendigen Geist, und der Lebendige Geist tat den Ruf an (als Kleid) und die Mutter des Lebens tat die Antwort, ihren lieben Sohn, an. Und sie stiegen zum Finsterlande nieder, dorthin wo der Urmensch und seine Söhne waren.« Der Lebendige Geist streckt seine rechte Hand dem Urmenschen entgegen (um ihn aus der Dunkelheit emporzuheben) und »der Mensch ward aus der dunklen Materie befreit und wurde ein neuer Gott.« Aber hinter sich läßt er die Seele, die fünf lichthaften Elemente seiner Rüstung.

Wir haben in diesem Berichte von der ersten Erlösung eines Wesens ein Ereignis, das als Muster des Sehnens nach Erlösung und seiner Erfüllung dienen kann. In ihm — wie man aus dem M 10 ersieht — erscheint der Urmensch nicht nur als der Held, der den Tod aufhebt, seine Feinde besiegt und das Paradies des Lichtes offenbart: er ist hier hauptsächlich das Urbild des geretteten Wesens und des Erlösers, der sich selbst erlöst. Die Erlösung wird hier vor allem beschrieben als das *Erwachen* eines Bewußtseins, das zeitweise durch Vergessen und Unwissen abhanden gekommen ist, wie es der Körper mit sich bringt (»Der Urmensch kommt zum Bewußtsein zurück.«) und sie endet in einem Gott-Werden, d. h. in einer Rückkehr zu seinem göttlichen Ursprung. (»Und der Mensch wird ein neuer Gott.«) Diese geistige Wiederauferstehung ist das Werk des νοῦς — des erlösenden Elementes — der schließlich im Urmenschen zu Fleisch und Blut wird, während seine »Rüstung«, die in der Finsternis verhaftet bleibt, das Element darstellt, das gerettet werden muß: die Psyche. Das Erwachen des νοῦς wird durch das Eingreifen des Lebendigen Geistes verursacht oder symbolisiert, der, wie man es auf anderem Wege erschließt, der Seele „die Lebensmacht" bringt, das Pneuma mit seinen fünf Gaben (Leben, Kraft, Lichtheit, Schönheit, Duft), die der göttlichen Substanz von neuem die Möglichkeit geben, sich wieder zu erkennen und wiedergeboren zu werden. Nirgendwo hat das Bedürfnis und der Wille zur Erlösung einen erschütternderen symbolischen Ausdruck gefunden als hier. Dem Flehen des Menschen zum Vater folgt ein gellender Schrei des Lebendigen Geistes, ein Hilferuf, der seinerseits ein Echo in der Antwort des Menschen findet. Ruf und Antwort verkörpern sich in zwei Gestalten (syr.: qarjā und ᶜanjā; n-iran. Xrōštaγ und Paδvāχtaγ), zwei Gottheiten, deren Namen man gewöhnlich als *Rufer* und *Antworter* übersetzt, die aber tatsächlich — da die syrischen Partizipien passiv und nicht aktiv sind — die genaue Bedeutung haben: „*das was gerufen wird*" und „*das was geantwortet wird*". Der Ruf geht von dem Lebendigen Geiste aus und geht zu ihm zurück; es ist der Aufruf zur Erlösung, die Stimme, die geheimnisvoll und wie fremd von Oben kommt, die Seele durchdringt und in ihr die Hoffnung und den Willen erlöst zu werden erweckt. Die Seele gibt *Antwort* auf diesen *Ruf* durch den Akt von Sehnsucht, Vertrauen und Zustimmung, der hier vom Menschen ausgeht, oder was genauer ist, — denn es ist fast eine Gnadengabe — von der *Mutter*, die die Mutter des Urmenschen ist und die „Mutter der Lebendigen" d. h. aller Gläubigen der Zukunft. Das Zwiegespräch des göttlichen Paares endet mit der engen Vereinigung von *Ruf* und *Antwort*, die ebenso wie der gerettete Mensch, zum Lichtreiche emporsteigen. Diese Angaben sind von äußerster Wichtigkeit: das Erlösungsdrama, das in der Welt spielt, wird immer aus diesem Zwiegespräch bestehn. Dem *Rufe* der Offenbarung, den die Apostel des Lichtes weitertragen, den Mani und seine Missionare predigten, den alle die ins Weltall erschallen lassen, die wie *Xrōštaγ* Erwecker des Bewußtseins und Rufer der Wahrheit sind, diesem *Rufe* werden die Seelen *Antwort* geben, oder sich verweigern. Wie es das M 4 sagt: die erlöste Seele wird „die betrübte Seele" sein, „die Antwort gegeben hat". Mehr noch: Ruf und Antwort bilden von nun an in ihrer Verbindung das, was die Manichäer die ἐνθύμησις des Lebens nennen, die sich der ἐνθύμησις des Todes und der Materie gegenüberstellt, und so der Seele die Möglichkeit gibt, dem Rufe des νοῦς und der Offenbarung zu antworten. Ihre Vereinigung wird auch bezeichnet als der „Große Gedanke", der im Werden der Welt gegenwärtig bleibt bis zu ihrer endgültigen Vernichtung, wo er alle noch verirrten Lichtteile in sich vereinigend, aus ihnen das „Letzte Standbild" schafft und zum Himmel wieder aufsteigt. Alles, selbst die Bewegung, mit der der Lebendige Geist den Urmenschen aus der Dunkelheit zieht, hat seine soteriologische Bedeutung: wie das *Kephalaion IX* zeigt, setzt dieses Reichen der Hand den Urmenschen zum Herrn aller Wesen ein, die in Zukunft zu retten sind, und bildet im Manichäismus den Grund des rituellen Brauches der δεξιά, des Zeichens gegenseitigen Wiedererkennens der erlösten Wesen, das ihre Befreiung aus den Finsternissen bezeugt, ihre Zugehörigkeit zur Gemeinschaft der Wahrheit und ihre Abstammung in bezug auf die *Mutter der Lebendigen,* die wie man gerade in unserem Berichte sieht, die Antwort des Menschen, ihres geliebten Sohnes, entgegennimmt und sich in sie kleidet. Wir wollen schließlich noch hinzufügen, daß, nach einer anderen Version unserer Geschichte, der Urmensch, bevor er in das Paradies des Lichtes wieder aufsteigt, erst bis auf den Grund der Finsternisse hinabgeht, und dort die Wurzeln des Baumes des Bösen abschneidet, dessen Krone das Höllenreich bildet. Hierdurch ist die Materie vollständig von den Quellen abgeschnitten, aus denen sie ihre Kraft zog. Sie gelangt mehr und mehr unter die Herrschaft des Lichtes.

So ist die Geschichte von der Rettung des Urmenschen nicht einfach ein symbolischer Erlösungsmythos oder ein typisches Vorbild des Erlösungserlebnisses: sie gibt Mittel und Sicherheit für die Erfüllung der zukünftigen Erlösungen.

Wir sahen, daß der Urmensch seine Seele in den Finsternissen zurückließ. Diese lichthafte Substanz hat der Materie Leben gegeben und sie somit vergiftet, indem sie sich mit ihr in verschiedenen Graden mischte, aber sie selbst ist dabei besudelt worden, geschwächt, in Vergessen begraben, in Leiden und Unbewußtsein. Ihre Rettung wird zum eigentlichen Motiv und zu dem einzigen Sinn der Weltenschöpfung. Ich gebe in äußerster Kürze die Einzelheiten dieser Schöpfung. Der Demiurg — der der Lebendige Geist ist, unterstützt durch seine fünf Söhne — läßt ein Strafgericht über die dämonischen Archonten ergehen; aus ihren abgezogenen Häuten werden die Himmel gebildet, die Erde aus ihrem Fleische, er läßt sie am Firmamente kreuzigen und nimmt eine erste Befreiung des Lichtes vor, indem er die gemischte Substanz in drei Teile teilt: das, was rein geblieben ist trotz der Vermischung, wird Sonne und Mond; das, was nur wenig gelitten hat, gibt die Sterne; die Loslösung des dritten, am tiefsten verderbten Teils gestaltet sich schwieriger und zeitraubender. Angefleht von der Mutter des Lebens, dem Urmenschen und dem Lebendigen Geiste schreitet der Vater der Größe zu einer dritten Aufrufung, zu der der eigentlich soteriologischen Gottheiten, die hauptsächlich den Dritten Gesandten als kosmischen Erlöser und Jesus den individuellen Erlöser umfassen. Der dritte Gesandte erlöst die Welt in dem Maße, wie er sie endgültig als Maschine und, wenn ich so sagen darf, Fabrik zum Schöpfen, Raffinieren und Sublimieren vergrabenen Lichtes organisiert. Ihr Räderwerk bilden die „Räder" des Windes, des Wassers und des Feuers, die einer der Söhne des Lebendigen Geistes in Drehung versetzt, hauptsächlich aber die Sonne und der Mond. Die fünfzehn ersten Tage jedes Monats steigt die befreite Substanz in der Lichtsäule — „der Vollkommene Mensch" — zum Monde auf, der, sich mit dieser Ladung füllend, langsam Vollmond wird. Die fünfzehn letzten Tage des Monats wird sie auf die Sonne übertragen oder „umgefüllt", von wo sie ihrer himmlischen Heimat wiedergegeben wird. Aber der dritte Gesandte weiß sich auch weniger mechanischer Mittel zu bedienen: in seiner strahlenden Nacktheit und als Lichtjungfrau — eine Gestalt, die dem Gnostizismus entlehnt ist — erscheint er in der Sonne, bald in weiblicher Form vor den männlichen Archonten, bald in männlicher Form vor den weiblichen. Er erregt so ihr Begehren und läßt sie, das Licht das sie verschlungen hatten, vermischt mit ihrem Samen, auf die Erde ausschütten. Ihre Sünde fällt auf den Erdboden und läßt die Pflanzenwelt ersprießen, während die Teufelinnen, denen von der Drehung des Tierkreises, an den sie gebunden sind, übel wird, Frühgeburten zur Welt bringen, die, zur Erde gefallen, die Knospen der Bäume abfressen und so den ausgespienen Samen samt dem Lichte in sich

aufnehmen. Von Begierde ergriffen, gatten sie sich ihrerseits untereinander, um ein Gewimmel dämonischer Nachkommenschaft her-
vorzubringen. Dies ist der Ursprung des Tierreiches. Der Teil Lichtsubstanz, der somit noch der Erlösung bedarf, ist also auf der Erde
vereint, aber in dem Mark der Pflanzen und dem Körper der Dämonen verstreut und vergiftet. Aber es droht ihm noch eine größere
Gefahr: die Erscheinung des dritten Gesandten läßt die Materie
fürchten, ihr Gefangener könne ihr entweichen. Um ihn mit festeren
Banden zu binden, faßt sie den Plan, das meiste von ihm in einer
persönlichen Schöpfung zu vereinen, die das Gegenteil der göttlichen Schöpfung bilden soll. Zu diesem Ende verschlingen zwei
Dämonen — ein männlicher, Ašaqlūn, und ein weiblicher, Nam-
raël — alle ihre Kinder, um alles Licht, das sie fassen können, in
sich aufzunehmen, paaren sich und setzen die ersten zwei Menschen
in die Welt: Adam und Eva. Unser Geschlecht stammt also aus einer
Reihe ekelerregender Akte von Kannibalismus und Sexualität. Die
Stigmata davon sind ihm verblieben in seinem Körper, der die tierische Gestalt der Archonten bewahrt, und in der *Libido*, die den
Menschen selbst dazu antreibt, sich zu begatten und fortzupflanzen,
d. h. nach dem Plan der Materie, die lichthafte Seele in der Gefangenschaft ins Unendliche festzuhalten. Aber ebenso, wie dem
Sturz des Urmenschen, aus dem die Welt hervorgegangen ist, eine
Erlösung folgte und wie er in ein Mittel der Erlösung umgeformt
wurde, ebenso ruft die Schmach des ersten Menschen einen neuen
Erlösungsakt hervor und dient dem Gesamtwerke der Erlösung. Da
der Hauptteil des Lichtes in ihm vereinigt ist, ist es Adam — und
somit auch die Reihe seiner Nachkommen —, der nun das zentrale
Objekt des Befreiungsprozesses wird.

Wir müssen also einen besonderen Nachdruck auf den Bericht
von der Erlösung Adams legen, denn sie ist für unser Thema von
ausschlaggebender Bedeutung. Der Bericht liegt uns in verschiedenen Versionen vor, von denen die wichtigsten sich bei Theodor bar
Kōnai und in einem Turfan-Fragment, dem S 9 finden. „Sie (Āz,
die Dämonin der Materie) macht ihn (den ersten Menschen, vielleicht seine Seele) wie blind und taub, bewußtlos und verwirrt,
damit er zunächst seinen Urgrund und seine Herkunft (wörtl. Familie) nicht erkenne. Sie hat den Körper und das Gefängnis ge-

schaffen; sie hat die Seele, der die Erkenntnis verlorengegangen, gefesselt. — Grausam sind mir Gefangenem Dämonen, Dämoninnen und alle Hexen! — Fest hat sie (Āz) die Seele in den verfluchten Körper gefesselt; sie hat sie häßlich (?) und böse, zornig und rachsüchtig gemacht." Im T III 260 verkennt und quält das erste Paar die fünf Lichtelemente, die in ihm sind, zittert nicht vor den Göttern und erfüllt, nach dem Vorbild der Dämonen, die Erde, die es beherrschen will mit den Ausbrüchen seines Zorns und seiner Gemeinheit. Nach dem *Fihrist* bitten die fünf Engel — die himmlische Wiederholung der gefangengesetzten fünf Elemente — nun sie das Licht Gottes in dieser Erniedrigung sehen, den Bringer der frohen Botschaft (den dritten Gesandten), die Mutter des Lebens, den Urmenschen und den Lebendigen Geist, sie möchten doch jemanden aussenden zu dieser Kreatur, deren wahrer Ursprung so hoch hinaufreicht, um sie zu befreien und zu erlösen, um ihr das Wissen zu vermitteln und die Rechtschaffenheit, und um sie den Dämonen zu entreißen. Diese Gottheiten entsenden Jesus, der hier der transzendente Jesus des Manichäismus ist, Jesus-der-Leuchtende, *Yišōᶜ Zivā*, der individuelle Erlöser, unterschieden vom kosmischen Erlöser, dem Dritten Gesandten. Im S 9 ist der Erlöser Ōhrmizd, der Urmensch, mit dem Jesus manchmal zusammenfließt, denn beide sind jener Sohn Gottes, dem ihrerseits die *Acta Archelai* die Erlösung Adams zuschreiben. Der Erlöser steigt in Menschengestalt zur Erde nieder, bestraft die beiden Schöpfer-Archonten, den Trieb und die Gier und naht sich Adam, „Der lichte Jesus — lesen wir bei Theodor bar Kōnai — näherte sich dem unwissenden Adam; er erweckte ihn aus dem Schlafe des Todes, damit er von vielen Geistern befreit würde. Und wie ein Mensch, der gerecht ist, und einen anderen von einem furchtbaren Dämon besessen findet und ihn durch seine Kunst besänftigt, — dem glich auch Adam, als ihn jener Freund in tiefen Schlaf versenkt fand, ihn erweckte, ihn sich rühren ließ, ihn aufrüttelte, von ihm den verführenden Dämon vertrieb und die mächtige Archontin abseits von ihm gefangensetzte. *Da erforschte Adam sich selber und erkannnte, wer er sei.* Er (Jesus) zeigte ihm die Väter in der Höhe und sein eigenes Selbst (syr. *napšeh*, d. h. die Seele des Adam), hineingeworfen in alles, vor die Zähne der Panther und die Zähne der Elefanten, verschlungen von den

Verschlingern, verzehrt von den Verzehrern, gefressen von den
Hunden, vermischt und gefesselt in allem, was ist, gefangen in dem
Gestank der Finsternis ... Er richtete ihn auf und ließ ihn vom
Baume des Lebens essen. Da schrie und weinte Adam; furchtbar erhob er seine Stimme wie ein brüllender Löwe, raufte seine Haare,
schlug (sich die Brust) und sprach: „Wehe, wehe über den Bildner
meines Leibes, über den Feßler meiner Seele und über die Empörer,
die mich geknechtet haben!"

Seinerseits berichtet das S 9: „Da erbarmte sich Ōhrmizd, der
Herr (der Urmensch), der Seelen, und in Menschengestalt stieg er
hinab zur Erde. Zuschanden werden ließ er die böse Āz, dem Auge
sichtbar (oder mit Augen sehend?) machte er und deutlich zeigte er
(ihm) all das was gewesen ist und sein wird. Rasch offenbarte er
(ihm), daß nicht Ōhrmizd, der Herr, diesen fleischlichen Körper
geschaffen habe, und daß er auch nicht die Seele selbst gefesselt habe.
Die einsichtige Seele des Glücklichen — ihr ward die *Auferstehung*
zuteil. Sie glaubte das *Wissen* des Ōhrmizd, des guten Herrn. Alle
Gebote, Befehle und Siegel der Wohlfriedenheit nahm sie in um-
fassendster Weise an wie ein tatkräftiger Held. Sie legte ab den
Körper des Todes und ward erlöst auf ewig und ward erhoben ins
Paradies, in jenes Reich der Seligen."

Diese wenigen Übersetzungsproben genügen, um die vielfältige
Bedeutsamkeit dieser Erzählung und ihren Parallelismus mit dem
Berichte von der Erlösung des Urmenschen aufzuzeigen. Wir wollen
zunächst festhalten, daß — wie S 9 ausdrücklich sagt — „die gute
Seele, aus der Āz Adam geformt hat, und die sie in seinen Körper
fesselte, aus den fünf Lichtelementen der Rüstung des Ōhrmizd (des
Urmenschen) besteht." Wir haben es also immer wieder mit demselben Thema zu tun: das Element, das gerettet werden muß, ist
einerlei Substanz mit Gott; der Erlöser Adams erlöst sich selbst, und
man kann wohl keine schlagendere Anwendung des Mythos vom
Erlösten Erlöser finden, als die Version, wo der Erlöser als der Urmensch selbst bezeichnet wird. Zweitens: sei er nun der Urmensch
oder Jesus, der Erlöser ist hier eine Inkarnation des νοῦς. In anderen Berichten dieses Ereignisses wird Jesus als „der Gott des
νοῦς" und von Alexander von Lycopolis kurzweg als νοῦς bezeichnet. Die Erlösung ist immer die der Seele durch die Einsicht;

die Einsicht erweckt die Seele, d. h. erweckt sie zu sich selbst und zur universalen Wissenschaft. Die Symbole sind hier äußerst eindrucksvoll: Adam ist in den Todesschlaf des Körpers versunken, der Vergiftung und Gefangenschaft bedeutet, Werkzeug des Unbewußten, Vergessen des göttlichen Ursprungs. Geistig ist er irre, körperlich schwach, blind und taub. Der Erlöser offenbart ihn sich selbst. („Da erforschte Adam sich selber und erkannte, wer er sei".) Wie sein Bewußtsein, öffnen sich auch seine Augen. (Anderen Ortes wird ausdrücklich gesagt, daß Adam von dem Augenblick an, wo er die Früchte des Baumes des Lebens und des Bösen gegessen hat, sehen kann. Dieser Baum ist gleichzeitig der Baum der Erkenntnis, dem die *Acta Archelai* wiederum Jesus im Paradiese, das die Welt ist, gleichsetzen.) Adam ist nun die Möglichkeit gegeben, die Mischung seiner, in jeder Materie gegenwärtigen und leidenden, Seele zu erkennen, den höllischen Ursprung seines Körpers, den er ebenso wie seinen Schöpfer verflucht — und den der Manichäer, wie man aus der *Homilie I* ersieht, gleicherweise zu verfluchen lernt — und schließlich die grundsätzliche Dualität, die in seiner Lage eingeschlossen ist. Diese Offenbarung des Selbstbewußtseins ist von der Offenbarung des Weltwissens begleitet: Der Erlöser, der νοῦς, bringt der Seele die Gnosis, das vollkommene Wissen, das, eingeschlossen in der Offenbarung des Ursprungs und der Bestimmung Adams, sich auf alles Vergangene und alles Künftige bezieht, oder wie der *Fihrist* sagt, „auf das Paradies und die Götter, die Hölle und den Teufel, die Erde und den Himmel, die Sonne und den Mond." Eine kosmologische und soteriologische Belehrung, eine Wissenschaft des Guten und Bösen, aus denen die praktischen Vorschriften des Verzichtes auf den Körper folgen, besonders — um auf den *Fihrist* zurückzukommen — der Rat, die Eva nicht mehr zu berühren, die die furchtbare Verkörperung der Sünde der Geschlechtlichkeit und das Prinzip der, das Leiden und das Böse verlängernden, Fortpflanzung des Menschengeschlechtes darstellt. Schließlich ist diese Erlösung Adams, die im Prinzip ein Erwecken und im Grunde ein Erkennen ist, eine Wiedergeburt — Auferstehung nennt es das S 9 — d. h. in seiner Vollendung Aufstieg zum Reiche des Lichtes, Wiedereinführung der Lichtsubstanz in ihre ursprüngliche Heimat. Der Mythos von der Erlösung Adams, eine Wiederholung der Erlösung des Ur-

menschen, ist also bei Beginn der Menschheitsgeschichte — wie die
Erlösung des Urmenschen bei Beginn der Welt — eine Erlösungs-
gewähr für die zukünftige Menschheit und das typischste Beispiel,
das wir uns wünschen können für das, was die Manichäer unter
Erlösung verstehen.

Die Entwicklung des Mythos, das Werden der Welt, die Geschichte
der Menschheit sind nun nichts anderes als der Ablauf der Erfüllung
der Erlösung. Der Mythos baut sich auf dem Gegenspiel einer, im
Universum vorhandenen Doppelgewalt auf: eine aktive δύναμις
— Schöpferin, Schützerin, Offenbarerin — und eine δύναμις
παθητική — passiv und leidend — die die Seele in der Welt ist und
somit auch die Weltseele. Dieser, mit Gott wesensgleiche Bestandteil,
der sich in allen Körpern vorfindet, besonders aber in Kräutern, in
den Samen, Stämmen und Früchten der Bäume gebunden und im
Fleische erstickt ist, diese „Lebendige Seele" wird oft in einem groß-
artigen Symbol der Person des *Jesus Patibilis* gleichgesetzt. Sie ist
die „pathetische Seite" des transzendenten Jesus, der leidhafte und
rettungsbedürftige Teil des Jesus Zīvā, der, insofern er Reines Licht
ist, den Erlöser darstellt. Dieser kosmische und zeitlose Jesus ist über
der Materie gekreuzigt, mit der seine Lichtseele vermischt ist. Die
ganze Welt ist das „Kreuz des Lichtes". Besonders die Bäume, in
denen ein großer Teil göttlicher Substanz konzentriert ist, müssen
als Hochgericht Christi dienen: wie der Manichäer Faustus beim
heiligen Augustin sagt: Jesus, Leben und Heil der Menschen ist an
jedem Holze gekreuzigt *(Patibilis Jesus, qui est vita et salus homi-
num, omni suspensus ex ligno)*. Das Leiden und die Kreuzigung des
historischen Jesus weiten sich zu den Ausmaßen allgemeiner, ewiger
Ereignisse und dienen als Lehre und Vorbild. „Wir sehen überall",
sagt Faustus, „die mystische Heftung des Jesus an sein Kreuz
(crucis ejus mystica fixio). Durch sie werden offenbar die Wunden
der Passion, die unsere Seele erleidet." Das Werden der Welt rollt
also die Leidensgeschichte eines Gottes, der sein eigener Erlöser ist,
ab, und die Geschichte der Menschheit ist das Drama unserer Passion
und unserer Erlösung, die in Wesenseinheit verbunden sind mit
diesem Wesen und diesem mythischen Prozeß. Auf diese Weise bekommt die Welt einen Sinn. Um einen Ausdruck des Tractates
Chavannes-Pelliot wieder aufzunehmen, sie ist das „Gefängnis",

wo finstere Dämonen das Licht in Ketten legen, aber dies Gefängnis ist gleichzeitig eines für die Mächte der Finsternis, die so im Zaum gehalten und schon besiegt sind. Vor allem ist, in einem anderen seiner Aspekte, „das Weltall eine Apotheke, in der Lichtkörper Heilung ausstrahlen", ein erlösungbringender Ort, wo Gift und Heilmittel beieinander liegen, wo die Wunden sich öffnen und sich schließen können — ein Hospital, wenn man will, mit seiner Trübsal, aber auch mit seinen Versprechen von Gesundheit und Freude. Die ungeheuere kosmische Maschine dreht sich und das gigantische Rad mit seinen zwölf Schöpfeimern, das Jesus zur Erlösung der Seelen aufgerichtet hat, schöpft unaufhörlich die Lichtseelen der Toten, die es in die Lichtsäule schüttet, die ihrerseits durch die Schiffe des Mondes und der Sonne diese mystische Ladung aufsteigen läßt in das strahlende Paradies ihres Ursprungs. Durch die Monate, die Jahre und die Jahrhunderte wird so die verschlungene göttliche Substanz wieder freigelegt, und langsam erschöpfen sich Leben und Materie. Dieser langsame physische Befreiungsprozeß ist andrerseits begleitet und erleichtert durch die fortschreitende Kundgebung einer Offenbarung, die parallel läuft zur Geschichte der Menschheit. Das Menschengeschlecht hat sich fortgepflanzt und wird sich fortpflanzen, solange die Menschen sich nicht jene sexuelle Enthaltsamkeit auferlegen, die die endgültige Befreiung und das Ende des Weltalls bedeutet. Aber der Erste Mensch hat die Offenbarung einer vollkommenen Weisheit empfangen, deren Hut eine Reihe vollkommener Menschen einer dem anderen weitergibt: Seth, Noah, Abraham, Sēm, Enoš, Nicotheos, Henoch — und dann die Gesandten des Lichtes, die Gründer der wahren Religionen: Buddha, Zoroaster, Jesus und Mani, der in seiner höchsten und vollkommenen Offenbarung alle diese vorhergegangenen Offenbarungen vereinigt und sie zu einer allgemeinen und endgültigen Religion hinaufführt. Der Mensch kann sich erlösen, wenn er der Wahrheitsbotschaft anhängt, oder in der Verdammung und der Mischung bleiben, wenn er sich ihr verweigert. Die Gnosis öffnet seiner Einsicht die zwei Wege des Guten und des Bösen, der Wahrheit und des Irrtums, des Lichtes und der Finsternis.

Dieses Herausarbeiten der Erlösung, das das Kreisen der kosmischen Maschine rhythmisch betreibt, und das das Fortschreiten der

Offenbarung im Ablauf der Menschheitsgeschichte einseitig befördert, wird beschleunigt und abgeschlossen durch die Sendung Manis.
Mani „das Siegel der Propheten" ist der Künder der ganzen und
unmittelbaren Wahrheit; danach tritt das Ende der Welt ein. Dieses
nun, „der Große Krieg", besteht aus einer Reihe von Ereignissen,
deren Einzelheiten wir jetzt, dank der *Hom. II*, die im Faijum wieder aufgefunden ist, kennen: Verfolgungen gekrönt von dem
Triumphe des Manichäismus; ein von Christus abgehaltenes Gericht;
Feuersbrunst von 1468 Jahren und Versenkung der Materie in eine
große Grube, die inmitten des Neuen Äon ausgehoben ist. Wir können hier über diese Dinge hinweggleiten und für den dritten dieser
Vorträge eine Darstellung der Punkte aufsparen, die die Erlösung
der Menschenseelen angehen. Es genügt, wenn wir hier erwähnen,
daß dieser eschatologische Akt, der das kosmologische Drama ab-
schließt, diese „dritte Zeit" des Mythos, in der Rückkehr der zwei
Substanzen zu ihrem ursprünglichen Getrenntsein (ἀποκατάστασις
τῶν δύο φύσεων), in der Wiederherstellung der radikalen Dualität
der „Ersten Zeit" besteht. Aber die Lage ist nicht mehr die gleiche:
das Erlebnis der Mischung und seiner endlichen Niederlage haben
das Böse der Fähigkeit beraubt, je wieder den Versuch eines Ein-
bruches zu erneuern. Der Dualismus, der Sieg des Guten, die Sicherheit und der Friede des Lichtes bleiben für immer.

Dieser Ausblick auf das Ende versichert, mindestens theoretisch,
daß das Weltall zur Erlösung berufen ist und daß inmitten des Alls
auch der Mensch — vor allem der Mensch — auf Erlösung bedacht
sein soll. Alles, was der Mythos von den Ursprüngen, dem Aufbau
und der Bestimmung der Welt enthüllt, die Schöpfung unseres Geschlechtes, so wie er sie uns vorführt, alles dies liefert dem Menschen
Beispiele, Elemente und, wenn auch nicht die Gewißheit, so doch
Hoffnungen auf Erlösung. Aber kann denn der Mensch erlöst werden? Was in seinem Aufbau kann seinem Erlösungswillen Stütze
und Mittel liefern, was einen theoretischen Unterbau für die praktischen Verhaltungsregeln, die die Erlösung herbeiführen sollen?
Wir wollen als Antwort hierauf die Folgerungen entwickeln, die
sich aus dem anthropologischen Mythos ergeben.

Der Mensch ist tatsächlich eine Mischung und von Rechts wegen
eine Zweiheit, eine zur Zeit bestehende Legierung zeitlich und

räumlich begrenzter Lichtheit und Dunkelheit. Diese Mischung, die der Sexualakt und die Geschlechterfolge umfüllt und weitergibt, besteht je nach den Menschen aus verschieden hohen Anteilen: das Band, das die beiden, sich entgegengesetzten Substanzen zusammenhält, ist manchmal fest, manchmal locker; ihre gegenseitige Verbindung manchmal kompakt, manchmal unvollständig. Hieraus folgt für die Seele eine Verschiedenheit in der Mischung und Zusammensetzung, deren Abstufung den verschiedenen Graden des Erkenntnisvermögens entspricht, indem also die zäheste Verhaftung des Lichtes in den Finsternissen einen fast absoluten Grad von Unbewußtheit und Unwissenheit darstellt. Die von Rechts wegen bestehende Dualität der beiden Substanzen führt also nicht — wie es seit dem heiligen Augustin eine große Zahl von Kritikern immer wieder gesagt hat — zu der Annahme, daß im Inneren des Menschen zwei Seelen existieren, die eine gut und rational, die andere böse und irrational: die Seele ist an sich immer gut und rational. Eine böse Seele wäre ein ebensolcher Widerspruch in sich wie ein finsteres Licht. Es gibt nur eine Seele, die sich in einer üblen Lage befindet, und es liegt hier nicht ein Gegensatz zwischen zwei Seelen vor, sondern ein solcher zwischen zwei Naturen, zwischen der, von Gott und dem Lichte stammenden Seele, und dem Körper, einer Ausgeburt des Teufels und der Finsternisse. Oder, konkreter ausgedrückt, die Dualität des Menschen ist die eines, seinem Ursprung und seiner Substanz nach, reinen Ichs und eines gegenwärtigen Zustandes, in dem der, durch seine Mischung mit der Seele lebendig gewordene Körper, von bösen Trieben *besessen* ist, die das wahre Ich des Menschen verdecken oder bedrohen. Das Spiel wird zwischen einem *Ich* und einem *Selbst* gespielt, oder — um eine manichäische Theorie wieder aufzunehmen, die auf Paulus zurückgeht — der Kampf in uns wird von einem „Neuen Menschen" und einem „Alten Menschen" geführt, der eine innerlich, himmlisch, von würdiger, heiligender, rein geistiger Abstammung, der andere äußerlich, irdisch, belastet mit einer schmutzigen Herkunft, die Mensch und Tier gemeinsam ist. Wir begegnen hier wieder — mit der Dreiteilung (Körper, Seele, Geist) die die Gnostiker in die Betrachtung des Menschen einführen — das ewige Paar, das dem ganzen manichäischen Erlösungsmythos zugrunde liegt: der νοῦς, das erlösende

Element, und die Psyche, das Element, das erlöst werden muß. Der „Alte Mensch" — den das *Khuāstuānīft* das „alte Ich" nennt — ist tatsächlich vor allem der Körper (σῶμα) oder das Fleisch (σάρξ), wodurch wir die äußere Form der Dämonen haben, die — um uns häufiger Bilder zu bedienen — Gefängnis, Vergessen, Trunkenheit, Bewußtlosigkeit, Tod ist. Aber er ist der mit allen Naturtrieben der Materie begabte und durch seine Verbindung mit der Seele lebendig gemachte Körper und so das, was die Manichäer manchmal „dämonisches Ich" nennen, „dumpfes Bewußtsein", „finstere Einsicht". Der Alte Mensch stellt also die Seele in ihrer leidenden und verdammten Lage dar. Im Gegensatz hierzu ist der Neue Mensch — den das *Khuāstuānīft* „dies Ich hier" nennt — die Seele, als tätig und erlöst betrachtet, nachdem sie ihre ursprüngliche Reinheit erneuert und wiedererlangt hat, des Menschen wahres Ich, dem die Turfan-Texte nicht genug bezeichnende Namen zu geben wissen: „Gute Seele", „Reines Ich", „Ur-Ich", „Subtiles Ich", „transzendentes Ich", „Licht-Ich", „Freuden-Ich", „Götter-Ich", „Lebendiges Ich" (*grīv žīnday*, der *anima viva* des heiligen Augustin entsprechend). Der Neue Mensch ist also die Seele, der das Bewußtsein, das sie erweckt und aus der Mischung löst, wieder gegeben ist, und da dieses Bewußtsein von dem νοῦς stammt, ist es nun die mit dem νοῦς vereinigte und mit den geistigen Reizen geschmückte Seele. Die spätere Scholastik läßt diesen Neuen Menschen aus fünf Substanzen bestehen (die fünf Licht-Elemente des Urmenschen), aus fünf Gliedern, die die intellektuellen Kräfte sind, aus fünf Gaben, die die Kardinaltugenden sind, aus drei lichthaften Gewalten (Licht, Gesundheit, strahlender Körper), aus zwölf Herrschaften, und aus vier Tugenden, die denen des höchsten Gottes entsprechen (Vaterschaft, Kraft, Licht, Weisheit). Anderen Ortes besteht die Gabe, die der Seele gebracht wird, in den fünf Gliedern des νοῦς (νοῦς, ἔννοια, φρόνησις, ἐνθύμησις, λογισμός), aus denen die fünf Tugenden hervorgehen (Liebe, Gesetz, Vollkommenheit, Geduld, Weisheit) und das Hauptelement ist hier das erste der fünf Glieder, der νοῦς, der das Bewußtsein ist. Dieses Ganze aus Gaben und Tugenden, mit dem der νοῦς die Psyche wappnet und schmückt, wird dem „Körper der Sünde", der den Alten Menschen bildet, wie das helle Ich dem dunklen Ich, gegenübergestellt. Es entspricht endlich noch dem „Großen Gedanken", den wir gelegentlich der Rettung des Urmenschen eingreifen sahen, und der in Einem Anrufung aus tiefer Not und tätiger Erlösungswille, das Paar Ruf und Antwort ist. Er ist die ἐνθύμησις des Lebens der Seele, Gegenbild und Antithese der ἐνθύμησις des Todes des fleischlichen Körpers. Durch diesen theoretischen Aufbau seines Wesens ist der Mensch schon in der Lage, erlöst zu werden, aber die Angaben des Mythos von seinem Ursprung, der eng verbunden ist mit dem kosmologischen, ja theogonischen Mythos, enthalten noch weit mehr. Zunächst einmal hat die Schöpfung Adams den Menschen zum Hauptgegenstand des Erlösungsprozesses gemacht; in ihm ist ja der größte Teil der gefallenen Lichtsubstanz vereinigt. Auf ihn konzentriert sich also die Weltgeschichte, auf ihn ist der Erlösungswille des Vaters der Größe gerichtet. Mehr noch, nur durch ihn hindurch und durch seine Mitwirkung kann das verschlungene Licht befreit werden; dadurch, daß er sich die göttliche Substanz, die in den Pflanzen verstreut ist, einverleibt, wird sie ein Teil von ihm und kann erlöst werden. So wird auch der Mensch zu einem Stück Räderwerk dieser Erlösungsmaschine, die die Welt ist. Zweitens und hauptsächlich, versichert der Mythos den Menschen einer doppelten Konsubstantialität: seinem Ursprung nach ist er einerlei Substanz mit dem Weltall; seinem Aufbau nach ist er ein Mikrokosmos, Gegenbild des Makrokosmos, dessen Mischung und dessen Bestandteile sich in ihm wiederfinden, dessen Geschichtsepochen er widerspiegelt. So nimmt er in allumfassender, höchster Weise teil an der Sinngebung, der Organisation, dem Schicksal, die die Zukunft der Welt bestimmen, und die alle das einzige Ziel haben, die Befreiung des Lichtes. Ferner, in der Welt und jenseits der Welt ist der Mensch einerlei Substanz mit der Gottheit. Die Seele Adams, seiner Nachkommenschaft weitergegeben und in ihren Körpern zerstreut, ist, wie wir gesehen haben, die Seele des Urmenschen, die ihrerseits identisch ist mit der Seele des Vaters der Größe. Somit ist unsere Seele ein Glied, ein substantieller Teil Gottes, genauer noch: die Seele des Menschen, insofern sie leidend und den Finsternissen vermischt ist, ist ein Stück der δύναμις παθητική des Erlösers, des *Jesus Patibilis,* dessen kosmische Kreuzigung sich wiederholt, oder besser verlängert. Seine Leidensgeschichte und seine Wunden sind die unseren, oder genauer, unsere Leidensgeschichte und unsere Wunden sind ihm einverleibt, sind die seinen. Andrerseits vereinigt Jesus, insofern er der Lichthafte, insofern er Jesus Zīvā ist, in sich die Gesamtheit der tätigen und freien Seelen. Wie aus den Turfan-Texten hervorgeht, ist er auch wieder das „Lebendige Ich", das „Licht-Ich", das „leuchtende" „transzendente" Ich der Menschen, dieser „höchsten Ich's, die die Söhne Jesu des Freundes sind", wie das M 36 V 7 sagt. Es ist der νοῦς, aus dem alle Intelligenzen stammen, wohin sie zurückkehren und durch den sie zurückgeführt und wieder eingesetzt werden in die göttliche Intelligenz. Nach dem schönen Ausdruck der Schlußhymne des Tractates Chavannes-Pelliot ist Jesus „das Ich in dem Licht-Ich alles Lebendigen". Durch diese Substanzverbindung, und insofern er Lebendige Seele ist, ist der Mensch also nicht nur — nach dem gnostischen Ausdruck, den das M 10 wieder aufnimmt — „erster Sohn des Königs" d. h. wie Jesus und der Urmensch Sohn und Glied Gottes, König des Paradieses, sondern er ist Gott gleich in dessen Manifestationen als Erlöser; sein Schicksal ist verkettet mit den schmerzlichen und glorreichen Abenteuern des Erlösers, dessen Seele gerettet werden muß und der sich selber errettet. Wenn seine Leidensgeschichte einen göttlichen Sinn hat, so zieht seine Erlösung all ihre Hoffnung und alle ihre Mittel aus diesem Eingeschlossensein in eine Lichtsubstanz, die Gottes ist, und die Gott — er kann ja nicht anders — suchen muß zu befreien und mit sich wieder zu vereinen.

So erklärt sich die paradoxe Lage des Menschen in der Zeit, de facto besudelt und an sich rein, Beute der Dämonen und glänzendes unschätzbares Kleinod. Hören wir die „Worte des Lebendigen Ichs" in der Hymne M 95 R, die in abwechselnder und symmetrischer Gegenüberstellung die Widersprüche seines gegenwärtigen Loses und der Behandlung schildert, die es von den Menschen empfängt.

> Ihr kauft mich wie Sklaven von Dieben
> Und ihr fürchtet und fleht mich an wie Herren.

> Ihr erwählet mich wie Schüler aus der Welt zu Wahr-
> haftigen (?)
> Und ihr bringt mir Verehrung dar wie Meistern.

> Ihr schlaget und quälet mich wie Feinde,
> Und ihr erlöset und belebet mich wie Freunde.

Doch meine Väter sind mächtig und machtvoll (genug)
Euch vielfachen Dank zu erweisen.

Und euch als Belohnung für einen Fasttag
Die ewige Freude zu geben!

Und um euch den Anteil zu senden, der euer (ist) durch mich,
Werden sie die Götter vor euch senden.

Und den Anteil an Mühseligkeiten und Sorgen (?)
Die ihr um meinetwillen tragt und durchmacht, (werden
sie euch senden).

Es ist diese zweigesichtige Seele, Sklave zugleich und König, so
Schüler wie Lehrer, mißhandelt von den Menschen und von ihnen
in den Himmel erhoben, von den Göttern geliebt, von ihnen gestraft, diese Größe und diese Schande, die erlöst werden muß, oder
vielmehr, die sich selbst erlösen muß. Dieser Schläfer muß erwachen,
dieser Gekreuzigte muß sich vom Kreuze lösen, um wieder einzugehen zum Lichte.

DRITTER VORTRAG

*Die Verwirklichung und die praktischen Mittel
der Erlösung*

Wir wollen in diesem Vortrag die praktische Seite des manichäischen Erlösungsproblems untersuchen, d. h. aus den theoretischen Angaben, die uns die kosmologischen und anthropologischen
Mythen geliefert haben, die praktischen Folgerungen ziehen, die sie
für das Tun des Menschen haben, die moralische und religiöse Haltung festlegen, die sich aus ihnen für das Wesen ergibt, das nach
Erlösung strebt und zu ihr gelangt.

Die theoretische Lösung des Problems ist ganz einfach: das Erlebnis des Bösen, das der Mythos verstärkt und erklärt, beweist,
daß der Mensch gegenwärtig und tatsächlich eine Mischung ist,
aber ursprünglich getrennt war und, vor allem, daß er wieder getrennt werden soll. Die Erlösung ist also ihrem Wesen nach ein Wie-
derergreifen des Wissens um sich selbst, das in einem Wiederzusam-
menraffen der Lichtsubstanz besteht, und eine Wiederherstellung

der ursprünglichen Zweiheit, die in der Zeit vor sich geht, aber die
über die Zeit hinausführt. Es handelt sich also im ganzen darum, in
sich und für sich die Wiederherstellung der beiden Substanzen in
ihrer Integrität und ursprünglichen Scheidung zur Wirklichkeit zu
machen, in sich selbst diese ἀποκατάστασις vorzunehmen, die für den
Kosmos und die Gesamtheit der erlösten Menschheit endgültig beim
Ende der Zeiten eintreten wird. Diese Umwandlung, die somit eine
Art innere und persönliche Eschatologie ist, muß in dem Wiedererlangen eines Zustandes der Substanz bestehen, der in der Mischung
immer gegenwärtig ist und der unsere Essenz selbst, unser wahres
Ich ist. Der Erkenntnisakt, der sie hervorruft und ermöglicht, ist
also gleichzeitig *Wiedererkennen* und *Wiedergeborenwerden*. Er
führt: erstens, zum Besitze einer absoluten Reinheit, die völlig von
jeder Beschmutzung durch die Materie getrennt ist, zweitens, zur
endgültigen Wiederherstellung der ursprünglichen Lage: Gott wird
wieder gegeben, was ihm zu eigen gehört, wie Titus von Bostra
sagt (τὸ ἀποδοθῆναι γε τῷ θεῷ τὸ οἰκεῖον αὐτῷ), d. h., ein Teil seiner
eigenen Substanz; Wiederkehr der Seele „zur Erde, wo sie bei Anbeginn war " — um den Ausdruck einer Hymne von Turfan wieder
aufzunehmen — oder, um mit den augustinischen Texten zu reden —
Rückkehr zum Vaterland, zum ursprünglichen Reiche *(sua patria;
propria regna; propriae sedes)*. So werden Ruhe und Frieden auf
Leiden und Streit folgen, oder — dies sind auch manichäische
Ausdrücke — das *Nirvāṇa* auf das *Saṃsāra*. Man kann somit schon
ahnen, daß die Praxis der Erlösung, wie die Dogmatik, um den
νοῦς kreist, den *manuhmeδ* der iranischen Texte, die Licht-Intel-
ligenz, die Bewußtsein und Wissen ist, Werkzeug des Erwachens,
des Wiedererinnerns, der Offenbarung, des Urteils und somit auch
des Willens. Der νοῦς muß das Hauptstück des Erlösungsvorganges bilden; er wird Fleisch in den Erlösern der Menschheit, auf ihm
wird die manichäische Kirche ruhen, die ihrem Wesen nach als
Erlösungsorganisation gedacht ist; er ist es schließlich auch, dessen
strahlendes Bild die Seele in der Auferstehung wiederfindet, die
dem Toten bevorsteht und seine endgültige Befreiung bedeutet.

Alles dies wollen wir betrachten und sehen, wie die theoretische
Lösung sich in Handlungen umsetzt.

Wir wollen zunächst die praktische Erfüllung der Erlösung untersuchen — den Ablauf dessen, was die Manichäer den „Weg der Erlösung" nennen — und dabei wollen wir unsere Aufmerksamkeit auf drei Punkte richten: die Theorie der Versuchung und der Sünde, die manichäische Ethik, den Vorgang der Wiedergeburt.

Über den ersten Punkt sind wir jetzt vollkommen durch das *Kephalaion* 138 unterrichtet, das im Faijum entdeckt worden ist und das den Titel trägt: „Wer ist es, der da sündigt, dann aber bereut?" „Derjenige, der sündigt" — antwortet unser Text — „ist niemand anders als diese lebendige Seele, die im Körper der Sünde [wohnt], da sie sich in vermischtem Zustande befindet. Ein anderes (d. h. ein anderer Grund für die Sünde) ist, daß der Alte Mensch mit ihr zusammen in [. . .] wohnt: er pflegt sie zu veranlassen, daß sie strauchelt, indem er sie [. . ., indem er] ihr nicht [. . .]. Aber in dem Augenblick, da er sie veranlaßt, zu sündigen, gibt der νοῦς ihr alsbald die Erinnerung an ihre Sünde, die sie getan hat. Durch die Erinnerung des νοῦς aber kehrt sie sich von der Sünde ab und bittet den Licht-νοῦς um Verzeihung, und ihre Sünden werden ihr verziehen. — Item derjenige, der belehrt wird und (dann) vergißt, das ist die Seele, die belehrt wird von dem Licht-νοῦς, der sie belehrt: er gibt ihr die Erinnerung an ihre ursprüngliche Seinsform (wörtl.: erste οὐσία), und sie vergißt seine Lehre, da der Alte Mensch mit ihr zusammen wohnt und sie durch ihn gequält wird. Deswegen vergißt sie und geht irre wegen ihrer Bedrängnis. Ihr Meister aber, der sie belehrt, indem er Reue in ihr [Herz] flößt, das ist der Licht-νοῦς, der von oben kommt, der der Strahl des reinen (heiligen) φωστήρ ist, der kommt, indem er der Seele erglänzt und sie reinigt und sie erleuchtet und sie zum Lande des Lichts [führt], aus welchem sie im Urbeginn gekommen ist: und sie wird auch wieder zurückkehren und auf[steigen] zu ihrer ursprünglichen Seinsform."

Man sieht aus diesem Text, daß die Sünde aus dem Verhaftetsein der Seele in der Mischung entspringt: die Existenz selbst ist die Sünde. Die Seele ist nicht an sich Sünderin, und im Grunde ist sie auch gar nicht für die Sünde verantwortlich: sie unterliegt ihr nicht aus eigenem Antrieb; die Mischung mit dem Fleische bringt sie dazu. *Carnis enim commixtione ducitur, non propria voluntate*, sagt der Manichäer Secundinus. Die einzige Ursache der Sünde ist die Materie, deren Wesen und natürliche, spontane Funktion das Böse ist, die Begierde, die nicht ein gelegentlich auftretendes, sondern ein ewiges Laster ist. (*Manichaei* — sagt der heilige Augustin — *carnis concupiscentiam non tamquam accidens vitium, sed tamquam naturam ab aeternitate malam vituperant.*) Dieses Böse, das zur Natur der Materie gehört, hat immer existiert und wird immer existieren: die Zeit kann es nur vermehren und verbreiten, nicht aber auslöschen. Die Sünde der Seele hingegen hat an sich keine Realität, oder doch nur eine augenblickliche und vorübergehende: sie entstammt im Augenblick einem ungewollten Hingezogenwerden der Seele durch die Begierde und sie hinterläßt abstrakt auch nirgends wo anders eine Spur als in der Erinnerung. *Omne enim peccatum* — schreibt Mani in seinem Briefe an Menoch, dessen Erhaltung wir dem heiligen Augustin verdanken — *antequam fiat, non est, et post factum memoria sola ejus operis, non ipsa species manet. Malum autem concupiscentiae, quia naturale est, antequam fiat, est, quum fit, augetur, post factum, et videtur et permanet.* Für die Seele ist die Sünde ihrem Wesen nach also Versuchung, die aus dem Körper stammt und die aus dem Körper notwendigerweise entstehen muß, aber es ist eine Versuchung, der gegenüber die sich selbst überlassene Seele wegen ihres gemischten Zustandes wehrlos ist. Nur der νοῦς mit den geistigen Gaben, die er bringt, und der ἐνθύμησις des Lebens, den er der ἐνθύμησις des Todes gegenüberstellt, kann sie instand setzen, diesem feindlichen Eindringen, das eine Wiederholung des Angriffes der Dunkelheit auf das Licht bei Beginn der Zeiten darstellt, wirksamen Widerstand entgegenzusetzen. Nur der Neue Mensch, den das Anwesendsein des νοῦς in der Seele konstituiert, ist in der Lage zu kämpfen und den ununterbrochenen Ansturm des Alten Menschen abzuschlagen. Dies kann ihm gelingen, wenn er in der Seele die Erinnerung an ihre göttliche Essenz, die sie zeitweilig vergessen hat, wieder wachruft, und in ihr das klare Bewußtsein ihres wahren Seins aufrechterhält. Auf dieselbe Weise kann er die Sünde, sobald die Seele sie begangen hat, wieder auslöschen: er läßt sie die Sünde als solche *wieder erkennen* (es ist in diesem Zusammenhang bezeichnend, daß das manichäische Beichtformular, das sich in uigurischer Sprache erhalten hat, *Xᵛāstvānīft*, „Erkenntnis" heißt) und bringt so die Reue (μετάνοια) hervor, indem er durch das Erinnern der wesenhaften

Reinheit des Ichs die Spur des Fehltritts verwischt, der nun, wie wir gesehen haben, nur noch im Gedächtnis fortbesteht. Die Sünde entsteht, ohne daß wir sie wollen oder gegen sie angehen können, einzig und allein aus dem Vergessen, in das der Körper, der Alte Mensch, die Seele zu hüllen strebt: die Versuchung ist Drohen der Unbewußtheit, der Fehltritt ist die Unbewußtheit selbst. Somit ist nun die Sünde entweder durch eine dauernde Erleuchtung durch den νοῦς unmöglich gemacht, oder aber sie besteht in der Abwesenheit der Reue, d. h. in dem Starrsinn der Seele, der Mischung weiterhin anzuhangen und die Belehrungen des νοῦς abzuweisen. „Die Seele wird nicht gestraft", schreibt Secundinus, „weil sie gesündigt hat, sondern weil sie die Sünde nicht bereut hat." Das heißt also, daß wenn auch das Anrecht auf Erlösung nur vorübergehend durch den jeweiligen Fehltritt aufgehoben ist, es allerdings endgültig verlorengeht durch halsstarriges Zurückweisen, Nicht-zur-Kenntnis-Nehmen der Offenbarung des νοῦς. Da das von ihm gebrachte Wissen alles ist, so ist Beiseiteschieben oder Ungehorsam gleichbedeutend mit Verdammnis. Es gibt, letzten Endes, von der Seite der Seele nur *eine* Sünde, aber sie ist unermeßlich und nie wiedergutzumachen: eine *intellektuelle Sünde*, die, wie die griechischen Texte sagen, darin besteht, daß man die Wahrheit verkennt (μὴ γνῶναι τὴν ἀλήθειαν) und daß man die universale Dualität leugnet (μὴ λέγειν δύο ἀρχὰς εἶναι τῶν πάντων), kurz: sich dem νοῦς verweigert. Das Böse ist ἀγνωσία, die Erlösung Gnosis.

Diese Gnosis, die vor allem Wissen um die Dualität in der Mischung ist, diese Sünde, die diese Mischung selbst — d. h. eine Besudelung — ist, machen dem Bösen gegenüber eine moralische Haltung notwendig, die die manichäische Ethik nur entwickelt und kodifiziert. Die ganze Praxis kann kein anderes Ziel haben, als aus dem Menschen ein tätiges Werkzeug der Befreiung des Lichtes zu machen: wie die kosmische Maschine für den Makrokosmos, so muß auch der Mikrokosmos dahin gelangen, die Mischung aufzuspalten, aus ihr die lebendige Seele loszulösen, kurz: in sich die ursprüngliche Zweiheit wieder herzustellen. Um dies zu erreichen, besteht die ganze Ethik in einem einzigen Gebot: *sich enthalten,* um die Reinheit zu erwerben und zu erhalten. Dies heißt nichts anderes, als daß diese Moral vor allem *negativ* ist. Sie schließt eine Ableh-

nung ein, ein Zurückstoßen und etwas wie eine Negation dieser
Welt, die uns bedrückt, der bösen Wesen, die sie und unsere gegenwärtige Lage beherrschen, und könnte sich also damit der Grund-
haltung von Revolte und Nihilismus nähern, die in allem Gnostischen steckt. Aber hier führt die Negation nicht, wie im Gnostizismus,
zu einer Freiheit, die theoretisch wie praktisch unbegrenzt ist,
nicht zu Zügellosigkeit der äußeren Welt und dem Körper gegenüber, mit denen der „Pneumatische" schalten kann, wie er mag. Im
Gegenteil, der Bruch mit der Materie ist hier Abkehr, Zurück-
ziehen, Kontaktlosigkeit: er heißt nichts anderes als Enthaltung und
Enthaltsamkeit und nicht Herrschaft und Genuß. Der vollkommene Manichäer gibt das Begehren auf und *entsagt der Welt*. Er ist
abgelöst vom Fleisch und von der Welt, in der ihn, da er nichts
besitzt, auch nichts zurückhält. Wie man es aus dem *Khuāstuānīft*
und anderen Zeugnissen ersieht, bildet der Kauf und der Besitz
eines Hauses, eines Weinberges, eines Sklaven eine Gewalttat und
eine Sünde. Reichtum, ja Eigentum, sind verboten. Höchstens hat
der Heilige Anrecht auf eine Mahlzeit täglich und auf ein Kleid
jedes Jahr. Der Erwählte *hängt* nicht an der Erde: er ist vor allem
ein Wandelnder — was eine Verbindung gibt zu dem manichäischen
Ideal von Mission und Kampf. In dem Traktat Chavannes-Pelliot
lesen wir: „(Die Auserwählten) finden keinen Gefallen daran,
immer am gleichen Orte zu bleiben; gleich einem Könige, der von
niemand abhängig, nicht immer an seinem Wohnsitz bleibt, sondern manchmal davonzieht und mit sich die Menge seiner Soldaten
führt, die ihre Waffen achtunggebietend tragen und auf das vollständigste gerüstet sind, gleich ihm kann der Erwählte bewirken,
daß alle wilden Tiere und alle haßerfüllten Feinde sich in ihre
Schlupfwinkel ducken." Und etwas weiter: „(die Erwählten) meiden die Volksmenge nicht und bleiben einsam in einer Kammer; es
gibt Menschen, die so handeln; man nennt sie Kranke." Bērūnī,
seinerseits, teilt uns mit, daß Mani seinen Anhängern befohlen
habe, „unaufhörlich durch die Welt zu irren, seine Lehren zu predigen und die Menschen auf dem rechten Wege zu geleiten". Der
vollkommene Manichäer ist also ein Mönch oder Prediger, der bet-
telnd umherzieht. Dieses Ideal der vollkommenen Ablösung schließt
natürlich die Ablehnung und Verdammung des Krieges, der Jagd,

des Handels, des Ackerbaues, kurz: jeder profanen Tätigkeit ein. Diese Verbote beruhen nicht nur auf der Tatsache, daß diese Beschäftigungen einen Kontakt mit der Materie herstellen und also eine Befleckung herbeiführen, sondern auf der mythischen Vorstellung, daß sie eine Reihe von Attentaten gegen das Leben bilden, gegen die Lichtsubstanz, die allem beigemengt ist: da die ganze Außenwelt mehr oder weniger beseelt ist, klagt die Frucht, wenn man sie bricht, leidet die Erde, wenn der Pflug sie aufreißt, die Luft schreit pfeifend, wenn man sie spaltet, das Wasser ist besudelt durch das Bad, das man in ihm nimmt. Ebenso ist es ein Verbrechen, ein Tier zu töten und natürlich auch einen Menschen. Aber nicht nur die Handlungen, jede Bewegung läuft Gefahr, eine Sünde zu sein. Da schließlich das Wesen und der gefährlichste Ausdruck der Materie die Begehrlichkeit ist, so muß man sich vor allem vor den Versuchungen der Lüste schützen. An sich und wegen seiner Folgen ist der Sexualakt die schlimmste Besudelung. Wie es uns die *Acta Archelai* erklären, entspringt das Begehren — *incitatio concupiscentiae* — spontan dem Körper, genauer gesagt, dem Körper, der gesättigt und erhitzt durch die Fleischesnahrung ist: es zerstört in der Seele, in die es eindringt, jede Bewußtheit und jede Weisheit *(non ex virtute aliqua, non ex philosophia, nec ex alio ullo intellectu, sed ex sola ciborum satietate et libidine et fornicatione)*. Die Hurerei, die darauf folgt, ist bestialisch, eine Nachahmung dämonischer Begattungen, vor allem hat sie die Fortpflanzung der Gattung zur Folge, die Weiterleitung des ursprünglichen Bösen, das heißt, daß der Mensch sich durch sie zum Instrument der Materie macht, deren einziges Ziel es ist, die Lichtparzellen in der Befleckung der Körper festzuhalten und sich die Herrschaft über sie zu sichern, indem sie ihre Gefangenschaft von Generationen zu Generationen verlängert. Die Sexualität verzögert und verhindert die Erlösung der Menschheit. Hieraus folgt, daß der Vollkommene sich der fleischlichen Genüsse, der Ehe und der Fortpflanzung enthalten soll. ('Απέχεσθαι γάμων καὶ ἀφροδισίων καὶ τεκνοποιίας, ἵνα μὴ ἐπὶ πλεῖον ἡ δύναμις ἐνοικήσῃ τῇ ὕλῃ κατὰ τὴν τοῦ γένους διαδοχήν, so faßt Alexander von Lycopolis sehr gut die Lehre zusammen.)

Das manichäische Gesetz, die Lebensregeln, die es vorschreibt, und die Vorschriften (ἐντολαί), die die Moral Manis kodifizieren, bestehen also im ganzen nur aus Verboten. Ihre verbreitetste Fassung, die Theorie der drei Siegel *(tria signacula)* stellt — dieser Ausdruck ist nicht völlig exakt — eine Summe von Tabus oder Verboten dar, die den Mund, die Hände und die Brust betreffen *(os, manus, sinus),* d. h. Sünden in Gedanken, Worten und Handlungen und die fleischlichen Sünden. Und — in detaillierter Form — wenn die fünf Vorschriften für die Auserwählten die Pflicht zur Wahrheit, die Abwesenheit der Sünde, die religiöse Innerlichkeit, die Reinheit des Mundes, die Freude in der Armut enthalten, so geben die zehn Gebote für die Katechumenen neben der positiven Verpflichtung zu den vier oder sieben Geboten, das Verbot der Götzendienerei, der Lüge, des Geizes, des Mordes, der Magie, der Zwiespältigkeit, die zum Zweifel führt, der Faulheit und der Lässigkeit in der Ausführung der guten Werke. Dieser Dekalog ist vor allem ein *negativer Dekalog.*

Die ganze manichäische Moral ist also auf einen vollkommenen Verzicht gerichtet, der dazu führen soll, die lichthafte Substanz von der dunkeln bis in die Wurzeln hinein zu trennen. Sie ist mehr ein Asketentum als eine Ethik, mit metaphysischer Begründung und Zielsetzung; die *Homilie I* aus dem Faijum — „das Klagelied des Salmaios" — bietet uns dafür einen erschütternden Beleg. Strenggenommen — wie man es dem Mani im Laufe seines Prozesses hat vorwerfen können — würde seine Erfüllung ein Ideal des Todes sein: Vernichtung des Menschen und der Welt. Logischerweise dürfte den Heiligen nichts erlaubt sein gegenüber einer bösen, aber beseelten Welt, wo alles die Möglichkeit der Versuchung und des hinterlistigen Angriffs in sich birgt; ihr gegenüber müßte er vollständig seinem Körper entsagen bis zu dem Grade, daß er sich ihm vollständig entzöge, um sich in dem Stande der Erlösung zu erhalten. Die vollkommene Enthaltsamkeit wäre schließlich Regungslosigkeit und Selbstmord; ein schreckliches Ablehnen, eine Bewegung auszuführen, sich zu ernähren und zu leben, entsprechend jener *endura,* die die mittelalterlichen Katharer ihren Sterbenden auferlegten, die dank des *consolamentum* zu einer unveränderbaren Vollkommenheit gelangt waren. In Wirklichkeit läßt diese ideale Handhabung der Erlösung Erleichterungen zu. Es gibt zunächst eine doppelte Moral — eine für die Vollkommenen, eine für die

Unvollkommenen. Die Katechumenen dürfen arbeiten, Früchte pflücken, Wein trinken — die Galle der Archonten —, Fleisch essen, sich beweiben und sogar Kinder zeugen (dieses wird teilweise gerechtfertigt durch das Bedürfnis der Kirche nach Nachwuchs), aber eben hierdurch verlieren die Katechumenen jedes Anrecht auf Erlösung, mindestens schon von diesem Leben an. Die Erwählten hingegen stehen vor dem Verbote jeder Fleischesnahrung, jedes alkoholischen Getränkes (das durch Fruchtsäfte ersetzt wird), jeder Handlung, die den Pflanzen oder Elementen Schaden bringen könnte und vor allem — auf das strengste — jedes Geschlechtsverkehrs. Das ethische Ideal würde also in ihnen vollkommen verwirklicht sein, wäre nicht die Notwendigkeit der Ernährung.

Wir müssen hier die manichäische Kasuistik richtig verstehen. Diese Ernährung kann nicht anders als vegetarisch sein, denn die Tiere sind ja noch eigentlicher dämonischen Ursprungs, und das Licht, das in ihnen gefangen ist, bleibt in den Tieren für immer. Der Mythos versichert hingegen, daß der größere Teil der zu rettenden Lichtsubstanz unter den Menschenkörpern und den Pflanzen aufgeteilt ist, die, da sie aus den Samen der Archonten entstanden sind, sie in mehr oder weniger hohem Grade enthalten. Hieraus ergibt sich schon eine Wertordnung der Früchte und eßbaren Pflanzen je nach dem Anteil von Licht, das sie enthalten — die Gurke und die Melone stehen im Rufe, daran am reichsten zu sein — und die Vorschrift, sie roh zu essen, um durch den Kochprozeß nicht ihren Lichtgehalt zu verschleudern. Aber ihr Genuß bleibt nichtsdestoweniger eine Gefahr und ein Verbrechen: eine Gefahr, denn — wie das T II D 173 d verso zeigt — die Sünde dringt mit den Lebensmitteln in den Körper und, wir haben es in dem Falle der Fleischnahrung gesehen, sie besudelt die Seele und treibt sie zum Geschlechtsakt; ein Verbrechen, denn eine Frucht brechen oder ein Gemüse ernten, ist ein Attentat gegen das Leben, und sie zu verspeisen kommt darauf aus, ihr Licht in unserem Körper nach der Art der dämonischen Fehlgeburten oder der Tiere gefangenzusetzen. Die Manichäer umgehen die Schwierigkeit in folgender Weise: einerseits wird angenommen, daß die Verdauung der Auserwählten die Fähigkeit hat, die in den Pflanzen enthaltenen Lichtparzellen loszulösen und zu befreien, oder auch, diese Parzellen, die sich mit

der Lichtsubstanz des Erwählten verbinden, werden mit dieser bei
dem Tod des Vollkommenen erlöst. Vorzüglich der Erwählte selbst
ist also eine Maschine, das in der Welt verschlungene Licht zu reinigen und loszulösen. Er ist sogar in dem ganzen lebenden Universum das einzige und unersetzliche Mittel der Befreiung. Andrerseits pflückt der Erwählte weder selbst die Früchte, noch erntet er
die Gemüse: die Katechumenen bringen sie ihm und nehmen somit
die Sünde auf sich, das Korn zu säen, die Ernte zu mähen, das
Getreide zu mahlen und das Brot zu backen. Der Auserwählte erklärt ausdrücklich bei der Entgegennahme seiner Nahrung, daß
nicht er es war, der diese Verbrechen beging und so das Leben gequält hat, aber er gewährt den Katechumenen Vergebung für einen
Fehltritt, der, da er Almosen ist, und durch die Verdauung des
Auserwählten zu einer Befreiung des Lichtes führt, sich in eine
fromme Handlung verwandelt.

Wenn man ihn so versteht, ist der Vegetarismus für die Erlösung
des Erwählten kein Hindernis mehr. Trotzdem stellt er ein Nach-
geben dar gegenüber einem Verzicht, der absolut sein müßte. So
sehen wir ihn auch von Vorschriften der Enthaltsamkeit begleitet:
eine einzige Mahlzeit täglich ist dem Vollkommenen erlaubt,
darüber hinaus sind Fasten vorgeschrieben, wöchentliche, monat-
liche, jährliche, von denen eines, das bei Sonnenuntergang unter-
brochen wird, bis zu dreißig Tagen währt. Die Fasten sind strenger
und häufiger für die Erwählten als für die Katechumenen. Wir finden hier das Wesen manichäischer Reinheitspraktiken wieder. Innerhalb des unbedingt Lebensnotwendigen hat die Enthaltsamkeit
die Bedeutung, daß die Erlösung nur durch Enthaltung erlangt
wird.

Wir haben nun noch einen dritten Punkt zu untersuchen: in welcher Form vollzieht sich die Erlösung im Inneren des Menschen?
Da der Prozeß sein Vorbild oder seine Projektion schon in den
beiden mythischen Erlösungen des Urmenschen und des ersten Menschen gefunden hat, ist es leicht, in Kürze die Frage zu beantworten.
Die Erlösung besteht im Prinzip in einem von einer inneren Erleuchtung begleiteten Erwachen der lebendigen Seele, das die Auf-
richtung eines Zustandes klaren und völligen Bewußtseins ist, das
wieder in den Besitz des νοῦς gelangt ist. Sie ist die innere Er-

neuerung des neuen Menschen, Ersetzen des alten Menschen durch den neuen Menschen oder vielmehr An-die-Herrschaft-Gelangen des neuen Menschen nach Besiegung des alten. Dieser Vorgang ist demnach der einer zweiten Geburt, einer geistigen Geburt, die die Rückkehr zu einem früheren Zustand darstellt, so also Regeneration im doppelten Sinne des Wortes. Diese innere Palingenese entspricht jener Umformung, in der auch die Gnostiker die Erlösung bestehen lassen. Ebenso wie in der Gnosis und, um einen Ausdruck zu gebrauchen, den wir in dem S 9 angetroffen haben, und den man bei Shahrastānī wiederfindet, ist dieser Zustand *Wiederauferstehung* — eine rein geistige natürlich, denn der Körper, der das Böse ist, kann nicht wieder auferstehen. Er führt zur Befreiung der Seele, zum Wiedereinswerden mit der Substanz der Seele und ist so ein Göttlichwerden, eine Apotheose oder eine Vergottung. Es ist also in der Zeit eine Art vollkommener und zeitloser Umwandlung, die in sich selbst schon Erlösung ist, aber diese Erlösung, die gewiß von Rechts wegen erlangt ist, da sie ja beschlossen ist in der Lichtnatur der Seele und der Gegenwart des νοῦς (*a principio natura sua victoriam dedit animae*, sagt Secundinus), kann zu einem endgültigen Zustand erst bei dem Tode werden, dem die Wiedergeburt hier also vorgreift. Da der Körper ununterbrochene Versuchung ist, kann der νοῦς in der Tat vorübergehend verdunkelt oder, im äußersten Falle, ohne Hoffnung verloren werden. Auf diese Weise führt die Wiedergeburt tatsächlich nicht zu einer absoluten ἀπάθεια. Auch die Erwählten sind zur Beichte verpflichtet. (Wir verdanken den Turfanfunden ein eigenes, hierfür bestimmtes, Ritual.) Die Wiedergeburt verlangt von dem Erwählten, damit er die Erleuchtung durch den νοῦς dauernd aufrechterhalten oder nach einem Abfall aus Schwäche wiedererlangen kann, ein Leben, das aus unaufhörlichem Achtgeben und Kämpfen besteht, und von dem nur der Tod ihn erlösen kann. Dieser Punkt stellt uns vor ein neues Problem, dessen Behandlung es uns ermöglichen wird, noch tiefer in die manichäische Erlösungspraxis einzudringen, indem wir die hier angewandten Mittel untersuchen.

Dieses neue Problem könnte folgendermaßen formuliert werden: kann der Mensch sich selbst zur Wiedergeburt bringen? Auf den ersten Blick — genau wie bei den verschiedenen Stufen des

Mythos — möchte es scheinen, daß es der Mensch ist, der sich selbst erlöst: durch seinen νοῦς und seine Psyche ist er beides zugleich: Erlöser und Erlöster. Der νοῦς enthält in sich alle Möglichkeiten, ja sogar die Wirklichkeit der Erlösung. Die Bewußtheit und die Wissenschaft, die er einschließt, sind nicht nur erleuchtend — sie sind *zwingend*. Indem die Bewußtheit die Dualität von Licht und Finsternis offenbart und erklärt, ist sie Unterscheidung von Gut und Böse, also tatsächlich schon Wahl, denn die Seele, die ihrer Natur nach mit dem Guten identisch ist, kann ja gar nicht anders als den Weg des Guten wählen, sobald er einmal wieder gefunden ist. Kurz, wenn die Erlösung darin besteht, daß durch die Intelligenz die Hinneigung, das natürliche Gerichtetsein der Seele ausgelöst wird, so scheint der Mensch in sich alle Mittel bereit zu haben, um sich selbst zu erlösen. Da die Erleuchtung durch den νοῦς gegeben ist, muß der Wille und die Erlösung folgen.

Hiergegen können jedoch zwei Einwände erhoben werden: einerseits gibt es Fälle, in denen die Seele von dem νοῦς *nicht erleuchtet werden kann*. Die Lichtsubstanz ist zu tief in der Mischung verschüttet und von ihr zu sehr befleckt, um auch nur einige Bewußtheit wiederfinden zu können. Wir haben in der Tat gesehen, daß die Verbindung mit den Finsternissen in sehr verschiedenen Abstufungen vor sich geht, daß es also eine unabänderliche, physische, materielle Grundlage der Ungleichheit der Menschenseelen gegenüber den Erlösungsmöglichkeiten gibt, und — umgekehrt entsprechend — sagt das M 9: „Der Grad der Bewußtheit der Seele ist der Grund des Grades der Mischung." Es folgt daraus, daß es am unteren Ende der Stufenleiter der Mischungen Seelen gibt, die die Bewußtheit niemals wiederfinden können. Die Manichäer finden sich damit ab, daß sie von Anbeginn verdammt sind. Aber gibt es nicht andererseits den Fall, daß die Seele, die sich der Erleuchtung durch den νοῦς entzieht, *nicht erlöst werden will*? Es scheint, daß Mani eine derartige Situation an einer Stelle seines, durch Augustin erhaltenen, *„Schatz des Lebens"* ins Auge faßt, wo er von denen spricht, *„qui neglegentia sua a labe praedictorum spirituum purgari se minime permiserint, mandatisque, divinis ex integro parum obtemperaverint, legemque sibi a Deo liberatore datam plenius servare noluerint, neque, ut decebat, sese guberna-*

verint". Aber um die Stelle in diesem Sinne zu deuten, müßte man — wie es übrigens Augustin und gewisse Kritiker getan haben — den Manichäern die Annahme der Willensfreiheit zuschreiben und voraussetzen, daß die Seele die Fähigkeit hat, das durch das Wissen offenbarte Gute anzunehmen oder sich ihm zu verweigern. Ferdinand Christian Baur hat seit langem die Unwahrscheinlichkeit einer solchen Interpretation dargelegt, und auch wir haben schon gesehen, daß sie durch die Theorie der ungewollten Sünde ausgeschlossen wird. Die Manichäer fassen in der Tat die Freiheit nicht als eine *Fähigkeit* auf, sondern als einen *Zustand*, der gegeben ist oder nicht: als den Zustand der Seele, die von den Berührungen mit der Außenwelt befreit ist. Weit mehr noch. Für sie hat die Seele die Freiheit nicht, das Böse zu wählen, wenn der νοῦς ihr das Gute zeigt: das hieße nichts anderes, als einen Widerspruch innerhalb der Lichtsubstanz statuieren, die ja nur zum Guten hinneigen kann, da sie *an sich* gut ist, und letzten Endes hieße es, Gott die Möglichkeit zuschreiben, Böses zu tun, und die Seele instand setzen, ebenfalls Böses zu tun. Die Seele tut nur widerwillig Böses, nämlich, wenn sie von der Mischung überwältigt ist; ihrer Natur zurückgegeben, kann sie nicht anders als den Weg des Lichtes gehen. Somit ist das Problem der Erlösung nicht Sache der Wahl und des Willens, sondern eine Frage von Schwäche oder Kraft: die durch den νοῦς erleuchtete Seele widersteht den Finsternissen; ohne den νοῦς, wenn die Bewußtheit sich verdunkelt oder sich verliert, unterliegt sie ihnen.

Hierdurch wird klar, wie sehr im Grunde die Erlösung nicht vom Menschen allein abhängt, weil eben der Wille zur Erlösung davon abhängt, daß die ἐνθύμησις zum Leben, die vom νοῦς gebracht wird, in der Seele gegenwärtig ist. Die Erlösung hängt also gänzlich vom νοῦς ab. Dieser ist gewiß ein Teil des Menschen, aber des Menschen, der schon von ihm erleuchtet ist. Es liegt hier ein Zustand der An- oder Abwesenheit vor, wenn man so sagen darf: ein *zu Recht bestehender*, natürlicher Zustand und, im Grunde, eine Art Zustand der Gnade, eine gleichzeitig mit der ἐνθύμησις zum Leben verliehene Gabe des Lebendigen Geistes. Wenn das Eintreten der Erlösung eine unmittelbare Folge der Erleuchtung durch den νοῦς ist, kann nunmehr unsere anfangs gestellte Frage in folgender Weise präzisiert werden: Der Mensch erlöst sich selbst durch den νοῦς, aber die Gegenwart des νοῦς muß in ihm dauernd angeregt und wachgehalten werden. Mit anderen Worten, da die Erlösung vor allem Erweckung ist, kommt das praktische Problem der Erlösung jetzt darauf hinaus, daß wir uns fragen müssen: welche Mittel können in der Seele die Erweckung des νοῦς bewirken und sind imstande, die Seele im Wachsein zu erhalten?

Diese für den Menschen transzendenten Mittel sind:

1. Für die Erweckung: die Offenbarung und die Offenbarer, die dadurch die Rolle des Erlösers spielen.

2. Für die Aufrechterhaltung dieses Zustandes des erweckten Bewußtseins: die manichäische Kirche, als Organisation der Erlösung gedacht.

Schon der Mythos zeigte uns die Notwendigkeit des Eingreifens von Gottheiten, die mit dem Wesen, das erlöst werden soll, nicht identisch sind: im Falle des Urmenschen waren es die Mutter des Lebens, der Lebendige Geist und seine Söhne, im Falle Adams der Gesandte der Freude, die Mutter des Lebens, der Urmensch, der Lebendige Geist und Jesus. Andererseits verlangen die Schwäche und die Unwissenheit der der Mischung ausgelieferten Seele nach einem Erlöser: *„Wenn die Menschenseele,* schreibt M 9, *nicht sieht den Nutzen, der aus dem Erkennen des ewigen und unvermischten Gutseins* (entsteht), *dann ist ihr ein Führer und Wegweiser nötig, der ihr Weg und Pfad weist, die zum Erlöstwerden vom Bösesein* und zum Hinlegen der Seele, d. h. zum ewigen, unvermischten und unvergänglichen Gutsein (führen)."

Diese Führer zur Erlösung sind die aufeinanderfolgenden Träger der Offenbarung in der Welt — Erleuchter (φωστῆρες) oder Apostel (ἀπόστολοι, pers. frēstaγān), die vollkommenen Menschen seit Adam: Seth, Abraham, Sem, Enoš, Nikotheos, Henoch, und besonders die Boten der wahren Religion: Buddha, Zoroaster, Jesus, Mani. Jeder dieser Offenbarer — alle sind sie „Brüder" — ist im Grunde eine Inkarnation desselben Wesens. Adam — genau wie in der Theorie der pseudoclementinischen Schriften vom „wahren Propheten", die hier wieder aufgenommen zu sein scheint — ist die erste von ihnen und Mani die letzte: er ist der *Adam redivivus,* der die Gnosis, die Jesus dem ersten Menschen offenbarte, weitergibt.

Andererseits stellen diese aufeinanderfolgenden Gesandten eine menschliche und vervielfältigte Wiederholung des Retters aus der manichäischen Kosmogonie dar. Es ist dies der *Gesandte des Lichts,* der sich von Fall zu Fall in der Gestalt des Urmenschen, des Lebendigen Geistes, des dritten Gesandten, des Jesus-Zīvā und schließlich des νοῦς zeigt. „Gesandte des Lichts", so sind sie, wie man aus dem *Kephalaion VII* sieht, Emanationen des νοῦς, selbst Licht und im Grunde dessen Gestaltwerdungen im Laufe der Zeiten. Sie verkörpern auch als „Rufer der Wahrheit", den Schrei nach Erlösung, welchen der Gott Xrōštay personifiziert.

Hören wir aus dem M 42 diesen Dialog des Jesus-Zīvā mit Jesus dem Kinde, einer Abspaltung von ihm, die in diese niedre Welt verbannt ist und die leidende Seele verkörpert, ihre Erwartung auf Leben und Erlösung. Dieser Dialog zeigt uns die aufeinanderfolgenden Sendungen dieser Erlöser im Laufe der Geschichte, die — wie der Anfang in Erinnerung bringt — das Werk des kosmischen Erlösers des Mythos fortsetzen.

(Kind)   „Ehre und Dienst sind allen Augen kund,
        die Mal um Mal du, Gott, mir erwiesen;
        doch um dies eine klag ich, daß du aufgestiegen
           und mich Waisen gelassen hast."

(Jesus) Des Hauptes der Kämpfer, du Prinz, gedenke,
        des Vaters, Gott Ōhrmizd, der aus dem Dunkel sich erhob;
        doch ließ er die Söhne wegen großen Gewinnes (?)
           in den Tiefen zurück.

(Kind)   „Mein Flehen erhöre, du lieber Gebieter;
        wenn du diesmal mich noch nicht entlässest,
        sende viel Götter, damit ich erlange
           Sieg über die Peiniger."

(Jesus) Ich gab Weisung dem großen νοῦς,
        daß er, wenn . . . gekommen, die Boten sende;
        mach auch du offenbar deine Langmut
           für die beladenen Lichter.

(Kind)   „Die Welt und ihre Kinder waren besorgt (?) meinethalb;
        Zarahušt stieg hinab in die Herrschaft Pars,
        er wies die Wahrheit, las aus meine Glieder
           aus den Lichtern der sieben Gegenden."

(Jesus) Als Satan erfuhr von seiner Herabkunft,
         sandte er Zornteufel; früher als die Abwehr
         traf dich Leid, Geliebter, von ihren Werken
         und verkehrter (?) Weisheit.

(Kind)   „Die Klage wich damals von mir,
         als Šakimun But (= Buddha Śakyamuni) mich . . .,
         er erschloß das Erlösungstor den glücklichen Seelen,
         die er aus den Indern erlöste."

(Jesus) Wegen der Künste und Weisheit, die du von But empfingst,
         beneidete Dībat dich, die große Jungfrau;
         als er ins Nirvāṇa ging, befahl er dir:
         Hier harre des Mytrag (= Maitreya).

(Kind)   „Da eben erbarmte sich Jesus zum zweitenmal,
         die vier reinen Winde sandte er mir zu Hilfe,
         er band die drei Winde, zerstörte Oryšlyym (= Jerusalem)
         mit den Zinnen der Zornteufel."

(Jesus) Gift und Tod . . . auf dich, Prinz,
         der Häßlichkeit Ausgeburt, Iškariota,
         mit Israels Söhnen und viel andrer Not,
         die kam . . .

(Kind)   „. . . . .
         . . . . der Boten . . . gering,
         und die beiden Heere, die auf mich rücken,
         (sind) zahllos."

(Jesus) Dein großer Kampf gleicht dem Ōhrmizds, des Gottes,
         dein Schätze-Sammeln dem der Lichtgefährte;
         auch diese Lebendige Seele in Fleisch und Holz
         kannst du von der „Gier" erlösen.

(Kind)   „Alle drei Götter schirmten dies Kind,
         und sie sandten Mar Mani den Erlöser zu mir,
         der mich führte aus der Haft, da ich den Feinden diente,
         wider Willen in Angst."

(Jesus) Mein Trabant, ich gab dir die Freiheit . . .

In seiner dunklen Sprache faßt dieser Dialog das Wesentliche
der manichäischen Auffassung von der Offenbarung zusammen.

Die Schriftstücke, die in Faijum entdeckt worden sind, verbreiten volles Licht über diese Frage: gewisse Stellen aus den *Homilien* und vor allem die *Kephalaia*, ihre Einleitung und die Kapitel I, 143 und 154, die durch das Fragment Turfan T II D 126 vervollständigt werden. Die Offenbarung, dies unentbehrliche Hilfsmittel zur Erlösung, ist stets in der Welt gegenwärtig. Immer im Laufe der Weltgeschichte, in besonders gewählten und feierlichen Augenblicken (καιροί) wurden von Jesus dem Leuchtenden aus dem Himmel Offenbarer herabgesandt, um an der Rettung der gekreuzigten Seelen mitzuwirken, um jedesmal von ihnen einen Teil zu erwählen und zu befreien. Die Gnosis, die sie nacheinander bringen, ist unter verschiedenen Formen immer die gleiche. Sie bildet den Grund der wahren Religion, der Religion der Διχαιοσύνη. Aber, wie immer im Manichäismus, ist diese Vermittlung ein Kampf und, gleich wie in dem Bewußtsein des Menschen, sind die Augenblicke der Erleuchtung von Verdunklungen gefolgt. Der Dämon neidet die Gesandten des Lichts. Er stürzt sich auf sie und, wenn er sie vernichtet hat, auf ihr Werk. Die Materie erschafft Irr-Religionen, die δόγματα, die neben der Religion der Wahrheit einhergehen (nicht nur die Götzendienerei, die Magie, die Mantik, sondern auch und vor allem die Täufereien, den Feuerkult — gerade das Gegenteil der Offenbarungen des Zoroaster — das Judentum, das Jesus umgebracht hat). Durch die Welt geht eine doppelte Traditionskette, die des Lichtes und die der Finsternis, an die sich die Seelen jeweils anschließen.

Andererseits bestand für die Offenbarung der Apostel des Lichtes bis zu Mani eine andere Gefahr: wenn auch die Wahrheit, die sie mitteilt, nur eine einzige ist, so sind doch die Formen, in die sie sich kleidet, die Sprachen, in denen sie verkündet worden ist, verschieden — und diese Verschiedenheit bringt eine Begrenzung der *Einen* Botschaft mit sich. Das Werk Zoroasters blieb auf Persien beschränkt, das des Buddha auf Indien, das des Jesus auf Judäa oder bestenfalls auf den Okzident. Im übrigen ist diese Offenbarung nicht durch die Gesandten selbst festgelegt worden: weder Zoroaster noch Buddha noch Jesus haben ihre Lehre schriftlich niedergelegt. Dies ist die Ursache des rapiden Niedergangs der von ihnen begründeten Religionen, vor allem der christlichen Kirche, wo seit

Paulus und außer bei zwei Gerechten — vermutlich Marcion und
Bardesan — der Sinn der Jesusbotschaft verlorengegangen ist.
Jedesmal schien es, daß die Finsternis über das Licht siegte — und
jedesmal ergriff wachsende Angst die Seele, und die Hoffnung auf
Erlösung schien vernichtet. Endgültig gesichert ist die Erlösung also
erst für die, die ihrer würdig sind, durch die Offenbarung des letzten Gesandten des Lichtes, Manis, des „Siegels der Propheten" und
„Apostels des letzten Geschlechtes". Die Botschaft des Mani hat
letzten Wert in beiden Bedeutungen des Wortes. Sie ist der *letzte*
Aufruf zur Erlösung, woraufhin die Welt sich nur noch zu bekeh-
ren und dann zu verschwinden hat. Sich zu weigern, dem manichäischen Glauben anzuhängen, bedeutet also eine nie wiedergut-
zumachende Verfehlung, die — da dieser Glaube die blendendste
Erleuchtung, die sich denken läßt, ist — in letzter Linie auf ein
Ablehnen der Erkenntnis überhaupt herauskommt. Und es scheint
tatsächlich, daß mindestens die erste Generation der Manichäer an
ein unmittelbar bevorstehendes Ende der Welt geglaubt hat. Im
zweiten Sinne des Ausdrucks ist die Offenbarung des Mani die
letzte, weil sie die höchste, die vollkommene Gnosis ist. Mani, der
letzte der Propheten, ist eben deswegen der Paraklet. Seine Gnosis
— die Manichäer, die der heilige Augustin kennt, bestehen darauf
— ist nicht nur allumfassend und alles erklärend, sie ist auch unmittelbar und widerspruchslos einleuchtend. Mani redet nicht in
Symbolen und Allegorien, wie seine Vorgänger, sondern mit begrifflicher Klarheit. Er verbirgt seine Gedanken nicht in Rätseln,
sondern er ist gekommen, um die Schwierigkeiten zu lösen und
offen zu sagen, was bis dahin in Bildern verschlossen war. Vor allem
aber ist die von Mani gestiftete Religion die Universalreligion, die
die vorangegangenen in sich aufnimmt und weit über sie hinaus-
geht. Geographische oder sprachliche Grenzen sind ihr unbekannt.
Sie ist berufen, sich nach Osten so gut wie nach Westen auszu-
dehnen. Schließlich war es Mani, der vorsorglich genug gewesen ist,
seine Gnosis schriftlich niederzulegen und sie in den unverrückbaren
Kanon unangreifbarer Schriften festzulegen. So ist weder die
Wahrheit noch ihre Kirche der Gefahr ausgesetzt, verfälscht und
zerstört zu werden. Wir können also feststellen, daß, wenn die Erlösung durch die Gnosis, die selbst das Antlitz einer Offenbarung

hat, erreicht wird, die Offenbarung des Mani die conditio sine qua non der Erlösung ist.

Insofern sie Repräsentanten des νοῦς sind und besonders als Erwecker der Seelen, spielen die Gesandten des Lichtes — vor allem Jesus und Mani, deren Funktionen sich entsprechen —, ihre Rolle als Erlöser. Jesus — der historische Jesus, im Unterschied zum transzendenten Jesus — ist die Emanation des νοῦς, der in ihm Fleisch wird. In zahlreichen Hymnen aus Turfan, vor allem in denen, die Waldschmidt und Lentz in ihrem Aufsatz in den Abhandlungen der preußischen Akademie 1926, zusammengestellt haben (wo die Erlöserrolle Jesus erschöpfend untersucht ist), wird er als „Der Herr", „Der Mächtige" angerufen, als der, der das lebendige Ich, das gekreuzigte und völlig vermischte, wieder zum Leben erweckt. Er bringt die Gnosis. Insofern er νοῦς ist, ist er der „Schützer", der „Freund", der „Herr", er ist es, der die Gewalt hat, die Sünden zu vergeben und der am Ende der Zeiten Richter der Seelen sein wird. Und noch ein höchst bedeutsamer Zug: seine Leidensgeschichte hat Heilswert nur insofern, als sie für den menschlichen Intellekt eine wirksame Belehrung darstellt; nicht insofern sie ein *Opfer* ist, sondern als *Beispiel*. Zunächst ist sie ja für den Manichäismus nur scheinbar eine Leidensgeschichte. Wenn Jesus von einem Weibe wäre geboren worden, wenn sein Körper dem unsrigen gleich gewesen wäre, dann hätte dieser Gott teilgehabt an der Verderbtheit, der Befleckheit des Fleisches, oder aber sein Körper wäre sündlos gewesen, was für den manichäischen Dualismus ein Widerspruch in sich selbst wäre. Wären die Leiden am Kreuze Wirklichkeit, so könnte die Passion durchaus keinen göttlichen Charakter haben: wie in der doketistischen Gnosis, ist es im Gegenteil so, daß Jesus der Seele die absolute Trennung von Körper und νοῦς vorschreibt, weil er selbst vom Leiden nicht berührt werden kann. Fernerhin ist aber die Leidensgeschichte Christi nur ein Bild-Werden der kosmischen Kreuzigung des mythischen *Jesus Patibilis*: sie ist ein historisches Ereignis, das in ergreifender Form die Lehre des Erlösten Erlösers offenbart. Mit Recht sagt also Alexander von Lykopolis: „Am Ende hat der νοῦς (der Jesus ist) durch seine Kreuzigung die Gnosis gebracht (ἀνασταυρωθέντα παρασχέσθαι γνῶσιν), die Offenbarung, daß in gleicher Weise (τοιῷδε τρόπῳ) die göttliche Substanz in der Materie verschüttet und gekreuzigt ist (ἐνηρμόσθαι und ἐνεσταυρῶσθαι)." Der Manichäer findet die Erlösung also nicht wie der Christ in einem Innesein im Fleisch-gewordenen und gekreuzigten Jesus, sondern durch das Beispiel eines scheinhaften und symbolischen Jesus, dessen Rolle vor allem darin besteht, die Seelen zu erwecken und zu erleuchten.

Mani, „der Apostel Jesu-Christi", hat für den manichäischen Glauben die gleichen Züge, und zwar in einem Maße, daß die Funktionen, die ihm eigen sind, oft mit denen des Jesus zusammenfließen. Auch er ist Gesandter des Lichtes, Emanation des νοῦς. Mehr noch: insofern er das „Siegel der Propheten" ist, der Paraklet, ist er der Heilige Geist der Christen, dem im Manichäismus der „Große Geist", d. h. der νοῦς, entspricht. Auch er wird häufig als Erwecker angerufen, z. B. in folgendem uigurischen Fragment: „Da (als) Du zu befreiende (erlösende) Wesen fandest, so hast Du sie ausnahmslos alle befreit (erlöst). Wesen wie wir, die erweckt waren, hast Du das Evangelium, das Gesetz-Kleinod, ausführlich (vollständig) gepredigt. Den Weg der Rettung und Erlösung in jener Lehre (Predigt?) hörend, versteht man das Heilmittel (?). Wenn Du die heilige Lehre nicht ausführlich gepredigt hättest, wäre da bis jetzt die Welt nicht vergangen (zugrunde gegangen)?" Oder, anderen Ortes, in dem M 32, vorausgesetzt daß es sich um Mani handelt: „Oh großer Rufer! welcher diese meine Seele aus dem Schlummer erweckt." Wie aus anderen Turfan-Texten und der *Homilie I* hervorgeht, ist Mani — dem sich sein Anhänger gänzlich hingibt, dessen Sklave er ist, der ihm alles ersetzt, Familie, Freund, Güter der Erde —, ist Mani der „Neue Gott", der Mächtige Erleuchter, das Haupt der Gemeinde, der Herr der Religion, der, der die Macht hat, von Sünde und Tod zu erlösen, „der Arzt der Seele", der „König des Gesetzes", der, der „alles Verborgene enthüllt hat", der um die Sünden weiß, und der am Ende der Zeiten Sachwalter vor dem Richterstuhl Christi, den er bis dahin einnimmt, sein wird. In einem Worte: Mani ist „Erlöser".

Die Strophe 135 des chinesischen Hymnenbuches von London faßt alle diese Funktionen sehr gut zusammen.

„Und (wir) rufen an: den allumfassenden Mani,
den Erhabenen,

den Führer, das Weisheitslicht, die Sonne (oder den Tag)
der Erleuchtung,
die von jener großen Lichte in diese Welt kam,
das rechte Gesetz verkündete und die guten Söhne rettete."

Und Mani selbst hat alle diese Erlösungsgewalten von der vollkommenen Gnosis, die er gebracht hat. Seine eigene Leidensgeschichte — die die Manichäer seine σταύρωσις (Kreuzigung) nennen, obwohl Mani im Gefängnis, erdrückt von zu schweren Ketten, gestorben ist — spielt zweifelsohne eine gewisse Rolle in der manichäischen Religion, die jährlich im Bêma-Feste die Erinnerung an sie erneuert. Aber der Symbolismus des Bêma zeigt deutlich, daß auch hier wieder die Passion keinen Heilwert an sich besitzt, wenn nicht als Beispiel eines Märtyrertums für den Glauben. Das, was die Gläubigen bei diesem Feste preisen, ist vor allem der *Stuhl* Manis, d. h. seine Lehre, und sein *Gericht,* d. h. seine Macht, die Sünden zu vergeben und die Seelen auf das Jüngste Gericht vorzubereiten, wo den Auserwählten die Erlösung bevorsteht. Die Berichte der Turfan- und Faijumtexte, die wir jetzt besitzen, zeigen uns, daß das, was an dieser Passion wichtig ist, nicht die Leiden sind, sondern das Aufsteigen des Mani ins Nirvāṇa, das unmittelbar auf seinen Tod im Gefängnis folgte. Auch hier wird deutlich, daß die „Kreuzigung des Erleuchters" — so ist bezeichnenderweise die *Homilie III* betitelt — lediglich als typisches Beispiel der Befreiung des νοῦς von Interesse sein kann.

Aber die Offenbarung des νοῦς, die sich durch die Erlöser verwirklicht, ist nicht ausreichend. Die durch sie erweckte Bewußtheit muß mit möglichst geringer Unterbrechung unterhalten, genährt und erneuert werden. Diese Aufgabe fällt vor allem der Kirche zu. Es ist beachtenswert, daß auch hier wieder — nach dem *Keph. VII* — die Kirche und die Gemeinschaft der Erwählten aus der sie besteht, eine unmittelbare Emanation des Licht-νοῦς sind. Ihr Prinzip — die „Herrlichkeit der Religion" oder die „Gesetzesmajestät" (pers. *farrah ī dēn;* uig. *nom qutï*) — wird als „einziger Erwecker" bezeichnet: „dieser einzige erweckende Nom qutï". Und auch die Kirche — die „Religion" oder das „Gesetz" — als Erbin und Gefäß der geoffenbarten Weisheit „erweckt". Sie tut dies insbesonders im Falle der von Mani gestifteten vollkommenen Kirche, die jene Schriften birgt, abschreibt und verbreitet, die durch ihren kanonischen Charakter vor jeder Entstellung geschützt sind und die dadurch die Kirche selbst vor jedem Schisma schützen. Die Kirche, Wahrerin der Erlösung, ist ferner gedacht als eine Organisation dieser Erlösung. Im Schoße der Gemeinschaft wird die Tradition der erleuchtenden Gnosis durch die ununterbrochene Reihe der Nachfolger Manis: die ἀρχηγοί, eine Art Päpste der manichäischen Kirche, weitergegeben. Die Missionare tragen und verbreiten in die vier Himmelsrichtungen den Ruf zur Erlösung, den die Gesandten des Lichtes haben erschallen lassen. Die Gemeinschaften — oft sind sie, wie in Zentralasien, als Klöster organisiert — machen eine Verwirklichung dieses Lebens im Verzicht und in Frömmigkeit, das die Erlösung ist, möglich und geben ihm eine Form. Es gehört nicht zu unserer Aufgabe, auf die Einzelheiten dieser Organisation und der manichäischen Hierarchie einzugehen. Es genügt, wenn wir erwähnen, daß beide grundsätzlich aufgebaut sind auf der Teilung der Gläubigen in *Erwählte* und *Katechumenen* oder *Hörer*. Jene sind die Wesen, die durch ihre vollkommene Askese erlöst sind; die anderen müssen noch erlöst werden, können aber in diesem Leben noch nicht dahin gelangen. Tatsächlich müssen die Katechumenen nach ihrem Tode und bis zur vollkommenen Reinigung noch einen mehr oder weniger langen Zyklus von Wiedergeburten oder Umfüllungen (μεταγγισμοί) durchlaufen als Strafe ihrer Unvollkommenheit, und demzufolge von verschiedener Art, je nach der Natur und der Zahl der guten oder bösen Werke, die sie auf dieser Erde taten. Die, die der Vollkommenheit am nächsten sind, werden in dem Körper der Erwählten wieder geboren werden; andere, weniger Vollkommene, können in der Form von Pflanzen wieder erscheinen, die Aussicht darauf haben, den Erwählten als Nahrung zu dienen; die, für die keine Hoffnung besteht, werden in dem Körper von Tieren wieder aufleben und verlieren somit jede Aussicht auf Erlösung, da die Fleischnahrung den Erwählten ja verboten ist. Die Hörer scheinen also eigentlich der Seele zu entsprechen und die Erwählten dem νοῦς, und unter diesem Gesichtspunkt sind die Erwählten nicht nur erlöst, sondern auch, in ihrer Beziehung zu den Katechumenen, Erlöser. *Tatsächlich ist die Erlösung vollständig auf sie und in sie festgelegt.* Nach der

Interpretation des Evangelium Matthäi 25, 40, die die *Homilie II*
des Faijum gibt, sie sind „die kleinsten der Brüder" Jesu und die
Substanz selbst des *Jesus Patibilis.* Es ist dieser nackte, ausgehun-
gerte, leidende und landfremde Jesus, den die Hörer kleiden, wenn
sie dem Erwählten ein Gewand geben, den sie nähren, wenn sie ihm
Pflanzen und Früchte bringen, den sie pflegen, wenn sie ihn er-
quicken, den sie aufnehmen, wenn sie ihn herbergen. Die Werke der
Katechumenen haben unmittelbar keinen Erlösungswert: sie sind
nur ein Einsatz für ihre Erlösung und dies durch die konkrete Ver-
mittelung des Erwählten. So erklärt sich der Vorwurf der Un-
menschlichkeit, der so oft gegen die Manichäer erhoben worden ist,
deren Mildtätigkeit sich gänzlich auf die Vollkommenen konzentriert. Diese sind nun nicht nur *Erwählte* im passiven Sinne: sie sind
ebensogut im aktiven Sinne die, die erwählen, aussuchen, die, die
durch ihr Wissen um Gut und Böse, unter den Taten jene, die man
tun soll und unter den Pflanzen jene, die man essen soll, zu unterscheiden vermögen. Außer durch seine Lehre trägt der Erwählte zur
Erlösung des Hörers bei, erstens durch die Vergebung der Sünden,
die jede Woche erteilt wird. Zweitens dadurch, daß er die Almosen
(misericordiae) entgegennimmt, die man ihm bringt. Drittens durch
seine Verdauung, die die dargebrachten Früchte und Gemüse befreit
(die Erlösung durch den Bauch der Erwählten, über die der heilige
Augustin spottet). Viertens und endlich durch die Tatsache, daß in
den Letzten Tagen die in Pflanzen verwandelten Katechumenen in
erhöhter Anzahl in den Samen und den Körper der Vollkommenen
eingehen werden. Die manichäische Kirche ist also vor allem die
Gemeinschaft der Erwählten (ἐκλογή). Nur in ihnen und nur durch
sie kann die Erlösung Wirklichkeit werden. Die Katechumenen
stellen nur ein profanes Element dar und können nur Helfer der
Erlösung sein, insofern sie die Diener der Vollkommenen sind.

    Bietet nun die manichäische Kirche, außer dieser, um die Erwähl-
ten zentrierten, Organisation, noch andere äußere Heilsmittel?
Besitzt sie Sakramente? Wir haben in unserem ersten Vortrag gesehen, daß der Gnostizismus des zweiten Jahrhunderts auf diese
Frage widersprechende Antworten gab; die einen meinten, die
Gnosis genüge zur Erlösung, die anderen stellten Riten an die Seite
der Offenbarung. Es scheint nicht, daß die manichäische Gnosis

Sakramente gekannt hat. Sie verwirft die Taufe und gestattet nur — auch das ist nicht sicher — ein auf die Erwählten beschränktes Abendmahl. Übrigens lassen unsere neuen Faijum-Texte auf die Existenz von rituellen Handlungen schließen: der, der mandäischen Kušṭā entsprechende Händedruck, Handauflegen, der Friedenskuß, der Gebrauch eines Tisches (zur Kommunion?) (τράπεζα), die heilige Wegzehrung der Sterbenden. Aber alle diese Gebräuche scheinen in den Augen der Manichäer keine sakramentale Wirksamkeit gehabt zu haben. Der Manichäismus bleibt dem Geiste der Gnosis im tiefsten getreu: Bewußtheit und Wissen, die den inneren Menschen umwandeln, sind ihm die notwendigen und ausreichenden Bedingungen der Erlösung. Im Rahmen der Kirche sind die Fasten und das Gebet — das unter dem Absingen der Hymnen emporsteigt — alles, was an Kult vorhanden ist. Nur in einem einzigen Punkte scheint der Manichäismus dem Bedürfnis nach äußeren Heilsmitteln ein Zugeständnis gemacht zu haben. Wir sahen, daß die Auffassung der Sünde, nach guter Logik, nur eine innere und geistige Buße einschließt: das Wiederbegreifen des Fehltritts, auf das die Reue folgt. Nun, die manichäische Kirche kennt die öffentliche und die Einzelbeichte: wöchentlich, an jedem Montag beichtet man den Erwählten; öffentlich und gemeinsam beichtet man Mani — von dessen Geist man annimmt, daß er der Zeremonie beiwohnt — nach Ablauf der dreißig Tage, die dem Bêma-Feste vorangehen.

Nur ein einziges Problem bleibt uns noch zu behandeln übrig: die letzten Ziele, die der Manichäismus dieser Erlösungspraxis setzt. Selbstverständlich kann nicht die Rede sein von einer Erlösung oder Auferstehung des Körpers, der an sich verdammt ist. Wie aus dem *Fihrist* hervorgeht, wird der Leichnam, den die Seele verlassen hat, noch ein letztes Mal von der Sonne, dem Monde, den Lichtgottheiten gereinigt, die die Kräfte, d. h. das Wasser, das Feuer und den sanften Hauch aus ihm herausziehen; der Rest — der die Finsternis ist — wird in die Hölle geworfen. Der Tod ist in der Tat — um die manichäischen Ausdrücke wieder aufzunehmen — das „Hinausgehen" aus dem Körper und aus der Welt, der „Verzicht auf die Welt" (ἀποτάσσεσθαι τῷ κοσμῷ) in seinem vollen Sinne, die Befreiung des wahren Ichs, die endgültige Trennung der Lebendigen Seele vom Körper der Dunkelheit. Für den Vollkommenen ist er also durchaus die Verwirklichung der Erlösung, die übrigens symbolisch dargestellt wird in der Begegnung des Ichs mit seinem Erlöser und der personifizierten Gestalt seiner Erlösung. Als letzte Phase und als Entscheidung des irdischen Kampfes wird der Tod gelegentlich dargestellt als das Erscheinen des Neuen Menschen und des Alten Menschen vor dem „Großen Richter" oder dem „Richter, der Wahrheit". Je nachdem, wie der Fall liegt, befreit dieser die Seele für immer und läßt sie wieder eingehen in das wahre Leben, — der Alte Mensch wird dann den Engeln überliefert, die ihn bis zur letzten (d. h. endgültigen) Fesselung in Gewahrsam nehmen —, oder das Paar wird in die Mischung zurückverwiesen, um dort von neuem „umgefüllt" zu werden, oder aber es wird verdammt und in den Tod, d. h. in die Hölle, geschickt. Nach anderen Darstellungen verläßt die Seele des Erwählten den Körper inmitten einer Wache von Göttern und geleitenden Engeln, die ihn gegen einen letzten Angriffsversuch der Dämonen schützen; er sieht auf sich zukommen eine „Lichtgestalt", seine in Glorie verkörperte Frömmigkeit, eine Art Projektion seines Neuen Menschen, sein „zweites Selbst", das Emanation des Licht-νοῦς ist und alle Züge des Erlösers trägt: Züge des Jesus, Manis oder des νοῦς. Auch hier wieder ist es der νοῦς, der das Ziel der Erlösung ist, so wie er ihr Beginn und ihr Werkzeug war. Die Seele empfängt ein Gewand, eine Krone aus Licht und ein Siegeszeichen, das gleichzeitig Symbol seines Sieges und Zeugnis seiner anerkannten Unschuld ist. Von dort geht sie in triumphalem Aufstieg zur Säule der Herrlichkeit, zum Monde, zur Sonne und von dort zur Ruhe und Freude, zum „Nirvāṇa, dem ewigen Reiche des Lichtes", das seine wiedergefundene Heimat ist. Dies ist in großen Zügen die Eschatologie des Individuums nach der manichäischen Darstellung.

Die allgemeine Eschatologie, deren materielle Seite wir schon dargestellt haben, bietet für die Gesamtheit der Menschheit das folgende Bild: auf eine Verfolgung der manichäischen Kirche folgt ihr irdischer Triumph und eine Gelegenheit zur allgemeinen Bekehrung, die in Wirklichkeit eine Bekehrung des größeren Teiles der Menschen zur Wahrheit darstellt. Hierauf folgt das Gericht vor dem Tribunal Jesu, das im Mittelpunkte des Weltalls errichtet ist und wo — Erinnerung an ein immer wiederkehrendes Thema —

Jesus als „König des νοῦς", als Intelligenz, erscheint in seinem Amte als Richter. Die Erwählten, die ja schon erlöst sind, wohnen dem Gerichte bei in der Gestalt von Engeln, die den Christus umgeben. Die würdigen Katechumenen werden nach rechts geführt, die Sünder — die Böcke — nach links, und den Dämonen überliefert. Nach einer kurzen Regierung Jesu inmitten der erlösten Menschheit verlassen Jesus und die Erwählten, nach ihnen die den Kosmos stützenden Gottheiten, die Welt. Die Erdkugel stürzt in sich zusammen, geht in einem letzten Läuterungsakt in Flammen auf und wird vernichtet. Das, was an Licht noch gerettet werden kann, wird in dem „Großen Gedanken" (der „Ruf" und das „Hören" in der Form der „letzten Statue" vereinigt, die zum Himmel emporsteigt, während die Verdammten und die Dämonen, die Materie mit ihren Lüsten und ihrer Zweigeschlechtlichkeit, in eine Grube geworfen werden, die ein ungeheurer Stein zudeckt.

Wir müssen immerhin feststellen, daß diese Endvision mit einer pessimistischen Note schließt: nicht alles göttliche Licht, nicht die ganze verschlungene Substanz des Urmenschen kann vollständig erlöst werden. Seit Anbeginn, durch die Macht der Verhältnisse, oder im Ablaufe des Dramas auf Grund ihrer Sünden, gibt es Seelen, die aus den Finsternissen nicht gelöst werden können und die in Ewigkeit die Gefangenschaft der Materie teilen müssen. Der Kampf zwischen Gut und Böse ist von einem Triumphe des Lichtes gekrönt, aber er war nicht ohne Gefahren, und der endgültige Sieg Gottes ist nicht ohne Verluste errungen.

Dieser echte Zug erlaubt uns als Abschluß den wahren Charakter der manichäischen Erlösungsvorstellung freizulegen: die Erlösung ist Befreiung und ausschließlich auf der Gnosis aufgebaut, die sie hervorbringt, ihre Praxis bestimmt, ihr die Mittel liefert und ihr Ziel ist. Kurz, das Wissen ist Anfang, Ende und Sinn der Erlösung. Die manichäische Erlösung ist eine Erlösung der Intelligenz und durch die Intelligenz. Aber diese Intelligenz schließt in ihrem Erscheinen Offenbarung ein, und Mythologie in ihrem Inhalt. Nun ist es aber gerade dieser mystische und mythische Charakter, der es bewirkt, daß der Ablauf der kosmischen Ereignisse sich zum Drama gestaltet und die Erfüllung der Erlösung des Menschen zu einem Kampfe. Alle beide scheinen zwangsläufige Prozesse zu sein, wo die

Rückführung der Seele zur Lichtsubstanz, mit der sie einerlei Wesens ist, de jure und de facto von vornherein feststeht. Aber der grundsätzliche Dualismus, die Annahme der tatsächlichen Existenz und der Handlungsmöglichkeit des Bösen, formt diese Vorgeschichte und diese mythische Welt- und Menschengeschichte in eine Reihe von Wechselfällen und hilfreichen Eingriffen um; von der Seite der Seele gesehen, in unaufhörliche Versuchungen, Aufschwünge, feiges Zurücksinken. Sie beginnen mit einem Zusammenbruch und enden mit einem unvollkommenen Siege. Diese kontemplative Religion von Weisen, die sich der Welt zu entziehen suchen, ist auch eine Religion von Missionaren und Kämpfern. Die Erlösung ist der Forderung nach nur Intelligenz und ganz intellektuell: in Wirklichkeit ist ihre Theorie ein Mythos und ihre Ausübung Heroentum.

[Die Anmerkungen aus dem Originalbeitrag sind in diesen Sammelband nicht mit übernommen worden.]

Zeitschrift für die neutestamentliche Wissenschaft und die Kunde der älteren Kirche. 37 (1938). (In memoriam Karl Schmidt.) 1939, S. 214—223.

ZU KAPITEL 69 DER KEPHALAIA DES MANI

Von Viktor Stegemann

Es war für die Wissenschaft ein großer Augenblick, als der nunmehr verewigte Carl Schmidt, mit dem ich leider nur einmal einen gewinnreichen Abend in Heidelberg habe verbringen dürfen, die salzdurchsetzten und zerknüllten Blätterpacken von Büchern nach Berlin brachte, die in manichäischen Kreisen der Kopten geschrieben und gebraucht waren. Enthielten sie doch, wie man sehr bald trotz der schwierigen Konservierungsarbeit erkannte, die ersten zusammenhängenden originalen Zeugnisse aus manichäischen Gemeinden auf dem Boden des Römischen Reiches, die nicht durch griechische und christliche Zensur gegangen waren.[1] Inhaltlich bringen diese Bücher freilich wohl nichts wirklich Neues[2]; aber in vielen Einzelheiten vor allem der Arbeitsweise Manis sehen wir schärfer.

Eine interessante Partie über die Art der Verwendung der damals im Osten und im Westen herrschenden astrologischen Ideen bei Mani[3] ist in Kap. 69 und 70 der sog. Kephalaia enthalten. Wie überall hatte die Astrologie also auch mit diesem religiösen System sich verbunden. Die Quellenfrage können wir nicht stellen, aber man muß daran denken, daß Mani, der wohl bei Babylon geboren ist, in einem Lande groß wurde, dessen Bewohner seit Jahrhunderten der Sternlehre ergeben waren und die seit dem Augenblick, in dem im Hellenismus etwa vom 2. Jh. an die östlichen Lehren übernommen und philosophisch fundiert wurden, vor allem durch den großen Stoiker Poseidonios, die „tieferen" Erkenntnisse des grie-

[1] Carl Schmidt-H. J. Polotsky, Ein Mani-Fund in Ägypten (= Sitzungsber. d. Preuß. Ak. d. Wiss. Phil.-hist. Kl. 1933, 1) 5 ff.

[2] H. H. Schaeder, Der Manichäismus nach neuen Funden und Forschungen (in ›Morgenland‹ Heft 28) 92 f.

[3] So schreibe ich der Kürze halber. Indirekt geht es ja auf ihn zurück, a. a. O. 94.

chisch-römischen Kulturkreises zurückerhielten, so daß man Kenntnisse, wie sie die astrologische Literatur des 1. und 2. nachchrist-
lichen Jh. im Bereich des Mittelmeers vorführt, durchaus auch in
Syrien und Babylonien voraussetzen darf. Und durch solche Schriften hängen Manis Anschauungen über Himmelsvorgänge mindestens teilweise mit der im Hellenismus systematisierten und nun im
Bereich des römischen Weltreichs verbreiteten Astrologie zusammen.

Tierkreisbilder und Planeten waren für die Stoiker in ihrem
Wandel Verkörperer eines den Kosmos zusammenhaltenden unab-
änderlichen Gesetzes, dessen Erkenntnis durch die astronomischen
und astrologischen Studien des Menschen für diesen eine Quelle der
Seligkeit und der Befreiung von dem Schmutz der Erde war. Auch
für einen Teil der Gnostiker, zu denen ja Mani gehört, waren diese
Sterne Ausdruck des Weltgesetzes, aber der 'diesseitigen' Welt; und
diese war das vollkommene Böse einschließlich der Sternordnung,
weil sich hinter ihr die 'jenseitige' Welt als Lichtwelt und Welt des
Guten erhob, nach der die Erkennenden sich sehnen und also die
Welt hier hassen. Böses ist es also nur, was die Planeten und Tierkreisbilder bringen.[4] Genauso denkt Mani, und eine Betrachtung
von zwei astrologischen von den Tierkreisbildern handelnden Stellen in Kap. 69 zeigt uns weiter, wie er das astrologische Material
dazu gebraucht, diesen Gedanken bildhaft zu machen. Dabei hat
Mani sicher bewußt auch astrologische Vorstellungen gegen den
gewöhnlichen Gebrauch abgebogen und seinen Zwecken dienstbar
gemacht, so daß man lange nicht alles versteht. Aber ich wage es
trotzdem, wenn auch in fragmentarischer Behandlung, das vorzulegen, was ich glaube an einigen Stellen erkannt zu haben, schon
damit andere hier weiterarbeiten können.

Von den 4 in Kapitel 69 und 70 enthaltenen Stellen, in denen
von den Zodia die Rede ist (S. 167, 22—33; 168, 17—169, 8; 173,
21—174, 11; 174, 11—175, 4), werden hier die beiden ersten behandelt werden. Zur Erklärung ziehe ich die astrologische Literatur
des Altertums meist aus dem 1. und 2. Jh. n. Chr. heran, auf die,

---

[4] Über diese Umkehrung der griechischen Kosmosanschauung handelt
H. Jonas, Gnosis u. spätantiker Geist I 156 ff. 225 f.

wie wir sagten, zurückgegriffen werden darf;[5] nicht herangezogen werden aber andere *gnostische* Systeme, da erst hier einzeln untersucht werden muß, wieweit diese mit den gangbaren Lehren der Astrologie zusammenstimmen.

Eine Vorbemerkung zu Kap. 69 S. 166, 34—167, 22 ist noch nötig. Der Kreis der Tierkreisbilder und die durch sie hindurchwandelnden Planeten[6] sind bei Mani eine Schöpfung des Lebendigen Geistes. Er erschuf sie, als er nach der Erlösung des Urmenschen als Demiurg den Kosmos bildete. Dessen Abschluß bildet die Sphära, das „sich drehende Rad"; an ihm sind die Sternbilder und Planeten angeheftet, die Sphäre treibt sie an. Tierbilder wie Planeten gehören ihrem Wesen nach zu den Archonten, d. h. den Wesen, die die Hyle, das Widergöttliche in den fünf Welten der Finsternis, verkörpern und eben deswegen vom Demiurgen an die Sphära gebunden sind.[7] Hier herrscht unter ihnen dauernde Feindschaft, sie sind 'Feinde und Widersacher gegeneinander'[8] und senden alles Böse auf die Erde, wenn sie „beraubt werden" (CYΛΛ) oder „sich berauben"[9] — was ich nicht recht in seinem Wortsinn verstehe, was aber Terminus für die Auslösung der bösen Einwirkungen auf die Erde ist. Daß die Sternbilder und Planeten Feinde und Widersacher gegeneinander sind, erklärt sich aus der Lehre der Astrologie von den gegensätzlichen Naturen der Zeichen

[5] Cl. Ptolemaios, Tetrabiblos ed. Melanchthon Basileae 1553 (2. Ausgabe); Vetti Valentis Anthologiarum libri primum edidit G. Kroll. Berlin 1908.

[6] Bei den Griechen die πενταστέρες (so Ptolemaios); Sonne und Mond spielten daneben als die beiden Lichter eine besondere Rolle, vgl. Fr. Boll in Art. Hebdomas (Pauly-Wissowa) 2569, 48 ff. Außerdem nennt die antike Literatur an einigen Stellen die Reihe der Planeten allein; sie führt vielleicht nach Babylon, s. a. a. O. 2570, 26 ff., dazu gute Hinweise in R. Reitzenstein, Poimandres 53, 2, der auch an Ägypten denkt. Bei Mani gehören Sonne + Mond nicht zu den Planeten und Zodia, sondern sind auf der Gegenseite tätig (Kephal. p. 169, 17—22). — Die Planetenspekulation bedarf besonderer Untersuchung.

[7] Zu allem H.-J. Polotsky, Abriß des manich. Systems, Stuttgart 34 (= Pauly-Wissowa, Suppl.-Bd. VI) 254.

[8] Keph. p. 167, 14 2N̄X̄AX̄E THPOY NE 2I ANTIΔIKOC N̄NEYEPHY.

[9] Ebda. Z. 15; S. 168, 26.

und Planeten sowie den feindlichen Aspekten, deren Wirkung hier aber nicht nur als gegen die Erde gerichtet angesehen wird, sondern auch die Gestirne selbst trifft, so als wenn diese ständig im Kampf liegen.

Der genannte Aufseher (ЄΠΙΤΡΟΠΟС) über die Tierkreisbilder, der die Wirkungen derselben auslöst, dürfte keine astrologische, sondern mythologische Figur sein.

1. Zu Kap. 69 S. 167, 22—33

Dieser Abschnitt[10] schildert die Verteilung der 12 Zodia auf die 5 Welten der Finsternis; letztere sind nach der Erschaffung des Kosmos in diesen eingekerkert, die dazugehörigen Tierkreisbilder aber herausgezogen[11] und an die Sphära gebunden. Die Verteilung ist sehr merkwürdig. Mani spricht von einer Zuordnung von je 2 Bildern zu den einzelnen Welten. Das geht natürlich nicht an, da es 12 Bilder, aber nur 5 Welten sind. Er selbst gibt daher auch der Welt des Windes und des Wassers je 3 Bilder. Er gelangt zu folgendem Schema:

Zwillinge + Schütze	entsprechen der Welt des Rauches (Nus),
Widder + Löwe	entsprechen der Welt des Feuers,
Stier + Wassermann + Waage	entsprechen der Welt des Windes,
Krebs + Jungfrau + Fisch	entsprechen der Welt des Wassers,
Steinbock + Skorpion	entsprechen der Welt der Finsternis.

Nun verbindet die Astrologie z. B. bei Vettius Valens mit je einem Bild dieser fünf Reihen Qualitäten, die man vielleicht den Welten gleichsetzen kann; die Zwillinge sind ἀερώδεις[12], der Löwe ist πυρώδης[13] die Waage ἀερώδης[14], der Fisch ein Zodion κάθυγρον[15]

---

[10] Bei dem Leserkreis dieser Gedenkschrift darf man den Text voraussetzen; ich verzichte deshalb auf die Abschrift und bitte nur, den Text vorher zu lesen.

[11] p. 167, 22 f.

[12] Valens S. 7, 26.

[13] Valens S. 9, 14.

[14] Valens S. 10, 19.

[15] Valens S. 13, 1; auch πάρυγρον ebda.

und der Steinbock γεώδης [16]. Aber das würde doch nichts über die Feindseligkeit untereinander besagen. Zeichnet man sich aber die Sternbilder in der genannten Reihenfolge einmal in einem Kreis, dann erkennt man, daß hier anscheinend ein Spiel mit den Aspekten vorliegt, Diagonal, Trigon, Quadrat und Sextil. Von diesen gelten an sich Diagonal und Quadrat als schlecht, Trigon und Sextil als gut.[17] Die Anordnung ist außerdem symmetrisch, wie am besten die Figur zeigt.

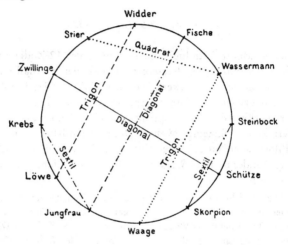

Aspekte der Zeichen, die gehören zur Welt
des Rauchs   des Feuers   des Windes   des Wassers   der Finsternis

Es ergibt sich für die Aspekte folgende Reihenfolge:

1. Rauch	Zwillinge + Schütze	Diagonal
2. Feuer	Widder + Löwe	Trigon
3. Wind	Stier + Wassermann + Waage	Quadrat + Trigon
4. Wasser	Krebs + Jungfrau + Fisch	Sextil + Diagonal
5. Finsternis	Steinbock + Skorpion	Sextil

---

[16] Valens S. 11, 10.
[17] Ptolem., Tetrabiblos S. 35.

Da es nun auch Verteilungen der Tierbilder an der Sphära gibt, die gar keine Aspekte ermöglichen — die Entfernung eines Tierkreisbildes bis zu seinem nächstfünften gilt ebensowenig als Aspekt wie bis zu seinem benachbarten Bilde —, muß natürlich hinter dieser Anordnung etwas stecken. Ich glaube das aus Mani selbst entnommen zu haben: 'sie sind Feinde und Widersacher gegeneinander'. Dies gilt, was die Aspekte anlangt, nicht nur für die Aspekte der Tierbilder je einer der Welten, sondern anscheinend auch für die Aspekte in ihrem gegenseitigen Verhältnis, d. h. dem Verhältnis der einen Welt zur andern. Denn der böse Diagonal ist gefolgt von dem guten Trigon. Dem schließt sich wieder das schlechte Quadrat an, es folgt der gute Trigon, *der gute* Sextil (das liegt an dem Mißverhältnis der Zahlen 12 und 5) [18], der schlechte Diagonal und der gute Sextil, der dann wieder dem ersten schlechten Diagonal gegenübertritt.

Das Schema hat auch sonst noch einiges Auffällige, ich lasse es aber unerörtert, weil ich es nicht erklären kann.

Merkwürdig ist der Ansatzpunkt dieses Verteilungsschemas, die Zwillinge. Es wäre für die Erklärung sehr viel einfacher, wenn Mani vom Widder oder auch vom Krebs ausgegangen wäre; für beide Ansatzpunkte haben wir Belege [19], verständlicherweise, denn der Widder ist der Punkt der Frühlingstag- und -nachtgleiche, der Krebs der des Sommersolstitiums. Aber die Zwillinge kann ich als Ausgangspunkt noch nicht verstehen. Daß Mani sie ostentativ vorangesetzt hat, ersieht man daraus, daß er sonst bei der 2. bis 4. Welt die Anfangsreihenfolge des Tierkreises einhält: Widder, Stier, . . ., Krebs. Ich muß also hier vorläufig mit der Erklärung aufhören. Auch die Quelle ist, wenn Mani das Schema zur Verbildlichung seiner Ansicht über die Bedeutung der Sphära nicht selbst erdacht hat, nicht anzugeben.

[18] Die aber für das System des Mani auch sonst ganz wesentlich sind: Schaeder, Der Manichäismus nach neuen Funden u. Forschungen 93.

[19] *Widder:* Ptol. Tetr. II 2 Tabelle am Ende, II 10; weiter Manilius, Dorotheos, Valens usw. Daß der Widder an die erste Stelle tritt, ist auf Einfluß des Poseidonios zurückzuführen (Bouché-Leclerq, L'Astrologie Grecque 129, 1). *Krebs:* Arati Phaenom. 544 f. mit dem Scholion.

2. Kap. 69 S. 168, 17—169, 8

Bei der zweiten Stelle, die an sich in den Ausführungen des Mani genau dasselbe veranschaulichen will, geht es uns hinsichtlich der verarbeiteten astrologischen Vorstellungen besser als bei der ersten. Denn welche Mittelquelle auch verwendet sein mag, sicher ist, daß wir ein uns bekanntes System der astrologischen Geographie vor uns haben. Dieses ist uns am besten in der Tetrabiblos des Cl. Ptolemaios (II 2) erhalten, geht aber nicht auf seine eigene Geographie zurück, sondern auf viel ältere Materialien des Poseidonios; es ist wirklich griechisch [20]. In diesem System wird die Welt in vier Teile zerlegt. Die eine Grundlinie, auf der diese Vierteilung beruht, verläuft von den Säulen des Herkules durch den Golf von Issos und weiter über den Rücken des Taurusgebirges in west-östlicher Richtung; sie scheidet also die Oikumene in eine nördliche und südliche Hälfte. Die andere süd-nordwärts verlaufende Linie führt durch den arabischen Meerbusen über Pontos nach dem Mäotischen See. Beide Linien kreuzen sich demnach im Golf von Issos. Um nun in Verbindung mit dieser Vierteilung der Erde die Völkersitten astrologisch zu verstehen, mußte dieser Vierteilung der Welt eine solche am Himmel entsprechen. Das geht natürlich nur mit Hilfe der vier Trigona, wenn man Fläche zu Fläche setzen will.[21] Nun wissen wir außerdem, daß man sich in einer auf Poseidonios zurückgehenden Darstellung der Oikumene die Erd*teile* als zwei große gegeneinanderliegende Dreiecke vorstellte, und hatte hier nun die wunderbarste Entsprechung zwischen Makrokosmos und Mikrokosmos, wenn man diese Dreiecke nochmals teilte.[22] Aus Poseidonios hat

[20] Genaustens analysiert von Fr. Boll, Studien über Claudius Ptolemäus (in Jahrb. f. class. Philol. Suppl. 21 [1894]) 181 ff., speziell 194 ff.

[21] Ptolem. a. a. O. S. 59 τούτων δὲ οὕτως ἐχόντων διαιρουμένης τε τῆς καθ᾽ ἡμᾶς οἰκουμένης εἰς τέσσαρα τεταρτημόρια, τοῖς τριγώνοις ἰσάριθμα κτλ. — Weiter ... γίνεται τεταρτημόρια τέσσαρα (auf der Erde), σύμφωνα τῇ θέσει τῶν τριγώνων.

[22] Vgl. Dionys. Perieg. 4—7, 275—78, 620—22. Auf Poseidonios macht Bernhardy in seinen Geogr. Graeci min. zur Stelle aufmerksam (S. 525). Die so entstehenden beiden Dreiecke, die in den Grundlinien zusammenstießen (an der N-S-Linie), brauchte man nur noch durchzuteilen, um die

wie so vieles Ptolemaios auch diese Lehre der griechischen Astrologie entnommen.

Der Text der Kephalaia kennt diese Trigonaeinteilung und bezieht sie ebenfalls auf „die vier Seiten"[23] „an den vier Orten".
'Seite' wird von der Himmelsrichtung gesagt, 'Ort' von dem in dieser liegenden geographischen Bereich. Auch bei Mani wird dieser als Dreieck vorgestellt wie bei Poseidonios-Ptolemaios. Das macht der Zusatz klar, die Zodia seien verteilt und angeordnet „auf vier Seiten" ⲨⲀⲘⲦ ⲔⲀⲦⲀ ⲔⲞⲞⳒ an den vier Orten[24]. Ich übersetze „(je) drei eckenweise", d. h. je drei Tierbilder gehören zu je drei Ecken jeder der vier Orte. Man beachte, daß der Text zu ⲔⲞⲞⳒ keinen Artikel setzt, daß ⲔⲀⲦⲀ also distributiven Sinn hat.

Ich kann hier nicht das in Betracht kommende Kapitel des Ptolemaios zum Vergleich hersetzen. Fr. Boll hat das Wesentliche sehr übersichtlich in seinen Studien über Cl. Ptolemaios zusammengestellt[25]. Mit jenen Zusammenstellungen vergleiche man nun den Text der Kephalaia, und man wird überall betreffs der Anordnung der Trigona Übereinstimmung finden. Der Deutlichkeit halber haben wir deshalb hier die Seiten bestimmt und nach dem Text des Ptolemaios hinzugesetzt.

Das 1. Dreieck Widder, Löwe, Schütze ist nordwestlich orientiert; ihm entspricht bei Ptolemaios im wesentlichen Europa;

Das 2. Dreieck Stier, Jungfrau, Steinbock (überflüssigerweise ändert der koptische Text die Reihenfolge in Stier, Steinbock, Jungfrau um) ist südöstlich und beherrscht den südlich der oben genannten West-Ostlinie liegenden Teil von Asien;

Das 3. Dreieck Zwillinge, Waage, Wassermann besitzt als nordöstliches Trigon den Landkomplex Asiens nördlich der erwähnten West-Ostlinie;

Das 4. Dreieck endlich, Krebs, Skorpion, Fisch (wieder verdreht

Vierteilung der Welt zu erhalten (die Teilung legt die W-O-Linie sehr nahe; da sie auf Eratosthenes zurückgeht, ist sie sicher schon von Poseidonios zur Teilung der beiden großen Dreiecke verwandt worden).

[23] S. 168, 18 ⲈⲨⲦⲎⳠ ⲌⲚ̄ ⳠⲦⲀⲨ Ⲛ̄ⲤⲀ.
[24] Ebda. 19 ⲌⲘ̄ ⲠⲒⳠⲦⲀⲨ Ⲙ̄ⲘⲀ.
[25] A. a. O. S. 197.

wiedergegeben in der Reihe Skorpion, Fisch, Krebs) liegt gen Südwesten und umfaßt im wesentlichen Libyen.

Alles dies ist klar und in seiner Herkunft deutlich zu machen.
Indes beginnt nun der zweite Teil dieses Abschnitts mit den Un-
glücksprognosen nicht für die einzelnen den Zodia unterstellten
Landkomplexe, sondern ignoriert diese und wandelt die räumliche
Anordnung in eine zeitliche um, d. h. die Trigona kommen zur
Auswirkung bezüglich ihrer Unglücksgaben in zeitlichem Abstand,
wie ich glaube auf die ganze Erde. Das 1. Dreieck wirkt sich „zu
jener Stunde" [26], da es der „Aufseher" „beraubt", auf die Vier-
füßler aus, das 2. auf Kraut, Gurken und Bäume, das 3. auf die
Gewässer der Erde und das 4. auf die „Verminderung in den . . .
der Menschheit an jedem Ort" [27]. Gegen den Anfang des Abschnittes erscheinen dabei Dreieck 3 und 4 vertauscht, worauf aber kein
Gewicht gelegt werden soll.

Diese Plagen erinnern an das Kapitel der Apc 8,6 ff. über die
Menschheits- und Erdplagen, die durch die posaunenden Engel entstehen. Denn auch dort treffen vier Engel hintereinander 1. Bäume
und grünes Gras, 2. die lebendigen Kreaturen im Meer, 3. den dritten Teil der Wasserströme und die Wasserbrunnen, in die ein ver-
giftender Stern fällt, 4. die Menschen, die nicht das Siegel Gottes an
ihrer Stirn haben.

Nun besitzen wir in der astrologischen Literatur Tierkreisbilder-
listen, die uns sagen, was im Jahr des Widders etwa an meteoro-
logischen und politischen Vorgängen auf der Erde eintreten wird [28].
Mir scheint, als habe Mani eine solche Liste zusammengezogen und
auf seine Trigona hier umgearbeitet und so dem räumlichen System
ein zeitliches — nicht gerade sehr logisch — hinzugefügt. Aber
Logik darf man hier nicht suchen. Ordnet man nämlich die Dreiecke
so hintereinander an, daß je Widder, Stier, Zwillinge und Krebs
voranstehen (dabei halten wir die Reihenfolge Krebs—Zwillinge

[26] **NTOYNOY ETMMEY** S. 168, 29; **N̄TOYNOY** S. 169, 1.

[27] Zu **ПTABEЧ** (169, 8) vermag ich nichts zu sagen. Der Herausgeber
denkt mit Fragezeichen an τύπος, 'Siegel'. Verständlich ist das nicht.

[28] Siehe Fr. Cumont, Cal. codd. astrol. Graecor. Brüssel 1898 ff.
Indices. In den einzelnen Einleitungen weitere Literatur.

natürlich fest) und vergleicht man sie einmal mit solchen Tierkreis-
listen, so kann man tatsächlich entdecken, daß zu den vier Stern-
bildern zuweilen Aussagen gemacht werden, die denen des Mani
entsprechen. Ich konnte notieren:

Widder Cat. codd. astr. Graec. III 25, 8 ἐν δὲ τοῖς τετραπόδοις
ζῴοις κατὰ τὰ θρέμματα ψόφος ἔσται[29]; vgl. III 30, 8; VII
164, 4;

Stier Cat. codd. astr. Graec. VII 164, 18 ἔνδειαν τῶν ἐπιτηδείων;
164, 10 φθορὰ σίτου; III 30, 10 ξυλοκαρπίας[30] σπάνη (freilich alles recht allgemein);

Krebs Cat. codd. astr. Graec. III 27, 17 zur Verminderung der Gewässer ὑδάτων λείψεις; vgl. VII 165, 1 ἀνομβρία δὲ ἔσται εἰς
τὰς ἀρχὰς τοῦ χειμῶνος. Zur Hungersnot fand ich bisher
keine Parallele;

Zwillinge Cat. codd. astr. Graec. III 26, 6 θάνατος ἀνδρῶν ἐνδόξων,
vgl. Z 8. Dazu VII 164, 25 νόσοι περὶ τοὺς ἀνθρώπους καὶ
θάνατος εἰς ἐνίους αὐτῶν.

Nur ganz selten findet man auch zu einem anderen der drei Tierkreisbilder eine ähnliche Notiz in dem gleichen Text; so wird,
freilich auch recht allgemein, CCA III 28, 22 πεῖνα μακρά zum
Steinbock notiert und III 27, 5 zur Waage Haß der Menschen untereinander und gegenseitige Tötung (ὥστε ἀδελφὸς ἀδελφὸν σφάξῃ).

Ich glaube auch hier nicht, daß die Übereinstimmung mit jenen
angeführten Listen für die jeweils ersten Tierkreisbilder der vier
Dreiecke auf einem Zufall beruht. Wohl ist Zufall, daß eine solche
Listenangabe unter unserem Material ist, denn die Dodekaeteriden-
aussagen weichen natürlich sehr voneinander ab.

Man sieht, auch der zweite Text dient keinem anderen Zweck als
der erste, der Schilderung des Wesens der diesseitigen Welt. Das
trifft auch für die beiden in Kap. 70 erhaltenen Texte über den
kosmischen Menschen zu, von denen übrigens der erste ebenfalls
genauer in Beziehung zu ähnlichen Darstellungen der antiken
Astrologie gesetzt werden kann, während das unmittelbar folgende
zweite Schema, das dasselbe ausdrückt wie das erste, in seinen

---

[29] Der Erklärer bemerkt a. a. O. *vulgo: interritus animalium.*
[30] 'Nutznießung des Holzes'.

Grundlagen bisher von mir nicht ermittelt worden ist. Hier sieht man, was es für die Geschichte der Astrologie, aber auch für die Erklärung der Manichaica bedeutet, daß unsere orientalischen aus der antiken Astrologie wieder rückübernommenen Texte, die es sicher gab, verloren sind. Für Mani war die Astrologie ein Teil der Kosmologie; von Individualhoroskopie war er so weit entfernt wie Bardessanes [31].

[31] Das gilt auch, wenn die Kephalaia nicht von ihm, sondern seinen Schülern stammen (Schaeder a. a. O. 93), die im Römischen Reich missionierten. Sollte sich das bestätigen, so ist die Verbindung mit der antiken Astrologie noch leichter wahrscheinlich zu machen.

Alexander Böhlig, Mysterion und Wahrheit. Gesammelte Beiträge zur spätantiken
Religionsgeschichte. (Institutum Iudaicum, Tübingen, Otto Michel. — Arbeiten zur
Geschichte des späteren Judentums und des Urchristentums. Band VI.) Leiden: E. J.
Brill 1968, S. 202—221. (Erstmals veröffentlicht in: Bulletin de la Société d'Archéologie
Copte. [Institut Français d'Archéologie Orientale.] 15 [1958—60], 1960.)

CHRISTLICHE WURZELN IM MANICHÄISMUS

Von ALEXANDER BÖHLIG

Zu den schärfsten Konkurrenten der alten Kirche gehörte der
Manichäismus. Er war damals eine Weltreligion, die später jedoch
untergegangen ist. Deshalb schon ist eine Untersuchung des Verhältnisses zwischen Manichäismus und Christentum im Rahmen
unserer Arbeitstagung [1] sinngemäß. Die Problemstellung gewinnt
noch mehr Interesse, wenn man bedenkt, daß der Manichäismus ja
nicht von vornherein eine selbständige Größe gebildet, sondern bei
seiner Entstehung durchaus Gedankengut und formale Züge dem
Christentum entnommen hat. Zwei Perioden der Beziehungen zwischen den beiden Religionen sind deshalb zu unterscheiden. In der
einen erfolgt die innere Auseinandersetzung des Manichäismus mit
dem Christentum im Verlaufe seiner Entstehung. Hier ist der Manichäismus ganz der nehmende Teil, wenn er auch wie andere Systeme
gnostischer Art durchaus seine eigene Methode der Verarbeitung
hat. Hierfür liegt der Grund nicht zuletzt darin, daß Mani eine
ausgeprägte Persönlichkeit gewesen sein muß, wie das vor ihm Markion, Valentin, Bardesanes und andere waren. In der zweiten
Periode stehen sich Christentum und Manichäismus als religionsgeschichtliche Größen gegenüber; das heißt, in ihr hat der Manichäismus, historisch gesehen, bereits eine Ausformung erreicht, durch
die er dem Christentum gleichwertig konkurrierend gegenübertreten konnte. Diesen Punkt kann man schon ziemlich früh, wohl

[1] Vortrag, gehalten auf der Religionshistorikertagung in Marburg Juli
1957. Veröffentlicht: Bulletin de la Société d'Archéologie Copte 15 (1960)
41—61, danach mit gewissen Veränderungen in: Mysterion und Wahrheit.
Gesammelte Beiträge zur spätantiken Religionsgeschichte (Arbeiten zur
Geschichte des späteren Judentums und des Urchristentums VI) (Leiden
1968), S. 202—221.

sicher bald nach dem Tode Manis ansetzen. Diese zweite Periode ist
im allgemeinen bekannter, da unser direktes und indirektes Quellenmaterial über den Manichäismus gerade aus dieser Periode
stammt. Bei der Aktualität, die die Erforschung der Gnosis aber
jetzt gerade gewonnen hat, gilt es einmal besonders der ersten
Periode das Augenmerk zuzuwenden. In einem so bedeutsamen
Werk wie dem von H. Jonas[2] nimmt ja der Manichäismus eine
sehr wichtige Stellung bei der Charakterisierung der Art des gnostischen Denkens ein, und so wird es von Interesse sein, gerade die
Eigenart dieser Beziehungen klarzulegen.

Bevor wir in die Erörterung der Beziehungen zwischen Christentum und Manichäismus eintreten, müssen wir noch die Begriffe
klären. Im allgemeinen pflegt man unter Christentum die Großkirche zu verstehen. Mit dieser Begriffsverengung werden wir unserer Frage aber nicht gerecht werden. Wir müssen bedenken, was
W. Bauer in seinem Buch ›Rechtgläubigkeit und Ketzerei im ältesten Christentum‹[3] besonders betont: daß wir nämlich nicht in
der Schau der Ketzergeschichte die Häresie als Abfall von der einheitlichen Urkirche betrachten dürfen, sondern daß die häretischen
Zweige der Kirche vielerorts gerade die ursprünglich verbreitete
Form des Christentums darstellen, während die Großkirche zunächst nur mit Mühe eine Minderheit gewinnt. So ist vielerorts die
Gnosis die Vertreterin des christlichen Glaubens und hat eine kirchliche Gemeinschaft gebildet.

Für uns dürfte vor allem von Interesse sein, was Bauer gerade
über Edessa aussagt[4]; mit gewisser Vorsicht kann man die Aussagen auch auf Babylonien übertragen, von dem uns weniger Quellenmaterial zur Verfügung steht. In Edessa wirkte auch ein Mann,
der einen tiefen Einfluß auf Mani ausgeübt hat, Bardesanes[5].

---

[2] H. Jonas, Gnosis und spätantiker Geist. T.I.: Die mythologische
Gnosis. Göttingen 1934, 2. Aufl. 1954.

[3] 2. Aufl. hrsg. v. G. Strecker. Tübingen 1964.

[4] L. c. 6—48.

[5] Vgl. H. H. Schaeder, Bardesanes von Edessa in der Überlieferung der
griechischen und syrischen Kirche. Ztschr. f. Kirchengesch. 51 (1932)
21—74, jetzt auch H. J. W. Drijvers, Bardaiṣan of Edessa. Assen 1966.

Bardesanes fühlte sich durchaus als Christ; das geht aus seinem Dialog über das Fatum eindeutig hervor[6]: „Was sollen wir nun sagen über das neue Geschlecht von uns Christen, das an jedem Ort und in jeder Gegend Christus durch sein Kommen aufgerichtet hat, so daß wir alle, wo immer wir uns befinden, nach dem einen Namen des Christus Christen genannt werden, uns an einem Tag, dem Sonntag, versammeln und an den geheiligten Tagen der Speise enthalten." Die Bardesaniten stellen also eine in Lehre und Kirchengemeinschaft eigenartige Konfession des Christentums dar. Ebenso steht es mit den Anhängern Markions. Auch sie betonen, Christen zu sein.[7] Allerdings gibt es auch Beispiele, wo beide genannten Richtungen mit den Namen der Sektenhäupter bezeichnet werden. Das kann aber an einem Ort, wo es z. B. mehrere christliche Kirchen nebeneinander gab, nur ein Unterscheidungsmerkmal gewesen sein. Ja, auch die Anhänger der Großkirche werden von den Häretikern nach ihrem klassischen Kirchenmann „Palutianer" genannt, was Ephräm mit großer Entrüstung zurückweist[8].

Ganz anders verhalten sich die Manichäer. Sie treten bewußt mit dem Namen ihres Stifters auf. Das wird deutlich aus dem 105. Kapitel der Kephalaia[9]. Hier werden zunächst drei Eigenschaften der Christen genannt, die für sie besonders charakteristisch sind. Unter ihnen ist die zweite[10]: „Man soll die Menschen, die ihn (d. i. Christus) lieben, mit seinem Namen nennen und seinen Namen seinen Kindern und Kindeskindern geben." Dem gegenübergestellt werden drei Gaben des Mani. Parallel zu den Aussagen über die Christen heißt es hier[11]: „Wegen meiner guten Lehren aber, die nützlich sind, die ich offenbart habe, nennt man die Menschen, die mich lieben, mit meinem Namen." Dieser Satz beweist deutlich das Selbstbewußtsein der Manichäer. Sie stellen sich mit dieser Aussage

---

[6] Liber legum regionum ed. F. Nau (Patrol. Syr. I 2) 606.

[7] Zur ganzen Problematik vgl. das Material bei Bauer, l. c. 27 ff.

[8] Ephraem Madr 22 v. 5—6.

[9] A. Böhlig, Kephalaia II (Stuttgart 1966) 258—259. Vgl. auch ›Neue Kephalaia des Mani‹ in A. Böhlig, Mysterion und Wahrheit S. 262—265.

[10] L. c. 259, 2—4.

[11] L. c. 259, 11—13.

als eine eigene Religion den Christen gegenüber. Dieses Selbstverständnis kann durchaus schon von Mani selbst angenommen werden, da die Kephalaia weitgehend den Inhalt von Manis Lehrvorträgen wiederzugeben scheinen.[12]

Den Manichäern als selbstbewußter Einheit stehen also mehrere christliche Konfessionen gegenüber. Diese Tatsache ergibt sich auch aus den Mitteilungen der Edessenischen Chronik. Es werden Markion, Bardesanes und Mani vor der Grundsteinlegung der Kirche von Edessa i. J. 313 genannt.[13] In diesem Jahr erließ Licinius für den Osten ein Toleranzedikt. So beginnt für Edessa mit diesem Zeitpunkt die großzügige Ausbreitung der katholischen Kirche, während bis dahin Markion und Bardesanes dem dortigen Christentum das Gepräge gegeben hatten. Die Tatsache, daß neben diesen beiden in der erwähnten Chronik der Name Manis auftaucht, zeigt, daß man ihn vom Standpunkt der Großkirche aus mit ihnen zusammenstellte und ihn wie sie als christlichen Häretiker betrachtete. Die späteren großkirchlichen Chronisten stellen ihn als einen abgefallenen christlichen Presbyter dar.[14] Aus den Beobachtungen, die sich am zeitgenössischen Christentum machen lassen, ergibt sich also, daß der Manichäismus mit gewissen gnostischen Ausprägungen des Christentums zusammengehört. Er unterscheidet sich aber gerade dadurch von ihnen, daß er keine αἵρεσις ist und auch nicht sein will, sondern eine eigene Religion mit eigenem Namen. Er konnte mit einem eigenen Stifter in konkreter kirchlicher Ausbildung zu einer Weltreligion werden. Denn diese zwei Eigenschaften gehören m. E. zu einer Weltreligion; deshalb kann ich

---

[12] Vgl. dazu ›Probleme des manichäischen Lehrvortrages‹ u. S. 294. Auf der anderen Seite fühlt sich Mani als Apostel Jesu Christi, wie Reste seiner Briefe zeigen; vgl. C. Schmidt—H. J. Polotsky, Ein Mani-Fund in Ägypten (Sitz.-Ber. d. Preuß. Akademie d. Wiss. Berlin 1933), S. 26 f. Das läßt sich durchaus vereinbaren, weil das Christentum, dem Mani seine Lehre entgegenstellt, nach seiner Meinung ja eine Entartung der Lehre Jesu ist.

[13] Bauer, l. c. 19 ff.

[14] Vgl. Chronicon Maroniticum in: Chronica minora II ed. E. W. Brooks (Louvain 1904. CSCO vol. 3) 59 f.; Michael Syrus I 199 ed. J. B. Chabot.

auch die Meinung, die Gnosis überhaupt als Weltreligion anzusehen, nicht teilen;[15] sie scheitert an ihrer Abstraktheit.

Wenn sich der Manichäismus aber, wie wir gesehen haben, so bewußt vom Christentum distanziert, muß man ihn dann nicht am besten aus der Welt erklären, aus der Mani, der Abkömmling der Arsakiden, stammt? Ist deshalb nicht der Manichäismus überhaupt in seinem Wesen eine iranische Religion? Die Turfanfunde aus dem Anfang unseres Jahrhunderts schienen diese These zu stützen. Mit zunehmender Materialerschließung konnte aber eine schärfere Analyse zeigen, daß Manis Muttersprache, die er in seinen Werken bis auf ein persisch geschriebenes verwendete, das babylonische Aramäisch war. Das Schapurakan dagegen, d. h. das dem Schapur gewidmete Buch, weist eine eigenartige Nomenklatur gegenüber einer Mythologie auf, die aus missionarischen Gründen die einzelnen Figuren in das zeitgenössische mythologische Denken der Iranier transponiert, und zwar bezeichnenderweise nicht in das Denken des radikalen Parsismus, dem Mani später zum Opfer fiel, sondern höchstwahrscheinlich in die Form des Zervanismus, der seit vorchristlicher Zeit bis in den Beginn der Sassanidenzeit wirksam war und auch der Literatur der Parsen starke Spuren hinterlassen hat. Der oberste Lichtgott ist Zervan, dem als Entsprechung des Urmenschen Ohrmuzd zur Seite steht. Denn dieser ist der eigentliche Kämpfer gegen Ahriman entsprechend der ὕλη, in der die Āz, die böse ἐνθύμησις, waltet. Neben solcher mythologischer Transponierung, die sich im östlichen Manichäismus weit ausgebreitet hat, steht die Beschreibung der verschiedenen Götter nach ihrer Tätigkeit und eine sich daraus ergebende Prägung der Namen besonders im Schapurakan. So wird z. B. der Dritte Gesandte einerseits Narisah genannt, andererseits nach Tätigkeit und Eigenschaften „Lichtweltgott". Oder dem Jesus, der ja als Vermittler der γνῶσις für Adam aufs engste mit dem νοῦς verbunden ist, wird der Name „Verstandesweltgott" beigelegt. Es ist also bezeichnend, daß in einem Buch, das sich programmatisch bzw. missionarisch an einen Nichtchristen

---

[15] Vgl. G. Quispel, Gnosis als Weltreligion. Zürich 1951. Die spezielle Religionsform ist ein Konkretes, die Gnosis als geistige Haltung etwas Allgemeines.

wandte, von Mani der Name Jesu vermieden bzw. umschrieben
worden ist. In anderen manichäischen Texten aus Iran ist das nicht
der Fall. Man muß also in der Ausdrucksweise des Schapurakan
weniger die Urform, als vor allem eine besonders zubereitete Darstellung des Glaubens Manis sehen. Die anderen iranischen Texte
bringen dann die Gestalt Jesu, die unbedingt zum Manichäismus
gehört, trotz anderer missionsbedingter Veränderung der Mythologie. Noch ein Beispiel! Der Manichäismus kennt fünf Elemente,
die denen der Stoa entsprechen. In einem persischen Hymnus ist
von ihnen als den Mahraspandan die Rede.[16] Nach iranischer
Mythologie handelt es sich bei ihnen aber um eine Siebenzahl. Die
Formulierung iranischer manichäischer Texte gibt also keinen Anlaß, diese Religion als ihrem Inhalt nach iranisch zu erklären. —
Weit schwieriger ist die Frage zu beantworten, ob Mani etwa als
Abkömmling eines persischen Herrscherhauses von vornherein von
der iranischen Gedankenwelt beeinflußt war. Die philhellene Haltung gerade der Arsakiden läßt auf jeden Fall westliche Einflüsse
als sehr wahrscheinlich erscheinen. Daraus ergibt sich als weiteres
Problem die Frage, ob etwa iranische Vorstellungen aus vorchristlicher Zeit auf dem Umwege über die Gnosis auf Mani zurück-
gewirkt haben? Jonas nimmt eine direkte Einwirkung an und betrachtet deshalb den Manichäismus als einen iranischen Typ der
Gnosis.[17] Diese Probleme zu lösen, ist nur möglich, wenn wir uns
zunächst einmal das Maß des christlichen Einflusses auf Wesen und
Ausprägung des Manichäismus vor Augen geführt haben.

Die Untersuchung soll nach drei Gesichtspunkten hin geführt
werden: 1. Welche dogmatischen Vorstellungen hat der Manichäismus vom Christentum übernommen, 2. wie haben die Manichäer die
Bibel benutzt, 3. finden sich christliche Kultformen im Manichäismus?

Das religionsgeschichtliche Selbstverständnis des Manichäismus
finden wir eingehend dargestellt in der Einleitung und im 1. Kapi-

---

[16] F. C. Andreas—W. Henning, Mitteliranische Manichaica aus Chinesisch-Turkestan II (Sitz.-Ber. d. Preuß. Akademie d. Wiss. Berlin 1933),
S. 322.

[17] L. c. 284 ff.

tel der Kephalaia [18]. In der Einleitung erscheint Mani als der Vollender des Werkes, das vor ihm in verschiedenen Ländern Jesus, Zarathustra und Buddha begonnen hatten. Diese Religionsstifter haben allerdings nicht selbst Bücher geschrieben; da die schriftliche Überlieferung von ihren Schülern stammt, konnte die echte Lehre verfälscht werden. Mani hat dagegen diesen Fehler nicht begangen; er hat selbst Schriften hinterlassen, wenn er auch seine Jünger — nach Angabe der Kephalaia — aufgefordert hat, zusätzliche Erinnerungen niederzuschreiben [19]. Eingehender äußert sich Kap. 1 „über das Kommen des Apostels". Wohl werden auch die Landschaften angegeben, in denen die einzelnen Religionsstifter gewirkt haben; bestimmend aber ist die zeitliche Betrachtung. Zarathustra und Buddha werden in das Bild der jüdisch-christlichen Heilsgeschichte miteingefügt. Die Gesamtheit religiöser Predigt und Erkenntnis aber wird von Mani erfüllt. Von Adams erstgeborenem Sohne Seth-el bis zu ihm führt eine gerade Linie. Dabei ist interessant, daß Buddha und Zarathustra in wenigen Zeilen [20] gleichsam als mythische Gestalten der Vorzeit abgetan werden, während anschließend Jesus Christus eingehend behandelt wird [21]. Das Wirken Jesu stand also dem Bewußtsein der Manichäer doch viel näher, wenn auch bereits ein Abstand von ca. 200 Jahren vorliegt. Wesentlich an der Schilderung Jesu ist folgendes: „Er kam ohne Leib." Seine Apostel haben verkündet, er habe eine μορφὴ δούλου und ein σχῆμα ἀνθρώπου angenommen. So kam er zu den Juden. Unter ihnen wirkte der πονηρός. Ja, der Satan fuhr sogar in einen seiner Jünger, so daß er ihn verriet. Weiter heißt es: „Die Juden ihrerseits ergriffen den Sohn Gottes, richteten ihn in Gesetzlosigkeit (ἀνομία) in einer Versammlung (συναγωγή) und verurteilten ihn in Ungerechtigkeit, obwohl er keine Sünde getan hatte." Es folgt Schilderung von Kreuzigung, Tod und Auferstehung sowie Erscheinung

---

[18] H. J. Polotsky—A. Böhlig, Kephalaia I (Stuttgart 1940), S. 1—16. Vgl. auch C. Schmidt—H. J. Polotsky, Ein Mani-Fund in Ägypten l. c. S. 43 ff.

[19] Keph 6, 15—7, 10.

[20] Keph 12, 14—20.

[21] Keph 12, 21—13, 25.

vor den Jüngern mit Einblasen des heiligen Geistes[22] und Himmelfahrt. Zunächst bewährte sich der Jüngerkreis aktiv ebenso wie Paulus, der Apostel, der sich noch zu ihm gesellt hatte. Welche Bedeutung gerade dieser für die Schilderung hat, läßt sich daraus ermessen, daß mit dem Aufhören seiner Tätigkeit eine neue schlimme Periode einsetzt. Die nachpaulinische Zeit ist eine Verfallszeit, bis, den Verfall zu hemmen, „ein wahrhaftiger Gerechter, der zum Reich gehört", kommt.[23] Mit ihm gleichzeitig kommt noch ein anderer, seine Charakterisierung ist aber zerstört. Nach ihrem Tod verfällt die Kirche wiederum. Dann wird Mani gesandt, dem der Paraklet, der Geist der Wahrheit, sich offenbart hat. Aus dieser ausführlichen Darstellung Jesu und der ältesten Kirche geht hervor, daß der Verfasser dieses Abschnittes das Christentum als wesentliche Voraussetzung des Manichäismus empfand, daß er wußte, daß es gewisse Probleme geliefert hatte, an die man anknüpfte und mit denen man sich auseinandersetzen mußte, wenn man sich auch vom Christentum selbst trennte. Und dabei war das gebende Christentum nicht großkirchlich, sondern gnostisch. Bereits in der Edition der Kephalaia ist mit Recht in den beiden ungenannten Erneuerern der nach Paulus verfallenen Kirche Markion und Bardesanes vermutet worden,[24] wenn der Höhepunkt ihrer Wirksamkeit auch nicht ganz gleichzeitig war, da Bardesanes ja über eine Generation jünger war. Wenn aber gerade Markion und Bardesanes so sehr als wahre Lehrer der Kirche gefeiert werden, gilt es zu untersuchen, ob sich ihre Ansichten auch sonst im Manichäismus wiederfinden.

Da fällt gleich ins Auge der eben erwähnte Abschnitt über Jesus. Der hier vertretene Doketismus[25] dürfte auf Markion zurückzuführen sein. Denn auch er sieht in der Erscheinung Christi die eines Menschen. Er sieht ihn in einem Scheinleib, aber begabt mit der Fähigkeit, in diesem Leibe „wie ein Mensch zu empfinden, zu handeln und zu leiden"[26]. Es fehlt ihm nur die Substanz des Fleisches.

[22] Vgl. Joh 20, 22 ἐμφυσᾶν.

[23] Keph 13, 30—31.

[24] Vgl. Anm. zu Keph 13, 30 ff.

[25] Keph 12, 21 f.

[26] A. v. Harnack, Marcion (2. Aufl. Leipzig 1924/Darmstadt 1960. Texte u. Untersuchungen z. Gesch. d. altchristl. Literatur 45), S. 125.

μορφή und σχῆμα sind vorhanden.[27] Bezeichnenderweise hält sich Mani wie Markion an Phil 2, 7. Wenn die Kephalaia den Markion als „einen wahrhaftigen Gerechten" bezeichnen, „der zum Reich gehört", so darf man das mit der Betonung der Reichgottespredigt Markions zusammenbringen: Regnum dei Christus novum atque inauditum adnuntiavit[28]. Außerdem wandte sich Markion gerade gegen den „gerechten" Gott. Deshalb wird er hier bei Mani in dialektischer Redeweise als ein wirklich Gerechter bezeichnet.[29] Markion hat die Gerechtigkeit für verwerflich gehalten, die vom Weltschöpfer verlangt wird.[30] Mit seiner doppelten Gerechtigkeit überbietet er den Paulus, dem er zu folgen vorgibt. In diesem Zusammenhang ist auch zu beachten, welche Bedeutung in unserem Kephalaiaabschnitt dem Paulus beigemessen wird.[31] Nicht umsonst hat ja auch Tertullian Paulus als apostolus Marcionis und apostolus haereticorum bezeichnet.[32] Weiterhin entspricht die Erwähnung des Bösen bzw. des Satans in den Kephalaia ganz dem, daß auch Markion dem Teufel einen besonderen Platz einräumt. Eine judenfeindliche Stimmung, die sich auch in der Ablehnung des Alten Testamentes auswirkte, tritt bei der Schilderung der Verurteilung und Hinrichtung Christi hervor. Es ist bittere Ironie, wenn gerade den Anhängern des Gesetzes ἀνομία vorgeworfen wird. Von Markion dürfte auch der kritische Zug gegenüber der Großkirche stammen. Mani hält sie wie Markion für verführt.[33] Nicht hat Mani dagegen von Markion die negative Einstellung gegenüber den Uraposteln übernommen, die nach Markion das Evangelium verfälscht haben, indem sie es judaisierten. Mani schreibt ihnen sogar Tatkraft zu[34] und nimmt die allgemeine menschliche Ungenauigkeit als Grund für die Veränderung von Herrenworten an, nicht etwa Böswilligkeit.

[27] Keph 12, 25 f.
[28] Tertull adv Marc IV 24.
[29] Keph 13, 30 f. Es ist hier nicht wie in der Edition „ein Gerechter (und) Wahrhafter" zu übersetzen, sondern „ein wirklicher Gerechter".
[30] Harnack, l. c. 111.
[31] Keph 13, 26.
[32] Vgl. Harnack, l. c. 142 Anm. 2.
[33] Keph 13, 27 ff.
[34] Keph 13, 16 f.

Die Betonung der schriftlichen Fixierung der Lehre durch Mani
wird aber auch gerade durch die Theorien Markions angeregt worden sein, da dieser der Erarbeitung der originalen schriftlichen
Überlieferung so großen Wert beilegte und dabei so weit ging, das
von ihm gereinigte Lukasevangelium als das dem Paulus übergebene
schriftliche Evangelium anzusehen, das dieser dann durch seine
Briefe erklärte. Mani hat die volle Konsequenz aus der Forderung
der littera scripta gezogen und sie selbst geboten.

Zeigten bereits diese Randbemerkungen zu einem manichäischen
Text den bedeutsamen Einfluß der Ideen Markions, so wird dieser
durch die programmatische Anwendung bestimmter Jesusworte bei
Mani [35] und Markion eindeutig erwiesen. Dazu gehört vor allem
das Wort von den zwei Bäumen, die entsprechende Früchte hervor-
bringen. Es wird von Mani im 2. Kapitel der Kephalaia behandelt [36]. Hatte Markion aber nur den Unterschied des gerechten und
des guten Gottes daran verdeutlichen wollen, so geht Mani darüber
hinaus, um daran seine dualistische Weltauffassung darzustellen.
Dabei bleibt zu bedenken, daß auch der Markionitismus, der Mani
bekannt war, schon über Markion hinaus dualistisch entwickelt war.
Ein anderes Beispiel ist die Ablehnung des Alten Testamentes, die
durch das Wort vom neuen Flicken auf dem alten Kleid und dem
neuen Wein in den alten Schläuchen deutlich gemacht wird.[37] Auch
bei Mani finden sich diese Bilder. So führt Faustus von Mileve für
das gleiche Problem das Wort vom neuen Flicken an.[38] In einem
manichäischen Hymnus heißt es aber: „Siehe, den neuen Wein
haben wir gefunden; wir wollen neue Schläuche für ihn." [39]

Etwas anders ist das Verhältnis von Mani zu Bardesanes. Bei
ihm sind recht starke gnostisch-mythologische Züge vorhanden, aus
denen Mani eine so bildhafte und harmonische Weltschau entwik-
keln konnte. Ob sie auf einen Zusammenhang mit Valentin hin-

[35] Vgl. auch A. Böhlig, Die Bibel bei den Manichäern (Theol. Diss.
Münster 1947. Maschinenschrift).

[36] Keph 16, 33—23, 13. Vgl. Tert IV 17 zu Lc 6, 43 ff.

[37] Vgl. Tert IV 11 zu Lc 5, 36 ff.

[38] Augustin c Faust VIII 1.

[39] C. R. C. Allberry, A Manichaean Psalm-Book II (Stuttgart 1938),
S. 153, 26.

weisen, bleibt wohl umstritten, erscheint mir aber im Gegensatz zu Schaeder durchaus nicht so unwahrscheinlich.[40] Bardesanes kennt wie Mani die Vorstellung vom praeexistenten Christus, schließt sich aber wohl mehr an die johanneische Auffassung von Jesus als dem Logos an, die ja in der Großkirche von den Apologeten ausgestaltet wurde. Ein solcher johanneischer Einfluß ist aber auch bei Mani anzunehmen, weil dieser gerade dem Johannesevangelium die Vorstellung vom Parakleten entnommen hat, der sich Mani offenbart hat. Dieses Ereignis kann man als das Pfingstwunder Manis betrachten. Bardesanes dagegen glaubt, daß der Paraklet und sein Kommen mit der Parusie des Herrn zu identifizieren sei.[41] Hier hat Mani also ein eschatologisches Ereignis in die Gegenwart gerückt. Im Gottesglauben selbst findet sich bei Bardesanes im Gegensatz zu Mani kein Dualismus, oder es sind höchstens Keime dazu vorhanden. Mit Recht wird deshalb betont, Bardesanes glaube an *einen* Gott.[42] Denn die von ihm eingeführte ὕλη sah er noch nicht als das widergöttliche Urprinzip an. Bei ihm steht dagegen die Vorstellung von einer unter den Elementen entstandenen Erschütterung und Unruhe im Vordergrund, ein Gedanke, der dem Sophia-Drama des nach Jonas syrisch-ägyptischen Typus der Gnosis [43] nahesteht und vielleicht sogar von ihm genetisch beeinflußt worden ist. Wichtig ist bei Bardesanes der Gedanke der Ordnung des Alls, den er stark pflegt. Er ist bei Mani in einer viel militanteren Form zu beobachten. Von besonderer Bedeutung ist bei Bardesanes auch der Gedanke von der menschlichen Freiheit gegenüber dem Schicksal. Er distanziert sich in dieser Auffassung von den katholischen Christen und den Skeptikern, weil für ihn zwar das Fatum die äußeren Umstände, aber nicht die Handlungsfreiheit bestimmt. Gott hat dadurch dem Menschen einen besonderen Rang gegeben. Bei Mani ist dagegen der Mensch nur ein Mittel, um die Ausläuterung des Lichtes zu hemmen. Bei Bardesanes ist der Ablauf des Weltgeschehens, zu dem auch die Erzeugung des Menschen gehört, ein Weg hin zur Erlösung. Bei Mani ist sie ein Versuch der Mächte des Bösen, das

---

[40] L. c. 43.
[41] Vgl. Schaeder, l. c. 68.
[42] Liber legum regionum ed. Nau 501.
[43] L. c. 351 ff.

Licht in der Finsternis festzuhalten. Bei dieser Auffassung von der Erzeugung des Menschen dürfte Mani wiederum von der negativen Einstellung Markions beeinflußt sein.

Man kann überhaupt bei Mani drei Komponenten herausarbeiten: Bardesanes hat wahrscheinlich die Anregungen für die bildhafte Schau gegeben, die Mani zu einem gewaltigen Bilde von ungeheurer Symmetrie ausgestaltete. Markion bot daneben die schroffe Alternative vom guten und gerechten Gott. Diese Vorstellung hatten Jünger Markions bereits noch dualistischer ausgestaltet, als sie ursprünglich gemeint war.[44] Mani verbindet beide Auffassungen durch selbständiges Denken, durchdringt das mythologische Weltbild mit dualistischer und asketischer Strenge. Die Schroffheit von Manis Dualismus kann, wohl beeinflußt durch Gedanken, die ihm von der iranischen Religion her vertraut waren, eine konsequente Weiterführung Markions darstellen; besonders neigte aber die religiöse Wetterecke der Spätantike, Syrien und Mesopotamien, überhaupt zu scharfen Entscheidungen und Gegenüberstellungen. An der Behandlung der Person Jesu bei Mani wird gleichfalls die Verbindung der Gedanken des Markion und Bardesanes deutlich sichtbar. Die Kephalaia zeigten uns ein Bild Jesu in markionitischer Sicht; die kosmologische Rolle, die Jesus aber sonst im Manichäismus spielt, entspricht der Betonung des Christus-Logos bei Bardesanes.

Von Wichtigkeit ist auch die Schriftauffassung der drei Häretiker. Während Markion das Alte Testament ablehnt, tat dies Bardesanes nicht, da er ja nicht die Zweiteilung Gottes kannte.[45] Mani ist in Konsequenz seines Dualismus der radikalen Richtung Markions gefolgt. Bei Bardesanes ist auch der Judenhaß von Markion und Mani nicht zu finden. In einem bedeutsamen Punkte scheint aber Mani dem Markion nicht gefolgt zu sein. Er benutzt zwar wie Markion auch ein einziges Evangelium, aber die markionitische Gestalt dürfte ihm zu wenig gewesen sein. Man darf wohl anneh-

[44] Harnack, l. c. 164 ff.

[45] Das Wort Ephräms (Madr 1, 18): „Nicht las er die Propheten, sondern die Bücher des Tierkreises", bietet schon wegen seines polemischen Charakters keinen zureichenden Grund, um eine Ablehnung des Alten Testamentes bei ihm anzunehmen.

men, daß er wie Bardesanes Tatians Diatessaron gebraucht hat.[46] Der anekdotenhafte Bericht, Bardesanes habe sein eigenes Diatessaron gehabt, ist ja fragwürdig.[47] Man hat die Frage gestellt, ob bei Mani vielleicht das Johannesevangelium eine Stellung eingenommen haben könnte wie das Lukasevangelium bei Markion, besonders auch im Hinblick auf die Achtung, die Johannes bei den Valentinianern Herakleon und Ptolemaeus genoß. Und wir wissen ja von Mani, welche bedeutsame Rolle Johannes für ihn spielte. Aber nicht Johannes allein. So ist wohl eher an Tatians Evangelienharmonie zu denken, die kurz vor Bardesanes entstanden war. Tatians Harmonie paßte z. B. ausgezeichnet zu der kosmologischen Auffassung Christi durch die Tilgung der Stammtafeln Jesu.[48] Wie populär diese Harmonie gewesen ist, beweist ihre Verbreitung auch in großkirchlichen Kreisen. Daß auch Mani dieses Diatessaron übernommen hat, muß zumindest als sehr wahrscheinlich angenommen werden. Freilich müssen wir bei den manichäischen Bibelzitaten große Zurückhaltung in ihrer Auswertung üben, wissen wir doch nicht, wieweit Zitieren aus dem Gedächtnis oder die Wirkung des Zusammenhangs den Text verändert haben können. Auch wissen wir immer noch nicht genug über den wirklichen Text des Diatessarons.

Sehr notwendig scheint mir aber der Hinweis zu sein, daß die Kenntnis des Neuen Testaments bei den Manichäern ziemlich umfassend gewesen sein muß. Neben den Zitaten bei den Gegnern der Manichäer, wie Augustin, Titus von Bostra, Severus von Antiochia u. a., bieten hierfür gerade die Originalquellen sowohl aus Turfan wie ganz besonders aus Ägypten ein reiches Material, so daß wir einen Überblick über den Schriftgebrauch der Manichäer gewinnen können. Ähnlich wie bei den Gnostikern ist die Deutung eigenwillig. Als Beispiel für die Deutungsmethode der Gnostiker können wir jetzt das Johannesapokryphon als Originalquelle heranziehen. Die aus dem koptischen manichäischen Fund bisher veröffentlichten

---

[46] Eine Stelle aus einem neuen Kephalaion macht dies sehr wahrscheinlich; s. ›Neue Kephalaia des Mani‹ in A. Böhlig, Mysterion und Wahrheit, S. 261, Anm. 3.

[47] Bauer, l. c. 35 Anm. 1.

[48] Bauer, l. c. 36.

Handschriften bieten verschiedenartige Literaturformen. Es dürfte nicht uninteressant sein, wie gerade die einzelnen Gattungen die Bibelzitate verwenden. Aus der Fülle des Materials können natürlich nur einige wenige Beispiele vorgeführt werden.

In den Kephalaia, die als eine Sammlung von Lehrvorträgen anzusehen sind, die z. T. von Mani selbst stammen oder auch sekundär mit seinem Namen versehen worden sind, verwendet man gern Bibelworte zur Begründung, indem man sich sogar auf die Autorität Jesu Christi beruft. So heißt es z. B. im 91. Kapitel der Kephalaia [49]: „Dieses ist, was der Heiland gesagt hat durch seinen Apostel." Es folgt ein Pauluswort, das zur Abkehr von der Welt mahnt. Auch hier finden wir also wieder markionitische Vorstellungen. Es wird 1 Cor 7, 29 ff. zitiert: „Die Frauen haben, mögen sein, als ob sie keine haben" usw. Eigenwillig ist der Gebrauch des Wortes: „Wo euer Schatz ist, da wird euer Herz sein." [50] Das Wort wird umgedreht und dient nun zur Begründung der manichäischen Werkgerechtigkeit.[51] Wie man die gnostische Deutung einer neutestamentlichen Stelle heranzog, zeigt der Schluß des 109. Kephalaions [52]: „... die Katechumenen fasten entsprechend dem Mysterium des Urmenschen, die anderen 50 Fastentage aber entsprechen dem Zeichen des zweiten Menschen, der sich in der Gemeinde offenbarte." Liegt hier nicht die Vorstellung vom ersten und vom zweiten Menschen aus 1 Cor 15, 45 ff. zugrunde? Aus anderen neutestamentlichen Stellen werden ganze Kapitel in den Kephalaia entwickelt; sie bilden also jeweils den Ausgangspunkt für einen Lehrvortrag Manis. Das konnten wir schon am Wort vom schlechten und guten Baum sehen. Das 52. Kephalaion [53] stellt der Einigkeit im Lichtreich die Spaltung innerhalb der Finsternis gegenüber. Im Anschluß an Mt 12, 25 heißt es: „Das Reich aber, dessen Mysteriumsgenossen in ihm gespalten sind, — es ist notwendig, daß

[49] Keph 229, 10 ff.

[50] Mt 6, 21; Lc 12, 34.

[51] Keph 223, 3 f.; 234, 9.

[52] Keph 264, 17—19. S. ›Neue Kephalaia des Mani‹ in A. Böhlig, Mysterion und Wahrheit, S. 260. Vgl. auch W. Bang, Manichäische Laienbeichtspiegel, Le Muséon 36 (1923) 161 ff.

[53] Keph 127, 24—129, 4.

jenes Reich verurteilt und gedemütigt wird und in die Hand dieses Reiches gerät, das ihm entgegensteht." [54] Andere Worte des Neuen Testaments scheinen so stark ins Bewußtsein der Manichäer eingegangen zu sein, daß man sie als die beste Ausdrucksmöglichkeit ansieht. Das auf Christus bezogene Wort des Ps 110, 1 [55] wird auf den Urmenschen gedeutet, der aus dem Kampf zurückkehrt. „Setzet meinen Sohn, meinen Erstgeborenen, zu meiner Rechten, bis ich alle seine Feinde als Schemel unter seine Füße lege." [56] Aus dieser Stelle geht auch eindeutig hervor, daß im Neuen Testament herangezogene Zitate aus dem Alten Testament von den Manichäern selbstverständlich durchaus anerkannt werden. Bei der Schilderung seines eigenen Erlebens verwendet Mani Joh 3, 19 in der Vereinfachung: „Denn die Welt liebt die Finsternis, sie haßt das Licht." [57] Überhaupt liebt es Mani, Worte Jesu, die dieser über sich selber spricht, auf sich anzuwenden. Mit vollem Bewußtsein geschieht dies bei Mt 18, 6. „Wer geben wird Brot und einen Becher Wassers einem dieser kleinen Gläubigen, die an mich glauben, wegen des Namens eines Jüngers . . ." wird auf Mani und die Katechumenen bezogen. [58]

Einen Einblick in die Wirkung des Neuen Testamentes auf die apokalyptische Literatur der Manichäer vermittelt der Logos vom Großen Krieg. [59] Beziehungen Manis zur spätjüdischen Apokalyptik hatte bereits ein mittelpersisches Fragment der Henochbücher erwiesen. [60] In dem erwähnten Logos wird nun z. B. mit den Wor-

---

[54] Die Gespaltenheit als typisches Merkmal der von Unwissenheit Erfüllten findet sich auch z. B. im Evangelium Veritatis ed. M. Malinine—H.-Ch. Puech—G. Quispel (Zürich 1956), f. 15 f.

[55] Nach Lc 20, 42; Act 2, 34; Heb 1, 13.

[56] Keph 40, 13 f.

[57] Keph 184, 11 f.; 185, 12 f.

[58] Keph 189, 13 ff.

[59] H. J. Polotsky, Manichäische Homilien (Stuttgart 1934), S. 7—42. Dabei dürfen aber auch die genuin-iranischen Züge nicht übersehen werden, z. B. der Terminus „der Große Krieg"; vgl. G. Widengren, Die Religionen Irans (Stuttgart 1965), S. 204; ders., Mani und der Manichäismus (Stuttgart 1961), S. 70.

[60] W. Henning, Ein manichäisches Henochbuch (Sitz.-Ber. d. Preuß. Akademie d. Wiss. Berlin 1934), S. 27—35.

ten der synoptischen Apokalypse die große Not geschildert, so nach
Mt 24, 17 ff. par: „Diejenigen, die oben sind, werden nicht dazu
kommen, herabzukommen ... Wer nackt ist, wird nicht dazu kommen, sich das Kleid anzuziehen. Niemand wird nach einem Gegenstand umkehren." [61] Dann wird Mt 24, 9 par angedeutet usw.[62] Zu
dieser Stelle darf man vielleicht noch auf den Text aus Turfan mit
der Überschrift „Über das Gericht" hinweisen[63], der Mt 25, 35—40
entspricht: „Hungrig und durstig war ich, ihr habt mir Speise und
Trank gegeben" usw.

Obwohl die Manichäer das Alte Testament ablehnten, hat doch
der Psalter eine große Wirkung auf sie ausgeübt. Fraglich ist, ob
dies unmittelbar oder mittelbar etwa durch die Hymnendichtung
des Bardesanes geschah.[64] Aber man wird wohl den Psalter nie als
Bestandteil des Alten Testaments empfunden haben, sondern vielmehr als ein auf der Ebene des Neuen Testaments stehendes Lieder-
buch, dessen Worte in späterer Liederdichtung weiterlebten. Auch
das manichäische Psalmbuch zeigt eine besondere Fülle von An-
knüpfungen an die Bibel. So wird dort z. B. ein rein biblischer
Inhalt behandelt: Joh 20, 11—18, die Begegnung Jesu mit Maria
am Grabe.[65] Maria empfängt Trost und Kraft, um wiederum die
Jünger zu stärken. Denn sie sollen Menschenfischer bleiben „zum
Leben". Jesus, der selbst als Rabbi und Meister bezeichnet wird,
will sich als „Bruder", „Lehrer" oder auch als „κύριος" verkündigt
wissen. Maria soll insbesondere den Simon Petrus ermahnen. Bezeichnend ist der zusammengesetzte Charakter des Psalmes. Die
Grundlage bildet der Johannesabschnitt. Doch sind synoptische und
auch apokryphe Züge mithereingenommen. Bei Johannes handelt es
sich um Maria Magdalena. In unserem Hymnus ist das nicht beson-

---

[61] Hom 10, 11. 13—14.

[62] Hom 10, 22.

[63] F. W. K. Müller, Handschriftenreste in Estrangelo-Schrift aus
Turfan, Chinesisch-Turkestan II (Abhandl. d. Preuß. Akademie d. Wiss.
Berlin 1904), S. 12 f.

[64] Wichtig sind auch die Beobachtungen von T. Säve-Söderbergh über
den Einfluß mandäischer Psalmendichtung auf die manichäische: T. Säve-
Söderbergh, Studies in the Coptic Manichaean Psalm-Book. Uppsala 1949.

[65] Ps-b 187.

ders ausgesprochen. Oder genügt bereits die Tatsache, daß hier der Lehrer mit der Schülerin zu sprechen scheint, für die Deutung auf Magdalena? — Ein anderer Hymnus des Psalmbuches knüpft an das Gleichnis von den törichten und den klugen Jungfrauen an.[66] Mit den Worten des Bräutigams sind Sätze und Gedanken aus Mt 7, 21—23 verbunden. Es finden sich in den manichäischen Hymnen auch einzelne neutestamentliche Verse, die für den Zusammenhang gerade geeignet sind. Das Wort vom „schmalen Weg, der zum Leben führt"[67], wurde umgewandelt in den „geraden Weg"[68]. Aber auch das Bild vom „engen, beschwerlichen Weg" im Gegensatz zum „breiten" ist den Manichäern durchaus geläufig.[69] Neutestamentlich sind auch die Bezeichnungen Jesu als „Brot des Lebens"[70], „Wasserquelle"[71] oder „Weinstock"[72]. In die Sprache des Alten Testaments führt die Bezeichnung „der grünende Zweig"[73], die aber ihren Weg über das Neue Testament genommen hat[74]. Außerdem beschäftigt sich ein ganzer Abschnitt des Psalmbuches mit Jesus selbst.[75] Wir kennen seine häufige Erwähnung bereits aus turkestanischen und chinesischen Hymnen, wenn auch in der buddhistischen Umwelt oft genug deren Ausdrucksweise die Sprache der Hymnodik beherrscht. Aber es finden sich auch Psalmen, die Jesus als Menschensohn kennen und selbst seinen Leidensweg besingen.[76] Bei gewissen ägyptischen Hymnen dieser Art kann man direkt sagen, daß sie mit neutestamentlichem Material beladen sind. Ich greife nur her-

[66] Ps-b 191, 18 ff. Vgl. Mt 25, 1—13.

[67] Mt 7, 14.

[68] Ps-b 193, 18. Vgl. auch A. v. Le Coq, Türkische Manichaica aus Chotscho III (Abhandl. d. Preuß. Akademie d. Wiss. Berlin 1922, Nr. 2), S. 13.

[69] Keph 13, 28 f.

[70] Joh 6, 32 ff. 48. 51 f. — Ps-b 193, 20.

[71] Apc 21, 6. — Ps-b 193, 21.

[72] Joh 15, 5. — Ps-b 193, 22.

[73] Jes 11, 1.

[74] Rom 15, 12.

[75] Ps-b 49—97: Nr. 242—276.

[76] F. C. Andreas—W. Henning, Mitteliranische Manichaica aus Chinesisch-Turkestan III (Sitz.-Ber. d. Preuß. Akademie d. Wiss. Berlin 1934), S. 881 ff.

aus: Das Gleichnis vom barmherzigen Samariter.[77] Die goldene
Regel.[78] Der Splitter im Auge des Nächsten.[79]. Selig ist, wer reines
Herzens ist.[80] Gott läßt seine Sonne über Gute und Böse scheinen.[81]
Diese stark paränetischen Züge sind besonders der Predigt Jesu
entnommen. Die Konsequenzen werden dann im Rahmen der mani-
chäischen Glaubensvorstellungen in einer beinahe midraschischen
Form gezogen. Aber auch Anspielungen auf konkrete Ereignisse
der Heilsgeschichte wie die Sintflut mit der Arche[82] sind in den
Psalmen zu finden.

Läßt sich ein so starker Einfluß der Bibel bei den Manichäern
wahrnehmen, so fragt man sich, ob auch aus dem heiligen Brauch-
tum der Kirche etwas übernommen worden ist. Dabei denkt man
zunächst an die Sakramente. Das heilige Mahl der Electi verdient
in dieser Hinsicht besonders untersucht zu werden. Man muß dabei
ja beachten, daß Auditores und Electi in ihren kultischen Verpflich-
tungen sich durchaus unterscheiden. Die Electi essen beim heiligen
Mahl die Lebendige Seele, die als ein Depot in sie eingeht. Das ist
eine körperliche Notwendigkeit, zugleich aber eine heilige Handlung. Die von Augustin erwähnte Eucharistie der Manichäer entspricht gewiß dieser im soghdischen Bet- und Beichtbuch behandelten Zeremonie.[83] Ich möchte sie durchaus der Kommunion

---

[77] Lc 10, 29—37. — Ps-b 40, 24—28.

[78] Mt 7, 12 par. — Ps-b 40, 5. Für Turfan vgl. Andreas—Henning,
l. c. 854. Auch bei Schahrastani 192, 8 ed. Cureton, gilt sie als manichäisches Gebot.

[79] Mt 7, 3—5 par. — Ps-b 40, 9—10.

[80] Ps-b 40, 31. Der Vers stellt eine Vermischung von Mt 5, 8 und 1 Joh
3, 21 dar. Zur Kenntnis der Seligpreisungen vgl. das folgende Zitat aus
einem unveröffentlichten Brief Manis: „Was der Heiland verkündet hat:
Er sprach: Selig sind, die verfolgt werden, denn sie werden im Lichte
ruhen. Selig sind, die hungern und dürsten, denn sie werden gesättigt
werden." Zu diesem Text paßt gut Augustin c Faust V 3: „Beati pauperes,
beati mites, beati pacifici, beati puro corde, beati qui lugent, beati qui
esuriunt, beati qui persecutionem patiuntur propter iustitiam."

[81] Mt 5, 45. — Ps-b 41, 1—2.

[82] Ps-b 171, 20—22.

[83] W. Henning, Ein manichäisches Bet- und Beichtbuch (Abhandl. d.
Preuß. Akademie d. Wiss. Berlin 1937), S. 17.

gleichstellen. Es ist nun aber die Frage, ob dieser Feier auch ein Gottesdienst in Anwesenheit der Katechumenen voranging. Die neuerschlossene Sammlung von συνάξεις der λόγοι von Manis Lebendigem Evangelium[84] geben die Deutungsmöglichkeit an die Hand, daß es sich bei ihnen um die in solchen Gottesdiensten gehaltenen Predigten handelt. Es würde dann σύναξις dem Sinne von ὁμιλία entsprechen, so daß der Begriff gegenüber dem christlichen Gebrauch für Gottesdienst und Kommunion auf den Predigtgottesdienst eingeengt wäre. Somit ergäbe sich dann eine Entsprechung zur Messe mit der Teilung in Katechumenenmesse und Kommunion. Es könnte sich freilich bei dem aufgefundenen Buch auch um ein Perikopenbuch handeln. — Auch für Übungen wie Fasten kann man natürlich das Christentum verantwortlich machen, wenn, wie wir bereits sahen, z. B. das Fasten aus Worten und Handlungen Jesu und des Paulus begründet wird.

Von diesen Zügen des Christentums, die der Manichäismus bei seiner Entstehung übernahm, muß man solche unterscheiden, durch die er sich später auf christlichem Boden bessere Konkurrenzmöglichkeiten verschaffen wollte. Mit besonderem Geschick hatte sich der Manichäismus an iranische religiöse Ausdrucksformen angleichen können, und die chinesischen Texte spiegeln die Sprache des Buddhismus wider. Aber auch dem Christentum gegenüber näherte er sich in der Ausdrucksform in gewissen Gegenden noch ganz besonders an. Im nordafrikanischen Manichäismus tritt so z. B. Jesus Christus ganz an die Stelle des Dritten Gesandten, wie überhaupt die Mythologie bei dem Manichäer Faustus in den Hintergrund rückt. Auch die theologische Vorstellung vom Jesus patibilis, in dem man die kosmische Darstellung des gekreuzigten Jesus sieht, ist in ihrer Betonung eine Angleichung an die christliche Umwelt.[85] Wenn

---

[84] Vgl. ›Zu den Synaxeis des Lebendigen Evangeliums‹ in A. Böhlig, Mysterion und Wahrheit, S. 222 ff.

[85] Inhaltlich geht sie auf frühchristliche bzw. gnostische Gedankengänge zurück, die den steten Wandel der Gestalt Christi betonen; vgl. A. Grillmeier, Der Logos am Kreuz (München 1956), S. 49 ff. Gegen meine These könnte eingewandt werden, daß einerseits „der Knabe" die Gesamtheit der leidenden Materie bereits in den Thomaspsalmen darstellt, daß auf der anderen Seite Jesus aber als „der Knabe" bezeichnet

dagegen in Zentralasien und China trotz buddhistischer Einflüsse der Name Jesu in der manichäischen Nomenklatur nicht verlorenging, so haben wir daran zu denken, daß auch hier neben dem Buddhismus das Christentum als konkurrierende Größe auftrat. So ist es nur ein weiterer verständlicher Schritt, wenn bei Epiphanius und Augustin auch vom ausdrücklichen Anspruch der Manichäer, Christen zu heißen, berichtet wird.[86] Der Manichäismus behauptet sogar, daß er allein die wirkliche christliche Auffassung des Bösen besitze, während die katholische Kirche durch philosophisches Denken die Schärfe der Gedanken gemildert habe.

Es ist kein Wunder, wenn die Großkirche eine solche Konkurrenz sehr ernst nahm, da ja die Gefahr bestand, daß auf diese Weise fremde Lehre auch in den Raum der Großkirche eindringen konnte. Die zielstrebige Kirchenbildung allerorts überbot die Häresien beträchtlich. Das führte dazu, daß in den Augen der Großkirche Ketzer und Manichäer identisch wurden. Denn welche andere Sekte außer ihnen war der Kirche wirklich gefährlich? Ja, der Name Manichäer wurde sogar auf andere Richtungen der Kirche oder Theologen übertragen, die bekämpft werden mußten. Diese Tatsache hat, das sei nebenbei erwähnt, den Anlaß zu einer ersten wissenschaftlichen Erforschung des Manichäismus gegeben, als Cyriacus Spangenberg von Mansfeld eine ›historia Manichaeorum‹ verfaßte, um seinen Freund Matthias Flacius von dem Vorwurf des Manichäismus zu befreien. Sah die Großkirche zunächst die gnostischen Sektierer im Manichäismus vereint, so wurden im Verlaufe

wird (Keph 35, 28; 61, 27; 92, 7). So sind zwar die geistigen Grundlagen der Vorstellung vorhanden, ihre terminologische Ausprägung ist aber unter einem Missionsaspekt erfolgt. Vgl. auch ›Der Manichäismus im Lichte der neueren Gnosisforschung‹ in A. Böhlig, Mysterion und Wahrheit, S. 200.

[86] Epiph Pan I 328 ff.; III 131 ed. Holl. Augustin c Felic I 20; de agone christiano: christiani vocari volunt. Zum Problem vgl. auch o. S. 227 f. sowie ›Neue Kephalaia des Mani‹ in A. Böhlig, Mysterion und Wahrheit, S. 262—265. Diese Missionsmethode führt zu der eigenartigen Tatsache, daß die älteste Form, der Anspruch, der wirkliche Apostel Jesu Christi zu sein, auch in späterer Zeit im Westen wieder aufgenommen wird, obwohl der Manichäismus sich vom Christentum emanzipiert hatte.

der dogmatischen Entwicklung verketzerte Richtungen wie Arianer, Nestorianer, Monophysiten ebenfalls mit ihnen in eine Reihe gestellt. Dazu liefert die christliche Literatur genügend Beispiele. Besonders wurden aber gewisse Lehrmeinungen als manichäisch gebrandmarkt. So machte dies im 7. Jh. der Verfasser der Doctrina patrum mit der Fleischwerdung des Wortes: ταῦτα διὰ Μανέντα ὃς θεὸν μὲν ψιλὸν αὐτὸν ὁμολογεῖ καὶ οὐκ ἄνθρωπον.[87]. Damit führte der Verfasser die Monophysiten auf Mani zurück. Gegen die Monenergisten wandte sich dieselbe Schrift mit folgendem Zitat aus dem Brief des Mani an Zebinas: μίαν οὖν ἔχον ἔμεινε τὴν φύσιν καὶ τὴν ἐνέργειαν τὸ φῶς μηδὲν παθοῦσαν τῷ ἐπισκιάσματι τῆς σαρκὸς οὐκ ἔχοντι φύσιν κρατουμένην.[88] Mit φῶς ist hier nach dem Zusammenhang Christus entsprechend Joh 1, 5 gemeint. Kurz nach 700 konstruierte ähnliche Zusammenhänge Anastasios Sinaïtes, der sich in seinem ›Wegweiser‹ gegen die nicht-orthodoxen Lehren wandte.[89] Er machte den Eutyches dafür verantwortlich, daß er sich in seiner Lehre u. a. auch von manichäischen Büchern habe beeinflussen lassen. Auch dem Severus von Antiochia wurde vom gleichen Verfasser der Vorwurf des Manichäismus gemacht: er gehe in seiner Haltung gegenüber den γραφαί mit den Manichäern parallel, da diese das eine annähmen und das andere verwürfen. Und doch ist uns gerade von demselben Severus die syrische Übersetzung einer Homilie gegen die Manichäer erhalten. Sie steht übrigens inmitten des großen Stromes antimanichäischer Literatur.

Eine eingehende Behandlung besonders der Bekämpfungsmethoden nach diesen Schriften würde für heute zuviel Zeit in Anspruch nehmen. Je weiter die aktuelle manichäische Gefahr aus dem Gesichtsfeld rückt und zu einem dogmengeschichtlichen Phänomen wird, um so mehr wird die Erwähnung der Manichäer unergiebig. Als die wichtigsten antimanichäischen Schriften seien erwähnt: die Acta Archelai aus dem 4. Jh., Prosaschriften und poetische Werke

---

[87] Doctr patr 24, XIV: 175, 21 f. ed. Diekamp.
[88] Doctr patr 41, XVI: 306, 20 f. ed. Diekamp.
[89] Nach Diekamp, Doctrina patrum de incarnatione verbi (Münster 1907), S. LXXX ff. ist er mit dem Verfasser der Doctrina identisch. J. Stiglmayr schreibt sie dagegen Anastasios Apokrisiarios zu; vgl. Byz. Ztschr. 18 (1909) 14—40.

des Syrers Ephräm, die 6. Katechese eines Zeitgenossen des Ephräm, Kyrill von Jerusalem. Auch aus Ägypten, wohin der Irrglaube sehr bald gekommen war, haben wir Schriften von Gegnern: so wandte sich gegen ihn der Bischof Serapion von Thmuis. Aber auch der Bischof der Provinz Arabia Titus von Bostra trat gegen ihn auf. Selbstverständlich widmete Epiphanius dieser Irrlehre genügend Raum. Besonders umfangreich ist jedoch die Auseinandersetzung Augustins mit den Manichäern, der ja als einstiger Manichäer über diese Religion gerade gut Bescheid wußte, anderseits als Konvertit besonderen Grund zu innerer und äußerer Auseinandersetzung hatte. Auch die Bedeutung der langen Jahre seines Manichäertums für seine innere Entwicklung ist immer wieder behandelt worden. Freilich darf man dabei die Bedeutung des Manichäismus für ihn nicht einseitig überschätzen, haben auf ihn doch gerade auch sehr stark griechisch-römische Bildungselemente gewirkt. Vielleicht kann man aber seine intensive Beschäftigung mit Paulus auch aus Anregungen seiner manichäischen Zeit erklären. Wie wichtig die Kirche die Lehre der Manichäer nahm, zeigen uns insbesondere die erhaltenen Abschwörungsformeln, wenn sie auch nicht nur für Manichäer gebraucht wurden. In ihrem abendländischen Raum scheint es der Kirche gelungen zu sein, diese Gefahr zu überwinden. Manichäische Dogmatik ist offensichtlich nicht ins Christentum eingedrungen. Denn die angeführten Beziehungen etwa zu den Monophysiten sind ja Konstruktionen. Denkt man in dieser Richtung konsequent weiter, so scheinen auch die sog. Neumanichäer (Paulikianer, Bogomilen, Katharer) kaum wirkliche Nachfolger des Manichäismus gewesen zu sein. Manichäismus ist hier zum Stichwort für alle gnostischen und dualistischen Häresien geworden.

IV. SPRACHE, SCHRIFT UND LITERATUR

Orientalistische Literaturzeitung. Monatsschrift für die Wissenschaft vom ganzen Orient und seinen Beziehungen zu den angrenzenden Kulturkreisen. 30 (1927), Sp. 913—917.

WARUM SCHRIEB MĀNĪ ARAMÄISCH?

Von Mark Lidzbarski

In den Nachrichten der Gesellschaft der Wissenschaften zu Göttingen, phil.-hist. Klasse 1918, p. 501 ff. suchte ich zu zeigen, daß ein in den Fragmenten von Turfan stehendes Gedicht in persischer Sprache, das wahrscheinlich von Mānī herrührt, ursprünglich in aramäischer Sprache abgefaßt war. Zu dieser Annahme wurde ich durch den Stil der Verse und ein Wortspiel veranlaßt, erst später erinnerte ich mich der Notiz im *Fihrist* (p. 336, 8), daß Mānī von seinen sieben größeren Werken eines persisch, die anderen sechs „syrisch" geschrieben habe. Jenes eine Werk war der *Šāpūragān*, den er dem König Šāpūr I. überreichte, und dieses Werk konnte er natürlich nicht anders als in persischer Sprache schreiben, die ja im Grunde auch seine eigene Sprache war. Eben aus diesem Grunde müssen wir fragen, warum er nicht auch die anderen Werke persisch geschrieben habe.

Seitdem man sich wissenschaftlich mit dem Manichäismus beschäftigt, ist man uneinig darüber, als was für eine Religion man ihn anzusehen habe. Die einen sahen ihn als christlich, andere als babylonisch, andere als iranisch an. Alle und keiner hatte recht. Babylon war zu Mānīs Zeit sicherlich ebenso ein Babel der Religionen wie der Sprachen. Dem religiös interessierten Manne mußte gerade dort die Zerrissenheit der Menschen in religiöser Hinsicht auffallen, und gerade dort konnte ihm der Gedanke kommen, allen „auf der Erde Gewordenen" eine einheitliche Religion zu schaffen. Während Mohammed zunächst seine eigenen Araber im Auge hatte, sah es Mānī bei seinem weiteren Horizont von vornherein auf die ganze Welt ab. Und um seine Neuschöpfung möglichst vielen mundgerecht zu machen, um möglichst viele für sie zu gewinnen, entnahm er allen ihm bekannten Religionen, was ihm an ihnen am besten schien. Er wollte mischen, er war ein bewußter Synkretist.[1]

Um seine Lehre möglichst vielen zugänglich zu machen, schrieb er auch seine Schriften nicht in seiner eigenen Sprache und Schrift, der persischen, sondern in der aramäischen.

Das Aramäische war damals die verbreitetste Sprache im westlichen Asien, und wahrscheinlich wurde sie durch aramäische Kaufleute auch weithin nach dem Osten gebracht. Das Griechische war wohl auf größerem Raume bekannt, aber doch nur bei den oberen Schichten. Es fragt sich nun, was für ein Aramäisch es war. Die Bauinschrift des Bar-Rekub zeigt, daß sich schon früh ein literarisches Gemeinaramäisch gebildet hatte, das auch in Gebieten gebraucht wurde, in welchen man anders sprach. Denn die Sprache der Inschriften am Hadad- und am Panammu-Denkmal entspricht wohl der Sprache, die in Šamʾal selbst zu Hause war. Ich vermute, daß diese Gemeinsprache von Ḥarrān, dem damaligen Mittelpunkte der aramäischen Religion, ausging und vielleicht von dortigen Priestern verbreitet wurde. Ob es eine solche literarische *Koinē* auch in der späteren Zeit des aramäischen Heidentums gab, wissen wir nicht, aber wenn es eine gab, hatte sie ihre Heimat wohl im damaligen religiösen Zentrum der Aramäer, in Hierapolis. Daß die Sprache der *Pšīttā* sich schon zu Mānīs Zeit über Vorderasien verbreitet und daß auch Mānī sie gebraucht habe, ist unwahrscheinlich. Vielmehr ist anzunehmen, daß Mānī, wo er mit solchem Nachdruck das Land Babel als seine Heimat nennt, wo er die aramäische

---

[1] In dem Aufsatze O. G. von Wesendonks über den Manichäismus (OLZ 30, 1927) stoße ich Sp. 221 auf die Bezeichnung von Mānīs Schöpfung als „bewußten Synkretismus". Ich bemerke, daß ich meine hier mitgeteilte Auffassung von Mānīs Intentionen schon vor Jahren Bekannten gegenüber geäußert habe, auch Dr. Lentz gegenüber, dessen Schrift v. Wesendonk dort bespricht. Übrigens gebraucht v. W. dort den unebenen Vergleich: „Mānī ist der letzte Prophet und Verkünder der Wahrheit, der nach Babylonien gesandt wurde, ähnlich wie sich Muhammed als den Gesandten Allahs für die ummah der Araber hinstellt." Und in Harrassowitz' Ephemerides Orientales Nr. 30 (Sept. 1926), p. 4 äußert er sich dahin, daß die Buntscheckigkeit des Manichäismus erst nach Mānī in ihn hineingekommen sei.

Schrift Babyloniens für seine Schriften wählte, er auch die aramäische Sprache Babyloniens verwandt habe.

En-Nadīm sagt allerdings in seinem *Fihrist* (p. 336, 8), daß Mānī die sechs Schriften سوری geschrieben habe. Aber zu seiner Zeit war die Bezeichnung „aramäisch" unbekannt, wie sie denn auch bei uns erst in neuerer Zeit zu häufiger Anwendung gelangt ist. Er meint damit kaum einen bestimmten Dialekt, sondern die bei den Syrern in Syrien übliche Sprache, ohne Rücksicht auf die dialektischen Schattierungen. Ob die Worte بلغة سوریا von En-Nadīm selber herrühren, ist mir übrigens fraglich; sie sehen nach einer Glosse zu سوری aus, die wohl gar nicht vom Autor selber herrührt. Ġawālīqī gebraucht in seinem *Muᶜarrab* سریان in demselben Sinne. Es ist für ihn soviel wie شآم (49 l. ult.; 105, 1; 111, 1; vgl. auch 142, 12). Bei ihm findet sich außerdem die Bezeichnung نبطی, aber damit ist wohl die Mundart der autochthonen bäuerlichen Bevölkerung des ʿIrāq gemeint, wie denn die Bezeichnung sich öfters bei Wörtern aus dem landwirtschaftlichen Leben findet (52, 3 v. u.; 53, 4 v. u.; 112, 2; 122, 2; 137, 3).

In Ägypten wurden einige Papyrusfragmente manichäischer Herkunft mit manichäischer Schrift und mesopotamisch-aramäischer Sprache[2] gefunden, und daraus schließt Burkitt[3] daß auch Mānī in diesem Aramäisch geschrieben habe. Aber in den Sitzungsberichten der preuß. Akademie der Wissenschaften 1916, p. 1218 ff.[4] zeigte ich, welchen großen Einfluß die Religion auf die Schriftwahl ausübt, daß sie auf diese einen weit größeren Einfluß habe als auf die Wahl der Sprache. Die Albanier verschiedener Religion bedienen sich einheitlich der albanischen Sprache, aber der Katholik schreibt sie mit lateinischer, der Muslim mit arabischer Schrift. Die englische Bibelgesellschaft läßt die Bibel für die Polen in polnischer Sprache drucken, aber für die Römisch-Katholischen in der Schrift Roms, für die Lutherischen in der Schrift Luthers. So bedienten sich auch die mesopotamischen Aramäer einheitlich der Mundart Mesopotamiens, aber der Christ schrieb sie in der Schrift der *Pšīttā*,

---

[2] So oder „Nordostaramäisch" möchte ich lieber statt „Syrisch" sagen.
[3] The Religion of the Manichees, p. 111 ff.
[4] Siehe auch Theol. Lit.-Ztg. vom 30. Juli 1921.

der Manichäer in der Schrift Mānīs. Daß Mānī selber sich der mesopotamischen Mundart bedient habe, darf man daraus nicht schließen.[5]

Benutzte Mānī die aramäische Sprache und Schrift, so wird er wohl an der Religion der Aramäer nicht vorübergegangen sein, ja es liegt nahe anzunehmen, daß er ihre Religion in erster Linie berücksichtigt habe. Aber leider wissen wir von ihr in den letzten Jahrhunderten des Heidentums sehr wenig, und dies empfinden wir ja auch bei der Beschäftigung mit dem Mandäismus so schmerzlich. Es ist auch wenig Hoffnung vorhanden, daß es einmal besser wird. Funde aus letzter Zeit, namentlich die von Cumont in Dura-Europos, zeigten zwar, daß auch im Boden Asiens Handschriften auf Leder sich erhalten können, und somit könnten auch einmal aramäische Handschriften gefunden werden, aber man wird schwerlich gerade Werke religiösen Inhaltes finden, denn das aufkommende Christentum fahndete sicherlich auf die heidnische Literatur und vernichtete alles, was gefunden wurde. Möglich, daß eine intensivere Untersuchung der Überreste griechischer Schriftsteller syrischer Heimat daraufhin uns etwas liefern wird.

Namentlich in Babylonien wirkte wohl die abgestorbene oder absterbende babylonische Religion im Glauben der Aramäer fort, die ja auch die alte autochthone babylonische Bevölkerung aufgesogen hat. In erster Linie wird der babylonische Sternenglaube in ihr fortgelebt haben. Dann hat wohl der altpersische Glaube mit seinem Dualismus und seiner Lichtlehre auch sie stark beeinflußt. Mānī wird vieles den Aramäern entlehnt haben, was andern Ur-

---

[5] Mit Unrecht spricht Schaeder von einer Schriftreform Mānīs, die er sogar als „sichere Tatsache" hinstellt (Urform und Fortbildungen des manichäischen Systems, Sonderdruck aus ›Vorträge der Bibliothek Warburg‹ IV. Vorträge 1924/1925, p. 147 ff.). Schrieb Mānī aramäisch, so hatte er nichts zu reformieren. Die Änderungen und Erweiterungen in seiner Schrift kamen erst hinein, als man in seiner Gemeinde daran ging, sie für nichtsemitische Sprachen zu verwenden. — In Babylonien, wo die stärkeren Kehllaute ihre Kraft verloren hatten, konnte leicht eine Verwirrung in die Wiedergabe der Kehllaute hineingeraten, aber im mandäischen ח steckt kein ח, siehe Zeitschrift für Numismatik XXXIII (1921), p. 89.

sprungs war, und manches in seiner Lehre, was wir als altpersisch nachweisen können, mag er von ihnen erhalten haben.

In dem angeführten Gedichte sagt Mānī: Entsprossen bin ich aus dem Lande Babel, und an der Wahrheit Pforte hab' ich gestanden. Ich habe hier ein Wortspiel zwischen באב in באביל und dem Ausdrucke „an der Wahrheit Pforte" (באבא דקושטא) vermutet. Es fragt sich, ob man nicht weiter zu gehen habe. Im Islam wird حَقّ „Wahrheit" als Bezeichnung für Gott gebraucht. Der Gebrauch geht wohl direkt auf den Koran zurück, wo Mohammed sagt: اللّٰه هو الحقّ (22, 6. 61; 24, 25; 31, 29). Ich fragte Andreas, ob auch auf iranischem Gebiete schon in der Zeit vor Mānī die Bezeichnung Gottes als „Wahrheit" sich nachweisen lasse. Dann wäre die Gleichsetzung von באביל mit „Pforte der Wahrheit" erst ganz verständlich. Doch meinte Andreas, daß ihm dort ein solcher Gebrauch von „Wahrheit" nicht bekannt sei. Immerhin sei hier darauf hingewiesen.[6]

In der Legende auf den Münzen der Characene, die ich in der Zeitschrift für Numismatik XXXIII (1921), p. 83 ff. behandelt habe, ist die Lesung מאני und מהרא = Mithra völlig sicher. Dagegen ist über die beiden in der Mitte stehenden Worte, da ein jedes der beiden Zeichen, die ich ר bzw. י las, drei verschiedene Werte haben kann (ר ד ב bzw. י ז ו), das letzte Wort wohl noch nicht gesprochen. A. a. O., p. 93, 95 wies ich auf eine Münze hin, die an der Stelle, wo die anderen מאני haben, etwas anderes zeigt, darunter zwei miteinander verbundene ⊐[7]. Ich hatte schon damals mit Rücksicht auf die Bedeutung dieser Züge eine Vermutung, die ich nicht auszusprechen wagte, da die Übereiligen sie mißbrauchen könnten; es scheint mir aber doch ratsam, sie nicht unausgesprochen zu lassen. Von diesen beiden links offenen Quadraten kann jedes den Wert ב,ר oder ד haben, damit kann man die ohne Zwang בד, d. h. Buddha lesen. Daß in Südbabylonien, das immer in regem

---

[6] Beachte übrigens, daß nach Albērūnī, Chronologie, p. 207, 18 Mānī sich im Šāpūragān als „Gesandten des Gottes der Wahrheit" bezeichnete.

[7] Siehe jetzt auch Hill, A Catalogue of the Greek Coins in the British Museum (Arabia, Mesopotamia and Persia), London 1922, p. 304, pl. XLV, 3.

Verkehr mit Indien stand, im dritten Jahrhundert nach Chr. Buddha Verehrer haben und selbst ein kleiner Dynast zu ihnen zählen konnte, wird man zugeben. Mānī nennt ja auch Buddha an der bekannten Stelle aus dem *Šāpūragān* als einen seiner Vorläufer. Aber ich möchte mit allem Nachdruck hervorheben, daß die Lesung höchst unsicher ist, und warne vor einer voreiligen Verwertung.

Franz Rosenthal, Die aramaistische Forschung seit Th. Nöldeke's Veröffentlichungen. Leiden: E. J. Brill 1939, S. 207—211.

DIE SPRACHE MÂNÎS

Von FRANZ ROSENTHAL

Dass die Hauptwerke Mânîs in aram. Sprache verfasst waren, konnte nach der klaren Aussage Ibn an-Nadîms in seinem Fihrist[1], dass von den sieben Büchern Mânîs sechs in „syrischer" (سوری), eins in persischer Sprache geschrieben sei[2], nicht mehr zweifelhaft sein. Ein sicheres Anzeichen für die Ursprünglichkeit der aram. Sprache ist es auch, wenn bestimmte Termini, die im Aram. einen Bedeutungsumfang aufweisen, den andere Sprachen nicht mit einem einzigen Wort ausdrücken können, in jenen zu sachlichen Modifikationen Anlass gaben, so wie es H. J. Polotsky für das aram. zâk̲û̲t̲â̲ nachgewiesen hat[3], das im Aram. eine Bedeutungsweite von „Schuldlosigkeit" bis „Siegespreis"[4] in sich schloss und im Koptischen dann die Verschmelzung zweier Versionen verursachte, deren jede in aram. Fassung eine andere Bedeutung von zâk̲û̲t̲â̲ zur Grundlage gehabt hatte —, oder wenn die aram. Terminologie noch deutlich in fremdem Sprachgewande durchschimmert, wie es bei den iranischen Texten der Fall ist[5]. Zwar keinen ganz so sicheren Beweis, wie es der Nachweis aram. Grundlage der Terminologie ist, aber doch eine weitere Bestätigung der Indizien für eine ursprüngliche aram. Sprache bietet ferner die Erkenntnis, dass fremdsprachige Texte aus dem Aram. übersetzt sind; das hat M. Lidzbarski an einem iranischen Text gezeigt, dem

[1] Ed. G. Flügel, Leipzig 1871/2, p. 336.

[2] Letzteres ist das Šâb̲uhragân, cf. H. J. Polotsky, Abriss des manichäischen Systems, Sonderabdruck aus PWRE Supplement-Band 6, Stuttgart 1934, Sp. 244.

[3] L. c., Sp. 260 s.

[4] Cf. dazu auch M. Lidzbarski, Johannesbuch, Bd. 2, Giessen 1915, p. 1, Anm. 3.

[5] Cf. H. H. Schaeder, Iranica, AGGW, phil.-hist. Kl. 3, 10, 1934, p. 11.

ein aram. Gedicht zugrunde liegen musste, wie es sich besonders fest
durch das nur im Semit. mögliche Wortspiel zwischen den Namen
„Babel" und dem Ausdruck „Tor (der Wahrheit)" erhärten liess[6],
und auch für die koptischen Texte ist eine aram. Vorlage nicht ganz
unwahrscheinlich[7]. Damit kann man dann unbedenklich annehmen,
dass die uns erhaltenen Reste in aram. Sprache manich. Originale
(die natürlich nicht auf Mânî selber zurückgehen müssen, sondern
vielleicht auf seine ersten Schüler) darstellen: Die Papyrusfetzen in
aram. Sprache und manich. Schrift, die zuerst D. S. Margoliouth
und W. E. Crum und dann F. C. Burkitt bekanntmachten[8], die
Lieder, die H. H. Schaeder aus dem Bericht über die Manichäer im
Scholienbuch des Theodor bar Kônai heraushob[9], und vielleicht
auch die manich. Zitate der syr. Übersetzung des Titus von Bostra,
die A. Baumstark, nach R. Reitzensteins Vorgang[10], als nicht aus
dem Griech. mitübersetzt, sondern als nach einem syr. Original in
die übrige Übersetzung eingefügt betrachtete[11]. Die manich. Scha-

---

[6] Ein manich. Gedicht, NGGW, phil.-hist. Kl. 1918, p. 501—505. Cf.
auch Mand. Liturgien, AGGW N.F. 17, 1, 1920, p. XIII; Lidzbarski übersetzte den iranischen Text ins Mandäische.

[7] Cf. H. H. Schaeders Besprechung von C. Schmidt — H. J. Polotsky,
Ein Mani-Fund, SBPAW, Phil.-hist. Kl. 1933 (Gnomon 9, 1933, p. 340 s.).
Uneingeschränkt für direkte Herkunft der koptischen Homilien und
Kephalaia aus dem Aram. tritt A. Baumstark ein (Oriens Christianus 3,
10, 1932, p. 257—268, und 3, 15, 1938, p. 169—191).
Über die Quellenverhältnisse innerhalb des wichtigsten arab. Textes,
des Fihrist, vgl. Polotsky, l. c., Sp. 250 und 260.

[8] The Religion of the Manichees, Cambridge 1925, p. 111—119.

[9] OLZ 29, 1926, Sp. 104—107 (Aramaist. Forsch., p. 194). — Die Aussprache Kônai, statt des sehr häufig gebrauchten Kônî oder eines von
E. Sachau vorgeschlagenen Kêwânî (cf. A. Baumstark, Gesch. d. syr. Lit.,
p. 218, Anm. 8), folgt dem Vorgange Burkitts, der auf eine entsprechende
Vokalisation in der ins 16. Jh. gehörigen Handschrift Cambridge add.
1998, 46 (W. Wright, A Catalogue of the Syriac Manuscripts ... of the
University of Cambridge, 1901, p. 444) hinwies (l. c., p. 14, Anm. 1).

[10] Eine wertlose und eine wertvolle Überlieferung über den Manichäismus, NGGW, phil.-hist. Kl. 1931, p. 55.

[11] Der Text der Mani-Zitate in der syr. Übersetzung des Titus von
Bostra, Oriens Christianus 3, 6, 1931, p. 23—42. Einen ähnlichen Vor-

leninschriften dagegen, die man nach ihrem Schrifttypus wohl mit Recht manich.-gläubigen Verfassern zuweist[12], können nicht für die Erkenntnis der Sprache Mânîs benutzt werden, da sie offensichtlich in dem Dialekt ihrer Zeit und ihrer Schreiber abgefasst sind und sich sprachlich von jüdischen oder christlichen Dokumenten gleicher Art kaum unterscheiden. Jedenfalls aber darf es als feststehend erachtet werden, dass Mânî und auch die ersten Manichäer *aramäisch* schrieben.

Die Frage, „warum Mani Aramäisch schrieb"[13], jener Mânî, der zu dem parthischen Königshaus in verwandtschaftlichen Beziehungen stand, beantwortete M. Lidzbarski vor allem mit dem Hinweis auf das praktische Resultat des Gebrauchs des Aram., nämlich dass in diesem Sprachgewande die neue Lehre die weiteste Verbreitung in Vorderasien finden konnte. Strittig ist nur die Frage nach der Dialektform, die Mânî gebraucht haben mag. Sie ist darum besonders schwer zu beantworten, da sich all die aram. Dialekte und besonders die hier vor allem in Frage kommenden ostaram. Dialekte sehr nahestehen. Im allgemeinen vertrat man die Ansicht, dass Mânî nicht edessenisches Syr., sondern einen der babyl. Form, etwa dem Mand., nahestehenden Dialekt geschrieben habe, allerdings ohne Beweise dafür erbringen zu können. Fr. Cumont deutete an, dass bei Theodor bar Kônai die originalen Formen der Namen göttlicher Wesen erhalten seien, brachte aber keine Beispiele, ob und wie man daraus dialektologische Schlüsse ziehen könne.[14] F. C. Burkitt dagegen vertrat den Standpunkt, dass Mânîs Sprache doch weit näher dem klassischen edessenischen Syr. als dem Mand. stehe.[15] Er war dazu durch die syr. Fragmente gebracht worden, in denen er spezifisch syr. Ausdrucksweisen wie bar šâᶜṭeh „sofort" fand. Doch machte er gleichzeitig auch auf unsyr. Fakten aufmerksam,

gang glaubte Baumstark auch für die „Diatessaron"-Zitate bei Titus annehmen zu dürfen (Biblica 16, 1935, p. 257—299).

[12] Siehe Rosenthal, Aramaist. Forschung, 1939, p. 222.

[13] OLZ 30, 1927, Sp. 913—917.

[14] Recherches sur le Manichéisme I, La Cosmogonie manichéenne d'après Théodore bar Khôni, Brüssel 1908, p. 2 .

[15] L. c., p. 73 s.

so auf die — freilich auch innerhalb des Syr. sich noch findende[16] —
— Defektivschreibung des kurzen u und das Auftreten eines ṭ
statt eines t in qšjṭ, einem besonders wichtigen Terminus der
Gnostik, der allerdings innerhalb der aram. Dialekte manche
Schwankungen in der Form zeigt[17]. Eines der himmlischen Wesen
bei Bar Kônai ṣpt zjw' = Splenditenens, erklärte Burkitt aus
assyr. ṣâbit, jüd.-aram. ציבתא als „Zange des Glanzes"[18]. Weiter-
gehend setzte H. J. Polotsky die Partizipialform ṣâp̄eṭ zîwâ hier an,
indem er es — sicher wohl nach dem akkad. Verbum ṣabâtu — als
genaues Äquivalent von Splenditenens fasste. Gleichzeitig zog er
den Namen Bân rabbâ heran, dessen Bedeutung als „Grosser Baumeister" entsprechend dem البنّاء des Fihrist[19] von H. H. Schaeder
festgelegt worden war[20]. Beide Namen müssen zweifellos auf
Mânî selbst zurückgehen und boten auch ursprünglich kein edessenisches Syr.; denn sie gehören sicherlich zum ältesten Bestande der
manich. Lehre und hätten, wenn sie anfänglich eine edessenische
Namensform besessen hätten, nicht in die uns überlieferte nicht-
edessenische Form jemals übersetzt werden müssen, da auch eine
edessenische Form überall im ostaram. Sprachgebiet unbedingt verständlich gewesen wäre. Allerdings handelt es sich bei diesen beiden
wichtigen von Polotsky angeführten Fakten um Namen, bei denen
manche Abweichung vom gewöhnlichen Sprachgebrauch vorkommen kann. So gehört denn dieses ṣâp̄eṭ merkwürdigerweise zu einer
Wurzel, die in der geforderten Bedeutung sonst dem Aram. fremd
ist, wenn nicht, nach probabler Ergänzung, in einer bestimmten
Wendung in den EP[21] vorkommend, und die Form bân, die wohl
gleichfalls ein Partizipium Praesentis darstellen soll, erweckt da-

---

[16] Cf. dazu besonders E. Littmann, Semitic Inscriptions, New York
1905 (s. Rosenthal, Aramaist. Forschung, 1939, p. 86, Anm. 3), p. 17, und
Nöldeke, ZA 21, 1908, p. 155 und 385.

[17] Siehe Rosenthal, Aramaist. Forschung, 1939, p. 245.

[18] L. c., p. 28, Anm. 1.

[19] Nach Nöldekes Interpretation, ZDMG 43, 1889, p. 546.

[20] Schaeder(-Reitzenstein), Studien zum antiken Synkretismus, Leip-
zig- Berlin, 1926, p. 243, Anm. 2.

[21] צ]בית עזקתה Aḥîkar 3, cf. J. N. Epstein, ZATW 32, 1912, p. 132,
und Cowley, Kommentar zur Stelle.

durch Misstrauen, dass eine derartige Bildung eines Verbums tert. j
sonst im Aram. nicht bekannt und, selbst wenn man einen Übergang in eine Wurzel bnn, wie er im Mand. belegt ist[22], oder bwn
voraussetzen wollte und an eine mand. Form wie באנא „Erbauer",
das aber st. emph. ist!, denkt, nicht leicht zu begreifen ist. Es bleibt
sehr zu beachten, dass Bân von den persischen Übersetzern nicht
wörtlich, sondern durch bâm „Morgenröte" wiedergegeben ist[23];
wenn die Wortbedeutung „Baumeister" tatsächlich, wie anzunehmen, schon auf Mânî zurückgehen sollte und für die Übersetzer
durchsichtig gewesen wäre, so hätte man sich schwerlich eine solche
Umdeutung bloss wegen der Klangähnlichkeit gestattet. Die Form
wurde eben, sofern man sie überhaupt verstand, als ungewöhnlich,
also als nicht der sonstigen Sprachform der Schriften, innerhalb
deren sie sich befand, entsprechend empfunden, und demzufolge
nahm man Abstand von einer einfachen Übersetzung.

Jedoch lassen alle diese Anzeichen mit grösserer Gewissheit
daran denken, dass Mânî kein reines edessenisches Syr. benutzte;
man wird das auch schwerlich erwarten zu einer Zeit, in der die so
bezeichnete Dialektform sich längst noch nicht in dem späteren
Umfange durchgesetzt hatte, und bei einem Religionsstifter, der die
Religion, die sich zu seiner Zeit der edessenischen Sprache zu bedienen begann, ablösen wollte und durchaus in vieler Hinsicht einen
eigenen Sprachgebrauch bevorzugen musste. Allerdings ist es in
damaliger Zeit sehr wahrscheinlich, dass Mânî ein grammatisch
(und bestimmt orthographisch) der älteren Sprache (also auch dem
edessenischen Syr.) näher als die ostaram. Vulgärdialekte stehendes
Idiom verwendet haben wird.

---

[22] Cf. Nöldeke, Mand. Grammatik, p. 83.
[23] Cf. Schaeder, l. c.

Le Muséon. Revue d'Études Orientales. Tome XLIV (de la collection complète). 1931, pp. 1—36.

MANICHÄISCHE ERZÄHLER

Von Wilhelm Bang-Kaup

*Dem Andenken
meines geliebten Lehrers
Ch. de Harlez de Deulin.*

Die Frage, auf welchem Wege die orientalischen Erzählungsstoffe zu uns in den Westen gekommen seien, ist schon oft gestellt, meist aber wohl in einseitiger Weise beantwortet worden. Auch in dieser Frage wird wohl der Satz gelten, dass viele Wege nach Rom führen.

Wir werden also anzunehmen haben, dass die Verbindung zwischen Ost und West, schon lange vor den Kreuzzügen, durch drei Hauptstrassen unterhalten wurde:

1. die südliche: Indien, Iran, Syrien, Ägypten, Nordafrika, Spanien;
2. die mittlere: Indien, Iran, Kleinasien, Byzanz, von dort zu Land oder zu Wasser nach Rom, Marseille usw.
3. die nördliche: Indien, Centralasien, Türkvölker (Mongolen), Osteuropa [s. Nachtrag 1].

Allenthalben zweigten von diesen grossen Strassen die kleineren Wege ab, welche die Sendboten Manis jahrhundertelang beschritten.

Wir wissen, wir ahnen vielmehr, dass auch die Manichäer ihren Predigten und Schriften „Exempla" einflochten, die sich ganz naturgemäss allmählich zu längeren Parabeln und ganzen erbaulichen Erzählungen entwickeln mussten.

So wird wohl P. Cassel recht behalten, der in seinem phantasiereichen, streckenweise sogar phantastischen Buche ›Aus Literatur und Symbolik‹ (1884!) S. 221 schrieb: „Die Manichäer waren die Vermittler des indisch-buddhistischen Geistes mit dem Occident. Zahllose Sagen und Ideen kamen damit in die Welt der christlichen Völker. Je mehr man die Sagenkreise der europäischen Literatur durchforscht — desto mehr stösst man auf ähnliche Motive und Gebilde im Buddhismus des Orients. Der Manichäismus, welcher gewissermassen der Prediger Buddhistischer Lehren für den Occident war, brachte nicht blos dogmatisches Material, sondern mehr noch Gleichnisse, Sagen, Lehrsätze, Gnomen, welche von den Christen aufgenommen, verbreitet und bearbeitet wurden."

Mag dies teilweise übertrieben sein, mag besonders der buddhistische Einschlag doch überschätzt sein, ein Körnlein Wahrheit dürfte immerhin in Cassels Auffassung stecken.

Ich möchte heute hier einige in den Turfanfunden erhaltene — leider ganz fragmentarisch erhaltene — „Erzählungen" zusammenstellen, die uns zu der Annahme zu berechtigen scheinen, dass die Manichäer in der Tat auf diesem Gebiet eine Vermittlerrolle gespielt haben.

Was nun zunächst die iranischen Fragmente anbetrifft, so hat sich unter ihnen eine ganze Anzahl erzählenden Inhalts gefunden, doch ist bisher fast nichts veröffentlicht worden. In F. W. K. Müllers ›Handschriften-Resten‹ II finden wir ausser zwei legendenhaften Stücken (S. 80—84) nur ein grösseres Bruchstück, das man „Parabel von den Auditores" nennen könnte (84—86). Die auf den folgenden Seiten abgedruckten Fragmente sind fast ganz unbestimmbar. Nur M 45 (S. 91) ist für unsre Zwecke wertvoll, weil es offenbar in Beziehung zu dem auch im Westen bekannten Motiv „Der Mutter Tränen" steht. Eine Mutter sagt in dieser Erzählung: „Ich wusste bis jetzt nicht, dass ich den seelischen Sohn, d. h. die Seele meines verstorbenen Sohnes töte, wenn ich (masslos) über seinen Tod weine; daher werde ich von nun an nicht mehr weinen, damit seine Seele lebe."

Ausser der deutschen Fassung im ›Tränenkrüglein‹ kenne ich die russische in Tolstois ›Nowaya Azbuka‹: eine Mutter, deren Tochter Ännchen gestorben war „weinte drei Tage und drei Nächte lang. In der dritten Nacht schlief sie ein. Und im Traum sah sie, dass Ännchen zu ihr kam und ein Krüglein in der Hand hielt. ʻNun, Ännchen, und was willst Du mit dem Krüglein?ʼ ʻIch habe in diesem Krüglein alle Deine Tränen gesammelt, Mütterchen. Du siehst, das Krüglein ist bis oben hin voll. Weine nun nicht mehr. Wenn Du noch nach mir weinen wirst, dann rinnen die Tränen, die zu viel sind, über den Rand zur Erde, und dann wird es mir in der andern Welt schlecht gehn. Jetzt aber habe ich es gut dortʼ" usw. usw.

Im ›Tränenhemdchen‹ der Gebrüder Grimm ist das Motiv etwas
anders zugeschnitten, doch kann ich mich mit dem Verweis auf
Bolte und Polivka, Anmerkungen zu den Kinder- und Haus-
märchen der Brüder Grimm, Bd. II, Nr. 109, begnügen.

Ungleich wichtiger als all dies ist die manichäisch-soγdische ›Erzählung vom Perlenbohrer‹ M 135ᵃ, die F. W. K. Müller im Jahre
1923 der Berliner Akademie vorlegte, leider aber nie veröffentlichte
(vgl. SBAW 1923, S. 146). Mit ihr sind wir mit einem Schlage mitten in der öst-westlichen Erzählungsliteratur, in deren Mittelpunkt
das Pantschatantra steht; vgl. Th. Benfey, Pantschatantra I, S. 78;
Jos. Derenbourgs Ausgabe des ›Directorium Vitae Humanae des
Joh. von Capua‹ in der ›Bibl. de l'École des Hautes Études‹, fasc.
72, S. 28 und die Anm. 2; Holland, Das Buch der Beispiele der alten
Weisen in der ›Bibl. des Litter. Vereins in Stuttgart‹, Bd. 56,
S. 15–16.

Ich gebe hier die jüngste mir bekannt gewordene Übersetzung der
arabischen Bearbeitung nach Nöldekes ›Burzōes Einleitung zu dem
Buche Kalīla wa Dimna‹ in den ›Schriften der Wiss. Gesell. in Strass-
burg‹ 1912, Heft 12, S. 19:

„Ein Kaufmann hatte viele kostbare Edelsteine. Diese zu durchbohren,
mietete er einen Mann um hundert Goldstücke für den Tag und ging mit
ihm nach seiner Wohnung. Als er sich nun hinsetzte, stand da gerade
eine Laute, und der Arbeiter richtete seinen Blick darauf. Und auf die
Frage des Kaufmanns, ob er die Laute zu schlagen verstehe, erwiderte er:
'ja, recht gut.' Denn er war wirklich in dieser Kunst geschickt. 'So nimm
sie', sprach jener. Er ergriff sie also und spielte dem Kaufmann den ganzen Tag in richtiger Weise schöne Melodien vor, sodass er den Kasten mit
seinen Edelsteinen offen stehen liess und voll Vergnügen Hand und Kopf
zum Takte wiegte. Am Abend sagte der Arbeiter zu ihm: 'lass mir
meinen Lohn geben', und als der Andere sprach: 'hast du denn etwas
getan, um Lohn zu verdienen?' antwortete er: 'du hast mich ja gemietet,
und ich habe getan, was du mich zu tun geheissen hast.' So drängte er ihn,
bis er die hundert Goldstücke ohne Abzug erhielt, während die Edelsteine
undurchbohrt blieben."

Auf die Herausgabe des soγdischen Textes werden wir nun wohl
nicht mehr allzulange zu warten brauchen.

Ehe ich nun zu den türkischen Fragmente übergehe, bemerke ich, dass in ihnen für 'Erzählung' usw. offenbar *azand* gebraucht wird. In den ›Türk. Man.‹ III 14, Rücks. 7, heisst es: *yimä täñri yalawačï burqan sumnaɣdïqa inčä tip yarlïqadï: bu saw kim siz aiɣur-siz äšidiñ [-] bir azand sözläyin [-] öñräki ärtmiš ödün bir uluɣ balïq bar ärti [-] qamaɣ ädkä tükällig*, 'und der göttliche Prophet sprach folgendermassen zu Sumnaɣdï: Höre diese Sache, von der du sprichst; ich will eine Geschichte (oder dgl.) erzählen: in längst vergangenen Zeiten gab es eine grosse Stadt, die mit allen Gütern ausgestattet war'. Ebendort, S. 31, wird zweimal *azant* geschrieben; einmal in der Überschrift! Das Wort ist zweifellos das mpers. *azand*, das in den ›Handschriften-Resten‹ II, S. 86, in der „Parabel von den Auditores" vorkommt und hier offenbar ebenfalls 'Erzählung, Geschichte, Parabel' bedeutet: *īn azand niyōšagān* 'die Zuhörer dieser Erzählung'.

Die Erklärung der beiden Formen *azand,* und *azant* und ihres möglichen Zusammenhangs mit dem soɣdischen *åzant* überlasse ich den Herren Iranisten. Dies soɣdische Wort kommt in F. W. K. Müllers ›Soghdischen Texten‹ I, S. 29, vor, und zwar in Lukas 1, 1: *ᵓarqtī ᵓåzanṭṭ.* Hier ist *ᵓarqtī* der Genitiv plur. von *ᵓarq, ᵓrk* 'Tat, Werk' (z. B. Joh. 5, 36; vgl. auch Benveniste, Gram. sogd. 209), während *ᵓåzanṭṭ* der Plural von *ᵓåzanṭ* ist. Das ist also die wörtliche Übersetzung des Vulgata-Textes *narrationes rerum gestarum.* Im Syrischen *teš'ǝjâṭâ dǝsû'rânâ,* wie mir mein Hörer Kurt Wendt sagt. Auch hier also die Bedeutung 'Erzählung'.

Ich wende mich nun zu den türkischen Fragmenten. Man wird sehn, dass ich bei der Lesung und Erklärung dieser einzigen Texte an manchen Stellen über die Erstausgabe meines noch täglich vermissten Freundes Albert von Le Coq hinausgekommen bin, weil die turkologischen Studien in den letzten 20 Jahren nicht auf demselben Fleck stehngeblieben sind. Ich hoffe anderseits, dass ein neuer Bearbeiter nach wieder 20 Jahren meine Übersetzung überholen und die von mir noch gelassenen Lücken ausfüllen wird. Denn meine Freundin Wissenschaft heisst ja Wissenschaft, weil sie Wissen schafft und nicht etwa, weil sie nur Wissen hätte — denn dann wäre sie greulig langweilig.

Meiner andren Freundin, Dr. von Gabain, schulde ich grossen Dank für ununterbrochene Hilfe bei der Entzifferung.

I

An erster Stelle steht füglich das Fragment aus dem Buddha-
leben, das A. von Le Coq im Jahre 1909 herausgegeben hat. Denn
durch die Namensform *bodi-sw*, d. h. *bodisaw* statt *bodistw*,
bodistaw, *bodiswt*, d. h. *Bodhisattva* stellt es, wie F. W. K. Müller
damals gleich annahm, die Verbindung mit dem *bodasaf* usw. des
Fihrist und damit auch mit dem Barlaam und Joasaph her. Müller
nahm dann weiter an (SBAW 1909, S. 1205 Anm.), dass „nach
dem jetzigen Stand unserer Kenntnis der zentralasiatischen Lite-
raturen ein manichäisches Prototyp in soghdischer Sprache . . . nicht
ausgeschlossen" sei. Diese Annahme hat sich seither insofern glän-
zend bestätigt, als nur in soydischen Texten ein unsrem *bodisaw*
entsprechendes *pwtysβ*, *pwtsβ* zu finden ist (vgl. Gauthiot-Pelliot,
Le sūtra des causes et des effets II 83 a und bei Reichelt, Die Soghd.
Handschriftenreste des Britischen Museums I, z. B. S. 8, Z. 121, wo
man *pwtysβty* vielleicht, wie Müller tat, als Dat. plur. von *pwtysβ*
auffassen darf). Wie aber die Formen *pwtysβ*, *bodisaw* und *bodistw*,
bodistaw entstanden sind, weiss ich nicht zu sagen.

T II D 173 e (A. von Le Coq in SBAW 1909, 1208 ff.).
Vorn:

1 - ČINAK KİGİNČ BİRMÄKİ NOM -
2 ötrü bodi-sw tg'in
3 ////i-k atïn tinin tartap
4 turdï - qarap či-nakkä
5 inčä tip aitlï - bu muntaγ
6 körksüz aγnayu yataγma
7 nä türlüg kiši bu tip
8 aittï - - či-nak inčä
9 tip ötti - tngrim bu kiši
10 öngrä yig'it igsäz
11 siz'intäg kičig körtlä
12 urï ärti - ạmtï qrï-dï iglädi [-]
13 ig täg'ip muntaγ körksüz
14 bol-'up yat'ur - - ötrü
15 bodi-sw inčä tip ai-mïš [-]

16 bizma uz-un yašap *kini-ngä*
'17 *m*unč*u*layu χoq (d. h. qoq) bol-ur är**inc** [-]
[Vier Zeilen fast ganz zerstört.]
Hinten:
18 - BODI-SW TG'İN BU -
19 - - bodi-sw tg'in či-nkdä*n*
20 bu sawaγ äši-d'ip - tini-*n*
21 kir'ü qai-tï tartap - aγr
22 qadγun ul-'uγ bosušun
23 yanïp bardï - kntü toy-ïngaru
24 kiräp kimkäng söz birmätin
25 ạmru bosanu saqnu ol-urmïš
26 - - qangï χan ögi qatun
27 äši-dip äkün käl-'ip oγlïnga
28 näčä ai-tsar nng kiginč
29 birmädük - - ol ö-dün
30 šntudn χan qmaγ buiruq
31 -larï-nga atlγlarï-nga qatγ
32 -qï-yan ai-mïš - *q*oγlang
33 *b*arap qïγ sayu budun sayu
34 *b*urqu ät'iz-äng //////
[vier Zeilen zerstört]

Übersetzung

1. Überschrift der Seite.
2. Darauf zog der Bodhisattva-Prinz den Zügel seines Pferdes Kanthaka an und hielt. Indem er (auf den alten Mann) schaute, sprach er zu Chandaka: 'Dieser (Mensch der da) so (6) hässlich und sich wälzend liegt, was ist das für ein Mensch?' sagte er. Chandaka sagte ehrfurchtsvoll: 'Majestät, dieser Mensch war früher ein junger, gesunder, Ihnen gleich kleiner, schöner Jüngling. Jetzt ist er alt und krank geworden (13) und da ihn Krankheit traf, so liegt er (da nun) so hässlich geworden.' Darauf sprach der Bodhisattva folgendermassen: 'Auch wir werden nach einem langen Leben schliesslich wohl so zu Schmutz (Staub) werden.'
[Lücke.]

18. Überschrift der Seite.

19. Als der Bodhisattva-Prinz von Chandaka dieses Wort (Geschichte, Sache) gehört hatte, riss er seinen Zügel zurück und kehrte in schwerem Kummer und grossem Leid zurück. Er ritt in seine Stadt ein und sprach zu niemandem auch nur ein Wort (**25**), immer bekümmert (Hend.) sass er da. Als sein Vater, der König, und seine Mutter, die Königin, es hörten, kamen sie beide herbei, was sie aber auch zu ihrem Sohne sagen mochten, er gab keinerlei Antwort. (**29**) Da sagte der König Schantudan zu seinen Befehlshabern und Vornehmen strengstens: folget ihm nach (??), gehend an allen Strassen (?) und bei allen Völkern lasset Hörner erschallen ...

Anmerkungen

1 und 18. Ich glaube nicht, dass man aus diesen beiden Seitenüberschriften den Titel konstruieren darf, wie dies Alfaric, Les écritures manichéennes, II 214, tut. Wir wissen jetzt auch längst, dass *kiginč* nicht 'instruction', sondern 'Antwort' bedeutet.

Die Form *činak* oder *činäk* für den Namen von Buddhas getreuem Chandaka oder Channa bedarf noch der Erklärung; ebenso weiss ich nicht, warum Buddhas Vater Śuddhodana in unserem Fragment Z. 30 *šntudn* genannt wird. Jedenfalls ist *šntudn* = soγd. *šnt'wδn*, wie er im Vessantara Jātaka heisst; vgl. R. Gauthiots Ausgabe im ›Journ. Ass.‹, mai-juin 1912, p. 510, Z. 1505 und die Anm.

3. In dem ersten, zerstörten Wort, von dem nur *i-k* erhalten ist, muss der Name von Buddhas Pferd Kanthaka stecken; zweifellos in seiner soγdischen Form — m. W. ist sie noch nicht belegt.

6. *aγna-* < *aγïna-*.

9. *ötti* im Sinne von *ötün-* ist m. W. bisher nur an dieser Stelle belegt, möglicherweise also Schreibfehler; etwa auch für *aittï*.

21. *kirü qaitï* Hendiadyoin; *qait-ï*.

24. *kimkäng*, wie schon A. von Le Coq annahm, verschrieben für *kimkä nng*, d. h. *näng*.

25. *amru*, 'immer'. Vgl. unsre ›Türkischen Turfan-Texte‹ V (SBAW 1931) S. 339, Anm. 115.

27. *äkün* wohl = *äkün* < *äkigün*. Dies liegt ›Türk. Man.‹ III

14, Z. 6, vor. Ist es Instrumental von *äkigü* oder mit *kün* zusammengesetzt? Vgl. unten S. 275, Anm. 9.

31. *qatïyqïyan* ist Instrumental von *qatïyqïya*, 'sehr strenge'. Vgl. ›Proben‹ IV 71, 8 *köpkünön* < *köp-kiňän*.

32. Mit *qoylang* fängt die Stelle an, für meinen Geschmack höchst unangenehm zu werden! Warum *qoylang*?

Denn es ist doch vorher nicht gesagt worden, dass der Prinz aus dem väterlichen Schloss geflohen sei. Soll *qïy* = *qay* (< dem Chines.), 'Strasse' sein? Das Verbum *ätiz-* bedeutet 'ertönen lassen'; vgl. das Berliner Maitrisimitfragment 501 R *biš türlüg yinčkä oyun ätizü,* 'fünferlei feine Spiele ertönen, erklingen lassend', und Pelliots Text im ›Tᶜoung Pao‹ 1914, S. 263 a. In dem Wort, das A. von Le Coq zweifelnd *barqu* las, muss also *burqu* stecken = Kāš. *buryui,* 'Trompete' = *buryu* usw. bei Brockelmann, ᶜ*Alī's Qiṣṣaᵓi Jūsuf* (ABAW 1916 Nr. 5), S. 51 unten. Wb. auch *bïryï, pïryï*; Kazantatar. *boryo, bïryï,* nach Dr. Rachmati.

Ehe wir nun nach dem Zweck dieses sonderbaren Hörnerblasens fragen, muss ich einen kleinen Irrtum Alfarics (II 214) berichtigen. Er sagt: « Le prince ... rencontre un mort qu'on conduit à sa dernière demeure. » Doch handelt es sich in unserem Bruchstück noch gar nicht um den Toten, dessen Anblick den dritten Grund zu Buddhas Weltflucht abgab, sondern um den alten Mann, der dem jungen Prinzen in den meisten Versionen zum erstenmal die Vergänglichkeit alles Irdischen veranschaulichen sollte.

Was geschah nun, nachdem der Prinz in den Palast zurückgekehrt war? Um den Prinzen zu verhindern, sich aus der Welt zurückzuziehn, befiehlt sein Vater: 'quickly get ready some plays to be performed before my son' (vgl. Warren, Buddhism in translations[4], 57; ähnlich bei Beal, The romantic legend of Sâkya Buddha, 110–11). Ich möchte annehmen, dass das *burqu ätiz-* zu den vom König befohlenen Vergnügungen gehört! Vgl. das Berliner Maitrisimit-Fragment 106: *altunluy köwrük toqïyurlar, buryu tartarlar, labai ürärlär,* 'sie schlagen goldgeschmückte Trommeln, blasen Trompeten und Muschelhörner'.

In dem unsinnigen *qoyla-* muss also wohl *köglä-,* 'singen' (Kāšɣarī) stecken, sei es, dass es einfach verschrieben ist, sei es, dass es durch Enklise an *yïrla-,* 'singen' selbst guttural geworden ist.

Zu dem Bereich derselben Quelle gehört wohl sicher das unappetitliche Bruchstück, das A. von Le Coq in seinen ›Türk. Manich.‹ I 5–7, herausgegeben hat. Vgl. die Nachweise S. von Oldenburgs im ›Bull. Acad. Impér. de St-Pétersb.‹ 1912, 779–782. Dass die beiden Bruchstücke zu einer und derselben Rezension gehören sollten, wie Alfaric, Les écritures manichéennes II 218, annimmt, glaube ich dagegen nicht, denn bei Ibn Babavaih ist der Betrunkene, sowohl in der persischen (vgl. Oldenburg, l. c.) als auch in der arabischen Version, ein Prinz, während die manichäische Rezension ihn den *tüzün är*, d. h. den Edlen oder Milden nennt. Im Türkischen stehn sich übrigens die beiden Stücke sprachlich durchaus nicht so nahe, dass man annehmen müsste, sie entstammten zwei verschiedenen Exemplaren desselben Werkes (vgl. Oldenburg, l. c. 782 Anm.).

II

Die beiden Seiten dieses Fragments habe ich der besseren logischen Entwicklung wegen umgestellt und lese:

T. M. 423 d. (Türk. Man. III 23)
Vorn:

1 ////////// **nä** üčün tisär - boγuq
2 *kün* tngri qapaγï ačalγai - küntngri
3 yaruqï isigi ingäi [-] säning qanatangïn
4 kön'ürgäi [-] örtängäi sn - ölgäi sn
5 tidi - ötrü ol ödün bu sawaγ išidp
6 qanatïmïn silkinip - ymä trkläyü qalγ
7 -d*a*n qodï intim - yana qaya kördüm - tang
8 ///lirmiš (?) - küntngri yaruqïn
9 kögmän taγda toγa kälir ärtir - ymä
10 birök üstüntän qodï ün klti - χonuγ
11 burχan yrlγïn klürdi - inčä tip
12 aidï [-] sini oqïyur mn - vrukdad *o*γlï
13 y-*a*

[Es folgen vier grösstenteils zerstörte Zeilen, deren Inhalt sich nicht rekonstruieren lässt.]

Hinten:

14 oot önär ärti - taqï ymä kördüm
15 kim kün tngri toγar ärti - ord*u*sï
16 üstün ašrlmatïn tägzinür är**ti** [-]
17 ötrü birök üstüntän qalïγdan
18 ün klti - mini oqïdï [-] inčä tip aidï -
19 ai sn verukdad oγulï säning aiγang
20 ančaγ (?) ol - muntada artuq kör*gäi*
21 sn - ạmtï ödsüz ölmä [-] trkin mu*n*dan
22 *yanï*p bar tidi - taqï ymä muntada
23 öngi birdin sïngar χonuγ burχan
24 ünin išidtim - inčip özin näng
25 körmädim - ötrü ärtingü ạmranu män
26 -äng atamïn *at*ayu oqïdï - ymä
[Es folgen wieder drei fast ganz zerstörte Zeilen.]

Übersetzung

1. „... denn der verschlossenen Sonne Tor wird sich öffnen, der
Sonne Glanz und Hitze wird herabkommen und deine Flügel verbrennen. Du wirst in Flammen aufgehn und sterben" (5), sagte er.
Als ich diese Worte hörte, schüttelte ich meine Flügel und flog eilig
vom Äther herab. Ich blickte zurück: die Morgenröte war ... (?);
mit den Strahlen der Sonne war sie über dem Kögmän-Gebirge am
aufgehn. Wieder (10) nun (aber) kam von oben eine Stimme herab;
den Befehl des Qonuγ Burqan überbrachte sie; so sagte sie: „Dich
rufe ich, Sohn Farukdads ..."
14. Feuer war am herauskommen. Und wieder sah ich, dass die
Sonne am aufgehn war, und dass ihr Palast (d. h. die Sonnenscheibe,
die Sonne) oben *ašrïlmatïn* am einherwandeln war. Da nun kam von
oben, aus dem Äther eine (18) Stimme. Mich rief sie; so sprach sie:
„oh Sohn Farukdads, dein Wort ist betrüblich (?); mehr als dies wirst
Du sehn. Jetzt stirb nicht vorzeitig; kehre eiligst von hier zurück."
Und wieder hörte ich ausser (23) dieser (Stimme) in südlicher Richtung die Stimme des Qonuγ Burqan, aber ihn selbst sah ich keineswegs. Da rief er mich, indem er sehr liebevoll meinen Namen nannte.

Anmerkungen

1. *nä üčün tisär* ist meist einfach durch 'denn' zu übersetzen; vgl. mong. *kemebesü* (Kow. 2482 b) und Schmidts ›Gramm.‹ S. 99. Im Teleutischen heute noch *täzä* < *täsär*, 'denn'.

1. *boɣuq* von *boɣ-*, *bū-*, *pū-*, das im Alt.-Tel. noch 'zubinden, zuschnüren; den Fluss sperren' bedeutet, im allgemeinen aber nur noch im Sinne von 'erwürgen, erdrosseln, ertränken' usw. gebraucht wird. Im Tar. soll es nach Wb. IV 1647 auch im Sinne von 'über Kreuz binden (die Hände oder Füsse)' vorkommen. Die alte Bedeutung muss jedenfalls 'versperren' usw. gewesen sein; vgl. die mongolische Sippe *büte-*, ‹être couvert, enveloppé, s'enfoncer dans l'eau; être bouché, fermé› usw., *bütege-*, ‹couvrir (un vase, etc.), mettre un couvercle; boucher, fermer (la porte)›, *bütegül-*, ‹étouffer, serrer la gorge› usw.

2. Der Gebrauch von *kün täñri* für das Gestirn, der sowohl in den manichäischen als in den buddhistischen Fragmenten regelmässig ist (vgl. unsre ›Türk. Turfantexte‹ V, S. 333, Anm. 5), scheint ein Soɣdicismus zu sein; vgl. im Vessantara Jātaka, Journ. as. 1912, p. 169, l. 40 ɣwyr βy = χwēr baɣ.

4. *kön'ür-*, d. h. *könür-* von *kön-* < *köñ-*; vgl. unsere ›Türkischen Turfan-Texte‹ I (SBAW 1929), S. 256, Anm. 16 und S. 263, Anm. 152.

8. Anfang der Zeile unlesbar. Vgl. Tafel I. [Hier nicht abgedruckt.]

10. *birök*. Man beachte, dass *birök* in diesem Stück nicht mit dem Konditional gebraucht wird; es bedeutet also gar nicht 'wenn', sondern 'nun, aber' usw. Ein Wort für 'wenn' ist dem türkischen Idiom ja auch ganz entbehrlich, und den Gebrauch des *ägär* verdanken wir nur der geliebten „Ausländerei".

10. *χonuɣ burχan* (vgl. Z. 23) ist unbekannt. Es ist immerhin nicht unmöglich, dass Mani darunter zu verstehn ist. A. von Le Coq las *χoruɣ*, mit dem jedoch ebenfalls nichts anzufangen ist und das in der Schrift unsres Schreibers nicht wahrscheinlich ist. In ›Uigurica‹ III 83 *qonuɣ marïmlarïm*, 'meine zarten (??) Glieder': also *qonuɣ burχan*, 'der zarte Burqan'?? Vgl. etwa die Merkmale des Prophetentums im ›Muséon‹ XXXVIII 24–25?

12. *vrukdad* (vgl. Z. 19), d. h. *varukdad*, in dem nur das pers.

faruχʷdādh stecken kann (vgl. Justi, Iran. Namenbuch 96 a und von Le Coq, Türk. Man. III, S. 4). [Der Name ist *Virōgdād*, vgl. Henning unten S. 404. Hrsg.]

16. *ašrlmatïn;* es kann nur *ašïrïl-*, *ašrul-* vorliegen. Soll gesagt werden, dass die Sonne über das Kögmän-Gebirge noch nicht herüberstieg??

19. *aiyang,* d. h. *aiy-ïñ.* Zu *aiy* vgl. unsere ›Türkischen Turfantexte‹ II (SBAW 1929), S. 414, Z. 3 und 25, S. 419, Anm. 25.

20. *ančay* oder *-q,* da über dem *γ* gerade ein Loch ist, in dem die Punkte des *q* gestanden haben können. Oder lies *inčaq, inčïq?* Ein nominales *inčïq* wird durch das denominale Verbum *inčïqla-,* 'jammern' usw. gefordert; vgl. Müllers ›Uigurica‹ III 35. 23 und Wb I 1365. In den ›Türk. Man.‹ I 7, 17 scheint *inčaq* (so in manichäischen Schrift), 'betrübt, traurig' zu bedeuten. Das karaimische *inčχïr-,* 'seufzen, stöhnen' (Kowalski 194) und seine Verwandten (vgl. mein ›KOsm.‹ II S. 10, § 8) gehört auch hierher: **inčïq-qïr-* usw.; kom. *inčqa- < *inčïq-a.*

23. *birdin.* Ich habe schon KSz XVIII 21 Anm. auf die Schwierigkeiten hingewiesen, die die Ausdrücke für 'Norden' und 'Süden' in den Orchon-Inschriften umgeben. Da sich nun mittlerweile ergeben hat, dass in den Turfanfragmenten niemals **biridin* oder dgl. geschrieben wird, so werden wir doch wohl für 'Süden' *bir,* für 'Norden' *yïr* ansetzen müssen. In A. von Le Coq ›Türk. Man.‹ III 10 haben wir für 'Norden': *irdin sïngar, yirdä sïngarqï,* die natürlich auch *ïrdïn, yïrda* gelesen werden könnten, für 'Süden' aber *bïrqarudun sïngar,* das offenbar durch den Einfluss von *yïr* guttural geworden ist, wenn es nicht durch *sïngar* angezogen wurde. Ebendort, S. 8 Nr. 3, *birdinki yirdinki,* wo jedenfalls *yïr* unter den lautlichen Einfluss von *bir* geraten ist. Hoffentlich gelingt es den Bemühungen von W. Kotwicz und S. M. Shirokogoroff, das Rätsel dieser Benennungen zu lösen. In den Turfanfragmenten wird sonst 'Norden' durch *taydin sïñar* 'bergwärts' ausgedrückt, 'Süden' durch *küntin yïñaq.*

Kāšγarī hat sonderbarerweise *ir,* 'Sonnenseite'. Wohl 'die von der Sonne beschienene Seite'? [Siehe Nachtrag 2.]

III

T II D. 177 (Türk. Man. I 32).

Seite 1:

[Sieben Zeilen, die so zerstört sind, dass der Zusammenhang nicht klar wird.]

8 - - ötrü ol waχšig kntü
9 aimïš sawïnča qïltï [-] qamaγ
10 budun köngülin saqïnčïn
11 yorïtï - mr amu muž-ag balïq
12 ičintä tägz-inti buši qoltï -
13 buši nng bulmadï - bir yaγaq
14 bultï - - ötrü mr amu muž-ag
15 ////////////////// bir (?) qam tngrilikingärü
16 bardï - kim qamγ budun angar
17 tapïnur udunur-lar ärti - ol tngri
18 -likdäki qam mr amu muž-agka
19 inčä tip ayïtï - nä är sn [-]
20 anta nälüg kälting [-] biz-intä
21 qalïp (?) olur tidi - - ymä mr amu
22 muž-ag ol qam-qa inčä tip
23 tidi - arïγ dintar mn [-] siz-intä (?)
24 //////qa (?) ///// kltim - qa///////
Ende der Seite.

[Der Anfang von Seite 2 ist zerstört bis auf abgerissene Wörter.]

28 ////////// uluγ yaruq barq
29 ////////// mn anta olurain [-]
30 tngri nomïn yadain tidi - -
31 ötrü ol qam asγančulayu
32 inčä tip aidï [-] bu tngrilik
33 siz-ingä bolz-un - siz olurung
34 tidi - ötrü mr amu muž-ag
35 ol qamqa inčä tip aidï -
36 sn üč yolï inčä tip ai
37 -γïl [-] bu tngrilik siz-ingä bolz-un
38 - - ötrü ol qam asγančulayu

39 üč yol*ï in*č**ä tip tidi* - -
40 *tngri*lik siz-ingä bolz-un ti*di* -
41 nä üčün tisär - ol qam
42 *k*ongüli-ngä inčä saqïntï - bu
43 a*d*ïn yir-lig är bu [-] kntü swigi-n
44 öz ölmäk-kä kirür [-] manga *o*l
45 kiši asγ bolγai - -
Es folgen drei Zeilen, aus denen nichts herauszuholen ist. Mit den
soeben gelesenen beiden Seiten bilden zwei weitere Seiten ein Blatt.
Es ist möglich, dass sie zu der Erzählung von Mar Amu gehören,
der ja nun wohl in dem Tempel gepredigt haben wird. Sicher ist dies
aber nicht, denn das Buch kann ja mehrere Erzählungen enthalten
haben. Seite 4 ist schon im ›Muséon‹ XXXVI 189–190 behandelt
worden.

Seite 3 lese ich folgendermassen:
46 qangï-nga ////////
47 mn bu blgü **kördüm** (?) /////
48 ywlaq irü är*ür* - - ////////
49 az ïnaru bar*mï*š - bir ügür s*ï*γ**un**
50 muiγaq kör**miš** - ymä muiγaq
51 sïγunuγ owu**tsuz b**ilig üčün
52 idärür ärmiš [-] oγu*l* bu blgü körüp
53 ymä anïγ bo**sušlu**γ bolup - ötrü
54 *q*angï-nga inčä tipän ai-mïš -
55 **nä** tang sa**wlar** bu - nä
56 **saw** körür mn timiš - -
57 *ymä* taqï az ïnaru barmïš-lar -
58 **bir** toš baš**ïn körüp** anta
59 t*ü*šmiš-lär - *s*uw **yanïnda** aš ašaγalï
60 ol*u*rmïšlar - ötrü yul*daq*ï
61 balq ätin yimiš*lär* [-] quiqasï-n
62 tri*sin* suw ičrä kmišmišlär -
63 **anïng** yïdïnga suw ičräki
64 **balqlar** *t*irilü quwranu klmišlär -
Es folgen noch fünf sehr schadhafte Zeilen; wichtig ist nur Z. 20,
weil hier (vgl. Z. 17) balq trisi quiqasï sehr schön zu lesen ist, sowie

Z. 21 balqaγ tutup, weil daraus hervorgeht, dass Vater und Sohn die mit der Fischhaut gekörderten Fische fingen. Ähnliche Gedankengänge liegen in den ›Türk. Man.‹ I, S. 7–8 vor.]

Übersetzung

8. Darauf tat der Geist nach den von ihm selbst gesagten Worten, und das ganze Volk handelte nach Gutdünken. Mar Amu, der Možag, wandelte im Innern der Stadt einher und erbat Almosen, **(13)** bekam aber keinerlei Almosen. (Nur) eine Nuss fand er. Dann ging Mar Amu, der Možag, **(15)** . . . zu dem Tempel eines Magiers (?), weil das ganze Volk ihm Verehrung erwies. Der in diesem Tempel befindliche Magier sprach folgendermassen zu Mar Amu, dem Možag: 'Was für ein Mann bist Du **(20)** und warum bist Du hergekommen? Bleib bei uns und setze Dich', sagte er. Und Mar Amu, der Možag, sprach so zu jenem Magier: '**(23)** ich bin ein reiner Elekte und bin gekommen (um bei Euch zu bleiben oder dgl. ??)'
Lücke.

28 (Mar Amu spricht: 'Euer Tempel ist ??) ein grosses, helles Gebäude . . . ich will mich hier niederlassen und **(30)** Gottes Lehre ausbreiten', sagte er. Da sprach jener Magier schmeichelnd folgendermassen: 'Dieser Tempel soll Dir (wrtl. Euch, Ihnen) gehören; setze Dich' **(34)**, sagte er. Da sprach Mar Amu, der Možag, so zu jenem Magier: 'Sag Du das doch dreimal: dieser Tempel soll Dir gehören!' **(38)** Da sprach jener Magier schmeichelnd dreimal so: 'der Tempel soll Dir gehören', sagte er. Denn jener Magier dachte so in seinem Sinn: 'dies ist ein Ausländer, durch seine Eigenliebe wird er in seinen Tod rennen; mir wird dieser Mensch (nur) von Nutzen sein.'
Lücke.

46 Zu seinem Vater (sprach der Sohn . . .): ich habe dieses Zeichen gesehn . . . es ist ein böses Vorzeichen . . .' **(49)** Sie gingen ein wenig weiter und sahen eine aus einem Hirsch und Hirschkühen bestehende Herde. Und die Hirschkühe liefen dem Hirsch aus Geilheit **(52)** nach. Als der Sohn dieses Zeichen sah, wurde er sehr traurig und sprach so zu seinem Vater: **(55)** 'Was sind das für wunderliche

Dinge? Was für Dinge sehe ich?' sagte er. (57) Und wieder gingen
sie ein wenig weiter. Als sie einen Teich sahen, stiegen sie dort ab
und setzten sich am Rande des Wassers nieder, um zu speisen.
(60) Da assen sie das Fleisch der in dem Bach [der den Teich speiste?]
befindlichen Fische, ihre Haut (Hend.) aber warfen sie ins Wasser.
(63) Infolge von deren Geruch versammelten sich (Hend.) nun die
im Wasser befindlichen Fische ...

Anmerkungen

8. Zu diesem Stück vgl. das Fragment M 2 in Müllers ›Handschriften-Resten‹ II, S. 30; beide stehn höchst wahrscheinlich in
allerengstem Zusammenhang. Mar Amu war ein Schüler und
Apostel Manis (vgl. A. von Le Coq, ›Türk. Man.‹ I 45). Ein längerer
Text aus den Episteln Manis an Mar Amu wurde am 25. Febr. 1909
von Müller der Berliner Akademie vorgelegt (SBAW 1909, S. 325),
ist aber nicht veröffentlicht worden.

8. *waχšig*, sonst auch *waχšek*, < iran. *vaχšēk*, *vaχšīg*, *einer Erweiterung* von *vaχš*, 'Geist'. In dem ebengenannten Frag. M 2
erscheint dem Mar Amu „der Geist der Chorassan-Grenze" und
verhindert ihn zunächst einmal, das Land Chorassan zu betreten.
In unsrer Stelle handelt es sich offenbar um denselben oder einen
ähnlichen „Schutzgeist". [M 2 ist veröffentlicht SBAW 1933, S. 301
bis 306. Hrsg.]

9. *qamay* = mprs. *hamāg* z. B. bei F. W. K. Müller, Handschriften-Reste II, S. 18, Z. 1 usw. [Nyberg 93]. Als ob es ein echt
türkisches Wort wäre, wird dann auch *qamïy*, *qamuy* gesagt
(Uigurica II 79; Türk. Man. III 6 usw.). Das daneben vorkom-
mende *qamayun* (Uigurica I 22; Türk. Man. III 24 usw.) könnte
man geneigt sein, direkt mit mprs. *hämgēn* (Handschr.-Reste II,
S. 39 unten) gleichzusetzen; ich ziehe vor, darin **qamayγun* zu
sehn, < **qamay-kün*. Zu diesem *kün* vgl. Thomsen, Inscriptions,
Notes 59 und 84. Mit denselben *kün* ist *alquyun*, 'alle' (z. B. Uigurica II 15. 48) gebildet. Wenn neben *qamayun* nun auch *qamayu*
auftritt (Uigurica II 65; III 28–29), so hat man es offenbar mit den
substantivierten Kardinalzahlen wie *birägü*, *onayu* zusammen-

gebracht. Das mong. *khamuk* (Kow. 807) ist aus dem Dschagatai-schen entlehnt; es muss in den mongolischen Dialekten irgendwo ein **khamik* bestehn, aus dem das alt. tel. sag. usw. *qamïq* zurück-entlehnt ist, denn dessen *-q* kann nicht auf das *-γ* von uig. *qamïy* zurückgeführt werden. Dagegen beruht das altosm. *qamu* (z. B. in den seldschukischen Versen des Rabāb-Nāmeh) auf *qamïy, qamuy.* Das osm. *häpsi* ist aus *hämä-si* entstanden, das im Osttürkischen noch täglich gesagt wird und das eine neuerliche Entlehnung aus dem np. *hämä* < mpers. *hamāg* darstellt. Osm. *häp* ist nachträglich aus *häpsi* abstrahiert worden.

11. Zur Bedeutung von *yorï-* vgl. unsre ›Türkischen Turfan-texte‹ I (SBAW 1929), S. 225, Anm. 10.

13. *yaγaq* jetzt durch Kāšγarī gesicherte Form für das neuere *yañaq, yañγaq, džañgaq* usw., 'Walnuss' u. dgl.

49. *ügür.* So ist das meist *ögür* umschriebene Wort auszusprechen. Bedeutung ist: 'Herde, Schar, Haufen, Rudel; Gesellschaft, Sippe, Sippschaft' usw. Die neueren Formen sind dschag. *üyür,* kaz. also *ǫyör* (!), balkar. *üyür* 'Familie', alt. tel. usw. *ūr* (z. B. ›Proben‹ IV 386 *bir ūr balïq,* 'ein Schwarm Fische') > Tara, Kur. *aür* (z. B. ›Proben‹ IV 159 *bir aür qïslar,* 'eine Schar Mädchen'). In *aür* ist Radloffs Umschrift wohl nicht ganz genau. Denn im Tara und Kurdak (vgl. ›Phonetik‹, § 29) steht *äü* in *aür,* 'schwer' < *aγïr; aür-,* 'Schmerz haben' < *aγïr-,* kaz. *aur-* (aber kir. balk. *auru-,* karaim. *awru-* Kowalski 161); *äül,* 'Dorf' < *aγïl; äüz,* 'Mund' < *aγïz.* Es ist nicht sehr wahrscheinlich, dass *aγï-* genau dasselbe ergeben haben sollte wie *ügü-, ög-* und *-ögü.* Doch hat Radloff *äü* auch in *aürän-* < *ögrän-,* 'lernen' notiert, ebenso in *bäürilgän,* 'Brombeere'; zu diesem Wort vgl. Türkmen. *bäürslän, böürslän* (!), osm. *böyürtlän,* auch *büyürtlän* ausgesprochen. Basis **bögür-?

Ich leite *ügür* von dem Verbum für 'aufhäufen, anhäufen' usw. ab, das Radloff im Wb. I 1178 (vgl. Brockelmann, Mitteltürk. Wortschatz 132) falsch *ök-* gelesen hat; die richtige alte Aussprache muss *üg-* gewesen sein, wie aus den neueren Dialektformen hervor-geht: sag. koib. *üḡ-,* kir. *üi-.* alt. tel. *ū-;* durch kaz. *ǫi-* wird die ältere Aussprache mit *ü-* gesichert [Siehe Nachtrag 3.]

In der Inschrift I S 5 = II N 4 *yaγuru qaduqda kisrä ayïy biligin anda öyür ärmiš* liegt selbstverständlich (vgl. Thomsens Anmerkung) nicht dieses *üi-* vor, sondern *ö-*, 'verstehn': 'nachdem (die Türken) sich in der Nähe (der Chinesen) angesiedelt hatten, verstanden sie deren Schlechtigkeit (Gemeinheit).'

52. *idär-*, bei Kāš. *ädär-*, 'aufsuchen, verfolgen, jagen', im Dschag. mit der bekannten Lautsubstitution *ägär-, igär-* (*ädär-* > **äyär-* > **ä'är*, > *ägär-;* vgl. die Geschichte von *ädär,* 'Sattel' usw.); tob. *iär-*, kir. *er-* z. B. ›Proben‹ III 314, 27 *qïzdïñ inisi erdi,* 'des Mädchens jüngerer Bruder begleitete sie'. In den sagaischen Mundarten hätte das Wort **ezär-* lauten sollen; belegt ist bis jetzt nur das Gerundium *ezärä,* 'in einer Reihe'. Vgl. aber auch unsre ›Türkischen Turfantexte‹ I (SBAW 1929), S. 255, Anm. 9, wonach zwei verschiedene Verba im dschag. *ägär-* zusammengefallen wären.

58. Zu *toš baši* und *yul* in Z. 60 vgl. unsre ›Türkischen Turfantexte‹ V (SBAW 1931), S. 335, Anm. 1.

61. *quiqa*. Vgl. Kāšγarī. In den neueren Dialekten heisst es besonders oder ausschliesslich 'Kopfhaut' (Radloff, Wb. II 890) und ist in dieser Bedeutung wohl aus dem Mongolischen zurückentlehnt (Kow. 853, der auch auf mandschur. *koika* verweist). Jakut. *kujaχa,* mit durch die Nase gesprochenem *j,* 'Kopfhaut des Menschen, Tierhaut mit abgesengten Haaren'. In unserem Stück bildet es offenbar mit *täri* ein Synonymkompositum.

IV

Dasselbe *pothī*-Bändchen, in dem uns der grosse Hymnus auf Mani erhalten ist, den wir in unseren ›Türkischen Turfan-Texten‹ III (SBAW 1930), 183 ff. herausgegeben haben, enthält unter andrem auch kümmerlich Reste einer Erzählung, von der ich hier retten will, was noch zu retten ist. Die Beschreibung des Bändchens möge man l. c. S. 184 nachlesen und das Faksimile hier auf Tafel II (= Z. 12–21) einsehn. Inhaltlich lassen sich die uns erhaltenen Stücke, deren Aufeinanderfolge nicht einmal feststeht, kaum bestimmen — nur so viel scheint angenommen werden zu dürfen, dass ein „Lehrer" namens Aryaman-Fristum eine Geschichte (Legende? Parabel?) von einem sonst unbekannten Kaufmann Arazan erzählt.

T III D 260 19 und 30
Rückseite: toquz otuz = Blatt 29
1 amtï tngrim mn **aryaman fristum** *q*uštr - aya ////la////
2 süzüg köngül-   **ün** a*y*ïrlayu - yinčürü tö*p*ün yügünü **täginür**
3 -mn - ököm-   **in** *qa* /// tisiz ïdduq *b*ur*χ*an *q*utïng*a* **yinčürü**
4 yükünür-mn - - *y*ig üstüngii tolpïi amrïl**mïš** *b*ur*χ*an ///
5 quitïng*a* *yükünür*-**mn** [-] qamïγqa qut birtäčii *b*ur*χ*an q*u*tïnga
     [Lücke.]

T III D 260 31
Vorderseite?
6 üč arïγ č*χ*šaptïn = durch die drei reinen Gebote
7 türlüg ayγ yol-larta = auf den (zweier)lei bösen Wegen
Rückseite?
8 ärtdim ä**rs**är - = wenn ich betrieben haben sollte
9 qïlïnčlarta särinmät*im* ä**rsär** [-] = wenn ich in den (guten) Werken nicht ausgeharrt haben sollte.

T III D 260 22
Vorderseite?
10 ... artadïm ärsär - = wenn ich vernichtet haben sollte
Rückseite?
11 // ... *kü*zätü umadïm ä**rsär** [-] = wenn ich nicht im Stande
gewesen sein sollte (die Gebote) zu beobachten

T III D 260 26
Vorderseite: altï qïrq = Blatt 36.
12 kötürtäčii tïnlγ-larqa *tö*z*ü*kä bar*č*a *y*azt*ï*m *y*ang*ï*ltïm ärsär -
     nomqutïh
13 tngrii üskintä -   alqu ayïγ qïlïnčlarïmïn ökünü arïγ krmšuhn
     qolu
14 ötünü täkinür   -mn - mnastar hirza - amtïi mn *aryam*an
     f*ri*st*u*m
15 quštr - ulaq (Rest der Zeile absichtlich ausgelöscht)
16 // kü - alqu türlüg aγïr ayïγ qïl*ï*n*čl*arï*m*zn*i*i ö**künüp** - arïγ
     krmšuh*n* qolu

T III D 260 26
Rückseite.

17 täkind*i*mz - ay*ï*γ qïlïnč arïmaq*l*ïγ - ä*d*gülüg /////// *t*üš utl*ï*ï
birzün - toγmaq
18 *öl*mäk*l*ig toruγ tuzaqïγ šäštäčii bolalïm - qïlïnčlïγ paγ
19 üztäčii bola -l*ï*m - azmïšlarïγ yirtčilälim - uzun önkätmäz
boqaγuγ
20 nïzwanïlïγ igig ämlätäčii bolalïm - bilgä biliglig közüg
ačtačii
21 bolalïm - qoptïn ämkäk täkintäčilär-kä *m*ängii örünčü *(sic)*
birtäč*ii* bolalïm -
[Lücke.]
T III D 258 a
Vorderseite.
22 üsküngüzlärtä t///rča körüng ?? ////////////adaya - bu ü ////
23 yizig yidizig bar -ča - ikii ///////////// barča saqïnïp - y*a*zuq
24 -larnïï bošunu arïγ krmšu*h*n qolu mnast*a*r hirz qïlïnglar
25 tip öddläti - ol ạrazan *a*dlïγ satïγčïnïng ö*d*din ärigi*n*
26 äšiddip - bir ärsär ölümkä qo*rq*tïlar - ikintii ärsär ä*d*lig twarlïγ

T III D 258 a
Rückseite: säkiz qïrq = Blatt 38.
27 isiig özüg äsirkädilär - *ü*čün*č* *ä*rsär özlärining *tirig* öz b//k(q ?)/
28 -singä tafrantï -lar - ạrazan adlïγ s*a*tïγčïnïng ö*d*dii ärigii
özä
29 äfrilip - yazuq -larïn o*k*ünü y*a*šlarïn aqïtu k*r*mšu*h*n qolu
30 mnastar hirz qïltïlar [-] arïγ (?) k*ir*tgü*n*čintin ötkürü
yiztin
31 yitiztin barča o*z*up astar *h*irz qïlu täkintii (?) - ol antaγ
[Lücke.]

T III D 260 21
Vorderseite.
32 yitii rtnikätäki ///////////// bar*ï*p (?) - alïng-larii oγlan-larï
-ngïz birlä
33 äwingizlärkäh täkinklär tiyü ät'üzin qotddï - üzüti tngri
yirintä

34 toγtïï - ol a̦razan adlïγ satïγčïï bašlap ////////
35 -lar - tükäsig -čä rtnii yinčü ädd twar alïp - öz balïq
36 -ïnga ulušïnga täkddilär - äšiddinklär //////////////////

T III D 260 21
Rückseite: /// älig.

37 ärklig uluγ buyan tüšii özä - ölüm //////////////////
38 tip yrlïqaddïï - anïn mn a̦ryaman fristum quštr ///
39 yašqan ïnal itmiš tngrim - qut /////// birlä /////////
40 bärü - büküngii küngätäkii az owutsuz suq üč türlüg yäk
41 -lär tïltaγïnta - saqïnčin sözin qïlïnčïn - üč türlüg arïγ tamγa

Übersetzung

1. Jetzt, mein Gott, verneige ich Aryaman-Fristum, der Lehrer,
... mich bis zur Erde, indem ich geläuterten Herzens Verehrung
darbringe. Mit meinem Sinn (?) ... vor der un(-vergleichlichen ??)
Burqan-Würde verneige ich mich. Vor der allerhöchsten tolpï
amrïlmïš Burqan-Würde verneige ich mich. Vor der allen Segen
spendenden Burqan-Würde (Lücke. In diesen fehlenden Blättern
begann ein Sündenbekenntniss; Reste desselben enthalten die Z.
6–12; vgl. die Übersetzung dort. Mit Blatt 36 schliesst das Sündenbekenntniss:)

12. Wenn ich gegen die ... tragenden Lebewesen alle ganz und
gar gesündigt (Hend.) haben sollte, so bereue ich in des Nom-Qutï
Täñri Gegenwart alle meine Sünden und erflehe (Hend.) demütigst
reines Krmšuhn (Absolution). Mnastar hirza (d. h. meine Sünden
erlass!). Jetzt ich, Aryaman-Fristum, der Lehrer, und ... unsre
schweren Sünden aller Art bereuend erflehten wir demütigst reines
Krmšuhn.

17. Die Sünden reinigend möge er (d. h. doch wohl Nom-Qutï
Tänri?) guten ... Lohn (Hend.) geben. Des Geborenwerdens und
des Sterbens Netz (Hend.) will ich aufknüpfen. Der Tat (der
Sünden) Bande (Hend.) will ich zerreissen. Die Verirrten will ich
führen. Die lange nicht heilenden (20) Leidenschafts-Krankheiten
will ich heilen. Der Weisheit Auge will ich öffnen. Allerseits (über-

haupt?) will ich werden ein Freuden- (Hend.) Spender für die, die das Leid getroffen hat.

[Lücke.]

22. 'in Eurer Gegenwart ... anrufend (?), diese (dreierlei ?) *Irrtümer (?) und *Verfehlungen (?) ganz und gar und die beiden (... Wege ?) bedenkend, Eure Sünden bekennend und reines *Krmšuhn* erbittend machet *mnastar hirz'* (**25**) sagend ermahnte er sie. Als sie dieses Arazan genannten Kaufmanns Ermahnungen gehört hatten, da fürchteten die einen den Tod, die anderen bedauerten ihr (bisheriges) wchlhabendes (opulentes) **27.** Leben, die dritten zu ihres Lebens ... eilten sie. Durch des Arazan genannten Kaufmanns Ermahnungen zur Umkehr gebracht, bereuten sie ihre Sünden, liessen ihre Tränen fliessen und machten, *Krmšuhn* erbittend, *mnastar hirz*. Durch ihren reinen Glauben sich ganz und gar aus den *Irrtümern (?) und *Verfehlungen (?) errettend, machten sie demütigst *mnastar hirz*. Diese so

[Lücke.]

32. 'bis zu den sieben Kleinodien ... gehend (?), begebt Euch mit den Schwachen und den Kindern unter Euch zu Eueren Häusern' sagend legte er den Körper ab (starb er). Seine Seele im Götterlande (?) (**34**) wurde wiedergeboren. Jener Arazan genannte Kaufmann an der Spitze ... (taten sie irgend etwas: -*lar* Rest von -*dïlar*) und bis zur Ausschöpfung (bis alles Vorhandene in ihren Besitz übergegangen war) nahmen sie Edelsteine, Perlen und Waren und gelangten (begaben sich) zu ihrer Stadt und zu ihrem Reiche. (Nun) höret ...

37. 'durch die Frucht seines mächtigen (?), grossen Verdienstes (ist x nach seinem ?) Tode (im Götterlande wiedergeboren worden ??)' geruhte er (wer ?) zu sagen. Daher (haben wir d. h.) ich Aryaman-Fristum, der Lehrer, ... und der Minister Yašqan und die Prinzessin Itmiš mit dem ... Qut ... von ... an bis zum heutigen Tage wegen der dreierlei Dämonen, Gier, Schamlosigkeit und Begehrlichkeit, durch Gedanken, Worte und Werke, (d. h.) durch die dreierlei reinen Siegel ...

Anmerkungen

1. *aryaman* < mittelpers. *aryāmān* 'Freund', das auch in dem Namen Yīšō'-Aryāmān in F. W. K. Müllers ›Mahrnāmag‹, S. 17, Z. 212 vorliegt.

1. *fristum;* vgl. Z. 14 und 38; auf einem zu dieser Handschrift gehörenden Fetzchen steht noch ////*stum quštr*; das Wort ist also mit -*s*- und nicht mit -*š*- auszusprechen. Es ist ein Superlativ wie *tošist* < *došïst* (vgl. ›Muséon‹ XXXVIII 25 und Anm. 2) und entspricht dem mittelpers. *frīstōm*, 'befreundetster' in F. W. K. Müllers ›Mahrnāmag‹, S. 27, Z. 389.

1. *quštr*, 'Lehrer', aus dem soγdischen *γwyštr*, sprich *χwēštar* (vgl. ›Muséon‹ XXXVI 168 Anm. 1 und F. Rosenberg in der ›Oriental. Literaturzeitung‹ 1929, Sp. 197–198). Es ist also -*wē*- zu -*u*- geworden, und es wird gut sein, sich dieser Entsprechung zu erinnern.

3. *öküm* wohl *ögüm*. Die *k*-Laute werden in diesem ganzen Text ganz unsicher notiert; vgl. *täk*- statt *täg*-, *täkin*- statt *tägin*-; aber Z. 2 *yügün*- statt *yükün*-.

3. *burχan qutï* ist zwar genau derselbe Ausdruck wie das buddhistische *burχan qutï*, 'Buddha-Würde', bedeutet aber etwas durchaus verschiedenes: 'die Propheten Würde, die Würde des oder der Lichtgesandten'; hier wohl Manis. Vgl. unsre ›Türkischen Turfantexte‹ III (SBAW 1930), S. 205 Anm. 2.

4. *tolpï amrïlmïš burχan.* Ich habe die Worte unübersetzt gelassen, weil ich nicht sicher bin, dass ich sie richtig verstehe. In den buddhistischen Texten kommt häufig *adï* oder *atï kötrülmiš* als Beiwort zu Buddha vor. Müller scheint in *adï* ein Adverb gesehn zu haben; ich sehe darin *at-ï*, 'sein Name', d. h. also *atï kötrülmiš*, 'dessen Name in die Höhe gehoben ist, über alle andren Namen erhaben ist' (›Uigurica‹ II 28 = *bhagavān*; Kow. 294 b). Man kann also in *tolp-ï amrïlmïš* eine parallele Bildung sehn und übersetzen: 'dessen Ganzes, dessen ganzes Wesen beruhigt ist'. Soll das sich auf Mani beziehn und bedeuten, dass er im ewigen Lichtreich von allem Irdischen erlöst ist? Vgl. im grossen Hymnus auf Mani (›Türk. Turfan-Texte‹ III, SBAW 193) die Z. 32. 35. 52 und 167–168; gerade die letzte Stelle bietet *amrïlmïš nïrwan*, 'das ruhevolle Nirwāna'.

8. *ärt-*. Vgl. ›Türkische Turfantexte‹ IV (SBAW 1930), S. 444 Anm. 11

12. *Nom qutï* = *farah ï dēn*, 'Glorie, Majestät des Gesetzes' (›Muséon‹ XXXVI 234 ff.; XXXVIII 29 ff.). Wie nach unsrer Stelle der Manichäer vor oder in Gegenwart des *Nom qutï* seine Sünden bekennt, so der Buddhist in Gegenwart aller Buddhas der drei Zeiten oder des göttlichen Maitreya Buddha (›Türkische Turfantexte‹ IV 440, 28. 442 48 usw.).

13. *krmšuhn* ist immer noch nicht erklärt. Bedeutung etwa *absolutio*.

14 *mnastar hirza* (< mpers. *manāstār hīrz-ā*), 'meine Sünden erlass!' [Nyberg 24 und 107]. [Der Ausdruck ist mparth. Hrsg.]

15. *ulaq*. Ist es ein Name oder = 'und'? Vgl. *ulatï* < *ula-t-ï* und kom. *ulam*?

18 ff. Die participia praesentis-futuri auf *-tačï* lassen sich vielleicht am einfachsten folgendermassen erklären. Das *-čï* ist das bekannte Formans für Nomina actoris; was übrigbleibt, muss also ein Nomen irgendwelcher Art sein: vgl. uig. *-nču-čï*; *sonst auch -γu-čï*, kir. *-ūšï*, *-maq-čï* usw., die alle mehr oder weniger dem *-tačï* entsprechen.

Nun bitte ich, einmal die folgenden Wörter zu betrachten:

1. mong. *aba*, ‹ chasse › (Kow. 40 a) und türk. *ab*, 'Jagd' bei Thomsen JRAS 1912, 198 XII; sonst > *aw* usw.

2. mong. *ula*, ‹ semelle › (Kow. 392 b) und türk. *ul*, 'Sohle'; vgl. Kāšγarī und meinen 5. Turkolog. Brief in den ›Ungar. Jahrbüchern‹ X S. 23.

3. mong. *öngge*, ‹ couleur › (Kow. 495 b) und türk. *öñ*, 'Farbe'.

4. mong. *boda*, ‹ personne; forme, corps › usw. (Kow. 1174 a) und türk. *boδ* > *boi, poi*, **poz* > *pos*, 'Körper' usw.

5. mong. *ärkä*, ‹ pouvoir, puissance, force › (Kow. 263 a) und türk. *ärk*, 'Macht, Kraft' usw.

6. mong. *köke*, ‹ bleu › (Kow. 2623 a) und türk. *kök*, 'blau'.

Es hat danach den Anschein, als habe das Urtürkische im Auslaut zweisilbiger Wörter einen Vokal eingebüsst: früh-urtürkisch **kö:kä* zu spät-urtürkisch *kök*. Der Doppelpunkt hinter dem Vokal bedeutet, dass dieser den Akzent trug.

Nehmen wir einmal an, dieser Vokal sei auch bei den türk. Abstrakten auf -*t* wie z. B. *käčüt, käčit,* 'Übergang, Überfahrt, Furt' geschwunden. Wir hätten in diesem Falle als früh-urtürkische Form anzusetzen: **kä:čütä.* Von dieser würde das Nomen actoris **kä:čütäči* gebildet worden sein, mit einem Neben-Akzent auf dem -*tä*-: x́ x x̀ x.

Als dann aber das Mittelsilbengesetz in Wirkung trat, musste aus **käčütäči* die dreisilbige Form *käčtäči* entstehn. Dieselbe war so bequem und auch so eindeutig, dass ein Formans -*tačï,* -*täči* abstrahiert und auch an solche Verbalstämme angefügt wurde oder werden konnte, die im Früh-Urtürkischen vielleicht gar kein Abstraktum auf -**ütä,* -**itä* usw. entwickelt hatten.

Für die relative Chronologie der türkischen Sprachgeschichte wäre durch die hier vorgetragene Annahme viel gewonnen, denn erst nachdem **käčütä* im Spät-Urtürkischen zu *käčüt, käčit* geworden war, konnte dies zur Basis des türkischen Imperfekts werden:

$$\text{\textit{*käčütüm} > \textit{käčtüm,}}$$
$$\text{\textit{*käčitim} > \textit{käčtim.}}$$

Kāšγarī bemerkt ausdrücklich, dass die Arγu *käčtüm* aussprachen (vgl. Brockelmanns wertvolle Angabe in KSz XVIII 36 Anm. 2), dies -*tüm* wird aber mit einem Schlage verständlich, wenn wir annehmen dürfen, es sei vor ihm eine *ü*-haltige Silbe geschwunden.

18. *qïlïnč* = die Tat, besonders die böse Tat, die Sünde; vgl. ›Türkische Turfantexte‹ II (SBAW), S. 412 Anm. 2.

19. *yïrtčilä-* auch sonst für *yïrči-lä-*.

19. *önkät-* für *öngät-, öñät-*.

21. *örünčü* statt *ögrünčü*; vielleicht war das -*g*- in der Umgangssprache schon am schwinden?

23. *yïz yïdïz,* aber Z. 31 *yïtïz.* Ich halte die Schreibung *yïdïz* für richtiger, und zwar aus den folgenden Gründen: in *yïz* sehe ich ein z-Nomen von einem Verbum **yï-*. Dieses Verbum liegt heute nur noch in dem verblassten Faktitivum *yït-* < **yï-t-* vor, das 'verlorengehn, verschwinden, vergehn' usw. bedeutet. Im Koibalischen haben wir dafür *čit-* und das Faktitivum *čidir-*, daneben aber *čis-*, 'austrocknen, vertrocknen, verschwinden' (Radloff, Wb. III 528). Ich lese dieses Verbum *čiz-*, im Imperativ *čis.* Es würde also *čiz-* auf urtürkisch **yïδ-* zurückgehn, das seinerseits ein Intensivum oder

Iterativum auf -δ- wäre: *yiδ- < *yi-δ; vgl. qo- und *qoδ- usw. in
den ›Ungarischen Jahrbüchern‹ V 242 Anm. 2; 408 Anm. 1 und
unsre ›Türkischen Turfantexte‹ I, 254 Anm. 1.

Von diesem *yiδ- wäre dann das z-Nomen yidiz gebildet worden. Man wird weitere Belege abwarten müssen, aber schon jetzt
darauf hinweisen dürfen, dass Kāšγarī für yit- die Bedeutung 'in
die Irre gehn' angibt, d. h. also, dass er es im Sinne von az- (vgl.
oben Z. 19) gekannt hat.

Wie wir hier die drei Verba *yi-, *yiδ- und yit- nebeneinander
haben, so finden wir für 'beladen' usw.:

1. *yü- im Nomen yük < *yü-k, 'Last'. Dazu yüklä-, das heute
alle andren Formen verdrängt hat.

2. uig. yüδ- im Qutadγu Bilig und bei Kāšγarī. Das bei Radloff,
Wb. III 611 erwähnte tel. yüi- fehlt an seiner Stelle im Wb.

3. yüt- bei Kāšγarī in den Nomen yütgäk, 'Bündel' und wohl
auch in den Fragmenten aus Turfan in yükin yütä (›Uigurica‹ II 76)
und yütür- (›Uigurica‹ I 8). Doch hat Kāšγarī dafür yüδür-.

Radloff führt Wb. III 588 auch ein dschag. yük-, 'belasten' auf;
ich weiss nicht, wo er es gefunden hatt. Wenn es existiert, so ist es
ein Intensivum (*yü-k-) genau wie yüδ- (*yü-δ-) und entspricht
wohl dem jakut.. sük-, 'auf seinen Rücken nehmen'.

Dieselben Verhältnisse nehme ich bei dem Verbum 'hüten' an:
uig. kü-; dazu das t-Nomen *küt, das bisher nur in kütči, 'Hirt'
vorliegt. Zu kü- einerseits das Intensivum küδ- (Kāšγarī), anderseits das Faktitivum küt- (dschag. usw.).

24. lies yazuqlaringnï!

25. öddlä- und öddin für richtiges ötlä- und ötin.

25. aŗazan kann arazan oder äräzän gelesen werden. Es ist zweifellos ein fremder Name; ich vergleiche das ʾarzān, 'würdig' usw.
des Süddialekts bei Müller, Hofstaat eines Uiguren-Königs in der
›Thomsen Festschrift‹ (1912), S. 208; sonst ʾaržān; vgl. Hübschmann, Armen. Gram. I, S. 92–93 und Bartholomae, Zum Air Wb
(Indogerm. Forsch., Beiheft zum XIX. Band) S. 117 [Nyberg 22].

32. aliŋ, 'der Schwache'; heute alañ usw. Basis von aliñad-,
'schwächen'.

Die mit aliñ nächstverwandten Wörter alañ, alïǧ, alū bedeuten
heute, wie es scheint, nur 'dumm, töricht' < 'schwach an geistigen

Kräften'. Vgl. mong. *doroi*, ‹faible, impuissant›, dann ‹faible d'esprit, imbécile› (Kow. 1885 b).

Nachträge

Nachtrag 1: Damit, dass ich überall Indien an den Anfang gesetzt habe, soll nicht gesagt sein, dass alle Erzählungen usw. dort ihren Ursprung gehabt hätten. Vom Mäusekönig hat z. B. Nöldeke (Abh. der Ges. der Wiss. Gött. 25, 1879, S. 5. 6. 26–27 Anm.) den Nachweis erbringen können, dass er in Persien zum mindesten seine uns bekannte Gestalt bekommen hat. Weiteres werden vermutlich die ›Studien zur Geschichte der älteren arab. Fürstenspiegel‹ von Gustav Richter (Leipziger Semitist, Studien. N. F. Bd. 3 [1932 erschienen]) bringen.

Nachtrag 2: Vgl. de Groot, Die Hunnen der vorchristlichen Zeit, S. 43: „Bekanntlich bezeichnet das [chines.] Zeichen *jang* die wärmenden und leuchtenden Einflüsse des Weltalls und somit auch das nördliche Ufer eines Flusses, weil die Abhänge seiner Hügel dem Licht und der Wärme der Sonne ausgesetzt sind."

Nachtrag 3: Wenn das hier über *ög-* Gesagte richtig ist, muss unsre Etymologie von *öküš*, 'viel' (›Türk. Turfantexte‹ I [SBAW 1929, S. 258 Anm. 75]) falsch sein.

Uigurische Wörter, die, wie z. B. *asyančula-* im Sinne von 'schmeicheln', in dieser Arbeit nicht näher erklärt worden sind, wolle man in unserem ›Analytischen Index‹ (SBAW 1931) nachschlagen.

[Die Anmerkungen aus dem Originalbeitrag sind in diesen Sammelband nicht mit übernommen worden.]

Oriens Christianus. Halbjahrshefte für die Kunde des christlichen Orients. 36 (= 3. Serie, 14. Band), 1939/41, S. 122—126.

REZENSION VON:
A MANICHAEAN PSALM-BOOK,
EDITED BY C. R. C. ALLBERRY *
(Auszug)

Von ANTON BAUMSTARK

[...]

Man vermag sich des Eindrucks kaum zu erwehren, als seien in das manichäische Psalmbuch geradezu einzelne Texte christlich großkirchlicher Herkunft in einer mehr oder weniger leichten Überarbeitung oder sogar ohne eine solche übernommen worden. Was dabei sehr stark in diesem Sinne ins Gewicht fällt, ist die Tatsache, daß unter den **CAPAKΩTΩN**-Psalmen an einem langen Hymnus auf den sonst dem manichäischen System völlig unbekannten „Erlöser" Sethel ein Stück vorliegt, das in entsprechendem Verhältnis zum Mandäertum zu stehen scheint, von dem her allein jene Gestalt begreiflich werden dürfte und das damit — bedeutsam genug für die endgültige Lösung des Mandäerproblems! — urkundlich als eine mindestens einmal dem Manichäismus gegenüber ältere Erscheinung erwiesen würde. Auch unabhängig von der Frage einer solchen Übernahme ist das manichäische Psalmenbuch eine Erscheinung, an der vom Standpunkte der christlichen Liturgie und der Erforschung ihrer Geschichte nicht achtlos vorübergegangen werden kann. Vieles und Entscheidendes wird man von ihm hier zu lernen haben. Ganz allgemein dürften bisherige Anschauungen über das Alter auch schriftlich fixierter christlicher kultischer Texte jeder Art, vor allem aber über Umfang und Bedeutung jener vornicänischen kultischen Dichtung gründlich zu revidieren sein, von der sich nur die große Δοξολογία (das abendländische Meß-*Gloria*) und das

---

* Psalm-Book, A Manichaean. Manichaean Manuscripts in the Chester Beatty collection. 2. Ed. by C. R. C. Allberry. With a contribution by Hugo Ibscher, Stuttgart: W. Kohlhammer 1938.

Φῶς ἱλαρὸν ἁγίας δόξης in den solchen ψαλμοὶ νεωτερικοί gegenüber puritanisch gewordenen Kultus der Folgezeit hinüberzuretten
vermochten. Vor eine überraschende Sachlage stellt sodann im einzelnen nicht nur eine letzte inhaltliche Berührung schon dieser manichäischen Texte des 3. und höchstens noch eben auch des beginnenden
4. Jh. mit später erst greifbar werdenden Wendungen des Totengebetes christlicher Liturgie. Vor allem ist es vielmehr nach der
formalen Seite, wieder einmal abgesehen von den eigenwilligen
Thōm(as)-Psalmen, eine Gestaltung derselben, vermöge deren sie
in innigste Beziehung zu der altchristlichen Hymnendichtung des
aramäischen Syrien und mittelbar so auch zu den von dieser her-
kommenden Formen und Formalien griechischer Kirchendichtung
treten: ein Verhältnis, das sich kaum anders als durch gleichmäßige
Abhängigkeit von dem formalen Vorbild der Dichtung Bar Daisāns
wird erklären lassen, von dem aus aber erst Erscheinungen der
christlichen Entwicklung, an deren Schwelle diejenige Aφrems steht,
sich bis in ihre letzten Wurzeln geschichtlich werden begreifen
lassen.

Was die Beziehungen zu christlichem Totengebet betrifft, so kommt da
eine durchgängige Erweiterung der doxologischen Schlußstrophen in
Betracht, in welchen ein Wunsch für „die Seelen" bestimmter Personen
ausgesprochen wird, deren Kreis ein eng begrenzter ist und unter denen
am weitaus häufigsten eine als μακαρία bezeichnete Maria auftritt. Wenn
dieser Wunsch dabei meist derjenige eines „Sieges" derselben ist, so erinnert das an die stehende Schlußformel mandäischer Texte: וחייא זאכין
(und das Leben ist siegreich), würde also nochmals einen Zug der Abhängigkeit gegenüber älterem Mandäertum ergeben. Bei den genannten
Persönlichkeiten dürfte es sich, wie A. S. XX begründet, um altmani-
chäische Blutzeugen handeln. Funktionell entspricht also, wie der erste es
gegenüber ihren Τριαδικά oder Δοξαστικά tut, dieser zweite Teil der manichäischen Doxologien bereits den Μαρτυρικά und Νεκρώσιμα byzantinischer Kirchendichtung. Inhaltlich erfährt der ausgesprochene Wunsch
gelegentlich eine Abwandlung in dem Sinne einer Bitte um „Ruhe"
(S. 162 Z. 18 ff.), um „Friede" (S. 191 Z. 16), „Friede und Ruhe" (S. 163
Z. 31 f.), „Friede und Leben" (S. 109 Z. 28) oder „Rettung" bzw. „Erlösung und Ruhe" (S. 186 Z. 30 f.) für die Seelen der jeweils genannten
Personen. Das bedeutet eine Übereinstimmung mit einer bis in die Gegenwart fortlebenden Terminologie christlichen Totengebetes, die nur unter

der Voraussetzung verständlich wird, daß jene Terminologie bereits den Sprachgebrauch der manichäischen Urzeit zu befruchten vermochte. Formal teilen die manichäischen „Psalmen" mit christlicher Gebetsrede zunächst eine Erscheinung, für die auf beiden Seiten an das von E. Norden Erarbeitete anzuknüpfen ist. Mehr oder weniger umfangreiche Prädikationen im σύ-Stil begegnen S. 26 Z. 21—32, 27 Z. 24 bis S. 28 Z. 13, 178 Z. 7—18, 185 Z. 3—12 und S. 228. Dazu kommt das Anheben zweier genau gleich langer Hälften eines Gedichtes mit diesem Stilmittel S. 41 Z. 11 bzw. 18 und eine Ergänzung desselben durch eine Reihe weiterer mit emphatischem „Du" beginnender Strophen S. 64 Z. 14. 16. 20. 22. 28. Andere Berührungen sind hier S. 41 Z. 15 die Eröffnung eines Liedes durch die Δόξα σοι-Formel, auf deren Bedeutung für die formale Gestaltung christlichen Gebetstextes ich in meinem Aufsatz ›Jüdischer und christlicher Gebetstypus im Koran‹ (Islam XVI S. 229—248) nachdrücklichst hingewiesen habe. In gleicher Rolle erscheint S. 1 Z. 5 die Entsprechung eines Δεόμεθά σου. Andere und teilweise nach Art der einschlägigen „Wir"-Stücke des Gloria und Te Deum mehrgliedrige subjektive Prädikationen des „Wir"-Stiles begegnen als Gedicht- oder doch als Strophen- bzw. Versanfänge S. 20 Z. 19 f., 25 Z. 18 f., 41 Z. 9 f., 42 Z. 18. 22. 26. 28. oder es wird wie S. 14 Z. 9—13 durch Derartiges das Gerüst einer ganzen Strophe gebildet. Bemerkenswertestes Material bietet sich endlich vor allem für die am zweckmäßigsten als Chairetismos zu bezeichnende Stilform des Grußgebets, die auf griechischem (und koptischem) Boden durch den Anfang bzw. die anapherhafte Wiederholung eines Χαῖρε auf aramäischem durch den entsprechenden Gebrauch eines ܫܠܡ ܠܟ (Friede dir) bedingt wird und die von byzantinischer Kirchendichtung zur Virtuosität entwickelt wurde. Neben dem großen einschlägigen Stück oder sogar einer Mehrzahl solcher von kleinerem Umfang an der Spitze des Anhangs begegnen Reihen von zwei bis elf Χαῖρε-Gliedern S. 8 Z. 10—13, 24 Z. 16 bis S. 25 Z. 17, 30 Z. 21 f., 42 Z. 7 f., 83 Z. 21. 25. Dazu Χαῖρε als Liedbeginn S. 29 Z. 6, 83 Z. 1, 108 Z. 2, ohne daß eine Wiederholung festzustellen wäre. Im Gegensatz zu dem Totengedächtnis der Schlußdoxologien dürfte hier überall allerdings eine Abhängigkeit von Christlichem nicht in Betracht kommen, sondern nur eine unabhängig auf manichäischer und christlicher Seite erfolgende Weiterführung formaler Tradition schon der hellenistischen Antike. Denn selbst die possessive Prädikationsform des Δόξα σοι ist dieser keineswegs fremd gewesen, wie mindestens eine merkwürdige Anweisung der Papyri Magicae Graecae (Pap. II Z. 177 f.) lehrt, nach welcher der Benutzer des betreffenden Zaubers den von ihm beschworenen Gott δοξοποιήσας entlassen soll. Auch das Δόξα τῷ σώσαντι ἡμᾶς ἐν

Τύρῳ eines Seefahrergraffitos von Syros (Inscript. Graecae XII 5: Nr.
712, 36) kann mithin ebensogut noch heidnisch als schon christlich sein.
Besonders breit dürfte namentlich für die Entwicklung des Chairetismos
die antike Basis gewesen sein. Denn nur von einer weitesten Verbreitung
eines in dieser formalen Richtung gestalteten Privatgebets her scheint es
verständlich, wenn Seneca, Epist. 95 § 47 die in den Tempeln bei Tages-
anbruch verrichteten Gebete als salutationes *matutinae* bezeichnet, wozu
es dann eine bedeutsame christliche Parallele darstellt, wenn Prudentius,
Peristeph. XI v. 197 vom Grabe des hl. Hippolytus in Rom sagt, daß bei
ihm *„mane salutatum concurritur“*. Neben den „homerischen“ und den
jungen „orphischen“ Hymnen, Alkman Frgm. 2. Archilochos Frgm. 113,
literarischen Reflexen realen Kultlieds schon in der attischen Dichtung
des 5. Jh. v. Chr. wie Sophokles, Αἴας v. 91, Euripides, Ἱππόλυτος v.
61—72, Aristophanes, Εἰρήνη v. 523, 582—589 und Θε μοφοριάζουσαι
v. 111 f., 129, 973, ähnlichen Erscheinungen in römischer Dichtung vor
allem des Augusteischen Zeitalters wie Plautus, Rudens v. 338, Vergilius,
Aeneis V v. 86 f. VII v. 120, VIII v. 301 f. Propertius, IV 9 v. 71 f.
Ovidius, Fasti I v. 509 und Statius, Silvae I 1 v. 74; IV 3 v. 139 f., den
Hymnen des Kallimachos auf Zeus (v. 90—97) und Demeter (v. 8), einer
stark fragmentarischen Inschrift von Kasos (Inscript. Graecae XII: Nr.
1042) und gleichfalls epigraphisch überlieferten Hymnen auf Zeus (aus
Pergamon: Fraenkel, Die Inschriften des Pergamon Nr. 324), Hestia
(des Aristonoos: Bulletin de Correspondance Hellénique LVI S. 302)
und Anubis (Inscript. Graecae II: Nr. 3724) bringen dann wieder die
Papyri Magicae Graecae diesmal eine Fülle von Belegen.

Nicht derartige einzelne stilistische Ausdrucksformen antiker Gebetsrede sind es aber, was entscheidend und aufs Ganze gesehen die formale
Gestaltung der Texte des manichäischen Psalmbuches bestimmt. Zu unterscheiden ist bezüglich dieser zunächst zwischen denjenigen seines Haupt-
teils, denjenigen des Anhangs abgesehen von den Thōm(as)-Psalmen und
diesen letzteren. Im Hauptteil handelt es sich fast ausschließlich um
strophisch gegliederte Dichtungen, die schon als solche ihre nächsten Verwandten unverkennbar in den Schöpfungen der altsyrischen *Maδrāšā*- und
Sōγīθā-Poesie haben. Auch, daß mehr oder weniger stark innerhalb der
einzelnen Strophe das als ein altsemitisches die hebräische Poesie des AT.s
beherrschende Gesetz einer Bildung inhaltlicher Parallelglieder sich geltend macht, ist auf beiden Seiten zu beobachten. Schon im Hauptteil
wenigstens vereinzelt — durch die Nr. 241 — vertreten, macht dagegen
in sehr weitem Umfang des Anhangs ein nichtstrophischer Aufbau aus
Lang- oder sogar Kurzzeilen sich geltend. Während dabei die ersteren
gelegentlich besonders augenfällig jenes Stilgesetz des Parallelismus

membrorum sich auswirken lassen, stellen namentlich die kurzzeiligen
Texte dieser zweiten Art mehrfach geradezu litaneihafte Gebilde dar, für
welche das Einfallen der Gemeinde mit einem unveränderlichen Text-
element hinter jedem der von einem Einzelnen rezitierten Anrufungen
oder sonstigen Litaneigliedern wesenhaft ist. Es gehören hierher vor
allem die **CAPAKΩTΩN**-Psalmen S. 136 Z. 13 bis S. 140 Z. 53, 155 Z.
16—42, 166 Z. 23 bis S. 167 Z. 22, 179 Z. 7 bis S. 181 Z. 18, 181 Z. 11
bis S. 182 Z. 19 und 182 Z. 20 bis S. 183 Z. 18, und Derartigem gegenüber drängt sich sofort und unabweisbar ein Vergleich mit den Litaneien
der kultischen Keilschrift-Literatur des alten Mesopotamiens auf. Besonders die drei ersten der genannten Stücke, die sich aus Anrufungen aufbauen, welche offenbar mit den Gemeinderufen: „dich verherrlichen wir",
„mein Gott, ich will dich verherrlichen" und „Jesus erleuchte mich" zu
antworten war, lassen es in die Augen springen, wie stark hier die Bin-
dung an eine bis auf die sumerischen Tempelliturgien Babyloniens und
Assyriens zurückführende Formaltradition ist. Der Gebrauch des Refrains
und der ihm zugrundeliegende responsorische — mitunter wohl sogar
schon antiphonische — Vortrag der Texte war nun aber in der Welt des
altmanichäischen Kultliedes keineswegs auf Litaneigesänge beschränkt.
Als jene Welt schlechthin beherrschend wird solche Vortragsweise durch
die von A. S. XX angezogene Stelle S. 47 Z. 15 erwiesen, die in poeti-
schem Vergleiche mit einem Kranzwinder und geschäftig ihm Rosen dar-
reichenden Händen den (Vor)sänger des Psalms und eine ihm respondie-
rende Vielheit sich gegenüberstellt. Im einzelnen ist völlige Klarheit über
den Umfang der Verwendung des Refrains überhaupt und bestimmter
Arten derselben allerdings schwer zu gewinnen, weil seine Notierung
fast durchweg nur durch Initiumangabe, mehrfach offensichtlich unregel-
mäßig und vielfach überhaupt nicht erfolgt. So kennen wir beispielsweise
für drei Hauptstücke des beginnenden Anhangs, den Psalm auf die sieg-
reiche Seele, den Xαῖρε- und ΠΩK-Psalm, nur den Anfang des koptischen
Übersetzungstextes ihres Refrains. Deutlich treten sich aber doch, abgesehen von der wohl auch in diesen Fällen und bei dem benachbarten
großen Jesus-Psalm zu unterstellenden rein litaneimäßigen, zwei verschiedene Arten der Refraingestaltung gegenüber. Ein an der Spitze des
jeweiligen Textes stehendes Element verschiedenen wechselnden Umfan-
ges bildet entweder als Ganzes den nach jeder Strophe oder Zeile zu
wiederholenden Abgesang, oder dieser beschränkt sich auf die zweite
Hälfte bzw. nur den Schluß jenes Vorsatzstückes. Gute und gesicherte
Beispiele für die erstere Form sind die Nrn. 264 und 268 des Hauptteiles,
die **CAPAKΩTΩN**-Psalmen 154 Z. 22 bis S. 155 Z. 15, 168 Z. 20 bis S. 169
Z. 14, 171 Z. 25 bis S. 173 Z. 12, 173 Z. 13 bis S. 174 Z. 10, 177 Z. 11 bis

S. 175 Z. 28, 185 Z. 3—27, 185 Z. 28 bis S. 156 Z. 32 und die zwei Herakleidestexte des Anhangs S. 188 Z. 25 bis S. 189 Z. 21 und 191 Z. 18 bis S. 193 Z. 12, für die letztere die Nrn. 237, 240, 244 und 269 f. und bei den **CAPAKΩTΩN**-Psalmen S. 133 f., 141, 153 Z. 5 bis S. 154 Z. 21, 170 Z. 3 bis S. 171 Z. 24, 175, Z. 2 bis S. 176 Z. 10, 176 Z. 11 bis S. 177 Z. 30 und S. 183 Z. 19 bis S. 185 Z. 2. Die eine oder die andere ist natürlich in den zahlreichen Fällen vorauszusetzen, wo zwar der Erhaltungszustand des Textes ein Vorsatzelement der fraglichen Art mit Bestimmtheit erkennen läßt, eine Refrainangabe durch Initium dann aber nicht erfolgt. Was sich da auf manichäischem Boden gegenübersteht, ist wesenhaft die dem *Maðrāšā* und der *Sōγīϑā* Syriens eigentümliche Einschaltung des auch hier mindestens vielfach am Kopf des Textes angeführten Elements der *'Onīϑā* oder des *'Unnājā* und die für das griechische Kontakion bezeichnende Entnahme des Refrains aus dem Schluß eines in seinem metrischen Bau von den folgenden Οἶκοι sich abhebenden Prooimions bzw. die Art des Vortrags der Troparien Λαϑὼν ἐτέχϑης und 'Ανέτειλας Χριστέ des Weihnachts- und 'Επεφάνης ἐν τῷ κόσμῳ und 'Αμαρτωλοῖς καὶ τελώναις des Epiphanie-'Εσπερινός und ihrer Psalmen, in abendländischer Prägung die römische Art, *a capite*, und die gallische, *per latera* das Responsorium wieder aufzunehmen. Aber auch hier läßt Entsprechendes sich schon in sumerischen Kulttexten des alten Mesopotamiens feststellen. Ich hoffe, den millenaren Entwicklungszusammenhängen, die da auf dem Gebiete der Formen kultischen Gesangsvortrages und entsprechender kultischer Dichtung von der manichäischen her erfaßbar werden, in einer selbständigen und umfassenden Untersuchung nachzugehen. Hier sei vorläufig nur einmal auf altorientalische Gegenbeispiele zu der Refraingestaltung des Kontakions und derjenigen der mit ihr sich berührenden manichäischen Psalmen hingewiesen, wie sie etwa bei J. Langdon, Sumerian Liturgies and Psalms. Philadelphia 1919 S. 295 f. in einer Enlil-Liturgie an einer doppelten Einleitung und acht Anrufungen mit dem aus dem Abschluß der ersteren entnommenen Refrain *mulu ta-zu mu-un-zu* (wer begreift deine Gestalt?) oder bei denselben Babylonian Penitential Psalms. Paris 1927 S. 6 f. in dem Text IV R 9 vorliegen, wo die an ebenso viele verschiedenartig appositionell erweiterte Anrufungen des „Vaters Nannar" sich anschließende Ergänzung *e-ṭil-li ilāni ša ina šami-e u irṣitim e-diš-ši-šu ṣi-i-ru* (hervorragender unter den Göttern, im Himmel und auf Erden allein einzig hochberühmt) vorher sich an ein einfaches *be-lum* (Herr) anschließt. Auch daran darf in diesem Zusammenhang erinnert werden, daß das älteste Beispiel einer „Autor" und Bestimmung des Textes nennenden Akrostichis völlig „byzantinischen" Stils in dem großen Marduk-Hymnus Aššurbanipals (zuletzt bei P. Jen-

sen, Texte zur assyrisch-babylonischen Religion. Berlin 1915 S. 108—117)
gegeben ist.

Schließlich ist hier noch eine eigentümliche Verbindung von Inhaltlichem
und Formalem zu berühren, bei der von Seite des ersteren her doch noch
einmal geradezu Christliches hinter dem Manichäischen steht. Bei den
drei distichisch-strophischen ϹΑΡΑΚΩΤΩΝ-Texten S. 156 Z. 1 bis S. 157
Z. 13, 158 Z. 18 bis S. 159 Z. 20 und S. 159 Z. 21 bis S. 160 Z. 24 wird
das Vorsatzstück, das wir uns nach jedem Distichon wiederholt zu denken
haben, der Reihe nach durch die biblischen Psalmstellen 99, 3 f., 33, 9 und
50, 12 gebildet. Bei der ersten derselben hat allerdings die Aussageform
des biblischen Textes eine Umsetzung in die Form der Anrede und außerdem v. 4 a eine Kürzung erfahren. Bei der zweiten wird eine ähnlich freie
Gestaltung durch ⲚⲦⲈⲦⲚⲘⲘⲈ (und *wisset*)und ⲌⲀⲖⳓ (*süß* ist) bezeichnet. Bemerkenswert ist bezüglich der letzteren Variante ihre rein zufällige
Berührung mit dem ܚܣܡܝܐ (angenehm) des Paulus von Tellā und *suavis*
des *Psalterium Gallicanum*. Man kann an einem derartigen Falle, in dem
ein solcher schlechthin ausgeschlossen ist, lernen, welche Vorsicht doch bei
Statuierung textlicher Zusammenhänge notwendig ist.

Nicht vordringen läßt sich von dem vorliegenden koptischen Text
zu der im engeren Sinne metrischen Gestaltung des Originals, ja
auch nur zu einer unbedingt sicheren Beantwortung der Frage, in
welchem Umfang dasselbe eine solche Gestaltung tatsächlich aufwies. Daß jenes Original ein aramäisches war, müßte gewiß von
vornherein angenommen werden. Es scheint aber auch noch urkundlich durch ein seltsames ⲨϢⲎⲢⲈ ⲚⲠⲬ̄Ⲣ̄Ⲥ (der Sohn des Christus)
S. 83 Z. 1 gesichert zu werden, hinter dem letztendlich ein ܚܪ ܡܫܝܚܐ
(Christussohn) statt ܒܪ ܡܫܝܚܐ (der Sohn Christus) stehen muß.
Ich sage: letztendlich. Denn das Zwischenglied einer griechischen
Übersetzung ist hier heineswegs ausgeschlossen, und im allgemeinen
spricht für ein solches bei dem Psalmenbuch manches, so daß dieses
auch hier durch eine Sonderstellung gegenüber „Homilien" und
„Kephalaia" von besonderem Interesse wäre.

Alexander Böhlig, Mysterion und Wahrheit. Gesammelte Beiträge zur spätantiken Religionsgeschichte. (Institutum Iudaicum, Tübingen, Otto Michel. — Arbeiten zur Geschichte des späteren Judentums und des Urchristentums. Band VI.) Leiden, E. J. Brill 1968, S. 228—244. (Mit wesentlichen Änderungen gegenüber der Erstveröffentlichung: Verlag Robert Lerche [vorm. I. G. Calve, Prag], München 1953 — nach einem Vortrag, gehalten 1951.)

PROBLEME DES MANICHÄISCHEN LEHRVORTRAGES

Von Alexander Böhlig

Im letzten Jahrhundert ist mit der Arbeit an gnostischem Gedankengut auch das Interesse für die Religion des Manichäismus beträchtlich gewachsen. Man mußte zunächst zwar noch die Kenntnis auf indirekter Überlieferung aufbauen, bis endlich in verschiedenen Teilen der Erde bedeutsame Originalfunde gemacht wurden. Außer den iranischen und türkischen Quellen aus Chinesisch-Turkestan und chinesischen Texten aus Tunhuang beschenkte wieder einmal der Boden Ägyptens die Wissenschaft in besonderem Maße. In der Bibliothek manichäischer Texte, die im Faijum auftauchte, befand sich auch eine umfangreiche Schrift mit dem Titel ⲚⲔⲈⲪⲀⲖⲀⲒⲞⲚ ⲘⲠⲤⲀ2 „die Kephalaia des Meisters"[1]. Carl Schmidt glaubte in diesem Werk eine Originalschrift Manis gefunden zu haben, was freilich nicht zutrifft, da die Annahme nur auf einer recht wesentlichen Textergänzung in Kapitel 148 beruht[2] und die Schrift auch im Kanon der Werke Manis nicht genannt ist[3]. Daraus ergibt sich das Problem, wieweit diese Schrift Manis eigenes Gut darstellt. Um das Verhältnis des Werkes zu Mani zu klären, muß es in dreifacher Hinsicht untersucht werden: I. Ist die ursprünglich syrische Abfassung des Werkes wahrscheinlich zu machen? II. Wie sind die Lehrvorträge äußerlich aufgebaut und eingekleidet? III. Wie ist der innere Gehalt von Manis Lehre in diesen Lehrvorträgen verarbeitet?

[1] C. Schmidt—H. J. Polotsky, Eine Mani-Fund in Ägypten (Sitz.-Ber. d. Preuß. Akademie d. Wiss. Berlin 1933), S. 6 f. 18 f.

[2] L. c. 35 f.

[3] Vgl. H. J. Polotsky—A. Böhlig, Kephalaia I (Stuttgart 1940), S. 5, 23—26.

I. Zunächst ist es für die Festlegung des Alters der Schrift wesentlich, zu prüfen, ob das Werk in Ägypten entstanden ist bzw. ob es in griechischer Sprache verfaßt worden ist oder ob es etwa auf einen syrischen Ursprung, also auf Manis Heimat, hinweist. Daß das Werk ins Koptische nicht direkt aus dem Syrischen, sondern vermittels einer griechischen Version übersetzt worden ist, wird nahegelegt durch den ständigen Gebrauch griechischer manichäischer Termini, z. B. Φεγγοκάτοχος[4], Ὠμοφόρος[5], oder philosophischer Ausdrücke wie προβολή[6], ἐνθύμησις[7], ζώνη[8], στερέωμα[9], βῶλος[10], wenn auch sonst griechische Wörter im Koptischen sehr häufig sind. Der Weg des Manichäismus nach Ägypten hat sicher über das Griechentum bzw. über das hellenisierte Christentum geführt. Sonst hätte nicht ein Philosoph wie Alexander von Lykopolis eine besondere Schrift gegen die Manichäer verfaßt, in der die Auseinandersetzung mit der Fragestellung ihrer Religion auf Grund tatsächlicher Begegnung hervortritt.[11] Die Gnostiker und damit auch die Manichäer sind ja nicht Vertreter eines wüsten mythischen und dämonenvollen Denkens, sondern eine, wie A. v. Harnack sagt, hellenisierte Schicht.[12] Die Komplikationen, die sich bei ihrer Erklärung bieten, liegen für uns in erster Linie an dem mangelhaften Besitz ihrer Schriften. Der manichäische Fund und die Entdeckung der gnostischen Texte von Nag Hammadi können hier sicher weiterhelfen, sobald die im Besitz des Koptischen Museums in Kairo befindlichen Schriften voll ediert sein werden. Was bisher davon veröffentlicht wurde, konnte bereits Aufschlüsse für den synkretistischen Charakter der Gnosis und damit auch des Manichäismus geben.

---

[4] Keph 91, 20; 92, 12. 19; 171, 12 u. ö.
[5] Keph 86, 25; 90, 30; 93, 16; 171, 8 u. ö.
[6] Keph 34, 27; 35, 4; 82, 2; 126, 11 u. ö.
[7] Keph 139, 6. 15. 20. 25; 140, 2. 3. 10. 13. 16. 17. 19. 28 u. ö.
[8] Keph 89 (Kap. 37) passim, 172, 8 u. ö.
[9] Keph 83, 3; 90, 25; 91, 24; 115, 7. 19 u. ö.
[10] Keph 21, 35; 22, 15; 57, 18; 76, 5. 8 u. ö.
[11] Alexander Lycopolitanus, Contra Manichaeos, ed. A. Brinkmann. Leipzig 1895.
[12] A. v. Harnack, Lehrbuch der Dogmengeschichte I (4. Aufl. Tübingen 1909), S. 250.

Man sieht daraus, daß man nicht zugunsten des griechischen Beitrages den orientalischen Charakter verkürzen, aber auch nicht umgekehrt verfahren kann: es darf auch nicht die Eigenart gnostischen Denkens und Glaubens angesichts der aus den einzelnen Hochreligionen stammenden Mythologumena und Denkformen übersehen werden.[13]

Durch die Anerkennung einer griechischen Version der „Kephalaia" wird trotzdem die Möglichkeit einer Entstehung in syrischer Sprache nicht beeinträchtigt. Die Einteilung des „Lebendigen Evangeliums" des Mani in 22 λόγοι nach der Zahl der Buchstaben des syrischen Alphabets zeigt zur Genüge, daß Mani sich dieser Sprache bediente. Die Beziehungen zu Bardesanes von Edessa mögen ihn auf die syrische Schriftsprache hingeführt haben.[14] Es liegt also nahe, für das Hauptschrifttum, das der Mission des Manichäismus im Westen diente, syrische Vorlagen anzunehmen. Das dürfte auch für nicht- oder halbkanonische Schriften gelten; die „Kephalaia" darf man dabei wohl zur letzteren Gruppe rechnen. Es gibt in den „Kephalaia" gewisse Stellen, die noch in der koptischen Fassung einen Hinweis auf eine syrische Vorlage zu geben scheinen. Sie sind von verschiedenartigem Gewicht.

Im 8. Kapitel[15] ist von „Fahrzeugen" die Rede, die Jesus bestieg. Diese werden, wenn nicht koptisch **MANTEΛO**, so griechisch ἅρμα genannt. Sinngemäß handelt es sich um Schiffe. H. H. Schaeder glaubte, eine Zwischenlösung in einem syrischen Urtext markabtā zu finden.[16] Noch wesentlich einleuchtender ist aber der Vorschlag von A. Baumstark[17], der mānā annahm, ein Wort, das „Schiff"

---

[13] Zum Verhältnis Manichäismus und Gnosis vgl. ›Der Manichäismus im Lichte der neueren Gnosisforschung‹ in A. Böhlig, Mysterion und Wahrheit, S. 188 ff.

[14] Doch nimmt F. Rosenthal, Die aramaistische Forschung (Leiden 1939), S. 211 f., wohl mit Recht an, daß dialektische Färbung vorliegt.

[15] Keph 36, 28 ff.

[16] H. H. Schaeder, Der Manichäismus nach neuen Funden und Forschungen. Morgenland 28 (1936) 101 ff.

[17] A. Baumstark, Ein „Evangelium"-Zitat der manichäischen Kephalaia. Oriens Christ. 34 (1937) 169—191, bes. 178 ff.

und „Gewand" zugleich bedeutet, so daß man sowohl sagen konnte, Jesus bestieg das „Schiff" der Sonne, als auch, er legte das „Gewand" des ἀήρ an. Hier ist also dann vom griechischen Übersetzer des syrischen Textes mit ἄρμα eine einseitige, ja sogar falsche Übersetzung des mehrdeutigen syrischen Wortes gegeben worden, so daß H. H. Schaeder sogar die sinnvolle Abfassung des Kapitels in Zweifel stellen wollte, weil vom „Anlegen eines Fahrzeuges" die Rede ist.[18]

Nicht ohne weiteres als Fehlübersetzung möchte ich heute die Stelle auffassen, wo von der Erweckung des gegen Jesus gerichteten Neides der Juden gesprochen wird. Im koptischen Text steht hier[19]: A ΠΠΟΝΗΡΟC ΝΕϨCΕ ⲚΟΥΦΘΟΝΟC ΑΠΔΟΓΜΑ ⲚⲚΪΟΥΔΑΙΟC. Man hat zunächst übersetzt: „Darauf erweckte der Böse Neid gegen die Sekte der Juden." Das gibt aber im Zusammenhang keinen Sinn. Vielmehr soll ausgesprochen werden, daß die Juden sich feindlich gegen Jesus zeigten. Das entspricht manichäischer Auffassung. Die Präposition Ε - (A₂ A -) soll an dieser Stelle sicher das syrische lwāṭ, das „hin, zu" und „bei" heißen kann, wiedergeben. Somit ist zu übersetzen „bei der Sekte der Juden"[20]. Damit ist eine starke Doppeldeutigkeit gegeben. Oder hat etwa bereits der Übersetzer ins Griechische den Text mißverstanden? Das läge bei der Sorgfalt, die die Manichäer auf schriftliche Tradition verwendeten, eigentlich nicht nahe.

A. Baumstark hat auch die Möglichkeit dargelegt, daß die syrische Vorlage mitunter fehlerhaft gewesen sei. Für φωστήρ finden sich z. B. koptische Umschreibungen „der Lichte"[21] bzw. „unser Lichtvater"[22]. Diese Stellen möchte Baumstark damit erklären, daß in der syrischen Vorlage hier nicht mnahrānā, sondern fehlerhaftes

---

[18] Es muß allerdings in diesem Zusammenhang betont werden, daß man bereits Keph 36, 32 anstelle von ΤΕΛΟ A-„besteigen" das nachher gebrauchte Verbum φορεῖν „anlegen" ergänzen könnte.

[19] Keph 12, 29 f.

[20] Vgl. Baumstark, l. c. 180. — Koptisch Ε- in der Bedeutung „bei" findet sich übrigens in ϬΟΕΙΛΕ Ε-„weilen bei" Lc 19, 7, Act 21, 16.

[21] Keph 36, 30.

[22] Keph 126, 32.

nahrānā gestanden habe.[23] Das ist eine geistvolle Hypothese; doch
fragt sich, ob nahrānā üblich ist; R. Payne-Smith hat nur den Hinweis auf mnahrānā „Ausleger"[24]. Ob man auch die Bedeutung von
φωστήρ so sehr einengen darf, um ihr nur „Erleuchter" zuzugeste-
hen, ist fraglich; die griechische Verwendung für „Glanz" spricht dagegen.[25] ΠΡΜΝΟΥΑΪΝΕ „der Lichte" ist im Koptischen als Übersetzung von φωστήρ durchaus möglich.[26]

Ich möchte noch drei weitere Beobachtungen, die auf eine ursprünglich syrische Abfassung der „Kephalaia" zurückgehen könnten, zur Diskussion stellen. 1. Im 45. Kapitel ist nach den gefallenen Engeln von den „Söhnen der Giganten" die Rede, obwohl die
Giganten selbst gemeint sind.[27] Hier liegt wohl im griechischen
Text eine auf das Semitische zurückgehende Lehnübersetzung nach
Art des υἱὸς τοῦ ἀνθρώπου vor, während im Henochbuch[28] sowie
bei Synkellos[29] γίγαντες steht[30].

2. In den Kapiteln 48, 49 und 86[31] begegnet ein bisher unbe-
kanntes Wort ΛΙϾΜΕ, das den Ausdruck für feinste Verbindungen
im All bildet. Diese Auffassung wird noch vom persischen Fragment T III 260 gestützt, wo bei dem gleichen Vorgang von „Ver-

---

[23] Baumstark, l. c. 181.

[24] Thesaurus Syriacus (Oxford 1868—1897), Sp. 2305.

[25] Apc 21, 11.

[26] Z. B. in PS 52, 15 ed. C. Schmidt (Coptica II. Kopenhagen 1925).

[27] Keph 117, 5. 7 f.

[28] Das Buch Henoch, ed. J. Flemming—L. Radermacher (Leipzig 1901),
c. 15, v. 3 und 8.

[29] Georgios Synkellos, ed. G. Dindorf (Bonn 1829), S. 21, 9.

[30] Keph 154, 17 heißt es ebenfalls einfach: „die Nachkommen des Ver-
derbens, die starken Giganten". Das sog. ›Buch der Giganten‹ gehört zum
Kanon der Schriften Manis; vgl. dazu C. R. C. Allberry, A Manichaean
Psalm-Book II (Stuttgart 1938), S. 46, 30 ΠΧΩΜΕ ⲚⲚϬΑΛΑⲮΙΡΕ, und für
die Kephalaia das noch nicht edierte Kapitel 148 nach Schmidt—Polotsky,
l. c. 35 ff. Fragmente dieses Werkes, die sich in Ostturkestan gefunden
haben, sind von W. Henning in Bull. Brit. School of Orient. and Afric.
Studies 11 (1943) 52—74 veröffentlicht worden. Vgl. außerdem W. Henning, Ein manichäisches Henochbuch (Sitz.-Ber. d. Preuß. Akademie d.
Wiss. Berlin 1934), S. 27 ff.

[31] Keph 120—125; 215, 24; 216, 20. 22.

bindungen" die Rede ist.[32] Man ist versucht, ΛΙϨΜΕ mit dem syrischen lḥem „anhangen", Pa. „verbinden", Etpe. „verbunden sein", zusammenzubringen. Die Schwierigkeit besteht allerdings darin, daß die griechische Zwischenform zur koptischen Form ΛΙϨΜΕ nicht rekonstruierbar ist und daß keine entsprechende Form im Ostaramäischen vorkommt. W. E. Crums Vorschlag, ΛΙϨΜΕ mit ΛΑϦΕΜ "trunk, branch, stalk, tube" (B) zusammenzustellen,[33] wäre lautlich vielleicht möglich. Man fragt sich allerdings, warum es nicht ΛΕϨΜΕ heißt. Inhaltlich hätte auch diese Ableitung manches für sich, wenn man bedenkt, daß dieses Wort zur Wiedergabe des griechischen ἐπαρυστρίς dienen kann, einem Gegenstand, der zum Eingießen gebraucht wird. Aber auch die Bedeutung „Wurzel" wird den Stellen zum Teil gerecht. Auf diese Weise stehen also zwei Ableitungen gegeneinander, weil sie beide dem Sinne nach passen.

3. Das Kapitel 121[34] bringt ein Gespräch mit einem Sektierer, der den Rang eines Presbyters hat. Er wird als Götzendiener bezeichnet und gehört zur Sekte der *nobe* (ΠΔΟΓΜΑ ΝΤΝΟΒΕ), von der das Kephalaion handelt. Das Wort *nobe* ist sicher nicht das koptische Wort; in A₂ müßte es *nabe* lauten und außerdem wäre es Maskulinum. Es liegt deshalb nahe, in *nobe* ein Relikt der syrischen Urform des Buches zu sehen. nōbā „Frucht", worauf mich P. Nagel (Halle) hinwies, ist leider ebenfalls maskulin. Infolge der sehr starken Zerstörung des Kapitels bleibt zur Bestimmung des Sinnes von *nobe* im wesentlichen der Abschnitt 289, 5—21 übrig, in dem der Apostel dem häretischen Presbyter das Recht abstreitet, sich „Sohn der *nobe*" zu nennen. Er vergleicht ihn mit einer Frucht, die am Baum hängt. Solange er in der Welt gefesselt ist, kann er nicht als „Sohn der *nobe*" bezeichnet werden. Wenn 289, 20 f. die *nobe* auch mit der heiligen Kirche gleichgesetzt wird, möchte man annehmen, die *nobe* sei ein Gerät zum Sammeln, in das die Früchte

---

[32] F. C. Andreas—W. Henning, Mitteliranische Manichaica aus Chinesisch-Turkestan I (Sitz.-Ber. d. Preuß. Akademie d. Wiss. Berlin 1932), S. 196 und 199.

[33] Vgl. Crum, Dict. 149 a.

[34] Keph 288, 19—290, 28.

gelegt werden, also etwa ein Korb oder eine Schale. Mit einer solchen Bedeutung ließen sich sämtliche Stellen von *nobe* erklären. Auch 289, 3 kann dann verstanden werden: „in den Korb legen" sowie 9 „in den Korb pflücken". W. Röllig weist mich auf akk. nāpītu „Sieb" hin, dem sumer. „Korb" entspricht.[35] Im Aramäischen begegnet napjā[36] in jüdischer Literatur. Es ist freilich anderseits nicht sehr wahrscheinlich, daß es eine Sekte des „Korbes" gegeben hat. Es muß hier überhaupt wohl am ehesten ein Wortspiel mit zwei homonymen Wurzeln vorliegen. Wenn man in Rechnung stellt, daß der Vertreter der Sekte als „Götzendiener" bezeichnet wird, so möchte man hinter der *nobe* zunächst eine weibliche Gottheit vermuten. Kann man in *nobe* einen Überrest des akk. nabītu, eines Beinamens der Ischtar, „die Glänzende", vielleicht als Beiname einer anderen Göttin oder eines Gestirns aus später Zeit erblicken? Mani stellt — so scheint es — diesem Götzendiener und falschen Sohn der *nobe* seine Schüler gegenüber, die in „die *nobe*, d. h. die heilige Kirche", gelegt werden.

Somit ist die Ausbeute für Hinweise auf eine syrische Vorlage des Werkes nicht gerade ergiebig. Dennoch braucht das Werk nicht allzuweit von Mani abgesetzt zu werden. Es ist nicht einfach als eine Sammlung von kaum noch verstandenen Lehrvorträgen in abstruser Gestalt abzutun; es handelt sich vielmehr um den Niederschlag der Lehrvorträge, die Mani bei Gelegenheit seinen Jüngern gehalten hat. Am Ende der einen gedrängten Überblick über das Wesen des Manichäismus vermittelnden Einleitung der Berliner „Kephalaia" fordert ja Mani selbst seine Jünger auf, von der überreichen Erkenntnis, die er ihnen vermittelt hat, etwas aufzuschreiben.[37] Hier haben wir also bereits eine dem Meister in den Mund gelegte Anregung zur Schaffung nachkanonischer Literatur vor uns. Bei der Fülle des Unterrichtsmaterials, das eine Missionsreligion

---

[35] Vgl. A. Salonen, Die Hausgeräte der alten Mesopotamier nach sumerisch-akkadischen Quellen. Teil I (Helsinki 1965), S. 71 f.

[36] Im Koptischen kann B mit Ч wechseln; vgl. speziell in Keph BI für ЧI. So wäre wohl NOBЄ für napjā möglich.

[37] Keph 9, 5—10. Auch in der Sammlung Chester Beatty findet sich ein stattlicher Band ›Kephalaia‹.

wie der Manichäismus benötigte, dürfte die Niederschrift eines solchen Werkes bald nach dem Tode des Meisters in Mesopotamien erfolgt sein.

II. Der Eindruck von Lehrvorträgen wird durch den äußeren Aufbau der einzelnen Kapitel noch vertieft. Regelmäßig beginnt jeder Abschnitt: „Wiederum sprach der Apostel" bzw. „der φωστήρ"[38]. Meist ist auch der Kreis angegeben, an den er sich wendet: „Er sprach zu seinen Jüngern"[39]. Mehrmals heißt es allerdings auch nur: „Wiederum sprach er"[40]. Das beweist also, daß in der Regel Mani der Vortragende ist.

Die Kapitel schließen entweder einfach mit der Beendigung der Belehrung[41] oder ebensooft mit einer Schlußparänese, in der die Zuhörer aufgefordert werden, die Konsequenz aus der Belehrung zu ziehen und dementsprechend zu handeln[42]. Verschiedentlich kommt es nach der Belehrung mit oder ohne Paränese noch zum Lobpreis der Jünger auf den Herrn.[43] Diese einfache Einkleidung weisen ungefähr die Hälfte der Kapitel auf. In den übrigen tritt die Dialogform hervor. Manchmal handelt es sich dabei allerdings nur um eine einzige Frage, die Mani aufwirft und dann auch beantwortet[44], öfters aber um Fragen, die die Jünger oder ein einzelner von ihnen stellt[45]. Auch Angehörige anderer Religionsgemeinschaften wenden sich an Mani, z. B. Götzendiener[46] oder Nazoräer, also Mandäer[47]. Hier geht die Rede bewegt hin und her; immer

---

[38] Z. B. „Apostel" Kap. 5: S. 28, 4, Kap. 17: S. 55, 19 bzw. „Phoster" Kap. 3: S. 23, 17, Kap. 4: S. 25, 11, Kap. 6: S. 30, 17.

[39] Z. B. Kap. 3: S. 23, 17, Kap. 5: S. 28, 4, Kap. 6: S. 30, 17, Kap. 17: S. 55, 19.

[40] Z. B. Kap. 26: S. 76, 29, Kap. 41: S. 105, 18, Kap. 68: S. 166, 19.

[41] Z. B. Kap. 10: S. 43, 21; Kap. 25: S. 76, 25, Kap. 30: S. 84, 4.

[42] Z. B. Kap. 26: S. 77, 18 ff., Kap. 27: S. 79, 4 ff., Kap. 28: S. 81, 13 ff.

[43] Z. B. Kap. 38: S. 102, 4 ff., Kap. 57: S. 147, 17 ff.

[44] Z. B. Kap. 3: S. 23, 18 ff.; Kap. 20: S. 63, 22 ff.; Kap. 72: S. 176, 15 ff.

[45] Z. B. Kap. 2: S. 16, 35 ff., Kap. 9: S. 37, 31 ff., Kap. 10: S. 42, 27 ff. bzw. Kap. 38: S. 89, 21, Kap. 57: S. 144, 15.

[46] Bilderverehrer: Kap. 121: S. 288, 24; vgl. auch zu *nobe* o. S. 299 f.

[47] Kap. 89: S. 221—223.

wieder muß ein neues Gegenargument entkräftet oder zumindest eine neue Frage beantwortet werden.

Zur plastischeren Darstellung wird manchmal an ein näher geschildertes Ereignis angeknüpft. So ist in Kapitel 65 [48] der Sonnenaufgang für Mani der Ausgangspunkt. Kapitel 61 [49] und 112 [50] spielen auf den Tigris bzw. auf einen Strom an, der zu seinem Kanalnetz gehört, wobei die Erörterung das eine Mal die Überschwemmung, das andere Mal die Austrocknung des Flusses zum Anlaß nimmt. Die Ereignisse, von denen Mani ausgeht, sind also lebensnah, führen mitten hinein in die Welt des Zweistromlandes. Anderseits wird in Kapitel 76 [51] auf Beziehungen König Schapurs zu Mani angespielt und als Fragesteller ein Schüler Aurades eingeführt. Kapitel 83 [52] beschreibt in der Einleitung sehr plastisch Mani im Kreise seiner Gemeinde. Der Meister sitzt auf dem Bema, da kommt ein proskynierender Electus, der sehr häßlich ist; der Spott der anderen über ihn ist Mani Anlaß zur Belehrung.

Man darf wohl annehmen, daß in einer solchen Schilderung der Szenerie nicht nur eine Ausmalung des einfachen Einkleidungsschemas vorliegt, sondern hier wirkliche Begebenheiten und Bräuche Manis wiedergegeben werden. Dies würde die enge Beziehung des Werkes zur ursprünglichen manichäischen Tradition bestätigen. Ebenso ist es, wenn in verschiedenen Kapiteln der φωστήρ zunächst die entgegengesetzte Meinung bringt und dann fortfährt: „Ich aber sage euch." [53] Man kann diese Antithese wohl auf christlichen Einfluß zurückführen. Es dürfte zugleich die Form sein, die Mani selbst für eine mündliche Auseinandersetzung gebrauchte und durchaus vom Christentum übernommen haben kann. Ebenso steht es mit den längeren Kapiteln, in denen für eine Frage mehrere Blickpunkte zusammengefaßt und die durch ein immer neues Hervorheben von Manis Antwort unterteilt sind.[54] Letztlich entspricht

[48] Keph 158, 26 ff.
[49] Keph 152, 24 ff.
[50] Keph 266, 6 ff.
[51] Keph 183, 13 ff.
[52] Keph 200, 13 ff.
[53] Z. B. Keph 23, 27; 189, 6. 22; 190, 31; 259, 6.
[54] Z. B. in Kap. 56: 137, 23; 138, 6. 20; 141, 14; 142, 2; 144, 1.

diese äußere Form der Lehrvorträge Manis in Aufbau, Dialog und Antithese der kynisch-stoischen Diatribe, wie sie z. B. Dion von Prusa bietet. Die Kapitel selbst sind in den „Kephalaia" locker aneinandergereiht. Oft schließt sich ein Kapitel an ein Stichwort des vorausgehenden Kapitels an.[55]

III. Neben diese äußere Form des Lehrvortrages tritt die Verarbeitung des inneren Gehaltes von Manis Lehre. Dieser Inhalt soll zunächst kurz betrachtet werden, bevor man die Teile des Werkes näher beurteilt, in denen Form und Inhalt ineinander übergehen und nicht mehr zu trennen sind.

Der dogmatische Inhalt von Manis Lehre wird für uns erfaßbar in seinem Mythos. Diesem Mythos liegt letztlich ein gedankliches Problem zugrunde: das Schicksal der Weltseele. Platon hatte von ihr im Timaios gesprochen[56], Poseidonios nicht ohne Grund gerade den Timaios interpretiert[57]. Derselbe Poseidonios hatte den wahrscheinlich schon seit Thales[58] lebendigen Gedanken geäußert, daß auch im Stein Leben und Seele zu finden sei[59]. Die Anschauung, daß in allem Erschaffenen Teile einer „lebendigen Seele" zu treffen seien, vertritt auch Mani. Es liegt nahe, daß er diesen Gedanken aus gnostischer Denkweise übernommen hat, auf die Poseidonios und die spätantike Popularphilosophie gewirkt haben dürften. Für Mani ist die „lebendige Seele" ein Teil des Göttlichen, das in die Welt verschlagen worden ist und hier zu leiden hat. Eigene Wege geht Mani aber mit seiner Anerkennung der Welt des Bösen. Die Gegenüberstellung des Guten und Bösen ist ein Zug, der von der Herkunft Manis stammt. Von alter Zeit her ist in Iran dieser Gegensatz im Weltbild vorhanden, und die parthische Zeit, in der

---

[55] So z. B. Kap. 49 an 48, Kap. 56 an 55, Kap. 57 an 56, Kap. 67 an 66 und an 65.

[56] Tim 34 B ff.

[57] Die These, daß Poseidonios einen eigenen Timaios-Kommentar verfaßt habe, wird von K. Reinhardt, Poseidonios (München 1921), S. 416, allerdings abgelehnt.

[58] Vgl. M. Pohlenz, Die Stoa I (Göttingen 1948), S. 215. Vgl. aber auch Ev Thom, Log 77.

[59] Vgl. Aristot de anima A 2, 405 a 19; vgl. auch A 5, 411 a 7.

ja Mani wurzelt, hat diese Züge weiter ausgeprägt, sicher auch im Rahmen der hellenistischen Entwicklung. Zugleich kennt Mani den Kampf von Gut und Böse aus der christlichen Gnosis und aus dem Christentum selber. Daß Mani unter der Wirkung des Christentums stand, ist sicher.[60] Begründete Anzeichen weisen darauf hin, daß er in seinen Schriften die Evangelienharmonie des Tatian verwendet hat.[61] Ja, der Ausdruck „lebendige Seele" selbst stammt aus einer gnostischen Interpretation der biblischen ψυχὴ ζῶσα[62]. Der ἀνὴρ τέλειος[63] tritt neben die platonische Lichtsäule[64] in dem Ausdruck „die Säule der Herrlichkeit, der vollkommene Mann"[65]. Auch in Iran kennt man die Lichtsäule, und zwar bei der Geburt des eschatologischen Königs; um eine eschatologische Größe handelt es sich aber auch bei Mani[66].

Für die Beantwortung der Daseinsproblematik geht Mani aus vom Kampf des Reiches des Guten gegen das Reich des Bösen, in dessen Verlauf die „lebendige Seele" in die Hand des Bösen gerät. Langwierige kosmogonische Vorgänge sollen dazu führen, daß eines Tages die letzten Lichtteile aus der Finsternis herausfiltriert werden, so daß es schließlich zu dem Weltereignis kommen kann, das für die Stoa παλιγγενεσία und ἐκπύρωσις bedeutet (persisch frašegird).

Mani bietet dieses alle Zeiten umfassende Geschehen in einem Kunstmythos in einer großangelegten Schau, in der logische Momente neben Momenten der Harmonie (Fünfer- und Dreierreihen) mit der visionären Kraft des Sehers zusammenwirken. Diese Zusammenfassung ist Manis eigene Leistung; denn sie tritt genauso hervor in dem persisch verfaßten Buch, das er dem König Schapur

---

[60] Vgl. A. Böhlig, Die Bibel bei den Manichäern. (Theol. Diss. Münster i. W. 1947. Maschinenschrift.) Vgl. auch ›Christliche Wurzeln im Manichäismus‹ o. S. 225 ff.

[61] Vgl. auch ›Neue Kephalaia des Mani‹ in A. Böhlig, Mysterion und Wahrheit, S. 261, Anm. 3.

[62] 1 Cor 15, 45: Der erste Adam wurde zu einer lebendigen Seele (ψυχὴ ζῶσα).

[63] Eph 4, 13.

[64] Plat de re publ X, 616 B.

[65] Keph 35, 10 u. ö.

[66] Vgl. G. Widengren, Die Religionen Irans (Stuttgart 1965), S. 211 f.

gewidmet hat (Schapurakan), wie in den rekonstruierbaren Resten seiner syrischen Schriften. Nur sind im Persischen und Syrischen jeweils andere Götternamen verwendet. Seinem Sinne nach ist dieser Mythos Manis aber immer ein und derselbe.

Mani konnte sich jedoch nicht damit begnügen, die mythische Schau wie eine Göttersage, die man zur Kenntnis nimmt, zu bieten. Die darin niedergelegten Gedanken mußten verarbeitet und begrifflich zusammengefaßt werden. Diese Aufgabe einer Verbindung von mythischer Schau und rationalem Denken erfüllten m. E. Manis Lehrvorträge, wie wir sie in den „Kephalaia" vor uns haben. Das ist eine ihrer besonderen Aufgaben. Es ergibt sich somit für Manis Lehrvorträge eine logizistische Durchdringung des Mythos und damit eine Vermengung von mythischem Inhalt und philosophischer Form, die dem gegenständlichen Denken der antiken Welt entgegenkommt.

Zur Verarbeitung des Mythos werden in einzelnen Kapiteln der „Kephalaia" mythische Figuren nach ihren Eigenschaften, den Tätigkeiten, die sie ausüben, oder den Geschehnissen, die sie an sich erleiden, zusammengestellt und verglichen. So stellt man z. B. vier Jägern des Lichtes vier Jäger der Finsternis gegenüber.[67] Vier großen Tagen entsprechen vier große Nächte.[68] Es werden zwölf Götter aufgezählt, die Richter des Vaters sind.[69] Da die mythischen Figuren auf Thronen sitzen, werden sie in einem Kapitel „über die achtzehn Throne" aneinandergereiht.[70] Drei Größen, denen besondere Festigkeit zukommt, sind in einem Kapitel „über die drei Felsen" behandelt.[71] Es wird jeweils in eigenen Kapiteln gesprochen über die fünf Kriege[72], über die fünf Entweichungen[73], über die drei Tage und zwei Tode[74], über die drei Schläge, die den Tod

---

[67] Kap. 5: S. 28—30.
[68] Kap. 4: S. 25—27.
[69] Kap. 28: S. 79—81.
[70] Kap. 29: S. 81—83.
[71] Kap. 62: S. 155.
[72] Kap. 18: S. 58—60.
[73] Kap. 19: S. 60—63.
[74] Kap. 39: S. 102—104.

trafen wegen des Lichtes[75]. Man darf nicht in den Fehler verfallen, diese Bilder dem Mythos und seinen Gestalten gleichwertig zur Seite zu stellen; sie sollen nicht ein zweiter eigener Mythos sein, sondern nur Interpretationen zur Erfassung und Verdeutlichung des eigenartigen Ablaufs des mythischen und damit des Weltgeschehens. Sie gehören also zur Darstellungsform dieser Literaturgattung. Die im Fihrist des An-Nadim erhaltene Kapitelübersicht für das Buch der Mysterien, das von Mani selbst stammt, läßt die gleiche Methode erkennen.[76] Geradezu klassisch für die Verwendung solcher Bilder zur Klarlegung des Mythos ist das Gleichnis Jesu von den zwei Bäumen[77], das von Mani zur Darstellung des Dualismus gebraucht wird. Bei Mani liegt allerdings nicht mehr ein Gleichnis, sondern Allegorie vor.[78] Nicht handelt es sich dabei aber, wie H. H. Schaeder glaubte,[79] um eine andere symbolische Darstellung des Weltgeschehens; denn der Mythos bleibt auch hier immer Voraussetzung. Die Allegorie wird dadurch besonders deutlich, daß bei der Schilderung der Bäume auch ihre Früchte und ihr Geschmack genau angegeben werden. Vom guten Baum ist die Frucht Jesus, der Geschmack die Kirche, vom schlechten die Frucht die Archontenschaft, der Geschmack die bösen Sekten. Wenn dann in der weiteren Einzelschilderung der Bildcharakter allerdings nicht mehr konsequent aufrechterhalten bleibt, so ist das ein Schönheitsfehler, der in einem so langen Lehrvortrag — das Kapitel geht über acht Seiten — wohl möglich ist. Es werden nämlich im folgenden die Seelenglieder als Glieder der Bäume angeführt und aufgezählt, dann aber diese neu allegorisiert.

Neben den Bildern, die gedankliche Richtschnur jeweils eines ganzen Kapitels sind, treten Bilder auch spontan zur Verdeutlichung oder Erklärung von mythischen Figuren und Sachverhalten auf. Auch sie werden wieder allegorisch gedeutet. So ist es zu verstehen, wenn das Kommen des Lebendigen Geistes mit dem eines

---

[75] Kap. 41: S. 105—106.

[76] Vgl. G. Flügel, Mani (Leipzig 1862), S. 102.

[77] Mt 7, 17—20; Lc 6, 43—45.

[78] Kap. 2: S. 16—23.

[79] H. H. Schaeder, Manichäismus. Die Religion in Geschichte u. Gegenwart III (2. Aufl. Tübingen 1929), Sp. 1967.

Richters verglichen wird[80], das Kommen des Dritten Gesandten mit dem eines Königs[81] oder das Kommen Jesu mit dem eines Pflanzers, der ausrodet und danach sät[82], oder auch selbst das Kommen des Großen Gedankens mit Butter, die in warme Milch gelegt wird[83]. Der Urmensch wird aus dem Meere heraufgeholt wie eine edle Perle[84]; diesen Vergleich mit der Perle zitieren die „Kephalaia" aus einem Originalwerk des Mani, dem Θησαυρὸς τοῦ βίου[85]. Das Wort und seine Entstehung wird mit der Herstellung einer Münze verglichen.[86]

Bei den logischen Gegenüberstellungen und Vergleichen in den „Kephalaia" tritt eine Eigenart des manichäischen Mythos besonders unangenehm in den Vordergrund. Die Darstellung des Reiches der Finsternis ist im Mythos viel weniger ausgemalt. So mußte z. B. der Verfasser des Kapitels über die vier Tage und die vier Nächte, von denen der Tag zwölf Stunden und die Nacht zwölf Schatten hat, bei der Beschreibung der Schatten theoretische Größen wie fünf männliche und fünf weibliche αἰσθητήρια sowie Feuer und Lust einführen, um die Zahl zwölf zu erreichen.[87] Oder: Bei der Vergleichung der Jäger des Lichts und der Finsternis besitzt jede der Lichtgrößen ihr Schiff, ihr Netz und ihr Meer; bei den Gestalten der Finsternis beschränkte man sich aber auf Netz und Meer.[88] Solche Künstlichkeiten sind verschiedentlich scharf gerügt worden.[89]

[80] Keph 50, 26 ff.

[81] Keph 52, 20 ff.

[82] Keph 53, 18 ff.

[83] Keph 54, 24 ff.

[84] Keph 85, 24 ff. Vgl. auch das bekannte Lied von der Perle aus den Thomasakten (vgl. E. Hennecke—W. Schneemelcher, Neutestamentliche Apokryphen II [3. Aufl. Tübingen 1964], S. 303 ff.).

[85] Vgl. auch Keph 230, 8.

[86] Kap. 107: S. 260, 29—261, 13. Vgl. dazu H. Hommel, Ein antiker Bericht über die Arbeitsgänge der Münzherstellung. Schweizer Münzblätter 15 (1965) 111—121, sowie ders., Der Religionsstifter Mani über die Arbeitsgänge der Münzherstellung. Eine Nachlese. Schweizer Münzblätter 16 (1966) 33—38.

[87] Keph 26, 14 ff.

[88] Kap. 5: S. 28 ff.

[89] H. H. Schaeder, Manichäismus nach neuen Funden ... l. c. 93.

Man muß sich jedoch klar sein, daß sie nicht in mystisch-spekulativem Denken verwendet wurden, sondern mit ihrer Hilfe eine Harmonie der Zahlen hergestellt werden sollte. Auch im Mythos selbst kann man überdies solche Künstlichkeit nachweisen; denn die Gestalt des Geliebten der Lichter ist eigentlich nur dazu da, um mit dem Großen Baumeister und dem Lebendigen Geist eine Dreiheit zu bilden. Hatte also Mani um der Symmetrie willen im Mythos eine nicht ganz reine, sinngemäße Formung zugelassen, so kann man weder ihm noch seinen Jüngern einen Vorwurf daraus machen, wenn bei der Lehrunterweisung der behandelte Gegenstand manchmal in eine feste Form nicht so sehr gegossen, als vielmehr gepreßt wurde. Daß Mani sich außerdem nicht scheute, selbst bei der Darstellung der Kosmologie solche Künstlichkeiten und Pressungen anzuwenden, hat W. Henning an dem Turfanfragment T III 260, das mit großer Wahrscheinlichkeit ein Teil des Schapurakan ist, nachgewiesen.[90] Bei der Vereinigung des iranischen Sonnenjahres und des z. B. in Babylonien geltenden Mondjahres hat Mani aus elf Überschußtagen des Mondjahres zwölf gemacht, weil er eine heilige Zahl elf nicht kannte.

Die Anlehnung an Zahlen und Zahlenreihen ist überhaupt ein Zug, der ebenfalls durch die Philosophie und die Astrologie auf Mani eingewirkt hat. Wir finden bei ihm besonders die Zahlen 1 bis 4 verwendet, und zwar die Zahl 1 als Symbol für den einen Mani, die Zahl 2 für den Dualismus der manichäischen Religion, die heilige Zahl 3 für die Verbindung der Götter, die Zahl 4 für die Weltteile, weshalb auch vier Weltreiche auftreten, die nach den Himmelsrichtungen geordnet sind.[91] Ferner findet sich bei Mani die Zahl 5 für die Elemente. Eine große Rolle spielt auch, ähnlich wie bei Philon, die Zahl 7. Außerdem begegnen gerne Zusammensetzungen dieser Zahlen, vor allem 8 (= 2 × 4), 12 (= 3 × 4), 14 (= 2 × 7) und andere.

[90] W. Henning, Manichäisches Henochbuch l. c. 32 ff.
[91] Vgl. Kap. 77: S. 188, 30—190, 10. Die vier Königreiche sind: Babylon-Persis, Römerreich, Axum und Silis. In dem zunächst unverständlichen letzten möchte ich Seris, also Sererreich, erkennen, was China oder das näher liegende und später mit Serinda bezeichnete Sogdiana zwischen Oxos und Jaxartes bedeuten kann.

Für einen Lehrvortrag geeignet war auch die in der zeitgenössischen Philosophie beliebte Gegenüberstellung von Makro- und Mikrokosmos. Denn dieses Mittel erlaubt, das All in sich zu allegorisieren. So werden etwa den Körperteilen die Seelenteile gegenübergestellt;[92] dabei ist zu bedenken, daß es sich hier ja um Teile einer Weltseele handelt. Oder man vergleicht z. B. auch die zwei Augen mit den zwei Lichtschiffen, die Zunge mit Jesus dem Glanz.[93]

Machte es die Durchführung der Allegorie manchmal nötig, das im Mythos vorhandene Bild manichäischen Glaubens unter Umständen zu pressen, so liegt die Liebe zur weiteren Ausmalung einzelner Szenen und Bilder bereits in der Darstellung des Mythos selbst vor. So schreibt Theodor bar Konai über den Auszug des Urmenschen[94]: „Ein Engel mit Namen Nachaschbat ging ihm voraus, in der Hand die Krone des Sieges." Wird hier die Szene des Auszuges mehr gewaltig geschildert, so finden wir sie in den „Kephalaia" mehr rührend dargestellt.[95] Da geleiten den Urmenschen die Götter und Engel, geben ihm Frieden(sgruß), Kraft und Siegeswünsche mit, und zum Abschied küßt ihn die Mutter des Lebens. Auch eine solche liebevolle Ausmalung einzelner Szenen ist kein sekundäres Element der „Kephalaia", wird doch Mani überhaupt gern als ζωγράφος bezeichnet.[96]

Werden in den „Kephalaia" einerseits mythologische Gestalten und Erscheinungen logizistisch verarbeitet und begrifflich in

---

[92] Kap. 38: S. 95, 14 ff.

[93] Kap. 60: S. 151, 22 ff. und 152, 1 ff.

[94] F. Cumont, La cosmogonie manichéenne (Brüssel 1908), S. 17.

[95] Keph 38, 8 ff.

[96] Mani ist als „Maler" bekannt durch den außerordentlichen Wert, den er auf die Buchausstattung und Kalligraphie legte; vgl. Schmidt—Polotsky, l. c. 45. Darüber hinaus findet sich in den koptisch-manichäischen Schriften sowohl das Nomen ζωγράφος wie auch das Verbum ζωγραφεῖν. Nur an einer sehr zerstörten Stelle Hom 71, 24 kann das Verbum vielleicht „malen" bedeuten; außerdem kommt Hom 18, 5 ζωγραφία für „die Malerei" vor. Sonst begegnet ζωγραφεῖν in dem weiteren Sinne „bilden, gestalten", so Ps-b 11, 9. 11, Keph 26, 12, und ζωγράφος für „Bildner" Keph 26, 11; 136, 29; 248, 5. Es ist dabei z. B. die Rede davon, daß die

Gruppen zusammengefaßt, so bedient man sich anderseits auch
umgekehrt gerade der mythologischen Gestalten, um Begriffe zu
erfassen, ein charakteristischer Zug für das gegenständliche Denken
der damaligen Zeit. So werden im 3. Kapitel εὐδαιμονία, σοφία und
Kraft[97], im 63. Liebe und Haß[98] mythologisch erklärt. Auch bei
diesen Begriffen handelt es sich wiederum gerade um gebräuchliches
Begriffsgut.

Aber nicht nur Begriffe, auch Naturgeschehen finden durch die
Mythologie ihre aitiologische Deutung. In einem Kapitel „über die
Wolke"[99] werden fünf Arten von Wolken unterschieden, von denen
je eine einem Element als Gestalt des Mythos zugeordnet wird und
eine dementsprechende Bedeutung zugeteilt erhält. Diese Naturerklärung entspricht ganz der in den Acta Archelai, wo die Entstehung des Erdbebens davon abgeleitet wird, daß der Ὠμοφόρος
ermüdet, zittert und seine Last von der einen auf die andere Schulter
wechselt.[100]

Auch zur Erklärung von Gebräuchen bedient man sich der
Mythologie. Gruß- und Kultformen werden auf mythologische
Handlungen zurückgeführt. So werden in Kapitel 9 εἰρήνη und
χαῖρε, δεξιά, ἀσπασμός, προσκύνησις und χειροτονία besprochen,[101]
die am Schicksal des Urmenschen deutlich werden, wenn er in den
Kampf zieht und dann aus der Finsternis wieder ins Licht zurückkehrt; denn alle die genannten Handlungen empfängt er auf seinem
Wege. Eine plastische Szene im Bericht der Acta Archelai bezeugt
uns, daß es sich dabei nicht um eine schematische Erklärung handelt,

---

ἐνθύμησις oder die ὕλη „gestaltet", ebenso der lebendige Lichtrest. Daraus
geht hervor, daß für Mani ζωγράφος etc. sowohl eine rein technische wie
eine übertragene Bedeutung haben kann, die einen Akt des Mythos wiedergibt.

[97] Keph S. 23—25. Zu εὐδαιμονία beim Schwur in Kapitel 105 vgl.
›Neue Kephalaia des Mani‹ in A. Böhlig, Mysterion und Wahrheit, S. 264.

[98] Keph S. 155—156.

[99] Kap. 95: S. 240—244.

[100] Hegemonius, Acta Archelai, ed. Ch. H. Beeson (Leipzig 1906. GCS
16), S. 11, 9 f.

[101] Keph S. 37—42.

sondern im Mythos Anlaß zu einer solchen Deutung gegeben war.[102] Der Lebendige Geist streckte dem Urmenschen die Rechte hin, und deshalb geben sich die Manichäer die rechte Hand, um zu zeigen, daß sie aus der Finsternis, d. h. der Häresie, gerettet sind.[103] Im Kephalaion folgt die gleiche Erklärung[104]: „Wenn er nun die Rechte empfängt, zieht der Licht-Noῦς ihn zu sich und stellt ihn hinein in die Kirche." Die Beziehung auf die Manichäer ist klar. Wieweit die Erklärung der anderen Bräuche an eine ähnliche Stelle der mythischen Darstellung anknüpfen kann, läßt sich im einzelnen schwer ausmachen, ist aber anzunehmen. Der kultische Ausspruch der Gemeinde „Ja und Amen"[105] wird ebenfalls aus dem Mythos erklärt; er wird z. B. mit Ruf und Hören gleichgesetzt.

Die äußere Form und der religiöse, aber auch gedankliche Gehalt besonders in der Terminologie und in der Methodik, die den „Kephalaia" anhaften, kann durchaus von Mani selbst stammen; man braucht dafür nicht nach dem Westen gewanderte Schüler Manis anzunehmen. Man muß nur berücksichtigen, daß Mani ein Schüler des Bardesanes von Edessa war.[106] In dessen Umgebung hat sich wohl auch seine innere Auseinandersetzung mit dem Christentum vollzogen. Bardesanes fühlte sich noch als häretischer Christ; Mani selbst hat sich gleichfalls in der Tradition Jesu Christi gefühlt, wie er sich in seinen Briefen auch als Apostel Jesu Christi bezeichnet. Er setzt sich aber vom Christen„tum" ab, gerade weil die Jünger Jesu durch schlechte Berichterstattung die wahre Lehre Jesu verdorben haben.[107] Im Kephalaion 105 wird dem Namen

---

[102] Act Arch 10, 14; 11, 2.

[103] Das besagt sicher auch noch, daß sie „zur Rechten", d. i. der guten Seite, gehören. Vgl. dazu als Beispiel aus der Gnosis: NH II 106, 11—18 (A. Böhlig—P. Labib, Die Koptisch-gnostische Schrift ohne Titel aus Codex II von Nag Hammadi im Koptischen Museum zu Alt-Kairo. Berlin 1962: 154, 11—18).

[104] Keph 40, 31 ff.

[105] Kap. 122: S. 290 ff.

[106] Vgl. H. H. Schaeder, Bardesanes von Edessa in der Überlieferung der griechischen und syrischen Kirche. Zeitschr. f. Kirchengesch. 51 (1932) 21—73. Vgl. auch ›Christliche Wurzeln im Manichäismus‹ o. S. 225.

[107] Vgl. Kap. 154 nach Schmidt—Polotsky, l. c. 42 f. bzw. 86 f.; F. C.

„Christen" der Name „Manichäer" gegenübergestellt.[108] Sind die „Kephalaia" wegen dieser Äußerung nun als spät oder sogar sekundär anzusehen? Den entscheidenden Unterschied zu der ihm gegenüberstehenden Kirche hat Mani sicher schon sehr früh erkannt. Wieweit dann später Zusammenhang oder Abstand gegenüber der christlichen Kirche betont wurde, das dürfte weitgehend eine Frage der Missionsmethode gewesen sein. Nimmt man an, daß Mani aus dem Geschlecht der Arsakiden stammt, die als φιλέλληνες bezeichnet werden, so ist seine Bekanntschaft mit dem hellenistischen Denken nicht ausgeschlossen, sondern wahrscheinlich, zugleich aber auch seine Vertrautheit mit iranischem religiösen Gut, das der parthischen Periode eigentümlich war, verständlich.

Wieweit werden also die „Kephalaia" auf Mani selbst zurückgehen? Die Stellen, an denen Wiederholungen und allzu große Breite stören, sind aus dem mündlichen, erst später von Hörern niedergeschriebenen Vortrag zu erklären. Etwaige Künsteleien lassen sich schon in der ältesten manichäischen Überlieferung nachweisen. Was also bisher als sekundär in den „Kephalaia" angesehen wurde, kann nicht ohne weiteres als Beweis dafür dienen, daß das Werk keine wirklichen Lehrvorträge Manis enthält. Doch wird die Annahme, daß die Jünger Vorträge, die sie von Mani gehört hatten, redigierten, die Analyse dieser Texte wesentlich erleichtern. Wenn z. B. Einschübe bei der Schilderung des Gottes der Finsternis zu beobachten sind[109] oder durch einen erneuten Ansatz zur Rede des Apostels Vorträge über ein ähnliches Thema miteinander verbunden werden, so ergibt all das genügend Möglichkeiten, das Traditionsgut um- und weiterzubilden.

Das Werk ist also eine auf Manis eigene Methode zurückgehende Aufzeichnung von Lehrvorträgen, in denen der mythologisch gefaßte Inhalt von Manis Lehre mit dem rationalen Denken in Einklang gebracht wurde. Da die beiden Komponenten für Mani selbst

---

Andreas—W. Henning, Mitteliranische Manichaica aus Chinesisch-Turkestan II (Sitz.-Ber. d. Preuß. Akademie d. Wiss. Berlin 1933), S. 295: T II D 126 I R.

[108] Keph 258, 26—259, 23.
[109] Kap. 6: S. 30—34.

nachweisbar sind, kann man den „Kephalaia" keine eigentlich sekundären Züge zuschreiben und deshalb in ihnen auch nicht eine Entartung der manichäischen Lehre sehen. Will man sie trotzdem als Entartung betrachten, so muß man Manis Religion selber für entartet halten. Das ist freilich eine Frage, die auf einer ganz anderen Ebene liegt.

V. ORGANISATION UND KULTUS

Zeitschrift für die neutestamentliche Wissenschaft und die Kunde der älteren Kirche. 37 (1938). (In memoriam Karl Schmidt.) 1939, S. 2—10.

DAS MANICHÄISCHE BEMA-FEST

Von C. R. C. ALLBERRY

I

Der hl. Augustin erwähnt das Bema-Fest an zwei Stellen: Contra Epist. Fund. 8, p. 202, 3 ff. Zycha (CSEL 25) heißt es: *quid ergo aliud suspicer nescio, nisi quia iste Manichaeus qui per Christi nomen ad inperitorum animos aditum quaerit pro ipso Christo se coli uoluit. hoc unde coniciam breuiter dicam. cum saepe a uobis quaererem illo tempore quo uos audiebam quae causa esset quod pascha domini plerumque nulla interdum a paucis tepidissima celebritate frequentaretis nullis uigiliis, nullo prolixiore ieiunio indicto auditoribus, nullo denique festiuiore adparatu, cum bema uestrum, id est diem quo Manichaeus occisus est, quinque gradibus instructo tribunali et pretiosis linteis adornato atque in promptu posito et obiecto adorantibus magnis honoribus prosequamini: hoc ergo cum quaererem respondebatur eius diem passionis celebrandum esse qui uere passus esset; Christum autem qui natus non esset neque ueram sed simulatam carnem humanis oculis ostendisset, non pertulisse sed finxisse passionem. quis non gemescat homines qui se Christianos dici uolunt timere ne polluatur ueritas de uirginis utero et de mendacio non timere? sed ut ad rem redeam, quis non suspicetur cum diligenter adtenderit, ideo negari a Manichaeo Christum natum esse de femina et humanum corpus habuisse, ne passio eius, quod totius iam orbis festiuissimum tempus est, ab eis qui sibi credidissent celebraretur et non tanta deuotione diem mortis suae desiderata sollemnitas honoraret? hoc enim nobis erat in illa bematis celebritate gratissimum, quod pro pascha frequentabatur, quoniam uehementius desiderabamus illum diem festum subtracto alio qui solebat esse dulcissimus.*

Die Aufgabe und Gelegenheit des Festes also war das Andenken an den Märtyrertod Manis, der wirklich gestorben war, im Gegensatz zu Christus, der nur zu sterben schien. Bei den Manichäern nämlich wurde das Osterfest sehr wenig begangen, da es durch das Bema ersetzt war; und das Bema wurde mit um so größerer Leidenschaft und Festlichkeit gefeiert, weil die Manichäer an das Leiden und den Tod Christi wegen der Doketismuslehre nicht mehr denken mochten. Für die liturgische Begehung des Festes wurde ein Tribunal gebaut, auf das fünf Stufen führten; es war mit kostbaren Teppichen bedeckt und stand sichtbar den Anbetern gegenüber. Das Zeremoniell zerfällt in zwei Teile: erstens, Nachtwache und ausgedehnte Fastenzeit, damit die Seele in vollständiger Bereitschaft hinzukomme; zweitens, die richtige und liebe Festlichkeit. Wir können wohl annehmen, daß man fastete, um sich auf das ganze Fest vorzubereiten, daß die Nachtwache dagegen zur Erinnerung an Manis Tod bestimmt war, während die den Höhepunkt bildenden Festlichkeiten der Erinnerung an seine Himmelfahrt gewidmet waren.

Es herrscht keine Übereinstimmung über die Bedeutung des Wortes Bema. Baur versteht darunter einen Lehrstuhl zum Andenken an den göttlichen Lehrer, ähnlich de Beausobre: « une chaire de docteur, de prédicateur » und Schaeder: „Katheder"; Tollins übersetzt "altare"; Alfaric denkt an « un monument érigé en l'honneur d'un mort »; Bardy, dessen Artikel in dem Dictionnaire de Théologie Catholique trotz seiner Tragweite m. E. zu wenig beachtet ist, sagt ähnlich wie Alfaric: « une estrade funéraire ». Es ist aber zu bedenken, daß das Wort einen Richterstuhl bedeutet; in diesem Sinne nämlich ist es im Römerbrief 14, 10 πάντες γὰρ παραστησόμεθα τῷ βήματι τοῦ θεοῦ belegt, einer Stelle, auf die selbst der Manichäer Secundin (Epist. ad August. 896 5 ff. Zycha) hinwies.

Die zweite Erwähnung des Festes bei Augustin betrifft die Jahreszeit, in der man das Bema feierte; sie befindet sich ganz beiläufig in einem Passus des Liber Contra Faustum, worin über die Monatsnamen und ihre Bedeutung geredet wird, 494, 17 ff. Zycha *uultis ergo ut et uos dicamini in mense martio Martem colere? illo enim mense bema uestrum cum magna festiuitate celebratis.* Nach Augustin also ist Mani im März gestorben, und es ist schon festgestellt[1] worden, daß sein Todesjahr 276 war. In diesem Zusammenhang möchte ich an den maßgebenden Artikel Taqizadehs[2] erinnern: "In the Manichaean books found in Egypt ... in the Coptic language the date of Mani's death is given as the 4th day of the Egyptian month Bermehāt, which in 276, the year of Mani's 'Parinirvana', corresponded to 29th February. Thus in *Manichäische Homilien*, published by Hans Jacob Polotsky (Stuttgart, 1934), p. 60, it is said that Mani was arrested on the eighth day of the Egyptian month Amshīr, and after being in prison for twenty-six days he died ... Polotsky makes, however, the date a Monday, which was not in accordance with the 4th Bermehāt of the said year, as this was a Tuesday. In two of the Manichaean documents in the Parthian language from Turfān (c. and d., Andreas-Henning, Mitteliranische Manichaica aus Chinesisch-Turkestan, iii[3], the date of Mani's death is given as Monday the 4th of the Persian month Shahrivar (6th month), which corresponds to the 14th February, 276, a Monday ... As to the discordance between the dates recorded by St. Augustine, Coptic Homily, and Parthian fragments, the agreement between the last two is not difficult to establish in so far as it is possible to suppose that the Coptic text has been ... rendered only too literally by changing the name of the Persian month into a Coptic month roughly corresponding to it, but leaving the day number as it was in the original, without ascertaining the exact corresponding Coptic date ... The Augustinian dates, however, must be either taken as being not altogether strict or we must assume that Bema has not been strictly the anniversary of the exact day of Mani's death." Man betrachte weiter Taqizadehs Anmerkung auf S. 127: "It is, however, not impossible to suppose that both Coptic and Persian versions have simply changed the name of the Babylonian month into Egyptian and Iranian names of the months which roughly correspond to the former," was mir höchst

[1] Siehe H. H. Schaeder in Gnomon 9, 1933, S. 351 Anm. 4; W. Henning, ZDMG 90, S. 6.

[2] Siehe S. H. Taqizadeh in dem Bulletin of the School of Oriental Studies zu London, ix 1937, S. 126 ff., vgl. S. 324 f. — Eine Monographie Taquizadehs über den Iranian Calendar ist jetzt in Druck.

[3] SBAW 1934, S. 849—912.

320 C. R. C. Allberry

wahrscheinlich ist. Die Behauptung aber, das Bema sei zu Ostern gefeiert, ist unrichtig: Augustin sagt nirgendwo, daß Ostern durch das Bema-Fest zeitlich ersetzt wurde, und wir haben keinen Grund zu vermuten, daß die zwei Feiern zu derselben Zeit begangen waren. Taqizadeh hat Stotherts Übersetzung[4] des Contra Faustum benutzt, und so hat er sich geirrt: in den damaligen Texten stand die falsche Lesart *per pascha* statt der erst von Zycha 203, 2 gedruckten *pro pascha*, die offenbar richtig ist.

Endlich darf man den dritten Beleg des Wortes nicht vergessen, der sich in der großen, aus dem 9. Jh. stammenden Abschwörungsformel[5] (Migne P. G. I 1465 d) befindet: ἀναθεματίζω καὶ καταθεματίζω πάντας τοὺς μανιχαίους καὶ τὰ τούτων φρονήματα καὶ δόγματα σὺν αὐταῖς ψυχαῖς τε καὶ σώμασι καὶ τὰ μυσαρὰ καὶ ἀκάθαρτα καὶ γοητείας πλήρη μυστήρια καὶ τὸ καλούμενον αὐτῶν βῆμα καὶ πάντα ὅσα τελοῦσιν ἀθέως ἃ ταῖς μανιχαϊκαῖς μᾶλλον δὲ ταῖς γοητευτικαῖς αὐτῶν περιέχεται βίβλοις. Soweit ich aber habe feststellen können, gibt es noch kein Zeugnis für das Bema in der älteren antimanichäischen Literatur.

II

Inzwischen haben Archäologen eine Menge manichäischer Buchfragmente, deren einige mit Miniaturen geschmückt sind, in Chinesisch-Turkestan entdeckt, und 1930 hat der wunderbare Scharfsinn Carl Schmidts sieben γοητευτικαὶ βίβλοι in altkoptischer Übersetzung der Wissenschaft zugänglich gemacht. Unsere Kenntnis des Festes ist dadurch gefördert, daß sich unter den neu veröffentlichten Materialien befinden: Ein Manichäisches Bet- und Beichtbuch, von W. Henning[6] bearbeitet, und ein Mr. Chester Beatty gehörendes sub-achmimisches Manichaean Psalm-book[7]. Das Buch Hennings

[4] Edinburgh, 1872.
[5] Die von F. Cumont schon lange versprochene Ausgabe der griechischen Abschwörungsformeln soll alsbald erscheinen.
[6] In den ABAW 1936 Nr. 10.
[7] A Manichaean Psalm-book, Stuttgart, 1938.

bringt vierzehn mehr oder minder gut erhaltene Anfänge[8] von Hymnen auf das Bema und wohl drei solche Lieder, von denen nur das erste ziemlich vollständig ist. Das koptische Buch enthält dreiundzwanzig fast vollständige Bema-Hymnen, und schon 1933 konnten Schmidt und Polotsky[9] aus Psalm 222 dieser Sammlung[10] feststellen, daß unter βῆμα ein erhöhter Richterstuhl zu verstehen ist. Diese Interpretation findet ihre Bestätigung in Hennings Buch, wo das Wort mit *gāh* (neben *gāh* auch *nišēm*), eig. Thron, ins Mittelpersische übertragen worden ist. Auf dem Stuhl stand ein Bild Manis (Henning S. 9, Psalm-bk. 16, 28, vgl. 26, 5 *holy likeness*), und anscheinend waren auch einige heilige Bücher (Psalm-bk. 29, 29) dahingelegt. Am Bema-Tage stieg Mani selbst aus dem Paradiese nieder: auf dem Stuhl als Richter sitzend, nahm er zusammen mit den Gläubigen an der Feier teil (Henning S. 19 Nr. V, VI; S. 27 usw.: Psalm-bk. 22, 28 *Our Lord the Paraclete has come, he has sat down upon his Bema;* 20, 19 f. *We worship thee, the Judge, the Paraclete, we bless thy Bema whereon thou art seated;* vgl. 43, 22; 45, 15 usw.). Am Bema-Tage hat die Gemeinde gebeichtet (Psalm-bk. 34, 22 usw.), und Mani selbst erteilte Vergebung (Henning S. 20, Nr. XII; S. 21, Nr. XIII: Psalm-bk. 20, 30 usw.). Man dachte sich, daß nach der Vergebung die Seelen der Gemeindemitglieder die fünf Stufen betraten (Psalm-bk. 7, 32 mit Anm., vgl. 22, 6 ff.). Nachher aber kommt Christus, um die Sünder zu richten (Psalm-bk. 26, 15).

Zum Bema-Fest gehört auch das vor 34 Jahren von Müller (Handschriften-Reste II S. 66 f.) herausgegebene Lied, dessen Titel nach Henning[11] ›Hymnen für die im Gebotemonat (Gesetzmonat) zur Bema-Zeit (?) statthabende Mitternachtsverehrung‹ lautet. Dieses Fragment, so kurz es ist, dürfte wohl den Inhalt des Festes

[8] Wenigstens scheinen es mir Anfänge zu sein: vgl. den Hymnen-Index, im Manichaean Psalm-book S. 229—233 den des von Müller (ABAW 1912) herausgegebenen Maḥrnâmag.

[9] Ein Mani-Fund in Ägypten. SBAW 1933, S. 33 Anm. 1.

[10] In diesem Psalm wird auch auf das Römerbrief-Zitat (s. oben S. 318) hingewiesen.

[11] Henning op. cit. S. 9. Nach ihm haben erst Bang und von Gabain die richtige Bedeutung des Titels erkannt.

zusammenfassen. Möglich ist, daß auch das oben erwähnte Mahrnâmag mehrere Bema-Hymnen enthält.[12] Noch ein Hinweis auf das Bema kommt in dem jüngst von Bang[13] bearbeiteten türkischen Chvastvaneft Kap. XIV A vor, wo es nach Hennings Übersetzung[14] lautet *und es ist unsre Pflicht, bei Bema* (oder: *am Bema-Tage), nachdem wir die Fürbitten geleistet und das Fasten gefastet haben, aus ganzem Herzen und ganzer Seele dem göttlichen Propheten* (= Mani) *unsre Sünden eines Jahres*[15] *(zu beichten und um ihre) Vergebung zu bitten.* Bardy bemerkt in seinem schon erwähnten Artikel m. E. mit Recht, daß dieser Fastenmonat die christliche Quadragesima nachahmt.

Wir wissen also aus dem Chvastvaneft, daß das Bema am Ende des Fastenmonats, d. h. des zwölften, gefeiert wurde, woraus wohl anzunehmen ist, daß die Manichäer das Neujahr mit dem Zelebrieren des Festes begannen. Diese Annahme wird durch eine Stelle des Psalm-bk. (26, 19) bestätigt. Wir können weiter annehmen, daß die Manichäer deshalb gefastet haben, um die 26tägige[16] Verhaftung Manis im Andenken zu halten und seine Leiden am eigenen Körper zu erleben. Ob die Feier selbst länger als einen Tag dauerte, ist sehr zweifelhaft: was in dem Psalm-bk. S. XX Anm. 6 darüber geäußert ist, scheint mir höchst unsicher zu sein. In den Manichäischen Homilien ist das Fest nur beiläufig, in den Kephalaia[17] bisher nicht erwähnt.

III

Ist es vorstellbar, daß eine Eucharistie irgendeiner Art in Verbindung mit dem Bema-Fest stattfand? Treten wir der viel um-

[12] Vgl. z. B. Zeile 321 ff.

[13] Le Muséon 36, 1923.

[14] Henning op. cit. S. 9.

[15] Vgl. Psalm-bk. 25, 18 ff. *we implore thee in the presence of thy Bema to forgive us the sins we have committed during the year* (wörtlich *committed the whole year*).

[16] Siehe oben S. 319.

[17] Schmidt-Polotsky-Böhlig, Kephalaia. Lieferungen 1—8. Stuttgart, 1935—1937.

strittenen Frage des manichäischen Abendmahls näher, so fängt der Boden an, sehr unsicher zu werden. Die Hinweisungen darauf, die man in gewissen türkischen Texten vermeinte finden zu können, hat Schaeder[18] mit Nachdruck widerlegt. Es gibt jedoch andere Zeugnisse, die mir unangreifbar zu sein scheinen, und zwar folgende: Augustin, Contra Fortunatum 85, 9 ff. Zycha *nam et eucharistiam*[19] *audiui a uobis saepe quod accipiatis: tempus autem accipiendi cum me lateret, quid accipiatis unde nosse potui?* Die oben zitierte Abschwörungsformel führt auf folgende Weise fort: Migne P. G. I 1468 f. ἀνάθεμα ... τοῖς ἀποστρεφομένοις μὲν τοῦ τιμίου αἵματος καὶ σώματος τοῦ Χριστοῦ κοινωνίαν, ἀποδέχεσθαι δὲ ταύτην σχηματιζομένοις καὶ νοοῦσιν ἀντὶ ταύτης τὰ ῥήματα τῆς τοῦ Χριστοῦ διδασκαλίας, ὧν φασί μεταδιδοὺς τοῖς ἀποστόλοις ἔλεγε 'λάβετε φάγετε πίετε'. Diese Stelle ist von den Byzantinern öfters kommentiert worden, z. B. von Petrus Siculus (Migne P. G. CIV 1256, 1347—48).

Ich glaube, daß auch in der berühmten Stelle des auch im Griechischen bei Epiphanius Panarion LXVI 28, 6 (III 64, 13 ff. Holl) erhaltenen Turbo-Berichtes auf ein rituelles Mahl hingewiesen ist = Acta Archelai 16, 10 ff. Beeson εἴ τις οὐ δίδωσι τοῖς ἐκλεκτοῖς αὐτοῦ εὐσέβειαν, κολασθήσεται εἰς τὰς γεέννας καὶ μετενσωματοῦται εἰς κατηχουμένων σώματα, ἕως οὗ δῷ εὐσεβείας πολλάς. καὶ διὰ τοῦτο εἴ τι κάλλιστον ἐν βρώμασι τοῖς ἐκλεκτοῖς προσφέρουσι. καὶ ὅταν μέλλωσιν ἐσθίειν ἄρτον, προσεύχονται πρῶτον οὕτω λέγοντες πρὸς τὸν ἄρτον «οὔτε σε ἐγὼ ἐθέρισα οὔτε ἤλεσα οὔτε ἔθλιψά σε οὔτε εἰς κλίβανον ἔβαλον· ἀλλὰ ἄλλος ἐποίησε ταῦτα καὶ ἤνεγκέ μοι· ἐγὼ ἀναιτίως ἔφαγον». καὶ ὅταν καθ᾽ ἑαυτὸν εἴπῃ ταῦτα, λέγει τῷ κατηχουμένῳ «ηὐξάμην ὑπὲρ σοῦ» · καὶ οὕτως ἀφίσταται ἐκεῖνος. ὡς γὰρ εἶπον ὑμῖν πρὸ ὀλίγου, εἴ τις θερίζει θερισθήσεται, οὕτως ἐὰν εἰς μηχανὴν σῖτον βάλλῃ βληθήσεται καὶ αὐτός, ἢ φυράσας φυραθήσεται, ἢ ὀπτήσας ἄρτον ὀπτηθήσεται· καὶ διὰ τοῦτο ἀπείρηται αὐτοῖς ἔργον ποιῆσαι. ἐνετείλατο δὲ τοῖς ἐκλεκτοῖς αὐτοῦ μόνοις, οὐ πλέον ἑπτὰ οὖσι τὸν ἀριθμόν· ἐὰν παύσησθε ἐσθίοντες εὔχεσθε καὶ βάλλετε ἐπὶ τῆς κεφαλῆς ἔλαιον ἐξωρκισμένον ὀνόμασι

[18] Iranica, Abh. d. Gesellsch. d. Wiss. zu Göttingen, 3. Folge, Nr. 10, 1934. S. 19 ff.

[19] Vgl. Contra Felicem 825, 10 Zycha *ut quid eucharistia?*

πολλοῖς πρὸς στηριγμὸν τῆς πίστεως ταύτης. τὰ δὲ ὀνόματά μοι οὐκ ἐφανερώθη, μόνοι γὰρ οἱ ἑπτὰ τούτοις χρῶνται. Dieser ganze Passus[20], in den das Stück über die κόσμοι (17, 7 καὶ πάλιν — 19, 4 παρακλήτου Beeson) falsch eingeschaltet[21] worden ist, klingt meinem Ohr nach Sakrament. Der Elektus empfängt nämlich das Brot in die Hand (vgl. Titus von Bostra 60, 38 de Lagarde); zuvor aber betet er, indem er das Brot um Entschuldigung (Roberts Z. 27) bittet; und nachdem er für den Auditor, der ihm diese εὐσέβεια[22] erwiesen, Fürbitten geleistet hat, schickt er ihn fort; dann ißt er, betet nach dem Essen nochmals und gießt sich über das Haupt Olivenöl ἐξωρκισμένον ὀνόμασι πολλοῖς, damit er in dem Glauben befestigt werde; diese Namen aber darf der Auditor nicht wissen, da sie nur von den Erwählten benutzt werden sollen; ihm war es nicht gestattet, an dieser Mahlzeit teilzunehmen. So erklärt sich, daß Augustin, der selbst Auditor war, keine genauere Kenntnis von der manichäischen Eucharistie hatte. Endlich wird auch bei Waldschmidt-Lentz, Manichäische Dogmatik aus chinesischen und iranischen Texten[23] S. 482, 490 anscheinend von einer rituellen Mahlzeit geredet, der Hymnus teilt uns aber darüber nichts mit, was zur Aufklärung dienen könnte; ebenso undeutlich ist der Hinweis Polotskys[24] auf das Vorkommen des Wortes τράπεζα in den Homilien.

Es dünkt mich aber, daß alle diese Stellen das gewöhnliche tägliche Mahl der Elekti behandeln, durch welches das in Speisen gefangene Licht geläutert und mittels ihres Verdauungsprozesses[25] an Sonne und Mond wieder hinaufgeliefert wurde. Das war ihre

---

[20] Vgl. den von C. H. Roberts soeben herausgegebenen anti-manichäischen Brief, Greek Papyri in the John Rylands Library, volume 3, 1938 Nr. 469, wo von der πρὸς τὸν ἄρτον ἀπολογία geredet ist.

[21] Man betrachte Harnacks Bestimmung des Charakters dieser Schrift, Encyclopaedia Britannica 12th edition, article Manichaeism. Auch der griechische Text ist zum Teil krank, wie Holl gesehen hat: z. B. die kaum verständlichen Worte 11, 6 Beeson möchte ich mit der Verbesserung στερεώματι ⟨δι⟩ὸ heilen.

[22] Vgl. koptisch *mntnae*, das öfters in den Bema-Hymnen vorkommt.

[23] SBAW 1933.

[24] Pauly-Wissowa, Supplementbd. VI 265.

[25] Siehe Baur, Das manich. Religionssystem. S. 281 ff.

Funktion κατ' ἐξοχήν; auf diese Weise steigt allmählich das Licht empor, das nach der Heimat strebt. Eben deswegen nahm der Erwählte in seinen Leib alles hinein, was unter den Gewächsen der Erde das schönste war.[26] Das Essen wurde mit Hymnen und Gebeten begleitet.[27] Erinnern wir uns aus der obigen Darstellung, daß es den Elekti Pflicht und Gesetz war, die Lichtteile jeden Tag zu befreien und keine Sonne untergehen zu lassen, ohne dieses Lichtopfer geleistet zu haben, so kann mit Recht gesagt werden, eben diese Handlung umfasse alle zu einem Sakrament gehörenden Elemente, und es fände tatsächlich gerade in dieser so gearteten Lichtbefreiung die manichäische Eucharistie statt. Es wurden nämlich von dem Manichäer alle Lichtteile ebenso verbindlich geehrt wie von dem Christen das Brot und der Becher.[28] Sollte nun auch am Bema-Tage die rituelle Mahlzeit genommen werden, so wäre es nicht möglich gewesen, das Essen nicht als Teil des Festes zu feiern. Wir haben aber bedauerlicherweise kein sicheres Zeugnis, wodurch diese Annahme bestätigt wird, obgleich es zwei Wegweiser gibt, die uns auch aus den Turfanica erstanden sind.

Henning glaubt, eine Liturgie zu dem Bema erkannt zu haben[29], die unter anderem folgendes enthält: *und nach dem Mahl finden diese drei Hymnen statt* usw. Aber die Herkunft und Bedeutung des Wortes *pšᵓhᵓryy*, das er provisorisch mit 'Nachmahl' übertragen will[30], sind gleich unsicher; ferner, da Beginn und Ende bzw. Über- und Unterschrift, nicht mehr erhalten sind, scheint es mir sehr fraglich, ob man das Blatt bloß[31] nach seinem Inhalt als bematisch

---

[26] Vgl. Acta Arch. 16, 13. 27 Beeson. Er aß Brot, Gemüse, Obst und dergleichen, siehe Augustin de natura boni 886, 24 f.

[27] Augustin Enarr. in Ps 140 12, de moribus manich. § 15.

[28] Augustin c. Faustum 536, 21 ff. *quapropter et nobis circa universa et uobis similiter erga panem et calicem par religio est.* Die Frage des *patibilis Jesus* will ich hier aber nicht berühren.

[29] ABAW 1936 Nr. 10. S. 10, 45 f.

[30] Ebenda S. 46, 98 zu c. 43. In seiner Besprechung (BSOS 1937 S. 229 ff.) scheint Bailey Hennings Interpretation zu billigen, wenn man ein argumentum ex silentio gestattet.

[31] Selbst die Folge des Rekto und Verso steht nicht mehr fest: ich möchte das Blatt umkehren.

bestimmen kann. Dagegen rufen uns die dort befindlichen Lieder den oben erwähnten [32], von Müller herausgegebenen Hymnus ins Gedächtnis, der gewiß mit dem Bema zu tun hat. Auch was das Mahl betrifft, bleibt unsicher [33].

Den zweiten Wegweiser [34] bildet eine der vor fünfzehn Jahren veröffentlichten Manichäischen Miniaturen. Damals hat von Le Coq [35] die m. E. annehmbare Vermutung gewagt, die von ihm im Tafelband mit 8 b a bezeichnete Miniatur stelle eine Szene aus dem Bema-Fest dar. Seine ausführliche Beschreibung des Bildes will ich hier zusammenfassen und selber ein paar Vorschläge hinzufügen. Oben in der Mitte, den Hauptpunkt der Szene bildend, steht ein mit reichen vielfarbigen Teppichen bedecktes Podium, auf dem das heilige Porträt Manis gestanden zu haben scheint. Das Porträt ist nicht mehr zu sehen, weil der obere Teil der Miniatur abgerissen ist, man erkennt aber noch die unteren Falten eines roten Gewandes, das wohl den heiligen Mani bekleidet. Links und rechts vom Podium befinden sich Gestalten von Geistlichen, die in fünf Reihen in verschiedener Höhe sitzen und die fünf Grade der manichäischen Hierarchie vorstellen: je höher der Rang und Sitz des Geistlichen, desto größer ist seine Gestalt gezeichnet. Unmittelbar vor dem Podium steht eine dreifüßige Schale, auf der man Melonen, Weintrauben (?), und anscheinend einen grünen Kürbis dargeboten hat; weiter vorn befindet sich ein mit Weizenbroten beladener Tisch. Rechts davon kniet ein Vorbeter oder Vorsänger, der in ritueller Kleidung ein prächtig gebundenes Buch in den Händen trägt. Links von der Schale sitzt der in größten Ausmaßen gezeichnete ἀρχηγός bzw. dessen Stellvertreter, der die Hauptperson der Gemeinde ist; seine linke Hand ist zur Segenerteilung erhoben. In der gleichen Szene also haben wir eine Darstellung von Bema und Mahl.

Wenn ich, wie ich glaube, alles, was zum Verständnis des Festes

[32] Siehe S. 321.

[33] Man betrachte aber die Vorschrift zu Beichte und Brief- und Evangeliumsvorlesung.

[34] Hierzu siehe die Tafel, die ich der Freundlichkeit Herrn Dr. Gelbkes verdanke. [Hier nicht abgedruckt.]

[35] ›Die buddhistische Spätantike in Mittelasien‹, zweiter Teil, S. 53 ff.

dient bzw. zu dienen scheint, in diesem Aufsatz[36] gesammelt habe, so muß ich ausdrücklich betonen, daß vieles an den hier, besonders im letzten Teil, niedergeschriebenen Äußerungen durchaus unsicher ist. Ich habe versucht, einen Umriß zu entwerfen. Man darf jedoch hoffen, daß die späteren, noch nicht zugänglichen Kapitel des koptischen Kephalaiabuches, das eingehende Berichte über das manichäische System bringt, uns auch über das Bema auf vollständige Weise aufklären werden, woraufhin freilich diese Zusammenfassung teils zu berichtigen, teils zu erweitern wäre.

Korrekturzusatz (7. 3. 1939): Man vgl. auch den von mir bisher übersehenen Beleg bei Waldschmidt-Lentz ABAW 1926 Nr. 4, S. 10 „Kommt herbei, ihr Wesen(?), zu diesem Bematag, auf daß ihr werdet erlöst von den vielen Samsāras (d. h. von dem μεταγγισμός)".

---

[36] H. Kortenbeutel hatte die Güte, mein Manuskript auf das Sprachliche hin durchzusehen.

VI. AUSBREITUNG UND LOKALE GESTALTUNGEN

Prosper Alfaric, L'évolution intellectuelle de saint Augustin. I. Du Manichéisme au
Néoplatonisme. Paris: Émile Nourry 1918, pp. 193—213 (= 1re partie, 2e section,
chapitre III) et 507—513 (= 3e partie, 2e section, chapitre III). Aus dem Französischen
ins Deutsche übersetzt von Günter Mayer.

DIE GEISTIGE ENTWICKLUNG
DES HEILIGEN AUGUSTINUS

Vom Manichäismus zum Neuplatonismus
(Auszüge)

Von PROSPER ALFARIC

Kritik des Katholizismus
(1. Teil, 2. Abt., Kapitel III)

Die Katholiken berufen sich vor allem aufs Neue Testament,
sagte noch Augustin bei seiner Verteidigung Manis gegen sie. Nun
ist diese neue Sammlung von Schriften zweifellos viel mehr wert
als die der Juden. Sie enthält jedoch beachtliche Fehler und in vielen Punkten schwere Irrtümer.[1] Um uns darüber Rechenschaft ab-
zulegen, haben wir nur zu sehen, wie sie sich zur Religion Moses,
zum Leben und zur Lehre Jesu oder zum reinen Glauben von Manichaeus verhält.

I

Zuerst enthalten die bei der großen Masse der Christen geläufigen Evangelien eine gewisse Anzahl von Texten, die häufig zugunsten des jüdischen Gesetzes vorgebracht werden. Aber sofern diese
Texte den Sinn haben, den man ihnen gibt, stellen sie sich von selbst
als das Werk des Teufels heraus.

Die Katholiken zitieren gern die berühmte Stelle, wo der Heiland den Menschen antwortet, die ihm vorwerfen, den gesetzlichen

---

[1] De haer. 46: Ipsius Novi Testamenti Scripturas tanquam infalsatas
ita legunt ut quod volunt inde accipiant, quod nolunt reiiciant. Denselben
Vorwurf richtet Titus von Bostra (o. c. III Anfang) an Mani.

Vorschriften zuwiderzuhandeln: „Wenn ihr an Mose glaubtet, würdet ihr auch an mich glauben, denn er hat von mir geschrieben" (Joh. 5, 46)[2]. Darauf können wir ihnen mühelos antworten. Entweder hat Jesus, in diesem besonderen Fall, nicht die Wahrheit gesagt, oder er hat die angeführte Rede nicht gehalten. Da nun die erste Annahme seiner göttlichen Vollkommenheit widerspricht, zwingt sich uns praktisch die zweite auf.[3] Im übrigen führt uns auch das Evangelium dazu. Tatsächlich behauptet Christus an anderer Stelle, alle seine Vorläufer seien „Diebe und Räuber" gewesen (Joh. 10, 8), und daß er damit geradewegs Mose trifft, läßt sich nicht leugnen.[4] Ein andermal, als er sich als das „Licht der Welt" bezeichnet, und die Juden einwerfen, sein Zeugnis sei wertlos, da es sich auf ihn selbst beziehe, begnügt er sich damit, ihnen zu antworten, ohne eines ihrer Orakel anzuführen, daß nach ihrem eigenen Gesetz zwei Zeugen vor Gericht genügten, und daß sein Vater sich mit ihm vereint habe, um ihn zu verherrlichen (Joh. 8, 13—18; vgl. Matth. 3, 17; Luk. 9, 35). Weiter unten fügt er einfach hinzu, wenn man schon nicht an sein Wort glaube, solle man doch wenigstens an seine Werke glauben (Joh. 10, 38)[5]. An der Stelle selbst, wo er sagt, Mose habe von ihm geschrieben, stellen ihm die Juden zu diesem schwerwiegenden Thema nicht die geringste Frage: Nun waren jene Leute zu hinterlistig und zu voreingenommen, als daß sie ihn nicht aufgefordert hätten, wenn er diese Aussage wirklich gemacht hätte, die Texte zu nennen, auf die er anspielte.[6] Endlich beweist die Terminologie der ihm unterschobenen Erklärung für sich allein ihre Unwahrscheinlichkeit. Nicht nur, daß der Glaube an Mose nicht genügt, um ein Anhänger Christi zu werden — im Gegenteil, diese beiden Akte schließen einander aus. In der Tat haben wir festgestellt, daß in den wesentlichsten Punkten des Judentums, wie Sabbat, Beschneidung, Unterscheidung der Fleisch-

---

[2] C. Faustum XIII, 1; XVI, 1. Denselben Text führen gegen Mani ins Feld: Hegemonius, Acta Archelai 45, Titus von Bostra, o. c. III, 2 und Epiphanius, Haer. LXVI, 72.

[3] C. Faustum XVI, 2, 5 Ende.

[4] C. Faustum XVI, 2.

[5] C. Faustum XVI, 2; vgl. XII, 1.

[6] C. Faustum XVI, 2.

arten, der Heiland im Widerspruch zu den gesetzlichen Überlieferungen steht.[7]

Man hält dem entgegen, er selbst habe erklärt, gekommen zu sein,
nicht um das Gesetz und die Propheten abzuschaffen, sondern um
sie restlos zu erfüllen (Matth. 5, 17).[8] Für einen Neubekehrten aus
dem Heidentum ist dieser Text sehr verwirrend. Er scheint die Irrlehre der Nazaräer oder Symmachier zu stützen, die glauben, Mose
und den Heiland nebeneinanderstellen zu müssen.[9] Aber die ehr-
würdige Lehre des Manichaeus hat uns gezeigt, daß ein solcher
Schluß nicht daraus gezogen werden darf.[10] Wenn Jesus die ihm
zugeschriebene Rede gehalten hat, dann hat er nur so getan, als
spreche er zu den Juden, deren Erregung er dämpfen wollte, während er sich eigentlich an die Heiden wandte, die auch ihre Gesetze

[7] C. Faustum XVI, 6.

[8] C. Faustum XVII, 1; XVIII, 1; XIX, 1. Denselben Text halten Mani
entgegen Hegemonius, Act. Arch. 40, und Titus von Bostra, o. c. III Anfang. Vgl. C. Faustum XIX, 5. Dieser Vergleich mit einem Gefäß findet
sich in einer etwas abweichenden Form schon bei Faustus und Felix wie
bei Hegemonius. Siehe Alfaric, L'évolution intellectuelle de saint Augustin I. 1918 S. 191 Anm. 4.

[9] C. Faustum XIX, 4 Anfang. Die „Nazaräer", von denen Faustus
spricht, standen in Verbindung mit den alten Ebioniten, die schon Irenäus,
Haer. I, 26 und Tertullian, De praescr. 33 beschrieben haben. Zweifellos
hießen sie „Symmachier" nach einem Ebioniten dieses Namens, der am
Ende des 2. Jahrhunderts die hebräische Bibel ins Griechische übersetzte
und einen Kommentar zum Matthäusevangelium verfaßte (Eusebius,
Hist. eccl. VI, 17; Hieronymus, De vir. ill. 54). Zur Zeit Augustins selbst
erwähnt Hieronymus die „ebionitischen Nazaräer", bei denen er ein
„Hebräerevangelium" gefunden habe, das er ins Lateinische übersetzt
habe (Comment. in Evang. Matth. c. XII, v. 13). Epiphanius (Haer.
XXX), der sie in Palästina gesehen hat, verbreitet sich sehr ausführlich
über sie und behauptet, ihre Lehre sei bis nach Rom gedrungen (Haer.
XXX, 18 Anfang). Der Bischof von Brescia kennt sie auch (De haer. 8,
vgl. 63?), und Ambrosius beschreibt sie seinerseits (Comment. in Epist.
ad Galat., Prolog.). Augustin selbst erklärt bei dem von Faustus hier benutzten Text, sie seien sehr wenige, existierten aber trotz allem immer
noch (C. Faustum XIX, 17 Ende).

[10] C. Faustum XIX, 4. Zweifellos hebt Faustus hier auf einen Text
Manis ab.

und ihre Propheten haben. Die Fortsetzung des Textes paßt sehr
gut zu dieser Interpretation. Um seine erste Behauptung zu rechtfertigen, stellt er ihr Gebote voran, die bei allen Völkern in Kraft
sind, und nicht solche, die der israelitischen Rasse eigentümlich sind.
Hören wir ihn in der Tat: „Ihr habt gehört, daß zu den Alten
gesagt worden ist: ‚Du sollst nicht töten‘, ich aber sage euch: ‚Ihr
sollt nicht zürnen‘. Ihr habt gehört, daß gesagt worden ist: ‚Du
sollst nicht ehebrechen‘, ich aber sage euch: ‚Habt nicht einmal Ge-
lüste‘. Es ist gesagt worden: ‚Ihr sollt nicht falsch schwören‘, ich
aber sage euch: ‚Ihr sollt überhaupt nicht schwören‘“ (Matth. 5,
21—22. 27—28. 33—34). Der Ton wird ganz anders, sobald es
sich um Regeln handelt, die nur für die Juden formuliert worden
sind: „Ihr habt gehört, daß gesagt worden ist: ‚Auge um Auge,
Zahn um Zahn‘, ich aber sage euch: ‚Wenn einer euch auf die Wange
schlägt, bietet ihm auch die andere dar‘. Es ist gesagt worden: ‚Ihr
sollt euren Freund lieben und euren Feind hassen‘, ich aber sage
euch: ‚Liebt eure Feinde und bittet für eure Verfolger‘. Es ist gesagt
worden: ‚Wer seine Frau verstoßen will, soll ihr einen Scheidebrief
geben‘, ich aber sage euch: ‚Wer immer seine Frau verstößt, ausgenommen wegen Unzucht, wird sie zur Ehebrecherin machen und
wird selbst einer werden, wenn er eine andere heiratet‘“ (Matth. 5,
38—39. 43—44. 31—32). Im einen Fall bestätigte der Heiland das
Gesetz, indem er es vervollkommnete, im anderen hob er es dagegen auf. Dort hatte er das Gesetz der alten Gerechten im Blick,
während er hier auf das Gesetz Moses abhob.[11]

Aber geben wir einmal, nach der allgemeinen Überzeugung, zu,
das erste Wort beziehe sich wirklich auf das Judentum. In diesem
Fall werden wir, ohne zu zögern, sagen, daß es nicht von ihm ist.
Jesus hätte es nicht aussprechen können, ohne sich selbst förmlich
zu widersprechen, da er im folgenden eben dieses mosaische Gesetz
lebhaft bekämpfte, das er eingangs zu seinem Programm gemacht
haben soll. Eine solche Apologie des Alten Testaments könnte nur

---

[11] C. Faustum XIX, 3. Es ist schon gesagt worden, daß bei Hegemonius, Act. Arch. 40, Mani den jüdischen Grundsatz „Auge um Auge,
Zahn um Zahn“ dem von Christus gegebenen Rat gegenüberstellt, Gewalt mit Sanftmut zu vergelten.

von einem Judenchristen stammen, der seine eigene Auffassung als die offizielle Lehre des Heilands darzustellen suchte.[12] Sie wird uns aber auch nicht von einem Hörer Christi vorgesetzt, der sie aus seinem Mund empfangen hätte. Als die Bergpredigt gehalten wurde, zu der sie gehört, umfaßte die Jüngerschar Jesu nur Petrus, Andreas, Jakobus und Johannes. Nun gilt von diesen vier Aposteln nur der letzte als Verfasser eines Evangeliums, und er zitiert den strittigen Satz keineswegs. Matthäus, der ihn als einziger berichtet, sollte erst später berufen werden. Im übrigen ist die unter seinem Namen veröffentlichte Schrift nicht von ihm. Seine Berufung nämlich wird darin ganz und gar unpersönlich erzählt, während er selbst in der ersten Person gesprochen hätte, wie es sich gehört, wenn es um einen selbst geht. Hier noch verrät alles einen Fälscher.[13]

Dieselbe Feststellung drängt sich uns bei jenem anderen Wort auf, das die Katholiken ebenfalls anzuführen pflegen: „Viele werden kommen aus dem Osten und dem Westen und werden im Himmelreich Platz nehmen mit Abraham, Isaak und Jakob" (Matth. 8, 11; vgl. Luk. 13, 28). Wenn die Stammväter der Juden, von denen der Autor der Genesis soviel Schlechtes sagt, in den Himmel gekommen sind, den sie nicht erstrebten, an den sie nicht einmal glaubten, wie aus ihren Büchern hervorgeht,[14] dann können wir uns gewiß nur darüber freuen. In diesem Fall haben wir allen Grund, für die Väter der Heiden von seiten des absolut guten Gottes eine gleiche Gunst zu erhoffen, deren Abkömmlinge fast allein die christliche Gemeinschaft bilden. Nicht weniger richtig ist, daß erstere in die Finsternis des Tartarus tauchten, bevor sie der Heiland daraus befreite, und daß sie ihre Befreiung seinem Erbarmen,

---

[12] C. Faustum XVII, 2; vgl. XVIII, 3. Auch Mani selbst leugnet die Echtheit dieses Textes bei Hegemonius, Act. Arch. 40.

[13] C. Faustum XVII, 1.

[14] Ut fere ex eorum liquido libris adparet (C. Faustum XXXIII, 1). Die drei Patriarchen, von denen hier die Rede ist, können nach dem Kontext nur die drei ersten Vertreter des Judentums, Abraham, Isaak und Jakob, sein. Ein „Testament der drei Patriarchen" wird im 4. Jahrhundert in den Apostolischen Konstitutionen VI, 16 erwähnt (PG I, 956) sowie im Testament der zwölf Patriarchen XII, 10.

nicht ihrem Verdienst verdanken.[15] Lesen wir nicht auch, daß derselbe Heiland einen gekreuzigten Schächer ins Paradies berufen hat
(Luk. 23, 43), daß er die Zöllner und Dirnen hineinholt (Matth.
21, 31), daß er eine Ehebrecherin freispricht (Joh. 8, 5 f.) und daß
er seinen himmlischen Vater dafür preist, daß er die Sonne über
Guten und Schlechten aufgehen und es auf Gerechte und Ungerecht
regnen läßt (Matth. 5, 55)? Wir hüten uns wohl vor dem Schluß,
er billige das Leben von Räubern, Wucherern und anderen Übel-
tätern. Laßt uns nicht länger behaupten, er habe die jüdischen Patriarchen verteidigt, weil er von ihrem endzeitlichen Heil gesprochen hat![16]
Im übrigen präsentiert sich der angeführte Ausspruch unter fa-
talen Umständen, die es erlauben, seine Echtheit in Zweifel zu
ziehen. Matthäus berichtet ihn, als ein heidnischer Centurio, dessen
Sohn krank ist, demütig Jesus um Erbarmen anfleht. Gerührt von
der Bitte dieses Unbeschnittenen, ruft der Heiland aus: „Wahrlich,
solchen Glauben habe ich in Israel nicht gefunden", und fährt fort:
„Ich sage euch, viele werden kommen aus Osten und Westen und
im Himmelreich neben Abraham, Isaak und Jakob sitzen." Nun
erzählt Lukas (7, 2—10) dasselbe Ereignis, allerdings ohne die
anschließende Reflexion zu erwähnen. Man könnte vielleicht sagen,

[15] Constet ... longo intervallo de tetra ac poenali inferorum custodia
ubi se uitae merita cohercebant, a Christo nostro domino liberatos (C.
Faustum XXXIII, 1). Der Glaube, von dem Faustus spricht, in Afrika
schon von Tertullian (De anim. 55) und Cyprian (Testim. II, 24) belegt,
war zur Zeit Augustins so geläufig, daß dieser sagen konnte: Quis ergo
nisi infidelis negaverit fuisse apud inferos Christum (Epist. CLXIV, 3)?
In erzählender Form wird er von einer apokryphen Schrift ausführlich
dargelegt, die vielleicht zwischen dem 2. und 4. Jahrhundert verfaßt
wurde. Sie stellt den zweiten Teil des Nikodemusevangeliums dar, und
zwei Auferweckte, Carinus und Leucius, erzählen darin, wie der Heiland
sie dem Aufenthalt der Toten entrissen hat. Vielleicht spielt Faustus hier
auf dieses Werk an, das besonders unter den Manichäern verbreitet gewesen zu sein scheint. Zwei lateinische Übersetzungen sind auf uns gekommen und wurden von Tischendorf herausgegeben: Evangelia apocrypha, 2. Aufl., Leipzig 1876, S. 389—416; 417—432.
[16] C. Faustum XXXIII, 1; vgl. 3 Ende.

er habe sie zur Vermeidung einer unnützen Wiederholung einfach ausgelassen. Aber warum hat er dann die Sache selber, die der erste Evangelist schon bis ins einzelne erzählt hatte, so ausführlich geschildert? Im übrigen ist festzustellen, daß er in seiner Darstellung von seinem Vorgänger erheblich abweicht. Dieser läßt den Centurio persönlich vor Jesus auftreten. Lukas dagegen erzählt uns, vornehme Juden hätten für diesen Heiden gebeten, der ihr Volk liebte und ihre Synagoge erbaut hatte. Den von Matthäus zitierten Ausspruch gibt er auch wieder, weist ihm jedoch einen ganz anderen Platz zu. Er hängt ihn an eine lange Rede an, in der Jesus das Endgericht beschreibt (Luk. 13, 23—30). Matthäus (7, 21—23) berichtet eine fast identische Unterhaltung, läßt aber wiederum gerade den Schlußsatz weg. Folglich kennt dieser keinen festen Ort, so daß wir uns mit unserer Annahme im Recht befinden, daß Jesus ihn niemals gesprochen hat.[17] Aus diesen verschiedenen Feststellungen geht klar hervor, daß die Evangelien, sogar diejenigen, die als das Werk der Apostel des Heilands auftreten, mitnichten von unmittelbaren und glaubwürdigen Zeugen verfaßt worden sind, sondern von späteren Anhängern, die vom Geist des Judentums durchtränkt waren. Sie stammen von schlecht unterrichteten und wenig sorgfältigen Menschen, die ihren Meister nur aus ziemlich widersprüchlichen und voneinander abweichenden Traditionen kannten, sich dann aber mit älteren und berufeneren Persönlichkeiten identifizierten.[18] Der nämliche Schluß wird sich uns noch mehr aufdrängen, wenn wir, anstatt die Lehre vom Alten Gesetz zu betrachten, unsere Aufmerksamkeit auf die über Christus selbst gebildete richten.

II

Nach den Matthäus und Lukas zugeschriebenen Sammlungen ist Jesus allein vom Heiligen Geist empfangen und von der Jungfrau Maria geboren worden. Er ist dann aufgewachsen und hat sich wie

[17] C. Faustum XXXIII, 2.

[18] C. Faustum XXXIII, 3. Epiphanius gibt andere Beispiele von Widersprüchen in den Evangelien, auf die Mani hingewiesen hat (Haer. LXVI, 36—40).

ein jeder von uns entwickelt. Aber diesen Erzählungen, die die Katholiken über alles hochschätzen und deren Annahme sie allen ihren Anhängern abverlangen, können wir ein förmliches und entscheidendes Dementi gegenüberstellen.[19] Der Heiland erklärt ausdrücklich, er sei nicht von dieser Welt (Joh. 8, 23), er stamme vom Vater (Joh. 8, 42), er komme vom Himmel (Joh. 6, 42), er habe hienieden keine anderen Verwandten als diejenigen, welche den Willen Gottes tun (Matth. 12, 50)[20]. Und er beglückwünscht den Apostel Petrus dazu, daß er, nicht auf „Fleisch und Blut", sondern auf den „himmlischen Vater" hörend, zu ihm gesagt hat: „Du bist der Christus, der Sohn des lebendigen Gottes" (Matth. 16, 16 bis 17)"[21].

Im übrigen entbehren die gegenteiligen Berichte der beiden Evangelisten der Grundlage. Ihre Autoren waren nicht dabei, als das geschah, was sie erzählen, wie es für ein ordentliches Zeugnis nötig wäre. Sie haben keineswegs mit eigenen Augen gesehen, daß der Heiland von einer Jungfrau empfangen worden ist. Sie haben nicht gesehen, wie er geboren wurde und aufwuchs. Sie geben zu, daß seine ersten Apostel erst ab seinem dreißigsten Lebensjahr mit ihm verkehrten. Wie können sie also über sein früheres Leben besser als er unterrichtet sein?[22]

Fügen wir noch hinzu, daß die beiden anderen Evangelisten über diesen Gegenstand tiefes Stillschweigen bewahren. Der eine gibt seinem Buch den Titel „Evangelium von Jesus Christus, dem Sohn Gottes" (Mark. 1, 1); der andere beginnt mit den Worten: „Am Anfang war das Wort" (Joh. 1, 1). Beide verwerfen sichtlich den Gedanken einer Geburt des Heilands.[23]

[19] C. Faustum II, 1; III, 1; XI, 1; Secundin, Epist. 5 gegen Ende. Wie die folgenden Anmerkungen zeigen werden, nimmt die nämliche Kontroverse in den Acta Archelai einen wichtigen Platz ein.
[20] C. Faustum VII, 1. Vgl. Enarr. in Ps. CXXVII, 12. In Act. Arch. 47 führt Mani ähnliche Worte Jesu an, um die Vorstellung von seiner menschlichen Geburt zu bekämpfen.
[21] C. Faustum V, 3 Ende; C. Fortunatum 19 (Worte des Fortunatus). In Act. Arch. 47 wird dieser Text ausdrücklich von Mani angeführt.
[22] C. Faustum VII, 1.
[23] C. Faustum III, 1.

Sogar jene, die sie bringen, stimmen nicht überein. Sie legen dem Messias zwei völlig voneinander abweichende Stammbäume bei, von denen der eine mit Jakob, dem Sohn Matthans beginnt, um bis auf Salomo zurückzugehen (Matth. 1, 7—16), der andere mit Eli, dem Sohn Matthats, um sich dann an Nathan, den anderen Sohn Davids, zu heften (Luk. 3, 24—32). Wie könnten wir ihre Harmonisierung erreichen? [24]

Halten wir uns einfach an den Verfasser des ersten Evangeliums. Wir werden sehen, daß er nicht einmal mit sich selbst übereinstimmt. Der Anfang seines Werkes, wo er Empfängnis und Geburt des Heilands erzählt, kontrastiert in einzigartiger Weise zur Fortsetzung, wo er uns über seine Predigt unterrichtet. Daher hat er ihm auch eine andere Überschrift gegeben. Er nennt ihn „Buch der Genealogie Jesu Christi, des Sohnes Davids" (Matth. 1, 1), ohne eine Verschmelzung mit der eigentlichen Erzählung zu wagen, die mit der Verhaftung Johannes' des Täufers beginnt (Matth. 4, 12); sie könnte eher betitelt werden „Evangelium Jesu Christi, des Sohnes Gottes" [25].

Der erste dieser Teile tritt als eine Art neuer Genesis auf, genauso phantastisch wie die des Mose, deren Stern er wieder erscheinen läßt.[26] Er erzählt die Geburt eines bevorrechtigten Menschen, von davidischer Abkunft, von einer Jungfrau durch das Wirken des Heiligen Geistes in Bethlehem zur Welt gebracht. Als ein göttliches Wesen stellt er ihn erst von dem Augenblick an dar, wo das reinigende Wasser des Jordans über ihn fließt und das Wort Gottes aus Ps. 2, 7 an ihn ergeht: „Das ist mein lieber Sohn, an dem ich Wohlgefallen habe" (Matth. 3, 17). Er faßt also seine Gottessohnschaft so auf, daß sie dreißig Jahre auf seine menschliche Geburt folgte (Luk. 3, 23). In ihr sieht er keine natürliche Eigenschaft, die ihm eignete, sondern eine mit der Zeit erworbene Gnade, die sich in jedem von uns erneuert, sooft wir vom Irrglauben der Heiden zur wahren Religion übertreten. Wie verschieden ist dagegen

---

[24] C. Faustum III, 1.

[25] C. Faustum II, 1.

[26] C. Faustum II, 1. In Wirklichkeit erscheint in der Genesis kein solcher Stern. Der Autor muß vielmehr den aus Num. 24, 17, der berühmten Jakobsprophetie, im Auge gehabt haben: Orietur stella ex Jacob.

die Meinung, die die Katholiken zu diesem Gegenstand haben zu
müssen glauben, da sie sich eben auf den zweiten Teil dieses unein-
heitlichen Werks stützen, das man unvorsichtigerweise dem Apostel
Matthäus zugeschrieben hat! [27]

Der Text des Stammbaums selbst birgt in sich einen noch tiefer
greifenden Widerspruch. Um die Zugehörigkeit Jesu Christi zum
Hause Davids zu beweisen, führt er uns vor, wie dieses über Salomo und dessen Nachkommen bis zu „Josef, dem Mann Marias,
von der Jesus geboren wurde" (Matth. 1, 16) weiterexistierte. Nun
erzählt er gleich, eben dieser Josef habe weder ehelichen Verkehr
mit Maria noch etwas mit der Geburt Jesu zu tun gehabt. Hätte er
uns die Wertlosigkeit seiner These besser beweisen können? Ein
solches Fehlen des Zusammenhangs kennzeichnet den recht wenig
ausgeglichenen Geist.[28] Man behaupte nicht, um den Evangelisten
zu entschuldigen, auch die Mutter Jesu stamme aus dem Hause
Davids. Der Stammbaum sagt es nicht, und andere Texte bekräftigen das Gegenteil. Jedermann weiß, daß Maria den Priester
Joachim zum Vater hat und dem Priesterstamm Levi angehört,
nicht dem Stamm Juda, aus dem die Könige hervorgegangen sind.[29]

[27] C. Faustum XXIII, 1 Ende und 2.
[28] C. Faustum XXIII, 3.
[29] C. Faustum XXIII, 4. Vgl. Fortunatus (C. Fort. 3) und Augustin
(Serm. LI, 16). Der Glaube, auf den hier angespielt wird, findet sich im
Protevangelium des Jakobus oder der Geschichte von der Geburt Mariens
(Amann, Le Protévangile de Jacques et ses remaniements latins, Paris
1910; Ch. Michel, Evangiles apocryphes, Paris 1911, Bd. I). Zur Zeit
Augustins war diese Schrift im Westen schon sehr verbreitet. Sie findet
sich nämlich auf einem Verzeichnis verurteilter Schriften, das Papst Inno-
zenz I. zu Beginn des 5. Jahrhunderts an Exuperius von Toulouse schickte
(PL XX, 501). Ein ›Brief an Chromatius und Heliodorus‹, fälschlich
Hieronymus zugeschrieben (PL XX, 369—372), der aus dem Verfasser
der apokryphen Apostelgeschichte einen „Jünger Manis" macht, weist ihm
auch ein Buch ›Von der Geburt der Jungfrau zu‹, in dem er ein ähnliches
Werk des Apostels Matthäus überarbeitet haben soll. Eine von den Über-
arbeitungen befreite Übersetzung des Originals wird im Anschluß an den
Brief publiziert (PL XXX, 297—305). Maria erscheint darin als Tochter
Joachims und Nachfahrin Davids (ibid. 298). Im Text des „Jüngers
Manis" gehörte sie möglicherweise zum Stamme Levi.

Das ist nicht alles. Nach dem ersten Evangelium zählt man an Vorfahren des Heilands vierzehn Generationen von Abraham bis David, vierzehn von David bis zur Babylonischen Gefangenschaft und vierzehn von der Babylonischen Gefangenschaft bis Christus. Wenn wir aber genau nachrechnen, kommen wir nur auf 41. Der Evangelist ist noch nicht einmal zu einer einfachen Addition imstande. Welches Vertrauen kann man dann in seine Aussagen haben?[30]

Im übrigen ist es ein ungeheuerlicher Gedanke, der seiner Erzählung zugrunde liegt. Wie kann man sagen, ein so vollkommener Gott wie der der Christen habe sich in ein so niedriges Gefängnis wie den Frauenschoß sperren lassen, er habe absichtlich Demütigungen auf sich genommen und sogar gesucht, die mit der Empfängnis wie mit der Geburt zusammengehören? Heißt das nicht, ihm den größten Schimpf anzutun?[31]

Ganz anders erscheint der Heiland in den paulinischen Schriften. „Ob er wohl in göttlicher Gestalt war, hielt er es nicht für einen Raub, Gott gleich zu sein, sondern entäußerte sich selbst und nahm Knechtsgestalt an, ward gleich wie ein anderer Mensch und an Gebärden als ein Mensch erfunden; er erniedrigte sich selbst und ward gehorsam bis zum Tod", um sich dann voller Leben zu erwei-

---

[30] Serm. LI, 12. Augustin gesteht hier, daß die von den Manichäern erhobenen Schwierigkeiten einst großen Eindruck auf ihn gemacht haben (ibid. 6).

[31] C. Faustum III. 1 Ende; XXXII, 7; Secundin, Epist. 5 Ende; Conf. VI, 20 Ende; C. epist. Man. 7; De contin. 23 Ende; C. duas epist. Pelag. II, 3. In Act. Arch. 6 und 47 sagt Mani selbst: Absit ut Dominum nostrum Jesum Christum per naturalia pudenda mulieris descendisse profitear! Nach Photius (Bibl. Cod. CLXXIX) hat der Manichäer Agapius der „ewigen Jungfrau Maria, der Mutter Christi, unseres Gottes" „unversöhnlichen Haß", gefolgt von einem „gnadenlosen Krieg", gelobt. Ein von Müller (Handschr. S. 94—95) veröffentlichtes manichäisches Fragment aus Turfan, das aus dem ›Buch der Geheimnisse‹ Manis stammen kann, richtet sich gegen diejenigen, welche „den Sohn Mariens anrufen". Vgl. Titus von Bostra III, 19; Leo, Serm. XXXV, 4; Photius, C. Man. I, 7 Anfang; griechische Abschwörungsformel 1 Ende, 2 Anfang (PG I, 1464).

sen und uns zu lehren, geistlich aufzuerstehen (Phil. 2, 6—8 und Röm. 6, 4) [32].

Diese Lehre, die in der christlichen Kirche zu sehr in Vergessenheit geraten war, nehmen die Jünger des Manichaeus nur wieder auf. Für sie ist Jesus nur scheinbar Fleisch geworden. [33] Er ist herabgestiegen, um die Seelen anzuziehen, zu lehren, zu heiligen und sie ins Reich des Vaters zu führen, nachdem er selbst ihnen den Weg gezeigt hat. [34] Nur hat er es getan, ohne sich in irgendeiner Weise dem Elend des fleischlichen Geschlechts zu unterwerfen, da er sein Ende sich als Ziel gesetzt hatte.

„Wenn er nicht geboren worden wäre", halten die Katholiken dagegen, „wie hätte er in einem menschlichen Körper erscheinen können?" — Ebenso wie die Engel. Sehr oft haben diese sich den

---

[32] C. Fortunatum 7 (Worte des Fortunatus). Bei Hegemonius scheint Turbo auf denselben Text abzuheben (Act. Arch. 8): Veniens filius transformavit se in speciem hominis, et adparebat quidem hominibus ut homo, cum non esset homo. Mani bezieht sich ausdrücklich darauf (ibid. 50): Totus ille ipse descendens semetipsum in quocumque voluit transformavit in hominem, eo pacto quo Paulus dicit quia „habitu repertus est ut homo". Vgl. Titus von Bostra (o. c. III, 19) und Epiphanius (Haer. LXVI, 49).

[33] Conf. V, 20 Ende; Serm. XII, 9; XXXVII, 17; LXXV, 8; XCII, 3; CXVI, 4; CLXXXII, 2 Ende; CCXXXVIII, 2; Enarr. in Ps. XXXVII, 26; De contin. 24. Alle christlichen Kritiker bezichtigen die Manichäer dieser Lehre, besonders im Westen: Ambrosiaster (In Epist. ad Galat. I, 1; ad Philipp. I, 1; Quaest. Vet. et Nov. Test. append. LXV ed. Souter 459), Ambrosius (Apologia David altera IV, 27; De fide V, 182; De incarn. 8 etc.), Leo (Epist. LIX, 1; CXXIV, 2; CLXV, 2; Serm. XXIV, 4; XXXIV, 4). Wir haben schon gesehen (Anm. 32), daß sie Act. Arch. 8 Mani selbst zugeschrieben wird, von Photius (Bibl. Cod. CLXXIX) dem Manichäer Agapius. Photius sagt auch (Bibl. Cod. CXIV) bei Lucius Charinus, der die Petrus-, Andreas-, Johannes-, Thomas- und Paulusakten geschrieben hat: „Er behauptet, Christus sei nicht wirklich Mensch geworden, sondern habe nur eine menschliche Erscheinung angenommen, wenn er sich seinen Jüngern in verschiedener Gestalt zeigte, bald als junger Mann, bald als Greis, dann von neuem als Kind, bald groß, bald klein, manchmal als ein Riese, dessen Haupt den Himmel berührt."

[34] C. Fortunatum 3.

Menschen gezeigt und mit ihnen gesprochen. Trotzdem haben sie in keiner Weise am Elend unserer Lage Anteil. Die großen Autoren des Manichäismus haben aufgezeigt, daß es sich mit dem Heiland genauso verhält.[35]

„Wie hätte jemand, der nicht geboren wurde, sterben können?"
— Wenn dieses Ereignis nicht natürlich ist, so gibt es noch viele andere, die es auch nicht sind, ohne daß man daran denkt, sie zu bestreiten. Es ist nicht naturgemäß, einem Blinden das Gesicht zu geben (Joh. 9, 1—7), einem Stummen die Sprache (Matth. 9, 32 bis 33), einem Gelähmten die Bewegung (Matth. 9, 1—7) oder einem Toten das Leben (Joh. 9, 1—44). Trotzdem glauben wir alle an diese Wundertaten, die das Evangelium schildert, weil wir sie als direkte Auswirkungen der göttlichen Macht betrachten. Warum sollten wir nicht auch an die Wundertat glauben, um die es hier geht, indem wir sie vom selben Gesichtspunkt aus betrachten? [36]

Die Katholiken sagen, man könne sie als solche nicht anführen, ohne gleichzeitig Christus Zauberpraktiken zuzuschreiben. Wenn es ihnen gefällt, alles so zu bezeichnen, was der festen Ordnung in dieser Welt zuwiderläuft, geben sie dann nicht selbst eine gewisse Zauberei zu, wenn sie behaupten, Christus sei von einer Jungfrau geboren und zur Welt gebracht worden? Ein solches Ereignis ist ebenso außerordentlich, ja noch ungewöhnlicher als das, welches sie kritisieren.[37] Sie sagen, Henoch, Elia und Mose seien geboren, ohne gestorben zu sein, und bei lebendigem Leib zum Himmel aufgefahren. Warum sollten sie also nicht sagen, Jesus sei gestorben, ohne geboren zu sein, und im besten Alter auf der Erde erschienen? [38]

[35] Ut iam probatum a nostris est, sagt Faustus (C. Faustum XXIX, 1 Ende). Faustus denkt hier an Mani und Adimantus (vgl. oben Anm. 30 und 31).

[36] C. Faustum XXVI, 2.

[37] C. Faustum XXIX, 1.

[38] C. Faustum XXVI, 1. Die Himmelfahrt Elias steht in der Bibel (2. Kön. 2, 1—12), die Moses in einem Assumptio Mosis betitelten Buch, von dem wir nur den ersten Teil besitzen (Charles, The Assumption of Moses, London 1897). Henochs Entrückung wird im Henochbuch erzählt, von dem eine äthiopische Übersetzung ganz erhalten ist (F. Martin, Le livre d'Hénoch, Paris 1906). Die beiden letzten Schriften hat niemand in

In Wirklichkeit stimmt es weder, daß ein Mensch leibhaft zum
Himmel aufgefahren ist, noch kann es sein, daß Jesus an einem
Kreuz verschieden ist. Wenn Christus wie ein einfacher Sterblicher
geendet hätte, so wäre er kein Gott gewesen, auch kein Heiland der
Seelen.[39]

Indessen ist der Tod nicht von Natur aus schlecht wie die Geburt.
Diese setzt die göttliche Substanz von neuem in der Materie gefangen; jener trachtet danach, sie daraus zu befreien. Die eine ist für
uns das höchste Übel, der andere erscheint als das normale Ziel einer
jeden irdischen Existenz. So hat Christus nicht einmal getan, als
würde er geboren. Dagegen hat er den Tod gespielt. Mit seinem
Beispiel wollte er uns lehren, dem Körper zu entfliehen. Aber einer
Marter konnte er nicht unterworfen werden, denn er war nur dem
Anschein nach von Fleisch.[40]

Ein anderer, ein Anhänger des Teufels, ist an seiner Stelle geopfert worden. Alle Schmach und alle Qualen hat der Böse gegen den

---

den biblischen Kanon aufgenommen, wie Augustin ausdrücklich angesichts
des zweiten feststellt (De civ. Dei XV, 23, 4). Auch Faustus, obwohl er die
Himmelfahrt Moses und Henochs nennt, stützt sich vorzugsweise auf die
des Elias.

[39] C. Fortunatum 7 Ende (Worte des Fortunatus); C. Faustum XXVI,
1—2; Secundin, Epist. 4; Conf. V, 16; Enarr. in Ps. XXXVII, 26. Nach
Photius (Bibl. Cod. CLXXIX) zerreißt der Manichäer Agapius „das
verehrungswürdige und heilsame Kreuz Christi mit tausend Blasphemien".
Nach Alexander von Lykopolis soll Mani selbst gelehrt haben, der Sohn
Gottes sei weder dem Leid noch dem Tod unterworfen (o. c. 24). Der
letzte Gedanke wird in einem Fragment eines Briefes „an Zebenas" entwickelt, der Mani zugeschrieben wird und von Fabricius herausgegeben
wurde (Bibl. Graec., 2. Aufl., Bd. III, S. 315 f.).

[40] Credimus ... crucis eius mysticam fixionem, qua nostrae animae
passionis monstrantur vulnera (C. Faustum XXXII, 7). Vgl. ibid. XXVI, 1
Ende; XXXIII, 1; C. Fortunatum 7 (Worte des Fortunatus). Nach
Alexander von Lykopolis (o. c. 24) lehrt Mani, ohne dem Leid und dem
Tod unterworfen zu sein, habe sich Christus ans Kreuz schlagen lassen,
um den Menschen zu zeigen, wie die göttliche Tugend in der Materie
gekreuzigt wird und wie alle sich verhalten sollen. Vgl. Ambrosius,
Comm. in Epist. ad Galat. I, 1: Manichaeus Christum hominem negat et
non negat crucifixum.

Sohn Gottes zusammengeholt. Aber es gelang ihm nur, sie sich selbst in der Gestalt eines seiner Kinder aufzuerlegen. Er hat den Purpurmantel angezogen und die Dornenkrone getragen. Er ist ans Kreuz geschlagen und mit Galle und Essig getränkt worden. Er ist von der Lanze der Soldaten durchbohrt worden.[41]

So feiern die meisten Manichäer nicht das christliche Passa. Einige begehen es, aber ohne großen Aufwand, ohne langes Fasten und Wachen. Dagegen feiern sie, so gut sie nur irgend können, das Bema, den Todestag ihres Meisters, der um dieselbe Zeit fällt. An jenem Tag errichten sie öffentlich ein mit fünf Stufen versehenes und mit kostbaren Stoffen ausgeschmücktes Begräbnispodium; dann lassen sie mit großer Innigkeit ihre Huldigungen zu ihm emporsteigen. Gegenüber den katholisch Gewordenen, die sich über diese

---

[41] De fid. c. Man. 28. Photius (Bibl. Cod. CXIV) sagt vom Verfasser der Petrus-, Johannes-, Andreas-, Thomas- und Paulusakten, der, wie wir gesehen haben, bei den Manichäern in hoher Achtung stand: „Er behauptet, nicht Christus sei ans Kreuz geschlagen worden, sondern ein anderer sei an seine Stelle getreten, und er zeigt ihn hoch belustigt über die, welche ihn gekreuzigt haben." Tatsächlich zeigt uns ein Fragment der Johannes-Akten (Lipsius-Bonnet, Acta apostolorum apocrypha, Leipzig 1898, Bd. II/1, S. 199—203, Anm. 97—105) Christus, wie er dem Lieblingsjünger auf dem Ölberg erscheint, während sich auf Golgatha das Drama der Passion abspielt, und zu ihm sagt: „Dort unten, in Jerusalem, schlägt man mich ans Kreuz, durchbohrt man mich mit einer Lanze, tränkt man mich mit Galle. Zu dir werde ich sprechen ... Ich wurde für etwas gehalten, was ich nicht bin." Derselbe Gedanke wird von der griechischen Abschwörungsformel ausdrücklich den Manijüngern zugeschrieben. Diese verflucht die Personen, die behaupten, „daß unser Herr Jesus Christus nur scheinbar gelitten hat und daß er, während ein anderer sich am Kreuz befand, in der Ferne stand und lachte, als er ihn leiden sah" (PG I, 1463). Nach Basilides, den der neulich gefundene Schluß der Acta Archelai (ed. Beeson, gegen Ende) als den Lehrer Manis darstellt, „hat Jesus nicht den Tod erlitten, sondern ein gewisser Simon aus Kyrene wurde gezwungen, das Kreuz für ihn zu tragen; dann, nachdem Jesus ihn verwandelt hatte, daß man ihn als ihn ansah, wurde er unwissentlich und irrtümlich gekreuzigt, während Jesus in der Gestalt Simons lachend danebenstand" (Irenäus, Haer. I, 24, 4). Vgl. S. Reinach, Cultes, mythes et religions, Bd. IV, 1912, Simon de Cyrène.

Veränderung der Haltung verwundern, begnügen sie sich mit der Antwort, die Passion Christi sei nur scheinbar gewesen und verdiene nicht wie jene echte des Manichaeus geehrt zu werden.[42]

Die übrigen evangelischen Ereignisse geben zu entsprechenden Feststellungen Anlaß. Alle die, welche Christus ehren und uns belehren wollen, kann man, wenn auch nur als einfache Bilder, hinnehmen. Absolut zu verwerfen sind jedoch alle diejenigen, die seiner Natur und seiner Rolle als Heiland widersprechen. Wir könnten also an seine Wundertaten glauben, ebenso wie an seine mystische Passion. Dafür müssen wir nicht nur leugnen, daß er von einer Frau geboren ist, sondern auch, daß er der Schmach der Beschneidung unterworfen wurde (Luk. 2, 21), daß er ein Opfer wie die Heiden dargebracht hat (Luk. 2, 24), wie ein Sünder getauft (Luk. 3, 21), vom Teufel durch die Wüste geschleppt und den ärgsten Versuchungen ausgesetzt wurde (Luk. 4, 1 ff.).[43]

Im übrigen sind vor allem Jesu Worte von Bedeutung; denn sie lassen die wahre Lehre am besten erkennen.[44] Für sie ergibt sich die Notwendigkeit zur nämlichen Unterscheidung. Wir haben also alle die für echt zu halten, die sich zur Erkenntnis des Guten und Bösen

[42] C. epist. Man. 9. Die griechische Abschwörungsformel (PG I, 1465) verflucht „alle Manichäer ... ihre abscheulichen, unreinen oder scharlatanischen Geheimnisse, sowie das, was sie ihr Bema nennen". Dieser letzte Begriff bezeichnet im Griechischen eine erhöhte Oberfläche, eine Plattform, im weiteren Sinn eine Tribüne oder einen Altar. Augustin spricht von einem „tribunal". Auch dieses Wort bezeichnet entweder ein Podium, von dem aus die Redner sprechen, oder ein zu Ehren eines Toten errichtetes Monument. Beausobre (o. c. II, 713) gibt der ersten Bedeutung den Vorzug. Bei einem Fest zur Erinnerung an den Tod Manis finde ich die zweite natürlicher.

[43] C. Faustum XXXII, 7. In Act. Arch. 50 Ende leugnet Mani in gleicher Weise die Taufe Christi. Photius wirft dem Manichäer Agapius vor, sein Begräbnis und seine Auferstehung, wie die Passion Jesu, nur als scheinbar gelten zu lassen (Bibl. Cod. CLXXIX).

[44] Est enim nihil aliud (Euangelium) quam praedicatio et mandatum Christi (C. Faustum V, 1). Vgl. ibid. V, 2 und II, 2. Nach Photius lassen die Manichäer das Evangelium nicht in allen seinen Teilen gelten, sondern nur in denen, welche die Orakel des Herrn enthalten. C. Man. I, 10, vgl. 14.

fügen, jedoch nicht die, welche sie aufheben möchten. Kraft dieses fraglosen Prinzips wollen wir alle Gebote des Heilands zum Wohltun akzeptieren, seine Gleichnisse, ebenso seine ganze göttliche Rede, die zu sehr den Gegensatz der beiden Naturen bejaht, um nicht von ihm zu sein.[45] Ohne jede Schwierigkeit werden wir sogar manche andere seiner Reden annehmen, welche die Katholiken nicht zugeben wollen, z. B. den Hymnus, den er nach dem letzten Mahl, nach dem Zeugnis des Evangeliums (Matth. 26, 30), vor seinen Aposteln sprach.[46] Um so entschiedener werden wir die ihm zugeschriebenen Aussagen als apokryph verwerfen, wenn sie sich als im Gegensatz zur heiligen Lehre befindlich herausstellen sollten.[47]

Um wieviel mehr ist dieser Vorbehalt gegenüber dem Werk der Apostel angebracht. Um zu sehen, wie sehr Petrus sich vom Heiland entfernt hat, den er dreimal in einer Nacht verleugnet hat (Matth. 26, 69—75)[48], brauchen wir nur die dem Lukas zugeschriebene Apostelgeschichte aufzuschlagen, wo wir sehen, wie er einen Mann und eine Frau zur Strafe für ihre Lüge sterben läßt

[45] C. Faustum XXXII, 7 Ende. Es handelt sich hier offensichtlich um die Bergpredigt (Matth. 5—7). Fast unmittelbar nach seiner Priesterweihe schreibt Augustin einen langen Kommentar darüber (De sermone Domini in monte libri duo, PL XXXIV, 1229—1308). Er hatte sie aber schon bei den Manichäern eingehend studieren müssen. Diese entnahmen ihr besonders gern den Vers von den zwei Bäumen (Matth. 7, 18), von dem wir gesehen haben, daß sie ihn in Diskussionen mit den Katholiken oft gebrauchten (siehe Alfaric o. c. S. 95 Anm. 2). Genau auf diese berühmte Stelle spielt Faustus hier an.

[46] Epist. CCXXXVII, 4. Augustin spricht von diesem Hymnus bei den Priscillianisten, bemerkt aber dazu, daß die apokryphen Schriften nicht nur bei ihnen, sondern auch noch bei anderen Häretikern besondere Gunst genießen, vor allem bei denen, welche das Gesetz und die Propheten verwerfen, wie es die Manichäer tun (ibid. 2). Im Verlauf seines Briefs zitiert er daraus mehrere Stellen (ibid. 5—8). Auch Papst Leo spielt auf „falsche Herrenworte" an, die bei den Jüngern Manis gelten (Serm. XXXIV, 4).

[47] C. Faustum XXXII, 7 Ende.

[48] Secundin, Epist. 4. Die Manichäer, die Photius gekannt hat, sagen dasselbe: „Vor allem verfluchen sie Petrus, den ersten der Apostel, da er, wie sie sagen, vom Glauben an Christus, seinen Meister, abgefallen sei"

(Apg. 5, 1—10) [49]. Dieselbe Schrift behauptet nicht weniger, als daß in dem Augenblick, wo er dieses doppelte Verbrechen beging, schon im Besitz des Heiligen Geistes gewesen sei (Apg. 2, 4). Die Manichäer lehnen die Aufnahme eines solchen Werks in ihren Kanon ab.[50] Die Katholiken dürfen sich nicht darüber beklagen; denn sie verwerfen die gleichartige Arbeit von Leucius und andere fromme Bücher, die zu lesen indessen sehr nützlich ist.[51]

Paulus ist den Lehren des Meisters treuer geblieben, und wir müssen uns vorzugsweise auf ihn verlassen. Er hat den Unterschied zwischen Gut und Böse, Fleisch und Geist, altem und neuem Gesetz mit ganz beachtenswerter Klarheit und Kraft dargelegt.[52] Indessen können die Schriften, die wir von ihm haben, uns noch kein vollständiges Vertrauen einflößen. Manche ihrer Behauptungen, vor allem die dem Judentum zuneigenden, widersprechen so deutlich ihren übrigen Lehren, daß sie nur von einem Fälscher stammen

(C. Man. I, 8). Bemerkenswerterweise zitieren Faustus, Fortunatus, Felix und Secundin niemals die Petrusbriefe. Diejenigen, von denen Photius spricht, verwerfen sie ausdrücklich.

[49] C. Adimantum XVII, 5. Weiter oben (Alfaric o. c. S. 134) haben wir gesehen, daß für die Manichäer jede Tötung eines Menschen ein schweres Verbrechen ist, das vom „Siegel der Hand" verboten war.

[50] C. Adimantum XVII, 5; De util. cred. 7; Epist. CCXXXVII, 2. An der letzten Stelle jedoch begnügt sich Augustin damit zu sagen, „gewisse Manichäer" verwürfen die kanonische Apostelgeschichte. Tatsächlich zitiert Faustus von Mileve eine Stelle daraus (Apg. 10, 11—15), ohne sie zu mißbilligen (C. Faustum XXXI, 3; vgl. Alfaric o. c. S. 133). Eine ähnliche undeutliche Haltung legen die Manichäer an den Tag, die Photius kennt. Manche lassen das Werk des Lukas gelten, andere verwerfen es. Sie sind übrigens auch in bezug auf die „Katholischen Briefe" gespalten (C. Man. I, 8). Diese werden von den afrikanischen Manichäern nie zitiert, offenbar weil sie bei ihnen kaum Gunst genießen.

[51] C. Fel. II, 6. Vgl. Alfaric o. c. S. 141 Anm. 7.

[52] Apostolum accipis? — Et maxime (C. Faustum XI, 1). Faustus (VIII, 1; XI, 1; XII, 1; XIII, 1; XIV, 1, etc.), Fortunatus (7, 16, 21, 22, 26), Felix (I, 9; II, 2, 10) und Secundin (I, 3, 4, 5) zitieren die paulinischen Schriften sehr oft. Felix sagt: „Der Heilige Geist ist auf Paulus gekommen" (C. Fel. I, 9), und Secundin fordert Augustin auf, in seiner Zeit den nämlichen Apostel „wiederzubeleben" (Epist. 5).

können.[53] Im übrigen ist Paulus weder unfehlbar, noch gibt er vor, es zu sein. An einer Stelle (1. Kor. 13, 11) gibt er zu, daß er sich früher getäuscht habe, als er Anschläge hatte wie ein Kind.[54] So ist es erklärlich, daß er an einer anderen Stelle (Röm. 1, 3), die oft gegen die Jünger des Manichaeus ins Feld geführt wird, zu den Römern gesagt hat, Christus sei geboren „von dem Samen Davids" [55]. In einem späteren Brief bemerkt er zu diesem Punkt, zwar habe er früher Christus „nach dem Fleisch" gekannt, jetzt aber kenne er ihn nicht mehr auf dieselbe Weise (2. Kor. 5, 16) [56]. So lehrt er uns selbst, nicht einer jeden seiner Behauptungen blind zu glauben, sondern sie einer weisen Kritik zu unterziehen.

Wenn wir uns diese Unabhängigkeit gegenüber solchen Meistern bewahren, dann fühlen wir uns noch weniger verpflichtet, mit geschlossenen Augen all denen zu folgen, die nach ihnen sich hinter ihrem Namen verstecken. Wir kennen die Listen des „Bösen". Er gab sich nicht damit zufrieden, Petrus so weit zu bringen, daß er den Heiland verleugnete, Judas, daß er ihn verriet, die Schriftgelehrten und Pharisäer, daß sie seinen Tod forderten, die Soldaten, daß sie ihn mit Dornen krönten und mit Essig tränkten, einen der gekreuzigten Schächer, daß er ihn mit Schmähungen überhäufte. In der Folgezeit hat er nicht nur widerspenstige Jünger, wie Hyme-

---

[53] C. Faustum XXXIII, 6; De mor. eccl cath. 14; De divers. quaest. LXXXIII, q. LXVIII, 1. Die letzte Stelle nennt die Manichäer nicht, hebt aber sehr klar auf sie ab und bestimmt die vorhergehenden Bezugnahmen näher, indem sie erklärt, diese Häretiker verwürfen alle paulinischen Texte, die sich auf das Gesetz und die Propheten der Juden bezögen. Der Hebrärerbrief, der das Neue Testament als die Verwirklichung des Alten hinstellt, muß hier besonders ins Auge gefaßt werden. Tatsächlich wird er in keinem manichäischen Text zitiert, den uns Augustin erhalten hat. Titus von Bostra (o. c. III, 4) hält seinen ersten Vers den Jüngern Manis entgegen, indem er sagt, die Katholiken verwürfen nicht wie sie „die Anfänge des Apostels".

[54] C. Faustum XI, 1.

[55] C. Faustum XI, 1 Ende. Derselbe Paulustext wird von Mani auch bei Hegemonius angezogen (Act. Arch. 13 Ende, 40).

[56] C. Faustum XI, 1. Anscheinend basiert für Faustus die kanonische Stellung der Paulusbriefe auf ihrer Chronologie. Vgl. Brückner, Faustus von Mileve, S. 61 Anm. 1.

naeus, den Verführer Alexanders, den Paulus dem Satan hat übergeben müssen, um ihm beizubringen, nicht mehr zu lästern (1. Tim. 1, 20)[57], und die Urheber der Unruhen in Antiochia, Smyrna und Ikonion, gegen die der Apostel auch zu kämpfen hatte[58], gegen diejenigen aufgewiegelt, welche das Heilswerk fortsetzten; indem er sich fälschlich auf die Autorität Christi und der ersten Christen berief, hat er darüber hinaus eine große Anzahl von Seelen getäuscht und schwerwiegende Irrlehren unter ihnen verbreitet. Diesen tückischen Feind zeigt uns das Evangelium, wie er nachts Unkraut neben den guten Samen sät (Matth. 13, 26—28). Und die Christengemeinschaft ist das Feld des Hausvaters, auf dem das Unkraut überall beim Weizen wächst.[59]

III

Die Katholiken verstehen nicht, daß man sie kritisieren kann. Vor allem wollen sie nicht zugeben, daß ihre Schriften auch nur den geringsten Irrtum enthalten. Wenn wir an das neue Gesetz glauben, sagen sie, müssen wir es als ganzes annehmen, ohne jeden Vorbehalt.[60]

Sollen sie doch mit gutem Beispiel vorangehen! Sie selbst bekennen, das Alte Testament beizubehalten. Sie müßten es also annehmen, ohne Abstriche zu machen. Praktisch verwerfen sie jedoch eine Unzahl von Punkten. Warum eifern sie nicht Juda nach, der mit seiner Schwiegertochter schlief, Lot, der mit seiner Tochter verkehrte, Hosea, der mit einer Dirne zusammenlebte, Abraham, der die Nächte seiner Gefährtin an Liebhaber verkaufte, Jakob, der zwei Schwestern zur selben Zeit heiratete, David und Salomo, die

[57] Secundin, Epist. 4. In Act. Arch. 13 spielt Mani auf dieselbe Stelle aus dem 1. Timotheusbrief an.

[58] Secundin, Epist. 4. Diese letzte Bemerkung muß den Acta Pauli et Theclae entnommen sein, die auch Faustus von Mileve zitiert hat, wie wir schon gesehen haben (XXX, 4; Alfaric o. c. S. 141 Anm. 7) und deren Erzählung in denselben Städten spielt.

[59] Secundin, Epist. 4. Nach Hegemonius (Act. Arch. 13) und Epiphanius (Haer. LXVI, 65) hat auch Mani denselben Text angeführt.

[60] C. Faustum XXXII, 1.

sich mit Hunderten und Tausenden von Konkubinen in Ausschweifungen stürzten? Warum machen sie es nicht wie der gläubige Jude, der die Frau seines verstorbenen Bruders heiratet, um diesem Nachkommen zu verschaffen? Anstatt sich nach diesen Präzedenzfällen zu richten, wollen sie nicht einmal davon sprechen hören.[61] Sie übernehmen nicht, daß man als verflucht betrachten soll jeden, „der am Holz hängt" oder keine Kinder hat. Sie halten sich nicht für verpflichtet, jeden Unbeschnittenen oder jeden Gesetzesbrecher auszurotten.[62] Sie haben die Sabbatruhe als unnütz und die Beschneidung als schimpflich aufgegeben. Bedenkenlos essen sie Schweinefleisch. Sie feiern weder die Wochen der Ungesäuerten Brote noch das Laubhüttenfest. Sie haben keine Angst davor, Purpur und Leinen an ihren Kleidern zusammenzubringen, ein aus verschiedenen Fadenarten gemachtes Kleidungsstück zu tragen, einen Ochsen mit einem Esel zusammenzuspannen.[63] Selbst wenn sie den Geboten des Judentums treu bleiben, dann hüten sie sich davor, sie in ihrer alten Form und Strenge zu halten. Sie feiern Passa, aber ohne ein Lamm zu opfern, ohne sich sieben Tage lang von ungesäuerten Broten und Kräutern zu ernähren. Sie feiern das Wochenfest, aber ohne die Opfer darzubringen, zu denen sie nach dem Gesetz verpflichtet wären. Sie glauben, sich des Fleisches erstickter Tiere oder solcher, die man Götzen geopfert hat, enthalten zu müssen. Sie essen aber Schwein, Hase, Igel, Muscheln, Tintenfisch und alle Arten von Fischen, die ihnen schmecken.[64] Damit beweisen sie, daß die Autorität Moses für sie recht wenig zählt. Was unterscheidet sie also in diesem Punkt von uns, außer Mangel an Freimut? Von uns hält sich keiner für berechtigt, die Wahrheit zu verhehlen. Sie machen sich kein Gewissen daraus zu lügen.[65] Sie geben vor, die Gesamtheit der jüdischen Schriften zu bewahren. Im Grunde halten sie sich jedoch nur an das, was ihnen paßt. In erster Linie behalten sie die Ankündigung eines künftigen Königs bei, den sie fälschlich mit Jesus gleichsetzen, dann die üblichen Regeln des bürgerlichen Lebens, wie

[61] C. Faustum XXXII, 4.
[62] C. Faustum XXXII, 5.
[63] C. Faustum VI, 1; XVI, 7; XXXII, 3.
[64] C. Faustum XXXII, 3.
[65] C. Faustum VI, 1 Ende.

z. B. die Verbote von Mord und Ehebruch. Den ganzen Rest aber verwerfen sie schlicht als „Kot" (Phil. 3, 8) [66].

Wenn wir im Alten Testament, das von Gott selbst und Mose, seinem „treuen und lauteren Diener" (Ex. 31, 18), geschrieben ist, eine solche Auswahl treffen können, warum sollten wir dann das Neue en bloc übernehmen, das nur von Christus kommt und übrigens weder von ihm noch von einem seiner Apostel verfaßt wurde, sondern nur von entfernten und schlecht unterrichteten Jüngern? Ist das Gesetz des Vaters weniger wert als das des Sohnes? [67] Es stimmt, daß man behauptet, das eine sei auf Zeit, das andere für immer gegeben worden. Nichts ist falscher.[68] Der Gesetzgeber der Hebräer stellt uns sein Werk als endgültig und unabänderlich dar. Er verflucht jeden, der nicht alle Lehren annimmt und nicht alle Gebote ausführt (Deut. 27, 26). Er geht sogar so weit, daß er den Propheten tötet, der, gestützt auf Zeichen und Wunder, es wagen sollte, es zu kritisieren und das Volk zum Abfall zu verleiten (Deut. 13, 1—5), als ob nicht Christus gerade das getan hätte.[69] Dagegen gibt uns Jesus sein Evangelium als eine noch unvollkommene und vorläufige Einrichtung, die vervollkommnet und vervollständigt werden soll: „Ich habe euch noch viel zu sagen", erklärt er seinen Jüngern, „aber ihr könnt es jetzt nicht tragen. Wenn aber der Tröster, der Geist der Wahrheit, kommen wird, wird er euch die ganze Wahrheit lehren ... Solches habe ich zu euch in Gleichnissen geredet. Es kommt aber die Zeit, daß ich nicht mehr durch Gleichnisse zu euch reden werde, sondern euch frei heraus verkündigen von meinem Vater" (Joh. 16, 12—13. 25) [70]. Eine entsprechende Feststellung trifft Paulus, die von einer identischen Verheißung begleitet wird: „Unser Wissen", gesteht er, „ist Stückwerk und unser Weissagen ist Stückwerk. Wenn aber kommen wird das Vollkommene, so wird das Stückwerk aufhören ... Wir sehen jetzt durch

---

[66] C. Faustum XXXII, 1; vgl. Secundin, Epist. 5 Ende.

[67] C. Faustum XXXII, 2.

[68] C. Faustum XXXII, 6.

[69] C. Faustum XVI, 5; XIX, 5 Ende. Denselben Text nennt Mani in Act. Arch 40 .

[70] C. Faustum XXXII, 6; C. Fel. II, 6. Denselben Text zitiert Mani bei Hegemonius (Act. Arch. 13).

einen Spiegel in einem dunkeln Wort; dann aber von Angesicht zu
Angesicht" (1. Kor. 13, 9—10. 12)[71].

Nur Manichaeus hat diese Voraussagen erfüllt. Er hat sich als der
Bote Jesu erwiesen[72], als der von ihm verheißene Tröster[73] oder
als der lebendige Tempel des Heiligen Geistes[74]. Er hat uns „den

[71] C. Faustum XV, 6; C. Fel. I, 9. Derselbe Text wird noch von Mani
bei Hegemonius angeführt (Act. Arch. 13, vgl. 37), wie auch bei Epiphanius (Haer. LXVI, 61).

[72] C. epist. Man. 7; C. Faustum XIII, 4; De haer. XLVI. Auch Titus
von Bostra (o. c. III, Prol.) und Epiphanius (Haer. LXVI, 12 Ende)
behaupten, Mani heiße „manchmal" Apostel Christi. In den Acta Archelai
gibt er sich selbst am Kopf eines Briefs, den er an Marcellus richtet, diesen
Titel (6 Anfang), und zu diesem und zu seiner Umgebung sagt er (13 Anfang): Ego, viri fratres, Christi quidem sum discipulus, apostolus vero
Jesu. Die Echtheit dieser Zeugnisse ist bestritten worden, zu Unrecht. Das
erste Blatt eines Evangeliums von Mani, das man in Turfan gefunden
hat, beginnt mit den Worten: „Mani, geliebter Apostel Jesu Christi, in
der Liebe Gottes des Vaters" (Müller, Handschr. S. 24), fast den gleichen,
denen wir schon am Kopf der Epistola fundamenti begegnet sind
(C. Epist. Man. 9; vgl. C. Fel. I, 14).

[73] C. epist. Man. 7, 9; C. Fel. I, 2; De haer. XLVI. Dieselbe Fest-
stellung treffen Cyrill von Jerusalem (Catech. VI, 25 Anfang und XVI,
5, 9), Titus von Bostra (o. c. III, Prol.), Epiphanius (Panar. LXVI, 12
Ende), Leo (Serm. LXXVI, 6) etc. In Act. Arch. 13 sagt Mani selbst:
Sum quidem ego Paracletus qui ab Jesu mitti praedictus sum. Vgl. al-
Nadīm: „Mani behauptete der Paraklet zu sein, den Jesus als die Gute
Botschaft angesagt hatte." (Flügel, Mani, S. 85); al-Bīrūnī: „Er erklärt in
seinem Evangelium, er sei der vom Messias angesagte Paraklet" (Keßler,
Mani, S. 318). Die Wörter „Paraklet" und „Heiliger Geist" sind nicht
unbedingt gleichbedeutend, obwohl die katholische Tradition sie all-
mählich miteinander identifiziert hat.

[74] C. epist. Man. 7; Conf. V, 8. In diesen beiden Texten geht Augustin
weiter und wirft Mani vor, er habe danach getrachtet, als die dritte
Person der Trinität zu gelten (vgl. Leo Serm. XXXV, 4), indem er sich
vorgestellt habe als „Apostel Christi durch die Vorsehung Gottes des
Vaters", ohne den Heiligen Geist zu nennen. Aber der Beweis, auf den
er sich stützt, reicht nicht aus, um seine These zu begründen, da es sich
nur um eine Nachahmung der Paulusbriefe handeln kann. Im übrigen
erkennt er ausdrücklich an, daß die Manichäer ihn nicht ganz wie er sich

Anfang, die Mitte und das Ende" gelehrt. Er hat uns gezeigt, wie
die Welt entstanden ist, warum die Tage auf die Nächte folgen,
welches Ziel Sonne und Mond auf ihren fernen Bahnen verfolgen.[75]
Und er hat sich nicht damit begnügt, uns all das zu lehren, das zu
wissen wir verpflichtet sind. Er hat es uns in den klarsten Worten
dargelegt. Alle seine Vorgänger haben in Bildern gesprochen, weil
sie nur den Auftrag hatten, ihm den Weg zu ebnen. Er hat sich als
der letzte der göttlichen Boten eingestellt. Daher hat er uns die
Wahrheit nicht „durch einen Spiegel", sondern „von Angesicht zu
Angesicht" gezeigt.[76] Genau das hat ihm seinen Namen eingebracht;
denn Manichaeus oder Mannichaeus bedeutet: „wer das Manna aus-
gießt", oder mit anderen Worten: „wer die reine Lehre des Heils
predigt"[77]. Er selbst sagt uns, wer immer seine Worte aufnehme
und bewahre, der werde auf ewig das glückliche Leben genießen.[78]
Ist das nicht die genaue Verwirklichung der neutestamentlichen
Verheißungen? So bestätigt das aufmerksame Studium des Katholizismus, wie das aller Glaubensrichtungen, uns nur in unseren
Überzeugungen, zu denen uns schon die bloße Überlegung geführt
hatte.

[...]

Gegen die Manichäer
(3. Teil, 2. Abt., Kapitel III)

Aus den oben dargelegten psychologischen und theologischen
Vorstellungen ergibt sich für Augustin eine neue und tiefere Kritik
des Manichäismus. Dieser steht ihnen tatsächlich diametral gegenüber. Die Theorien, die er über Gott und die Seele aufstellt, befin-

---

selbst verstanden und nur gesagt haben, der Heilige Geist sei „auf
Manichaeus gekommen" (vgl. C. Fel. I, 9). Nur diese letzte Auffassung
paßt zur manichäischen Dogmatik, die die menschliche Geburt und den
Tod des Heiligen Geistes ebensowenig gelten lassen konnte wie die des
Sohnes Gottes.

[75] C. Fel. I, 9.
[76] C. epist. Man. 25; C. Faustum XV, 6.
[77] C. Faustum XIX, 23. Vgl. De haer. XLVI Anfang.
[78] C. epist. Man. 7, 12; C. Fel. I, 1.

den sich im völligen Widerspruch zur Philosophie Platons und Plotins.[79]

I

Die Manichäer, sagt der ehemalige *Auditor,* behaupten als erstes die Existenz zweier gegensätzlicher Naturen von Ewigkeit her: die eine davon sei durch und durch gut, die andere von Grund auf schlecht. Aber nicht einmal diese erste These können sie aufstellen, ohne in Widerspruch zur elementarsten Weisheit zu geraten.[80]

Das höchste Gut könnte sich nur in einem vollkommen verwirklichten Wesen befinden, dem nie etwas fehlte. Ein solches Wesen hat per definitionem kein anderes Gegenteil als das Nichts. Folglich kann das absolute Böse nicht existieren.[81] Die Manichäer fragen uns, woher das komme, das sich in der Welt zeigt. Wir wollen sie lieber fragen, woraus es nach ihnen bestehe, denn wir haben es erst von dem Augenblick zu erklären, wo wir es fassen können.[82]

Wer sieht nicht, sagen sie, daß man es definieren muß als das, „was der Natur eines Wesens entgegengesetzt ist"? In diesem Fall, können wir ihnen antworten, erweist sich die Natur als von Grund auf gut. Infolgedessen leitet sie sich vom höchsten Gut her. Bemerkt

[79] De libero arbitrio hob schon auf die Manichäer ab, ohne sie zu nennen (Retr. I, 9, 2). De vera religione und De moribus richten sich ausdrücklich gegen sie (siehe Alfaric o. c. S. 90 und 271). An verschiedenen Stellen skizzieren sie die rationale Kritik, die dann in De natura boni und De duabus animabus ausgeführt wird. Diese beiden Werke sind zwar später, haben aber deswegen hier ihren natürlichen Platz (siehe Alfaric o. c. S. 90—91).

[80] Diese Frage, die den Gegenstand von De natura boni bildet, wird schon in Contra epistolam Manichaei (36—49) und De moribus Manichaeorum (1—18) sowie in einem Fragment von De libero arbitrio (III, 36—46), das in der gleichen Zeit wie die letzte Schrift entstanden sein muß, ausführlich diskutiert.

[81] De mor. Man. 1; De div. quaest. LXXXIII, q. VI: De malo, q. XXI: Utrum Deus auctor mali non sit. Dieselbe Lehre wird von Plotin ausführlich dargestellt (Enn. I, 8, 3—5; III, 6, 6).

[82] De mor. Man. 2 Anfang. Vgl. Enn. I, 8, 1 Anfang.

im übrigen, daß sie durcheinandergebracht wird mit dem, was man
heute die „Essenz" oder die „Substanz" nennt! Eure eigene Definition, indem sie aus dem Bösen sein Oppositum macht, führt dazu,
es einfach als Abwesenheit von Sein, als reines Nichts zu betrachten.[83]

Soll man vielleicht eher in ihm ein „schädliches Element" sehen?
Wie würde es einem schaden, wenn nicht dadurch, daß es ihm irgendein Gut wegnähme? Aber eine derartige Wegnahme läßt sich
weder bei einem vollkommen guten Gott, der nichts verlieren
könnte, noch an einem von Grund auf bösen Wesen denken, das
nichts zu verlieren hätte. Wenn alles von diesen beiden entgegengesetzten Naturen kommt, dann kann sich das Böse niemals ereig-
nen. Es wird nur möglich werden, wenn das höchste Gut andere
Substanzen schafft, die, anstatt wie es wesensgemäß gut zu sein, es
nur insofern sind, als sie von ihm ins Leben gerufen werden.[84]

Sollen wir sagen, das Böse bestehe aus dem Verderben? Dieses
läßt sich nur bei einer mit gewissen Eigenschaften begabten Natur
denken, deren Verlust sie beständig ausgesetzt ist. Sie kann weder
in einem gänzlich schlechten Teufel noch in einem absolut vollkommenen Gott existieren, sondern nur in Kreaturen von be-
schränkter Vollkommenheit, die insofern gut sind, als sie aus dem
höchsten Gut hervorgehen, die aber aufhören es zu sein, wenn sie
sich von ihm entfernen.[85]

Gewöhnlich schlagen die Manichäer eine viel weniger raffinierte
Erklärung vor. Für sie wohnt das Böse im Feuer, den schädlichen
Tieren und anderen Vertretern der Unordnung. Nehmen wir einmal ein giftiges Tier wie den Skorpion. Sein Gift ist nicht schlecht
für ihn, sondern nur für uns. Für ihn ist es lebensnotwendig, uns
dagegen ließe es sterben. Gift ruft auch ganz verschiedene Wirkungen hervor. Eine Athenerin hatte es sich angewöhnt, immer größere
Dosen davon zu nehmen. Zu einem Todestrunk verurteilt, nahm sie
ihn ohne den geringsten Schaden.[86] Öl, für viele Tiere unheilvoll,

[83] De mor. Man. 2—3; De lib. arb. III, 38. Vgl. I, 8, 1.
[84] De mor. Man. 5—6; De lib. arb. III, 39—41. Vgl. Enn. III, 2, 5.
[85] De mor. Man. 7—9; De lib. arb. III, 36. Vgl. Enn. III, 2, 4.
[86] De mor. Man. 12.

ist für uns heilsam. Die Nieswurz kann uns töten, aber auch heilen. Salz, im Übermaß genossen, wäre sehr gefährlich; dennoch stellt es ein wertvolles Gewürz dar. Für uns ist Seewasser keineswegs trinkbar; die Fische indessen nährt es. Das Brot erstickt den Sperber, für den Menschen aber verkörpert es das wichtigste Nahrungsmittel. Schlamm riecht und schmeckt sehr unangenehm; nichtsdestoweniger hilft er bei Sommerhitze und Brandwunden. Was gibt es Niedrigeres als den Mist? Die Landwirte machen einen solchen Gebrauch davon, daß dessen Erfinder, Stercutius, von den Römern göttliche Ehren empfangen hat.[87] Gehen wir bis zu den Urelementen zurück. In der Luft leben wir, im Wasser oder unter der Erde würden wir sterben. Bei einer großen Anzahl von Tieren ist das Gegenteil der Fall. Das Feuer könnte unseren Organismus zerstören; zur rechten Zeit gebraucht, wärmt es uns oder heilt uns. Die Augen des Adlers stärkt die Sonne, während sie die unseren schwächt oder blendet. Alles in allem kennt die Welt keine einzige Substanz, die neben einigen Mängeln nicht auch manche Vorzüge besäße. Ihr Dualismus ist nur oberflächlich und verbirgt, was man auch immer darüber gesagt hat, eine tiefe Einheit.[88] Die nämliche Feststellung trifft noch besser auf den Menschen zu.

II

Wenn man den Anhängern des Manichaeus glauben soll, dann besteht jeder von uns aus zwei Seelen, von denen die eine, ihrem Wesen nach gut, eine Art göttliches Teilchen darstellt, während die andere, absolut schlecht, vom Teufel herrührt.[89]

[87] De mor. Man. 12; Epist. XVII, 2. Zweifellos läßt sich Augustin hier von Varro inspirieren, der später seine Hauptquelle für alles sein soll, was die römische Religion betrifft, und den er in seinen ersten Schriften oft benutzt. Siehe Alfaric o. c. S. 230 Anm. 4.

[88] De mor. Man. 11—13. Vgl. Enn. II, 2, 4—5.

[89] Die Widerlegung dieser These, die den Gegenstand von De duabus animabus ausmacht, wird schon in De vera religione 16 und 17 Anfang angekündigt. Die Manichäer haben tatsächlich diese Lehre nicht verkündigt [Hrsg.].

In Wirklichkeit läßt sich die zweite dieser Substanzen nicht einmal denken. Per definitionem wäre sie lebendig, wie jede Seele. Von daher müßte sie sich von dem ganz vollkommenen Wesen herleiten, welches allein das echte und immerwährende Leben besitzt.[90] Von diesem guten Prinzip lassen die Manichäer Sonne und Mond, oder besser gesagt: alle Lichtkörper, stammen. Nun ist das erste der stofflichen Wesen nicht so viel wert wie der letzte der Geister. Das eine läßt sich nur mit den Sinnen erfassen, das andere mit dem Verstand. Da der Verstand ohne jeden Zweifel die Sinne beherrscht, so muß auch sein Gegenstand den ihm Gehörigen übertreffen.[91] — Ist, so gesehen, die Seele einer Fliege wertvoller als das Tageslicht? — Ja, denn sie ist lebendig. So klein auch der Körper ist, mit dem sie sich vereint hat, so bewirkt sie sein Leben, setzt seine Glieder in Bewegung, treibt seine Flügel mit einer wunderbaren Harmonie, die nur der Geist begreifen kann.[92] — Die Seele eines Verbrechers steht aber auch über der Sonne? — Unbestreitbar. Es stimmt zwar, daß das Tagesgestirn uns nicht so tadelnswert erscheint, aber etwas, was Anlaß zur Kritik gibt, kann sich sehr wohl etwas anderem überlegen zeigen, was dazu keinen Anlaß bietet. Ich verwerfe das Gold und lobe dagegen ein sehr reines Blei, dem ich einen ziemlich geringeren Wert beimesse. Ich spotte zwar über einen Juristen, der die Gesetze nicht kennt, aber nicht über einen Schuhmacher, der sein Handwerk versteht, obwohl er im ganzen viel unwissender ist. Ebenso kann ich die Seele des Verbrechers, auch wenn ich sie verachte, jener der Sonne für überlegen halten, für die ich nur Achtung habe. Meine Einschätzungen widersprechen sich nicht. Sie gehen von sehr verschiedenen Gesichtspunkten aus.[93] — Bei eurer Art zu argumentieren, werdet ihr sagen, wäre das Laster, trotz seines Grauens, dem reinen Licht vorzuziehen? — Das würde stimmen, wenn es, wie die Seele, die sich ihm preisgibt, sich vom Geist erreichen ließe. Allein, es läßt sich, um die Wahrheit zu sagen, in keiner Weise erfassen. Man sieht nicht die Dunkelheit, sondern das

---

[90] De duab. anim. 1 und 2 Ende; De vera rel. 21.

[91] De duab. anim. 2—3 und 4 Ende; De vera rel. 52—52. Vgl. Enn. I, 7, 2.

[92] De duab. anim. 4; De lib. arb. III, 16 Anfang.

[93] De duab. anim. 5. Vgl. De lib. arb. III, 12—16.

Licht, das immer schwächer wird. In gleicher Weise denkt man nicht das Böse, sondern nur das Gute, das einer in jedem Punkt identischen Abnahme unterworfen ist. Um nicht um Worte zu streiten, kann man die Redeweise einmal hinnehmen, die Finsternis sei sichtbar und das Böse faßbar. Aber man darf nicht vergessen, daß beide nur Mängel darstellen und nicht echte Substanzen. Nun sind die Mängel um so schwerwiegender, je größeren Wert die Wirklichkeiten, denen sie gegenüberstehen, haben. Da die Seele mehr wert ist als die kostbarsten Reichtümer, ist das Laster zwangsläufig das Billigste, was es gibt.[94]

„Woher kommt nun ein so verdrießlicher Zustand?" fragen die Manichäer im Gefühl des Triumphs. Von unserem Willen. Wenn man jemanden menschliche Äußerungen schreiben läßt ohne sein Wissen und während seines Schlafs oder gegen seinen Willen und mit nackter Gewalt, dann wird niemand wagen, ihn darum zu tadeln, weil er in keinem dieser Fälle das Böse gewollt hat. Wenn er dagegen eingeschlafen ist oder darum gebeten hat, ihm die Hände zu binden, in der Voraussicht dessen, was ihm geschehen würde, so wird jedermann ihn, ohne zu zögern, für schuldig erklären, weil seine Tat dann freiwillig war. Diese letzte Feststellung genügt, um das ganze System des Manichaeus zum Einsturz zu bringen. Sie verdient eine Hervorhebung, denn sie erweist sich einem durchschnittlichen Geist zugänglicher als die, welche man aus den Beziehungen des Fühlbaren zum Faßbaren gewonnen hat.[95]

Betrachten wir zuerst den Willen an sich. Woraus besteht er? Aus einer Bewegung der Seele, frei von jedem Zwang, mit dem Ziel, irgendein Objekt zu bewahren oder zu erwerben. Was ist jetzt die Sünde? Die Tat, mit der man ein verbotenes Objekt bewahren oder erwerben will, während man ohne es auskommen kann. Diese beiden Definitionen fassen nur das begrifflich genau, was jeder Mensch von Natur aus weiß. Jeder weiß in der Tat sehr gut, daß Wille und Zwang sich gegenseitig ausschließen und daß ohne den ersteren kein Fehler möglich ist.[96] Von da aus kann man den Ma-

---

[94] De duab. anim. 6—8 und 10.
[95] De duab. anim. 10, 12—13 und 16. Vgl. Enn. III, 2, 10 Mitte.
[96] De duab. anim. 14—15. Vgl. VI, 8, 1—5.

nichäern ein sehr einfaches und trotzdem schlagendes Argument entgegenhalten. Wenn die bösen Seelen, von denen sie zu uns sprechen, zum Wollen unfähig sind, dann sind sie es um so mehr zum Sündigen. Warum sollten wir sie also für böse halten? Wenn sie dagegen einen gewissen Willen besitzen, dann bewegen sie sich auf ein Objekt zu, und sie können es nur deshalb zu erreichen suchen, weil sie es gut finden. Aber ein solches Streben stellt schon ein wirkliches Gut dar. Im übrigen streben sie nach einem Ziel nur unter der Bedingung, daß sie es erkennen, und die Erkenntnis bleibt von Natur aus gut.[97] Tatsächlich ist die zweite Hypothese die einzig mögliche. Die Seelen sind nur soweit böse, als sie sich der Sünde ausliefern, und sie könnten sich ihr nicht ausliefern, wenn sie nicht zum Wollen fähig wären. Infolgedessen haben alle eine von Grund auf gute Natur. Indessen läßt sich keine mit dem höchsten Gut gleichsetzen, da sie sich immer auf das Böse hin bewegen können.[98]

Die Manichäer versteifen sich auf die Überlegung, die unseren freiwilligen Handlungen voraufgeht und in deren Verlauf wir oft zwischen dem Laster und der Tugend schwanken. Aber in dem angeführten Fall fühle ich mich völlig eins, in Abwesenheit von zwei entgegengesetzten Parteien. Der festzustellende Gegensatz kommt nicht von mir. Vielmehr geht er von den Objekten aus, die sich mir in demselben Augenblick darbieten, von denen die einen fühlbar, die anderen verstehbar sind.[99] Wollen wir indessen zugeben, daß diesen beiden Arten von Wirklichkeit zwei Seelen entsprechen. Daraus würde keiner folgern, daß die eine von Grund auf böse, die andere absolut vollkommen ist. Die erste kann einfach durch eine Entartung verderbt sein, zu der sie in Freiheit ihre Zustimmung gegeben hat. Daß sie die zweite dahin mitreißt, besteht immer die Gefahr. Nichts steht sogar dem Gedanken im Weg, daß alle ihre Bestrebungen gut und recht sind, aber daß die sie begleitende überlegene Seele ihnen nicht folgen könnte, ohne zu entarten. Der Gang des Pferdes ist schön, gewiß, und dennoch, wenn ein Mensch anfinge, ihn zu imitieren, verdiente er nicht ein-

---

[97] De duab. anim. 16.
[98] De duab. anim. 17—18.
[99] De duab. anim. 19.

mal, Heu zu essen. Ein Ausrufer schreit mit Recht, so laut er kann;
ein Senator, der ihn sich zum Vorbild nähme, gälte mit Recht als
Narr. Der Mond hat einen ihm eigenen Zauber; würden wir annehmen, die Sonne wolle ihm gleichen, wenn sie es zufällig könnte?
In gleicher Weise kommt die Liebe zu den fühlbaren Dingen einer
Seele zu, die nur zum Fühlen fähig ist; einem Geist, der zur Betrachtung des verständlichen Reinen geschaffen ist, flößt sie Wider-
willen ein.[100] So wendet sich, ohne so entscheidend zu sein, wie das
direkte Studium des Willens, die Betrachtung dessen, was dem Wil-
lensakt vorausgeht, ihrerseits gegen die dualistische These.[101]

Nicht weniger schlüssig ist die Analyse der sittlichen Folgen der
Sünde. Die Manichäer nehmen nicht nur die Möglichkeit, sondern
auch die Notwendigkeit der Reue an. In diesem Punkt meldet sich
die Stimme der Natur zu rein, als daß einer von ihnen sie zu bestreiten wagte. Welche unter den beiden Seelen, die sie sich vorstellen, ist nun die bereuende, die gute oder die böse? Wenn es die
erste ist, dann ist sie dem Bösen unterworfen. Wenn es die zweite
ist, dann läßt sie sich nicht ohne jedes Gute denken. Keine kann ihr
Verhalten bedauern, es sei denn sie hat ohne Zwang böse gehandelt,
und das Bedauern, das sie empfindet, stellt einen seinem Wesen
nach guten Akt dar.[102]

Wie dem auch sei, die Anhänger des Manichaeus verfälschen die
Idee des Menschen, wie sie schon vorher die der Welt verfälscht
haben. Der Weisheit drehen sie beständig den Rücken zu, obwohl
sie ihr zu folgen meinen. Der Dualismus der Wesen ist nur scheinbar. Alles kommt von dem Einen und alles muß, in einer richtigen
Heimkehr, wieder zu ihm hinstreben.[103]

---

[100] De duab. anim. 20.

[101] De duab. anim. 21. Für Augustin ist das aus der Überlegung hervorgegangene Argument weniger schlüssig als das, welches sich auf die
Bestimmung des Willens stützt, und letzteres ist es noch weniger als das,
welches sich auf die Kenntnis gründet, welche wir von der Seele haben.

[102] De duab. anim. 22—23.

[103] Solil. I, 2—5; De mor. eccl. cath. 25, 46; De vera rel. 19 Anfang,
24 Ende, etc.

Le roi sassanide Narsès, les Arabes et le Manichéisme. Extrait des Mélanges syriens offerts à Monsieur René Dussaud par ses amis et ses élèves (= Haut-Commissariat de la République française en Syrie et au Liban. Service des Antiquités. Bibliothèque archéologique et historique. Tome XXX). Tome premier. Paris: Librairie Orientaliste Paul Geuthner, 1939, pp. 227—234. Aus dem Französischen ins Deutsche übersetzt.

DER SASSANIDENKÖNIG NARSES, DIE ARABER UND DER MANICHÄISMUS

Von WALTER SESTON

Obwohl Bahrâm II. durch seine Erfolge den Angriff des Carus und des Numerian in Mesopotamien zum Stehen gebracht hatte, mußte er von vornherein die Friedensbedingungen annehmen, die Diokletian ihm gestellt hatte, denn der Aufstand seines Bruders Hôrmizd zwang ihn, in den östlichen Teil seiner Staaten zu marschieren, um dort die Provinz Chorâsân zu unterwerfen. Im Frieden von 287 wurde den Römern Obermesopotamien und das Protektorat über Armenien zugesprochen. Das bedeutete den Verzicht auf die Eroberung der östlichen Provinzen des Römischen Reichs, die Šapur sich vorgenommen hatte. Dieser Verzicht Bahrâms II. führte ebenso wie der Ehrgeiz eines Mitglieds der königlichen Familie zum Untergang seiner Familie, obwohl der König gegen Ende seines Lebens beträchtliche Anstrengungen unternommen hatte, seine Dynastie in Persien durchzusetzen.[1] Nach seinem Tod im September 293 wurde sein Sohn Bahrâm III. nicht als König anerkannt, und nach vier Monaten Herrschaft wurde er von Narses abgesetzt.

Obwohl der neue Fürst ein Usurpator war, zeigte er sich von Anfang an willens, sich auf diejenigen persischen Schichten zu stützen, die am wenigsten von der westlichen Kultur berührt waren. In den offiziellen Urkunden schrieb er seinen Namen in der Form der nordpersischen Dialekte — im Unterschied zu seinen Vorgängern, die weniger archaische Formen verwendet hatten.[2] In diesen Ländern, aus denen die Familie der Sassaniden hervorgegan-

[1] Vgl. die von F. D. Paruck in der Revue Archéologique, 5e série, t. 30, 1930, S. 234, untersuchten Münzen, die Bahrâm II., umgeben von seiner Familie, darstellen.

[2] So H. H. Schaeder, (Rez.) Carl Schmidt und H. J. Polotsky, Ein Mani-Fund aus Ägypten, in: Gnomon 9, 1933, S. 344, Anm. 1.

gen war, herrschte ein glühendes Nationalgefühl; anderthalb Jahrhunderte später wandte sich Tansar, der Môbad von Ardāšīr, an
jene Bevölkerung, rief zur Rache gegen die Alexandriden auf und
forderte, daß „die von Alexander im Lande Fârs derart böswillig
zerstörten Städte wiederaufgebaut und daß Syrien und Ägypten
tributpflichtig gemacht würden" [3]. Endlich erklärte Narses in der in
den Felsen von Šâpûr gehauenen Geschichte von den Taten der
Sassaniden sich bei jeder Gelegenheit zum Sohn Šâpûrs und Enkel
Ardaširs; [4] er selbst beseitigte auf dem Felsen von Šâpûr den
Namen Bahrâms I., Sohn des Siegers über die Römer und Vater
Bahrâms II., des Besiegten von 287, und ließ sich darstellen, wie
er anstelle von jenem die Investitur empfing, die Ahura Mazdâ
dem Geschlecht Šâpûrs verliehen hatte. [5] Diese Selbstdarstellungen
hatten gewiß ihren Sinn. Narses legte seinen ganzen Haß gegen
seinen Vorgänger in sie hinein: er gab vor, eine Herrschaft zu
beseitigen, die des großen Vorfahren unwürdig sei, und indem er
sich zum unmittelbaren Erben Šâpûrs erklärte, bekräftigte er den
Römern gegenüber seine Macht und seinen Willen, die Pläne des
größten Sassaniden wiederaufzunehmen.

Im Sinne der Tradition, die Narses für sich in Anspruch nahm,
griff er auf eine religiöse Politik zurück, die Bahrâm I. und sein
Sohn aufgegeben hatte: bis zu Šâpûrs Tod hatten Mani und seine
Jünger im Norden Persiens frei gepredigt. [6] Dort hatte der Gründer

[3] Vgl. J. Darmesteter, Lettre de Tansar au roi de Tabaristan, in:
Journal Asiatique 1894, 9ᵉ série, t. III, S. 548 f. Laktanz (De mortibus
persecutorum 9) schrieb weniger als zwanzig Jahre nach den Ereignissen
mit Recht, daß Narses, von dem Beispiel Šâpûrs verleitet, sich des römischen Orients bemächtigen wollte.

[4] Obwohl Laktanz behauptet, Šâpûr I. sei der *avus* von Narses,
zwingt uns die Inschrift von Paikuli zu der Annahme, daß Narses dessen
Sohn war.

[5] E. Herzfeld hat in ›Paikuli‹, Berlin 1924, Bd. I, S. 173, bewiesen,
daß Narses das Flachrelief Bahrâhms I. als Selbstdarstellung in Anspruch nahm.

[6] Dies geht vor allem aus den von W. Henning benutzten Texten von
Turfân hervor, siehe Neue Materialien zur Geschichte des Manichäismus,
in: Zeitschrift der Deutschen Morgenländischen Gesellschaft 90, N. F. 15,
1936, S. 9.

der Sekte die wirksamste Unterstützung gefunden: bei Pērōz, dem Statthalter von Kûšân, den er möglicherweise bekehrt hatte, wenn es stimmt, daß eine Münze den Kûšânšah im Gebet vor dem „Gott Buddha" darstellt; auf jeden Fall richtete Pêrôz, der im Fihrist als für den Manichäismus gewonnen erwähnt wird, einen Brief an seinen Bruder, den König Šâpûr, um ihm Mani und seine Kirche zu empfehlen.[7] „Mani wurde mit großen Ehren empfangen." Von da an stand er bei dem ruhmreichen Sieger über Valerian in so hohem Ansehen, daß er ihn bewegen konnte, die Widmung seines Šâpûrakân anzunehmen; zur Zeit Bahrâms I. viele Jahre später, kurz vor Beginn seiner Leidenszeit, versuchte er, sich nach Kûšân zu begeben — möglicherweise um dort eine Zuflucht zu finden.[8]

Es wird inzwischen immer wahrscheinlicher, daß die manichäischen Gemeinden im Nordosten des Iran zahlreich und angesehen waren. Am Ende seiner Regierungszeit erweiterte Bahrâm II. sein im Westen von den Römern begrenztes Königreich nach Sâkastân und Kûšân hin.[9] Während er Sisinnios, das Haupt der Manichäer-Sekte, dem Martyrium unterworfen hatte,[10] sah er sich nach 290 veranlaßt, von der Verfolgung abzulassen, zweifellos weil er seine Eroberungen im Osten nicht fortsetzen konnte, wenn nicht in seinen eigenen Staaten Frieden herrschte, vielleicht auch, weil er an den

---

[7] Über dieses Vorgehen des Pêrôz, das uns durch den Fihrist (ed. Flügel, Leipzig 1871, S. 85) und die Kephalaia (Carl Schmidt und H. J. Polotsky, Ein Mani-Fund in Ägypten, in: Sitzungsberichte der Preußischen Akademie der Wissenschaften, Phil.-hist. Kl., Berlin 1933, S. 50) bekannt ist, siehe H. H. Schaeder, Iranica, Berlin 1934 (AGWG), S. 73; W. Henning, a. a. O., S. 8—9. Die von Herzfeld vorgeschlagene Lesung der Pêrôz-Münze (Paikuli, S. 45) ist von F. D. Paruck (De quelques monnaies sassanides, in: Revue Archéologique, 5e série, t. 27, 1928, S. 241) bestritten worden. Pêrôz lebte noch zu Beginn der Regierungszeit des Narses, denn er wird in der Inschrift von Paikuli erwähnt, und zwar mit dem Titel „Stammeshaupt der Sassaniden", der dem ältesten Mitglied der kaiserlichen Familie zukommt.

[8] Homilie III, S. 44 (ed. H. J. Polotsky, Manichäische Homilien, Stuttgart 1934).

[9] Vgl. Arthur Christensen, L'Iran sous les Sassanides, Kopenhagen-Paris 1936, S. 223; E. Herzfeld, Paikuli, S. 42 ff.

[10] Vgl. Homilie III, S. 83.

Grenzen des Sassanidenreichs, im „Indien" der koptischen Dokumente, d. h. im Lande des Indus und in Gandhara, auf manichäische
Gruppen stieß, mit denen er rechnen mußte.[11] So erklärt sich vielleicht, warum so bald nach dem Martyrium des Sisinnios eine Zeit
folgte, in der die Jünger Manis geduldet wurden. In den ›Homilien‹,
einem ihrer heiligen Bücher, führten die Manichäer diesen plötz-
lichen Umschwung auf ein Wunder zurück: im Jahre 290 habe
Innaios, der Nachfolger des Sisinnios, Bahrâm II. von einer schweren Krankheit geheilt, und aus Dankbarkeit habe der König dessen
Gemeinden fortan in Ruhe gelassen;[12] diese hätten unter königli-
chem Schutz Kultstätten errichten und sich organisieren können.
Allerdings gibt es in einem anderen Teil der manichäischen Schriften
eine davon ganz abweichende Version über diesen Kirchenfrieden.
Nach dem „historischen Buch" — jedenfalls soweit wir es kennen — kommt allein Narses das Verdienst dafür zu. Innaios, der
hiernach nicht mehr die Rolle des Wundertäters spielt, habe die
Angelegenheit mit dem König ausgehandelt, wobei ein Brief des
arabischen Führers Amro, einer wichtigen Persönlichkeit des
Königreichs, ihn eingeführt habe.[13] Man wird die beiden Versionen
erst in Übereinstimmung bringen können, wenn das „historische
Buch" vollständig veröffentlicht ist. Aber schon jetzt kann man
festhalten, daß in beiden Versionen die Sassaniden ganz offenbar
ihre Einstellung zu den Manichäern geändert haben, als sie ihre
Eroberungspolitik begannen. Andererseits ist zu bemerken, daß in
den ›Homilien‹ die Araber gar keine Rolle spielen, während im
„historischen Buch" ihr Verhalten die Religionspolitik des Narses
bestimmt zu haben scheint.
Die Einflußnahme Amros auf den König scheint die Schritte zu

---

[11] Vgl. Schmidt-Polotsky, a. a. O. (siehe Anm. 7), S. 47; Schaeder,
a. a. O. (Anm. 2), S. 349.

[12] Vgl. Homilie III, S. 83—85.

[13] Auf diesen Sachverhalt haben C. Schmidt und H. J. Polotsky in
ihrer gedrängten Zusammenfassung des „historischen Buchs" aufmerksam
gemacht (a. a. O., S. 28—29). Auf dessen Bedeutung für die Geschichte
dieser Zeit habe ich damals sogleich hingewiesen (vgl. La découverte des
Écritures Manichéennes, in: Revue d'Histoire et de Philosophie religieuses
13, 1933, S. 255 f.).

wiederholen, die einst der Kûŝânŝâh Pêrôz bei Šâpûr unternommen hatte. Dennoch ist sie authentisch. Denn, wie H. H. Schaeder gezeigt hat,[14] ist der arabische Führer Amro niemand anders als ᶜAmr ibn ᶜAdī, und dieser hat 293 Narses gehuldigt, der das Ereignis in der Inschrift von Paikuli festgehalten hat.[15] ᶜAmr ibn ᶜAdī ist jedoch der Scheich von Ḥira, und wir wissen aus der arabischen Überlieferung, daß dort die Manichäer zahlreich waren.[16] Vielleicht war er selbst Manichäer wie Pêrôz; auf jeden Fall hat er mit der Einstellung der großen manichäischen Gemeinden seines Landes rechnen müssen. Gewiß ist es möglich, daß die Manichäer dadurch, daß sie in ihren Schriften die Friedensinitiative für sich in Anspruch nahmen, ihren eigenen Gläubigen ihre Wichtigkeit beweisen wollten. Aber wir können sicher sein, daß keine Verhandlungen stattfanden. Zwar ist die Huldigung des arabischen Führers nicht ohne Zusammenhang mit der Einstellung des Narses gegenüber den Manichäern, denn diese besteht seit Beginn seiner Regierungszeit,

[14] Vgl. a. a. O. (s. Anm. 2), S. 345. Den Bemerkungen H. H. Schaeders ist hinzuzufügen, daß der Name „Amro" sich erstmals auf einer von 294 n. Chr. stammenden Inschrift aus Hauran findet, die in Salchad im römischen Arabien am Ende einer Handelsstraße gefunden wurde (L'Année épigraphique, 1936, Nr. 156). Die nabatäische Form עמרו = ᶜamro wird im Griechischen mit Ἄμβρος wiedergegeben.

[15] Vgl. E. Herzfeld, Paikuli, Berlin 1924, Bd. I, S. 98.

[16] Ibn Qotaiba erwähnt neben den Arabern jüdischer, christlicher, zoroastrischer und fetischistischer Religion die Manichäer, deren „Zandaqa von gewissen Qoreischiten aus Ḥira" in die Gegend von Mekka importiert wurde. [Vgl. RSO 17/1937—38, S. 188 Anm. 1, und BGA VII, S. 217. Hrsg.] Bemerkenswert ist, daß Mihrŝâh, der persische Statthalter von Mesene am Ende des persischen Golfs, auf Grund eines Wunders an Mani glaubte (vgl. M 47 in: F. W. K. Müller, Handschriften-Reste in Estrangelo-Schrift aus Turfan, II, in: Abhandlungen der Preußischen Akademie der Wissenschaften, Berlin 1904, S. 83 f.). Siehe unten, Anm. 35, einen weiteren Beweis für die Existenz des Manichäismus in der Gegend zwischen Palästina, Arabien und Unter-Mesopotamien. Nach der Überlieferung der Sekte (vgl. Kephalaia I, 16, ed. A. Böhlig—H. Ibscher, Berlin 1940, und die von Henning a. a. O. (s. Anm. 6), S. 7 f. zitierten Turfân-Texte) hat Mani Adiabene und das Land um Nisibis besucht, was vermuten läßt, daß sich dort Gemeinden gebildet hatten.

und nach dem „historischen Buch" genossen die Manichäer während der ganzen Regierungszeit des Narses Freiheit in Persien. Aber erst drei Jahre später griff der Sassanide die östlichen Provinzen des Römischen Reichs an. Zudem wissen wir durch die Inschrift von En-Namara, dem ältesten datierbaren Denkmal der arabischen Epigraphik, dessen Entdeckung wir René Dussaud verdanken,[17] daß Imruᵓl-qais, der Sohn des ᶜAmr ibn ᶜAdī, bemüht war, sich weder mit den Römern noch mit den Persern einzulassen, obwohl er von letzteren den Titel des „Königs aller Araber" erhalten hatte. Sein Vater hat wahrscheinlich nicht anders gehandelt. So war es Narses, der von sich aus den Manichäern die Missionsfreiheit zugestehen mußte.

Der Sassanide war als Verfechter der persischen Vergeltung offensichtlich daran interessiert, den Römern an der syrischen Grenze Schwierigkeiten zu bereiten; die Araber konnten dort bedeutende Streitkräfte binden, während er Armenien angriff. Trotzdem hat sich Narses der Hilfe der manichäischen Araber nicht deshalb versichert, um sie gegen die von den Römern beherrschten Länder einzusetzen.

Am Ende des 3. Jahrhunderts gab es manichäische Gemeinden in Ägypten und in der Thebais, die fünfzig Jahre früher gegründet worden waren; alte und sehr enge Beziehungen verbanden diese Missionsländer mit den unmittelbaren Jüngern des Meisters oder ihren Nachfolgern, die in Persien die Führer der manichäischen Kirche waren. Unter Diokletian nahmen die Manichäer sehr aktiven Anteil an den Unruhen, die sich von der Thebais bis nach Unterägypten und Alexandria ausbreiteten. Der Beweis dafür findet sich, wie ich glaube, in den Briefen, die Paniskos von Koptos in der Thebais an seine Frau Plutogenia schickte, die in Faijum geblieben war.[18] Dieser Ägypter hatte sich auf die Seite des *corrector* Achilleus

---

[17] Vgl R. Dussaud, Inscription nabatéo-arabe d'En-Nemâra, in: Revue archéologique, 3ᵉ série, t. 41, juillet-décembre 1902, p. 411 f. = Répertoire chronologique d'épigraphie arabe I, 1931, Nr. 1; dort findet sich die Bibliographie. [= M. Lidzbarski, Ephemesis II, S. 34 ff. Vgl. hier Schaeder oben S. 78 über diese Verhältnisse. Hrsg.]

[18] Diese Briefe hat J. G. Winter zuerst in The Journal of Egyptian Archaeology 13, 1927, S. 59—74 (The Family Letters of Paniskos) und

geschlagen, der seinerseits im Dienste des Usurpators L. Domitianus stand. Er gehörte zu einer religiösen Gemeinschaft, deren Mitglieder sich *collegae* nannten, als ob es sich um eine Vereinigung römischen Typs handelte. U. Wilcken glaubte, daß es Christen waren, denen Paniskos sich in Koptos angeschlossen hatte, während er als Heide von Philadelphia aufgebrochen war. Tatsache ist, daß er in seinen ersten Briefen die „Götter" anruft und in den folgenden „Gott den Herrn". Aber während ein Christ nicht unterschiedslos die einen wie den anderen anbeten konnte, gibt es im Niltal eine sehr verbreitete Sekte, die ihre Gebete an einen κύριος θεός richten konnte, während ihr Glaube ihr die Vorstellung von Göttern erlaubte: der Manichäismus. In der manichäischen Theologie gibt es nur einen wahrhaften Gott, den „Vater der Größe", aber alles, was von ihm ausgeht, hat teil an seiner Göttlichkeit: Götter in diesem Sinne sind die fünf Hypostasen, die Mutter des Lebens und der Urmensch, die nacheinander geschaffen werden, um den König des Schattenreichs zu bekämpfen. „Keiner dieser Götter ist von der ersten Ursache unterschieden, die sie ins Dasein gerufen hat; es sind Wesen von derselben Natur und derselben Substanz wie der höchste Gott." [19] In einem Kult, in dem die Gebete einen so gewichtigen Platz einnahmen, daß Augustin ihn *oratio* nennt, wandten die Gläubigen

darauf in seinem Buch ›Papyri in the University of Michigan Collection‹, Ann Arbor 1936, Nr. 214—221, veröffentlicht; hier findet sich auch die Bibliographie. Ich habe die Papyri von neuem in einem Artikel untersucht, der unter dem Titel ›Achilleus et la révolte de l'Egypte sous Dioclétien d'après les papyrus et l'Histoire Auguste‹ in den Mélanges d'Archéologie et d'Histoire 55, 1938 erscheinen wird, wo ich zu zeigen versuche, was es mit der Beteiligung des Paniskos an dem Aufstand der Thebais von 296 auf sich hatte.

[19] Die Existenz von „Göttern" im Manichäismus wird durch zahlreiche Texte bewiesen: siehe vor allem den ›Hua Hu King‹ (Un traité manichéen retrouvé en Chine, traduit et annoté par Ed. Chavannes et P. Pelliot, 2e partie, in: Journal Asiatique, 11e série, t. 1, 1913, S. 123), den ›Chuastuanift‹ (in: Journal of the Royal Asiatic Society, 1911, S. 291 ff.) und besonders F. Cumont, La cosmogonie manichéenne, d'après Théodore bar Khôni, Bruxelles 1908, S. 18, 24, 39 u. ö.

sich an den „Vater der Größe" ebenso wie an seine Gesandten.[20] Aber in den westlichen Texten, die uns diese Anrufungen überliefert haben, wird die höchste Gottheit nirgends κύριος θεός genannt. Dennoch wird in einem Fragment der manichäischen Liturgie, das Serapion von Thmuis in seiner Abhandlung gegen die Manichäer wiedergibt, der gute Gott κύριος, der Herr, genannt.[21] Allerdings wird dieser Titel manchmal Mani beigelegt,[22] der, obwohl er von dem Rang eines göttlichen Wesens nicht sehr weit entfernt ist, dennoch nur ein „Apostel des Lichts" ist. Man sollte daher in der Bezeichnung κύριος θεός keinen spezifischen Ausdruck der Sekte sehen. Vorsicht ist um so mehr angezeigt, als ein Neoplatoniker ebenso wie ein Manichäer nacheinander die sekundären Gottheiten und den höchsten Gott seines Pantheons hätte anrufen können.

Glücklicherweise findet sich im Briefwechsel des Paniskos ein Detail, das, wie ich glaube, bezeichnend ist. Um nach Koptos zu gelangen, soll die Frau des Paniskos, wenn sie kann, μετὰ ἀνθρώπων καλῶν reisen.[23] Wäre hier nur von ehrenhaften Menschen die Rede, wäre der Ausdruck einmalig. In den koptischen Dokumenten aus

[20] Vgl. Augustin, Contra Fortun. I 3; Contra Epist. Man. 6. Bemerkenswerterweise richten die Manichäer ihre Gebete an den *Deus Pater* und nicht an den *Dominus Deus*. Jedoch wird der Vater der Größe in den Gebeten der Manichäer von Turfân sehr häufig „Herr Gott" genannt.

[21] Contra Manichaeos XXVI, S. 41, ed. Casey: καὶ ἦν κύριος καὶ αὐτὸς ⟨καλὸς⟩ ἦν καὶ ῥίζα ἦν καὶ ῥίζα καλὴ καὶ ῥίζα καλῶν. Man liest bei asch-Schahrastâni (Religionspartheien und Philosophen-Schulen, übersetzt von Theodor Haarbrücker, 1. Teil, Halle 1850, S. 290): „Der weise *Mâni* führt (...) im Anfange des Schâburkân an, daß vor dem Herrn des Lichtreiches in seiner ganzen Erde Nichts verborgen sei, daß er im Äußeren und Inneren sei, und daß er nur da ein Ende habe, wo seine Erde an der Erde seines Feindes ein Ende habe."

[22] Vgl. Homilie I, S. 2, 3, 5, 7, wo Salmaios erklärt, daß Mani sein „Herr" ist. Diese Eigenschaft ist für Mani so geläufig, daß er in den chinesischen Texten Mo-mo-ni genannt wird; Mo-mo-ni ist die Transkription des iranischen Mâr-Mâni: „der Gebieter Mani" (vgl. Journal Asiatique, 11ᵉ série, t. 1, 1913, S. 127—130).

[23] Vgl. Papyrus Michigan 216 (s. Anm. 18), sowie in: Journal of Egyptian Archaeology 13 (1927), S. 62, Nr. I 28.

Faijum kehrt er mindestens dreimal als Terminus technicus wieder.[24] Am Ende der Zeiten wird der „Irrwahn" einige Mitglieder der Kirchen zugrunde gehen lassen, die „Vorleser", die „Redner, die die Weisheit Gottes predigen", die „Wahrhaftigen", „er wird die καλοί töten, er wird das Blut der καλαί vergießen" (S. 12, 20—27). Im Gedanken an den „Großen Krieg", den seine Kirche erdulden wird, klagt Mani über das Los der Jungfrauen, der Enthaltsamen, der καλοί und der Vorleser (S. 17, 4—8. 15). „Ich weine", sagt er an anderer Stelle, „über die Weisen und die Unschuldigen (d. h. die ‘Vollkommenen'), ich weine um die καλοί" (S. 18, 10—11). Die „καλοί" sind also die Träger eines bestimmten Ranges, vielleicht die „Erwählten", die, die aus Berufung „das Gute tun".[25] Es ist bekannt, daß bei den Katharern des Mittelalters die „guten Menschen" ihre Tugend erben. Paniskos, ein Familienvater voll Zuneigung zu seiner Frau, gehört nicht zu dieser Elite; allenfalls ist er „Hörer" in seiner Gemeinde.

Gegenwärtig ist es unmöglich zu entscheiden, ob die Manichäer sich aus Gründen der Lehre mit den Aufständischen der Thebais verbanden; vielleicht wird uns das „historische Buch", das zwischen koptischen Dokumenten gefunden wurde und das noch kaum bekannt ist,[26] Aufschluß geben. Es ist durchaus ungewiß, ob in dem „König des Königreichs, das am Ufer des Meeres liegt und Jerusalem gleicht", und den „der Schlag des Zornes" treffen wird am Tage der Verzweiflung, der Kaiser von Rom zu sehen ist.[27] Es ist gar nicht sicher, ob Mani die Verdammung des Römischen Reiches ausgesprochen hat, so daß man sagen könnte, die Manichäer in Ägypten hätten die Waffen gegen Rom erhoben — so wie der Licht-Adamas, der kriegerische Held mit der Lanze in der Rechten und dem Schild in der Linken, über das schreckliche Tier der Sünde herfiel, das nach

---

[24] Homilie II, S. 12, Z. 26. 27; S. 17, Z. 15; S. 18, Z. 11. Diese und zahlreiche andere wichtige Hinweise verdanke ich der Freundschaft von H.-Ch. Puech, der der beste Kenner des Manichäismus in Frankreich ist.

[25] Vgl. Homilie III, S. 62, Z. 26; Kephalaia I (s. Anm. 16), S. 36, Z. 26.

[26] A. Böhlig, der sich in Berlin mit der Erhaltung und der Herausgabe der koptischen Dokumente von Faijum befaßt, hat mir freundlicherweise wichtige Auskünfte über den Zustand des „historischen Buchs" gegeben.

[27] Homilie II, S. 14.

Theodor bar Kônai „dem König der Finsternis gleicht".[28] Jedoch
hatten in Persien die Magusier den Fall Roms und den Sieg Asiens
angekündigt. Diese Prophetie stammte zwar von den Feinden
Manis, ist aber möglicherweise in die Sekte eingedrungen, so wie sie
auch von den orientalischen Christen übernommen wurde.[29] Wie
dem auch sei, die Unruhe griff auf alle manichäischen Gemeinden
Ägyptens über — so ähnlich wie jene „der ganzen Welt gemeinsame Krankheit", die sich in der Judenschaft des Orients ausbrei-
tete und die Kaiser Claudius derartige Sorge bereitete. Es konnte
der Eindruck entstehen, daß der Manichäismus gemeinsame Sache
mit den größten Feinden des Reiches machte.

Mir scheint, daß dieser Vorgang möglicherweise die Geschichte der
Sekte beeinflußt hat, so wie sie von den Ketzerbestreitern berichtet
wird. Die Manichäer behaupten in ihren Schriften, daß Papos, ein
unmittelbarer Jünger Manis, es war, der die Botschaft des Parakleten in das Niltal brachte. Um 300, als Alexander von Lykopolis
die erste Schrift ›Contra Manichaeos‹ schrieb, hielten die Gegner
der Sekte diese Tatsache für wahr, und auch der Fihrist hat von
diesen Anfängen der Mission eine genaue Erinnerung bewahrt.[30]
Aber in der ersten Hälfte des 4. Jahrhunderts tauchte eine andere
Version auf: der Manichäismus sei in der Thebais zum ersten Mal
von einem *saracenus* gepredigt worden, einem Araber namens
Skythianos. Diese Erzählung ist, wie man seit langem gesehen hat,
von ihrem ersten Vorkommen in den ›Acta Archelai‹ an von der
Geschichte des Simon Magus, des angeblichen Prototyps Manis,
beeinflußt worden.[31] Aber in der stark erweiterten Fassung des

[28] Vgl. Theodor bar Kônai, zitiert bei F. Cumont, a. a. O. (s. Anm. 19),
S. 39—40; Augustin, Contra Faustum XV 6: „Adamantem heroam belli-
gerum, dextra hastam tenentem et sinistra clipeum"; XX 10: „apud vos
alius expugnat gentem Tenebrarum" (= Adamas).

[29] H. Windisch (Die Orakel des Hystaspes, Amsterdam 1929, S. 45—70)
und F. Cumont (La fin du monde selon les mages orientaux, in: Revue
de l'Histoire des Religions, 52e année, t. 103, 1931, S. 80 ff.) haben gezeigt, wie sehr Laktanz von dieser Eschatologie durchdrungen war.

[30] Vgl. Schmidt-Polotsky, a. a. O. (s. Anm. 7), S. 15 f.

[31] Hegemonius, Acta Archelai LXII, S. 90—91, ed. Beeson (GCS 16,
Leipzig 1906). Vgl. vor allem K. Holl im Kommentar seiner Ausgabe des

Epiphanios[32] enthält die Erzählung Einzelheiten, die nicht völlig erfunden sein können, wie C. Schmidt richtig gezeigt hat. Dieser *saracenus* wäre demnach ein im großen Handel reich gewordener Kaufmann gewesen, der die wertvollen Produkte des Orients von Indien nach Ägypten beförderte; anschließend habe er sich in Hypsele in der Thebais niedergelassen, einem Ort nicht weit südlich von Assiut. C. Schmidt hat mit Recht bemerkt, daß die Geschichte des Skythianos uns lehrt, daß die Araber und unter ihnen vor allem die Kaufleute eine wichtige Rolle bei der Verbreitung des Manichäismus gespielt haben.

Die unerwarteten Einzelheiten, die wir bei Epiphanios lesen, könnten, wie ich glaube, aus einem heute verlorenen Bericht stammen, von dem uns jedoch die ›Historia Augusta‹ zweifellos das Wesentliche in der ›Vita Firmi‹ überliefert.[33] Firmus, hinter dessen Zügen Achilleus, der Rebell der Thebais, wiederzuerkennen ist, ist weder Ägypter noch Alexandriner noch Römer, sondern Araber. Er ist nicht in der Gegend von Ḥira geboren, sondern in Seleukeia, wobei ebensosehr das Seleukeia am Tigris bei Babylon in Frage kommt wie das Seleukeia Pieria — jedenfalls in einer von den *saraceni* bewohnten Gegend.[34] Der *saracenus* Skythianos verläßt nach Epiphanios sein Geburtsland, um sich eine hohe Bildung zu erwerben und sich von den manichäischen Lehren durchdringen zu lassen, und zwar in einem Land, das Epiphanios an die Grenzen zwischen Palästina und Arabien verlegt und das ziemlich genau die Gegend zwischen En-Namara und Ḥira ist, wo ᶜAmr ibn ᶜAdī und sein Sohn Imruʼl-qais regieren.[35] Der Manichäer und der Aufrührer

›Panarion‹ von Epiphanios, Bd. III (GCS 37), S. 17, und Schmidt-Polotsky, a. a. O., S. 13.

[32] Panarion 66, ed. Holl, Bd. III, S. 16—19.

[33] Vgl. meinen in Anm. 18 genannten Artikel.

[34] Vgl. Vita Firmi 3. Über die Heimat der *saraceni* siehe Marcianus von Herakleia (Geographi Graeci Minores I, S. 526) und Festus, Breviarium 14.

[35] Epiphanios hält diese Gegend, in der ᶜAmr ibn ᶜAdī, der Beschützer der Manichäer am Hof des Narses, regiert, bemerkenswerterweise für das Zentrum des Manichäismus.

sind beide Kaufleute, die im indischen Handel ein enormes Vermögen erworben haben. Mit diesem Detail verbindet der Kompilator der ›Historia Augusta‹ die Erwähnung von Elephanten-
zähnen, mit denen Aurelian einen Thron geschmückt habe; in
ähnlicher Weise bemerkt Epiphanios in seiner in Wahrheit äußerst
vollständigen Notiz über den Handel mit Indien, daß Salomo von
dort Elephantenzähne erhalten habe. In beiden Texten wird dieser
Umstand auf die gleiche Weise berichtet.[36] Besitzen wir also in dem
verlorenen und in der ›Historia Augusta‹ wiedergefundenen Bericht über den ägyptischen Aufstand von 296 die Quellen, die
Epiphanios benützt hat, um die ›Acta Archelai‹ zu vervollstän-
digen? Ist der Skythianos des Epiphanios mit Firmus-Achilleus
identisch? Jedenfalls kann man ihre beiden Viten, so wie sie um
dieselbe Zeit in der ›Historia Augusta‹ und im ›Panarion‹ erzählt
werden, in einen Zusammenhang bringen.[37]

Die Manichäer waren also im Römischen Reich zur Zeit Diokletians die Vertreter des feindlichen Persiens. Narses hing zwar nicht
ihren Lehren an und verleugnete nicht den Mazdeismus und die
Magier, nutzte jedoch den guten Ruf aus, den er sich durch seine
Milde in allen manichäischen Gemeinden erworben hatte, um bei
seinem Gegner Unruhen zu provozieren, die den von ihm geplanten
Angriff den Boden bereiteten. Es gelang ihm jedoch nur, seine
Schützlinge in den Augen der römischen Behörden zu komprimit-
tieren, so daß die bald darauf einsetzende Verfolgung berechtigt
erscheinen konnte. Die Instrumente der sassanidischen Politik waren
die arabischen Händler aus der Gegend von Ḥira, die für die Lehren
Manis gewonnen waren. Epiphanios begriff das so gut, daß seine
Darstellung von einem dieser Araber, der nur ein politischer Agent
der Perser gewesen war, ihm vielleicht dazu diente, die Züge des
Skythianos genauer zu beschreiben, der nach den ›Acta Archelai‹
der erste Apostel des manichäischen Ägyptens war.

---

[36] Vita Firmi 3. Epiphanios, Panarion 46.

[37] Epiphanios verfaßt sein Panarion 376—377 (vgl. Pan. 66, 20); das
ist etwas früher, als man heute — auf Grund der Arbeiten von N. H.
Baynes (The Scriptores Historiae Augustae, its date and its purpose, 1926)
und E. Hohl (Ed. der Hist. Aug., 1927) — meist die Abfassung der
›Historia Augusta‹ ansetzt.

De l'authenticité et de la date de l'édit de Dioclétien contre les Manichéens. Extrait des Mélanges de philologie, de littérature et d'histoire anciennes offerts à Alfred Ernout. Paris: Librairie C. Klincksieck 1940, pp. 345—354. Ins Deutsche übersetzt.

ECHTHEIT UND DATIERUNG DES DIOKLETIANISCHEN EDIKTS GEGEN DIE MANICHÄER

Von WALTER SESTON

1572 entdeckte ein französischer Gelehrter, Pierre Pithou, in einer burgundischen Bibliothek die ›Collatio legum mosaicarum et romanarum‹ und veröffentlichte sie in Paris. Eines der wichtigsten Stücke dieser ›Collatio‹ ist das Edikt des Diokletian gegen die Manichäer.[1] Obwohl diese Sammlung im Mittelalter nicht bekannt gewesen zu sein scheint, gibt es viele Gründe für die Vermutung, daß sie zu Beginn des 5. Jahrhunderts zusammengestellt wurde und daß sie das erste Beispiel rechtsvergleichender Literatur darstellt. Mehrere Jahrzehnte zuvor, zwischen 374 und 382, kannte der ›Ambrosiaster‹ das Edikt des Diokletian gegen die Manichäer und zitierte es zweimal.[2] Wer auch immer die geheimnisvolle Persönlich-

[1] Der Text findet sich in P. Krüger/Th. Mommsen, Collectio libr. iuris antejust., 2. Auflage, 1890, S. 187; K. Stade hat ihn wieder abgedruckt und übersetzt in: Der Politiker Diokletian und die letzte große Christenverfolgung, Frankfurt a. M. 1926, S. 86—87. Über die ›Collatio legum mosaicarum et romanarum‹ siehe zuletzt E. Volterra, Collatio legum Mosaicarum et Romanarum, in: Atti della R. Accademia Nazionale dei Lincei, Classe di scienze morali, storiche e filologiche. Memorie. Serie VI, vol. III, Roma 1930, S. 3—123.

[2] Migne, Patr. lat., XVII, Sp. 493 D. Zum Ambrosiaster siehe F. Cumont, La polémique de l'*Ambrosiaster* contre les païens, Revue d'Histoire et de Littérature religieuses 8, 1903, S. 417 ff. Bemerkenswert ist, daß der ›Ambrosiaster‹ im ersten dieser Texte das Edikt des Diokletian nur zitiert, um einen zeitlichen Bezugspunkt zu finden; zur gleichen Zeit, d. h. zwischen 376 und 377, verschaffte Epiphanios den Betrachtungen der ›Acta Archelai‹ großen Widerhall, die die manichäische Häresie auf Simon Magus und die apostolische Zeit zurückführte. H.-Ch. Puech teilt mir freundlicherweise mit, daß außer in der Novelle 18 Valentinians III.

keit ist, der man gewöhnlich diesen Namen gibt — ob man in ihr
den konvertierten Juden Isaak, den unversöhnlichen Gegner des
Papstes Damasus, sieht oder auch nicht —, in jedem Falle handelte
es sich um einen tüchtigen und ehrlichen Polemiker. Wie Franz
Cumont gezeigt hat, besaß er solide juristische Kenntnisse und eine
große Erfahrung in Verfahrensfragen. Keine uns bekannte Tatsache erlaubt es, in ihm einen Fälscher zu sehen. Im folgenden werde
ich das Datum des Edikts gegen die Manichäer genauer bestimmen
und es in den Zusammenhang anderer Maßnahmen stellen, die Diokletian im Jahre 297 zu treffen sich veranlaßt sah; auf diese Weise
möchte ich zeigen, daß das Dokument unser Vertrauen verdient.

Die Manuskripte, in denen uns die ›Collatio‹ erhalten ist, über-
liefern von dem Datum des Edikts nur die Erwähnung des Ortes
der Verkündung sowie Tag und Monat: *dat. prid. k. april. Alexan-
driae*. Da die Jahre 290, 296 und 308, an die man gedacht hat,[3] seit
langem ausscheiden, schwankt man heute zwischen 295 und 302,
weil man seit Mommsen auf Grund der Chronologie der in den
Gesetzbüchern erhaltenen juristischen Texte weiß, daß Diokletian
sich jeweils im Frühling dieser beiden Jahre in Alexandria befand.[4]
Im Jahre 295 jedoch war Persien nicht die „feindliche Nation", als
die sie das Edikt erwähnt. Der 287 zugunsten der Römer geschlossene Frieden war noch in Kraft, der Krieg am Euphrat brach erst
297 aus. Andererseits konnte Diokletian, der sich am 18. März 295
in Nikomedia aufhielt und am 1. Mai in Damaskus ein Edikt unter-
zeichnete, am 31. März nicht in Alexandria sein. Für das folgende

---

vom 19. Juni 445 sich auch bei Ibn Shihneah eine Anspielung auf das Edikt
des Diokletian findet (vgl. Konrad Kessler, Mani, Bd. I, Berlin 1889,
S. 370).

[3] Siehe einige Belege bei E. Volterra, a. a. O., S. 109, und bei L. Poinssot
in den unten zitierten ›Mémoires‹, S. 292. In Patr. lat. XXXV, Sp. 2381,
schreibt der Verfasser der quaestio zum Thema der Ehe, nachdem er die
Heuchelei der Manichäer angeprangert hat: *quod non solum privatum sed
etiam edictis proditum est imperatorum*. Hier handelt es sich nicht um das
Edikt von 297, sondern um Maßnahmen, die die Kaiser des 4. Jahrhunderts getroffen haben.

[4] Vgl. Mommsen, Ges. Schr. I. Abt.: Juristische Schriften, Bd. 2, Berlin
1905, S. 288.

Jahr ergibt sich aus den Papyri, daß die Manichäer Bewegungs-
und Missionsfreiheit im Faijum und in der Thebais hatten; bis zum
Ende des Aufstandes von Koptos und Busiris, zu dem sie immerhin
beigetragen hatten, scheinen sie nicht belästigt worden zu sein.[5] Da
nun das Jahr 295 aus diesen beiden Gründen ausfiel, schlug Mommsen 1891 das Jahr 302 vor, in dessen Verlauf Diokletian sich nach
dem Zeugnis des ›Chronicon Barbari Scaligeri‹ eine Zeitlang in
Alexandria aufhielt.[6] Dreißig Jahre früher hatte Mommsen allerdings der Datierung auf Frühjahr 296 den Vorzug gegeben.[7] Ed.
Schwartz hatte sich 1913 in der ersten Auflage seines Buches über
›Kaiser Constantin und die christliche Kirche‹ für 302 entschieden,
um 1936 in der zweiten Auflage zu einer ähnlichen Datierung zurückzukehren, wie sie Mommsen zunächst vorgeschlagen hatte: zum
Jahr 297.

Die 1913 in Dougga, dem Thugga des alten Africa proconsula-
ris, entdeckten Inschriften schienen dem Herausgeber L. Poinssot
ein entscheidendes Indiz zugunsten des Jahres 302 zu sein.[8] Man
weiß, daß das Edikt an einen Prokonsul von Afrika namens Julianus gerichtet ist. Sofern sich beweisen läßt, daß in der Liste der
Prokonsuln zwischen 293 und 300 kein Platz für diesen Gouverneur übrigbleibt, kann das Edikt gegen die Manichäer nur von 302
stammen, zumal für die Jahre 300 bis 302 bislang kein Prokonsul
feststeht.

---

[5] Für die Ereignisse in Ägypten, in die die Manichäer 296 verwickelt
waren, muß ich auf meine Aufsätze verweisen: Achilleus et la révolte de
l'Égypte sous Dioclétien, Mélanges d'Archéologie et d'Histoire (Ecole
française de Rome), 54, 1938, S. 184 ff., und Le roi Sassanide Narsès,
les Arabes et le Manichéisme, Mélanges syriens offerts à Monsieur René
Dussaud, Paris 1939, S. 227—234 (in diesem Band S. 362 ff.).

[6] Th. Mommsen (Hrsg.), Monumenta Germaniae historica. Auctorum
antiquissimorum t. IX. Chronica minora, Bd. I, Berlin 1891/92, S. 290.

[7] a. a. O. (siehe Anm. 4), S. 288—289.

[8] Louis Poinssot, Nouvelles inscriptions de Dougga, in: Nouvelles
Archives des Missions scientifiques et littéraires, XVIII, 1909, S. 130—131,
und XXI, 1916, S. 17; siehe vor allem vom selben Verfasser: Mémoires
de la Société nationale des Antiquités de France, LXXVI, 1924, S. 290
bis 291.

Am Ende des 3. Jahrhunderts begann die Amtszeit der Prokonsuln von Afrika — wie übrigens auch der von Asien — gewöhnlich
am 1. Juli und dauerte ein Jahr, konnte jedoch mehrere Male verlängert werden. Im Juli 295 folgte auf Cassius Dio, der seinerseits
294 das Amt von M. Aurelius Aristobulus übernommen hatte,
T. Flavius Postumius Titianus, über dessen afrikanische Karriere
wir genau Bescheid wissen.[9] Im Juli 296 hat nach L. Poinssot
L. Aelius Helvius Dionysius das Amt übernommen und es vier
Jahre lang ausgeübt;[10] seine Regierungszeit sei im Juli 300 abgelau-
fen, einige Monate bevor er 301 die *praefectura Vrbis* erhielt.[11]
Während seines Prokonsulats feierte die Stadt Thugga mit einer
großen Inschrift die Vollendung und Weihe des Tempels der Göt-
termutter. Von diesem heute verstümmelten Text, der die Namen
der vier Kaiser mit ihren vollständigen Titeln aufführte, ist auf
einem rechts abgebrochenen Steinblock die Erwähnung der drei
Konsulate von Maximian, Constantius und Galerius erhalten; zu
lesen ist[12]:

2 (Maximian) COSᴠ Γ

3 (Constantius) COS·I

4 (Galerius)   CO

Der Stein, auf dem die Inhaber der Tribunatsgewalt aufgeführt
waren, ist nicht wiedergefunden worden. Aber offensichtlich konnten während der Zeit, in der Maximian *consul V* war, d. h. vom
1. Januar 297 bis zum 31. Dezember 299, Constantius und Galerius
nicht ihr drittes Konsulat ausüben, da sie ihr zweites 296 bzw. 297
antraten und ihr drittes erst im Jahre 300 fällig war. In Zeile 3 ist
folglich zu ergänzen *cos. I(I et)* und in Zeile 4 *co(s. II)*, also höch-

---

[9] Zu diesen Personen siehe A. C. Pallu de Lessert, Fastes des provinces
africaines . . ., Paris 1896, II, S. 4—11. Zu T. Flavius Postumius Titianus
siehe L. Poinssots eingehende Untersuchung seiner Karriere in den
Mémoires de la Soc. Nat. des Antiq. de France, LXXVI, 1924, S. 265
bis 298.

[10] Vgl. Corpus Inscriptionum Latinarum VIII., 12459 (Maxula).

[11] Vgl. Mommsen, a. a. O. (Anm. 6), S. 66.

[12] Den Text hat L. Poinssot veröffentlicht in: Nouvelles Archives des
Missions scientifiques et littéraires, XXI, 1916, S. 17.

stens drei Buchstaben. In der vorhergehenden Zeile ist die von
L. Poinssot vorgeschlagene Ergänzung *cos V (des. VI et)* viel zu
lang. Sie ist im übrigen nicht mehr notwendig seit der Überprüfung
des Originals, die L. Poinssot und E. Albertini freundlicherweise
für mich vorgenommen haben mit einer Sorgfalt, für die ich ihnen
zu Dank verpflichtet bin. Auf dem Stein lassen sich nämlich am
Ende der Zeile 2 ebensogut Spuren eines E wie eines D erkennen.
Ich würde vorschlagen, *cos V (et)* zu lesen, zumal den Buchstaben
eine jener *hederae distinguentes* folgt, wie sie sich auf dem Stein
fast zwischen jedem Wort der Inschrift finden. Demzufolge läßt
sich nicht behaupten, daß Maximian, als der Text eingraviert
wurde, *consul designatus VI* war. Nichts widerspricht einer Datierung des Textes auf Ende 297. Ich halte für möglich, daß Dionysius
die Inschrift kurz nach seiner Ankunft in Afrika an dem von ihm
eingeweihten Tempel angebracht hat. Am Ende des Textes heißt es
nämlich, daß die Einweihung *proconsulatu Aelii Heluii Dionysii*
stattfand; so wird gewöhnlich das erste Jahr des Prokonsulats bezeichnet; wäre Dionysius damals seit mehr als einem Jahr im Amt
gewesen, hätte es *anno proconsulatus II Aelii . . .* oder *proconsulatu
II Aelii . . .* heißen müssen.[13]

Danach ist Dionysius zweifellos vom 1. Juli 297 an Prokonsul
gewesen, und Anfang 301, während seines vierten Jahres, hat er
Carthago verlassen, um in Rom *praefectus Vrbi* zu werden. Damit
ist die Reihe der afrikanischen Prokonsuln am Ende des dritten
Jahrhunderts nicht mehr vollständig: zwischen T. Flavius Postu-

---

[13] Vgl. Corpus Inscriptionum Latinarum VIII, 1408 (Tounga) *pro-
con[s]ulatu Domiti Zenofili c. v.* — 12272 (r. bou Ftîs) *proconsulatu
Aurelii Celsini* (a. 338—339) — 5337 (Guelma) *proconsulatu P. Ampelii*
(a. 364) — 5347 = Gsell, Nr. 272 (Guelma) *proconsulatu Q. Aurelii
Symmachi* (a. 373) — Gsell, Nr. 252, 1229, 1247, 1274, 1276, 1285 *proconsulatu Clodi Hermogeniani.* Diese Formel wird von dem Prokonsul
verwendet, der sein Amt erst im August 361 antrat (vgl. Pallu, a. a. O.,
S. 64), und zwar auf einer Inschrift in Thugga, die genau auf August-
November 361 datiert ist (L'Année épigraphique, 1916, 88). — Gsell,
Nr. 2107 (Madauros) *proconsulatu Apollodori,* dieser am 20. August 399
bezeugte Prokonsul hatte Afrika am 8. Juni 400 verlassen (vgl. Pallu,
a. a. O., S. 114).

mius Titianus, der am 1. Juli 296 von seinem Amt entbunden wurde, und L. Aelius Dionysius, der erst ein Jahr später Prokonsul wurde, ist Platz für einen neuen Amtsinhaber. Man hat versucht, diese Lösung zu umgehen und die Regierungszeit des Titianus um ein Jahr zu verlängern, wobei man seinen Namen in dem des Julianus wiederfinden wollte, an den das Edikt gegen die Manichäer gerichtet ist. Diese Korrektur ist jedoch um so schwieriger, als der Name des Prokonsuls in dem Dokument in zwei verschiedenen Fällen vorkommt.[14] Man erspart sich dieses Risiko, wenn man das Prokonsulat des Julianus zwischen die Regierungszeiten von Titianus und Dionysius einschiebt.

Dies war bereits die Meinung von Pallu de Lessert.[15] Tatsächlich kennen wir einen *proconsul Africae* mit dem Namen Anicius Julianus durch den *cursus* seines Sohnes Anicius Paulinus, der 334 normaler Konsul und Stadtpräfekt war.[16] Für O. Seeck ist er derjenige, an den Diokletian das Edikt gegen die Manichäer gerichtet hat, und desgleichen wäre er 322 Konsul und von 326 bis 329 Stadtpräfekt gewesen. Eine solche Karriere ist jedoch kaum möglich, denn zu Beginn des 4. Jahrhunderts erhielt man die Stadtpräfektur gewöhnlich unmittelbar, nachdem man Prokonsul in Afrika oder Asien gewesen war.[17] Wir müssen ebenso seinen Verwandten M. Junius Caesonius Nicomachus Anicius Faustus Paulinus ausschließen, der 298 Konsul und im Jahr darauf *praefectus Vrbi* war, denn obwohl er zweifellos der Enkel eines Nicomachus Julianus war,[18] scheint er den Namen Julianus neben seinen zahlreichen

---

[14] Zu diesen Schwierigkeiten siehe L. Poinssot, Mémoires de la Soc. nat. des Antiq. de France, LXXVI, S. 295.

[15] a. a. O. (Anm. 9), II, S. 5—7.

[16] Corpus Inscriptionum Latinarum VI, 1682.

[17] M. Aurelius Aristobulus ist *procos. Africae* 294 und *praef. Vrbis* im Januar 295. Cassius Dio ist *procos. Africae* 294—295 und *praef. Vrbis* am 18. Februar 296. Dem Posten des Stadtpräfekten geht oft auch der des Gouverneurs von Syrien voraus. Vgl. C. W. Keyes, The rise of the equites in the third century of the roman empire, Princeton 1915, S. 16—17.

[18] Vgl. W. H. Waddington, Fastes des provinces asiatiques de l'Empire romain, I, Paris 1872, S. 271.

übrigen Namen nicht geführt zu haben.[19] In der Familie der *Ceionii*, die sich ebenfalls intensiv der Politik widmete und durch ihren Eifer für das Heidentum auffiel, kennen wir einen Julianus, der sich jedoch erst um das Prokonsulat in Afrika bewerben konnte, nachdem er *consularis Campaniae* gewesen war, wo wir ihn 323—324 finden.[20] Bleibt ein Julius Julianus, der — trotz O. Seeck — 316 *praefectus praetorio* war.[21] Es läßt sich zwar nicht beweisen, daß er 296—297 *proconsul Africae* gewesen ist, aber zunächst gibt es keinen Grund dagegen: C. Ceionius Rufius Volusianus, der ohne Schwierigkeit von der Partei des Maxentius zu der Konstantins überging, war zu Beginn des 4. Jahrhunderts *proconsul Africae,* lange bevor er 321 Prätorianer-Präfekt wurde.[22]

Man müßte die Entdeckung einer Inschrift abwarten, um über die Identität des Julianus, der unter Diokletian Prokonsul von Afrika war, Gewißheit zu erlangen; immerhin können wir mit Sicherheit sagen, daß ein Julianus die Provinz 296—297 und nicht 302 regiert hat. Das ist eine wichtige Tatsache, denn im Jahre 302 wären die Manichäer nicht, wie das Edikt sagt, deswegen verfolgt worden, weil ihre Lehre aus dem „feindlichen Persien" gekommen sei; vielmehr hätten sie sich aus ausschließlich religiösen Gründen die gleichen Strafen zugezogen, die ein Jahr darauf die Christen treffen sollten. In diesem Falle hätte man an ein genau überlegtes Verfolgungsprogramm glauben müssen, das schrittweise gegen die Feinde der von den Kaisern ausgeübten Religion in Gang gesetzt worden sei, gleichgültig ob jene Feinde Christen oder Manichäer waren.[23] Im Jahre 297 dagegen sah die Lage der Manichäer ganz

[19] Vgl. O. Seeck, RE I, Sp. 2199; Groag-Stein, Prosopographia Imperii Romani, Berlin-Leipzig 1936, s. v. Anicius.

[20] Vgl. Atti della R. Accademia nazionale dei Lincei. Notizie degli Scavi di Antichità. Ser. VI, vol. XIV, 1938, S. 76. C. Ceionius Rufius Volusianus war demnach *corrector Italiae* unter Carinus, bevor er *procos. Africae* wurde (vgl. Pallu, a. a. O. II, S. 16). Maecilius Hilarianus hat eine ähnliche Karriere gemacht (vgl. Pallu, a. a. O. II, S. 35).

[21] Vgl. Pallu, a. a. O. II, S. 41, nach einer Inschrift von Tropaeum Trajani (L'Année épigraphique, 1894, Nr. 111).

[22] Vgl. Pallu, a. a. O. II, S. 16.

[23] Vgl. L. Poinssot, Mémoires . . ., S. 295.

anders aus, nachdem sie sich beim ägyptischen Aufstand als Agenten im Dienst der das Kaiserreich angreifenden Perser erwiesen hatten.

Das Edikt des Kaisers ist die Antwort auf einen Bericht des Prokonsuls von Afrika. Julianus hatte die unbestreitbaren Verbrechen der manichäischen Religion beschrieben und von Diokletian Anweisungen verlangt, so wie sich einst Plinius wegen der Christen in Bithynien an Trajan gewandt hatte. Bemerkenswert ist, daß der Prokonsul die Lehre und die Propaganda der Manichäer bereits als *facinora* bezeichnete. Nun wissen wir seit der Veröffentlichung eines Papyrus, der sehr wohl ein Hirtenbrief aus der Regierungszeit Diokletians sein kann,[24] mit Sicherheit, daß vor dem Edikt von 297 — während dieses tiefen Friedens, *otia maxima*, dessen sich der Kaiser rühmt — die römischen Behörden den Manichäern freie Hand gelassen haben, ganz öffentlich von Haus zu Haus gehend und in Streitgesprächen mit den Führern der christlichen Gemeinden Proselyten zu machen. Hätte Julianus von sich aus in einem Verwaltungsdokument die Tätigkeit der Manichäer für verbrecherisch erklärt und die Initiative ergriffen, sie in seiner Provinz zu verfolgen, wenn er nicht erfahren hätte, daß Diokletian seine Einstellung geändert hätte und sie nun als Feinde des Kaiserreichs betrachtete? Sein Eifer war groß, denn kein Wort in Diokletians Antwort erlaubt die Vermutung, daß die Manichäer in Afrika es ihren ägyptischen Glaubensbrüdern nachgetan und mit dem König des „feindlichen Persiens" gemeinsame Sache gemacht hätten. Ein Wort Diokletians beweist dagegen, daß Julianus sehr wohl eine Verdammung *ob nomen* von Diokletian erbeten hat: die Manichäer, sagt der Kaiser, bemühen sich, mit ihren gefährlichen Lehren und mittels der abscheulichen Gebräuche und grausamen moralischen Vorschriften der Perser gerade die wohlgesinnten Völker zu vergiften. Das Übel wird sich jedoch trotz dieser Gesinnung auch bei ihnen mit der Zeit — *accedenti tempore* — durchsetzen. Daher droht keine unmittelbare Gefahr, und dennoch werden die schrecklichsten Zwangsmaßnahmen verordnet, um die Sekte der Manichäer zu vernichten. Ihr wird ein Gesinnungsprozeß gemacht, den allein die Um-

---

[24] Papyrus Rylands 469.

stände und, wie N. H. Baynes schrieb, „die Kriegspsychologie" [25]
erklären können. Hätte es nicht in Ägypten den Aufstand des Achilleus gegeben, der den römischen Behörden offenbarte, daß die Perser
sich der Manichäer bedienten, um im Kaiserreich Aufstände zu entfachen, und wäre der Sassanide Narses nicht über Syrien hergefallen
— die manichäischen Gemeinden hätten weiter die *otia maxima* genossen, die ihrer missionarischen Tätigkeit förderlich waren. Aber
Diokletian hatte im Frühjahr 297 in Ägypten gerade entdeckt, daß
die Jünger Manis die Agenten der Perser gewesen waren. Seine
Kundschafter berichteten ihm damals von dem festen Zusammen-
halt ihrer Gemeinden, von der Autorität ihrer Hierarchie, ihrem
Glauben an eine in den Schriften der Sekte niedergelegte Offenbarung und ihrem Haß auf eine Welt, die einem falschen Mithra
anheimgegeben und einem Kaiser unterworfen war, dessen göttliche
Ewigkeit sie im Namen ihrer Dogmen leugneten, um die Bewohner
des Kaiserreichs zum Aufstand anzustacheln.

Diese Kritik an der kaiserlichen Autorität und ihrem göttlichen
Fundament war ein ausreichendes Motiv für strenge Verfolgungen.
Und Diokletian macht daraus das erste und hauptsächliche Motiv
für die Verfolgung. Aber dies sind nicht die *maleficia,* von denen
das Edikt erklärt, daß sie ganz offensichtlich der Verfolgung durch
die Gesetze des Kaiserreichs unterliegen und von ihnen als Lügen
qualifiziert werden. In der juristischen Sprache der Diokletian-Zeit
sind *maleficia* Akte der Hexerei und der Magie, auf die schreckliche
Strafen stehen, im allgemeinen Deportation oder Tod.[26] Niemals
hat eine dieser Handlungen den Frieden des Kaiserreichs bedroht
oder die Gewissen derartig verwirrt, daß der Gemeinschaft ein
großer Schaden entstanden wäre. Damit daß Diokletian die manichäische Propaganda zu diesen *maleficia* zählte, wollte er vor allem
eine rasche Maßnahme gegen sie ergreifen, deren Grausamkeit
geeignet war, die Massen zu beeindrucken. Immerhin brauchte man
Vorwände, um die Manichäer mit Zauberern in Verbindung zu
bringen. Mir scheint, daß es keine Mühe bereitete, sie zu finden.
Zunächst konnte man die Jünger Manis anklagen, Alchimisten zu

---

[25] Vgl. Journal of Roman Studies XVII, 1927, S. 124.
[26] Vgl. R. Taubenschlag, RE s. v. maleficium.

sein, deren Tätigkeiten die Bevölkerung beunruhigten und das Ansehen des Staates und der Städte beeinträchtigten; zur gleichen Zeit wie das Edikt gegen die Manichäer verfolgte man in Ägypten auf Grund eines anderen Edikts diejenigen, die für sich die Fähigkeit beanspruchten, nach Belieben Gold und Silber herzustellen, und man beschlagnahmte ihre Bücher, um sie zu verbrennen.[27] Außerdem zerstörten die Manichäer durch die Kenntnis der Zukunft, von der sie behaupteten, sie sei in ihren Schriften offenbart, den Glauben an die Ewigkeit Roms und seiner Kaiser, den Diokletian stärker zu beleben versuchte. Durch ihr Bekenntnis, die Welt und die geschaffenen Dinge zu verachten, verführten sie ihre Anhänger dazu, sich von den sozialen Gruppen, d. h. von der Bürgerschaft zu lösen, deren Gedeihen für Diokletian mehr als für jeden anderen Kaiser die Grundlage für die Organisation des Staates darstellte. Nach und nach würden die Sitten und Lebensregeln, die die Manichäer aus Persien importiert hatten und die für den einzelnen, dem sie harte Entsagungen auferlegten, grausam waren, die Städte ruinieren und die Familien zerstören, deren Dienst und Vermögen für den römischen Staat unerläßlich waren.[28] Man denkt an die Kritik der mönchischen Askese, deren der hl. Hieronymus ein Jahrhundert später in bestimmten Kreisen der römischen Aristokratie nur mit Mühe Herr wurde.

Es ist also kein Zufall, wenn im gregorianischen Gesetzbuch aus der Zeit Diokletians die Constitutio gegen die Manichäer unter dem Titel ›De Maleficiis‹ geführt wird. Die Verfolgung wurde entschlossen durchgeführt, und zwar in einem juristischen Rahmen, den man nicht mehr erfinden mußte. Schon bald vergaßen die christlichen Kaiser, daß die Manichäer wegen *maleficia* verfolgt worden waren, deren man sie plötzlich für schuldig erklärt hatte; ihre Edikte rechneten die Manichäer mit weit besseren Gründen zu den Häretikern. Daß Diokletians Edikt uns unter einem überholten Ti-

[27] Vgl. Joannes Antiochenus, Nr. 165, in: C. u. Th. Müller (ed.), Fragmenta Historicorum graecorum, Bd. IV, Paris 1851, S. 601.

[28] F. J. Dölger hat meines Wissens als erster auf die Bedeutung des „sozialen" Gesichtspunkts im Denken Diokletians bei der Verurteilung des Manichäismus hingewiesen (Antike und Christentum II, 1930, S. 302 bis 303). Auch für ihn stammt das Edikt aus dem Jahre 297.

tel des 4. Jahrhunderts erhalten ist, ist ein Beweis seiner Echtheit. Aber man vergaß nicht sofort, daß eine kaiserliche Gesetzgebung nicht die Häresie, sondern die sozialen und politischen Folgen der Lehre verdammt hatte. Der ›Ambrosiaster‹ benutzte diese Texte, um seiner Kritik an einer Sekte mehr Gewicht zu geben, deren Anhänger gegen die Ehe predigten, obwohl sie in einer Welt lebten, in der auch sie sich ausbreiteten.[29]

Als Ergebnis wäre also die Echtheit des Edikts des Diokletian gegen die Manichäer festzuhalten; es verdankt den Umständen, unter denen es am 31. März 297 in Alexandria erlassen wurde, bestimmte Einzelheiten der Motivierung und die Strenge der in ihm ausgesprochenen Verurteilungen.

---

[29] Vgl. Migne, Patr. lat., XXXV, 2381. Der Ambrosiaster nimmt ein Argument wieder auf, dessen sich zum ersten Mal offenbar der Bischof von Papyrus Rylands 469 bediente; er fügt lediglich den Hinweis auf die kaiserlichen Edikte hinzu: *quod non solum privatum, sed etiam edictis proditum est imperatorum.*

Het Manichaeisme in Egypte. J. Vergote: Jaarbericht van het Vooraziatisch-Egyptisch Genootschap „Ex oriente lux", gevestigd te Leiden. No. 9 (1944), S. 77—83. Ins Deutsche übersetzt von Ernst Leonardy.

DER MANICHÄISMUS IN ÄGYPTEN

Von Joseph A. L. Vergote

Im Jahre 1930 wurde Carl Schmidt von einem Antiquar das Angebot gemacht, einen Teil der koptischen manichäischen Papyruscodices zu erwerben, welche Fellachen im feuchten Keller eines byzantinischen Hauses zu Madînet Mâdî (südwestlich des Fayums) gefunden hatten. Als der Berliner Koptologe auf seiner folgenden Ägyptenreise (1931/32) vernahm, daß der Londoner Sammler Chester Beatty ähnliche Bücher gekauft habe, überwand er seine Bedenken wegen des schlechten Erhaltungszustands der Handschriften und kaufte das Übrigbleibende für die Berliner Staatlichen Museen. Später sollte es sich herausstellen, daß London und Berlin sich den Fund genau geteilt hatten: beide besitzen 3 1/2 Bücher[1]. Von dem in London befindlichen Buchteil der ›Homilien‹ wurden bereits 1934 vier λόγοι von H. J. Polotsky herausgegeben: die ›Rede über das Gebet‹ bzw. ›Klage des Salmaios‹ (eines Mani-Schülers); die eschatologische ›Rede vom Großen Krieg‹ bzw. ›Rede des Koustaios‹ (eines anderen Schülers); die ›Geschichte der Kreuzigung‹ (Manis); die vierte Homilie schließlich beschreibt Manis Einzug ins Lichtreich. Die von Mani-Schülern redigierten Homilien scheinen zur Unterweisung von Neophyten gedient zu haben. Der 1940 fertiggestellte erste Band der Kephalaia (Lieferung 1—10) bringt eine Ausgabe und Übersetzung der 244 (von insgesamt 502) Seiten des Werks, die für Berlin erworben wurden. Die darin enthaltenen zweihundert 'Kapitel' wollen eine sachliche Auseinandersetzung des Dogmas bieten, wie sie Manis Jünger aus seinem Munde als Kommentar zu den eigenhändig geschriebenen Werken des Mei-

[1] Für die Umstände der Entdeckung und des Ankaufs sowie die Beschreibung des Inhalts der Handschriften vgl. W. Grossouw, in diesem ›Jaarbericht‹, van het Vooraziatisch-Egytisch Genotschap „Ex oriente lux" 6 (1939), S. 62—65.

sters vernahmen und sie aufzeichneten, „damit nichts verlorengehe".

Das 1938 herausgegebene ›Psalmenbuch‹ ist das zweite von sieben ähnlichen Büchern, welche nebst Überbleibseln von zwei anderen Werken in Chester Beattys Besitz gelangten. Es umfaßt 233 der ca. 1750 erhaltenen Seiten und beginnt mit dem Psalm 219.

Die drei Werke übermitteln uns sehr ausführliche Nachrichten über Manis Lehre. Vor allem beweisen sie, daß der ursprüngliche Manichäismus, wie er in Ägypten verbreitet war, einen starken christlichen Einschlag aufwies. Der östliche und heidnische Charakter der chinesischen und iranischen Quellen scheint auf einen späteren Entwicklungsstand zu weisen [2]. Das ›Psalmenbuch‹ illustriert auch noch einen weiteren, dem Christentum verwandten Zug: die Antiphonform vieler dieser Hymnen erinnert an liturgische Wechselgesänge, wie sie im östlichen Mesopotamien entstanden; die in den Gottesdiensten der Manichäer verwendeten Hymnen scheinen die liturgischen Gesänge der aramäischen Christen im Persien des 3. Jahrhunderts nachzuahmen. Dieser Eindruck wird noch bestärkt durch die Verwendung von Doxologien an Mani und an manichäische Heilige, die viele dieser Psalmen beschließen [3].

Über die externe Geschichte des Manichäismus bieten die neuen Texte nur wenig direktes Material. Die wenigen hier vorkommenden Hinweise bestätigen lediglich, was schon aus anderen Quellen bekannt war. Möglicherweise wird das „historische" Buch, das sich unter den für Berlin erworbenen koptischen Manichaica befindet, Neues bringen hinsichtlich der kulturellen und sozialen Rolle, welche diese Religion im Ägypten der ausgehenden Römerzeit und des beginnenden byzantinischen Zeitalters gespielt hat. In Abwartung der Veröffentlichung dieses Dokumentes mag es nützlich sein, einen Blick auf das zu werfen, was uns die wichtigsten Zeugnisse, über die wir augenblicklich verfügen, hierüber zu berichten haben.

Als der vierundzwanzigjährige Mani im Jahre 240 in einer zwei-

---

[2] Siehe C. R. Allberry, Manichaean Studies, in: J. theol. Stud. 39 (1938), S. 340. Die Lehre selbst wurde unter Zuhilfenahme der neuen Quellen rekonstruiert von H. J. Polotsky, Art. „Manichäismus", in Pauly-Wissowas R. E., Suppl. 6 (1935), S. 240—71. Vgl. J. Vergote, De Leer van Mani, in: Uitzicht 3 (1942), S. 225—36.

[3] Vgl. P. Peeters in: Analecta Bollandiana 56 (1938), S. 397—401.

ten Offenbarung von einem Engel dazu den Befehl erhalten hatte, begann er, seine Lehre zu predigen [4]. Zunächst war er in Indien tätig; erst nach dem Tode König Ardaschirs kehrte er in sein Vaterland Babylonien zurück. Ardaschirs Nachfolger Schâpûr I. erkannte im Jahre 242 die neue Lehre öffentlich an. Mani muß also wohl in kurzer Zeit unter den mächtigen Gnostikersekten, die damals in Südbabylonien wirkten, zahlreichen Anhang gefunden haben. Politische Bedeutung erlangt diese Anerkennung, wenn wir bedenken, daß Mani in den comitatus oder Heerstab Sapors aufgenommen wurde und seine Lehre sogar in den Ländern verkündete, in die ihn die Züge des Königs führten [5].

In die anderen Länder entsendete Mani seine Jünger. Dem persischen Fragment M² zufolge wurde der Manichäismus wahrscheinlich schon zwischen 244 und 260 in Ägypten von einem gewissen Addas gepredigt. Als erste manichäische Missionare in Ägypten erwähnt die Tradition noch Pappos und Thomas [6]. Auch Skythianos wird als Vorläufer dieser Lehre in Ägypten genannt, und zwar von den Acta Archelai, einem aus dem Griechischen übersetzten Werk des 4. Jahrhunderts, welches als Autor einen gewissen Hegemonius erwähnt, sowie auch von Epiphanius, dessen ›Panarion‹ oder 'Hausapotheke' gegen alle Ketzereien seine Informationen über den Manichäismus den ›Acta‹ entnimmt [7]. Dieser Skythianos, ein

---

[4] So das arabische Fihrist 49—51 (Autor: An Nadim, 8. Jh.). Nach den Kephalaia, S. 14, 32—15, 24 (Ausg. C. Schmidt-H. J. Polotsky-A. Böhlig) wurde Mani nur eine Offenbarung vom Paraklet zuteil, und zwar, als er erwachsen war.

[5] Kephalaia, S. 15, 33—16, 2.

[6] M² Ausg. F. C. Andreas-W. Henning, Mitteliranische Manichaica aus Chinesisch-Turkestan, II, in: S. B. preuß. Akad. Wiss., 1933, S. 301 f. — Psalmbook, S. 34, 12—13 (Ausg. C. R. C. Allberry), und die griechischen Abschwörungsformeln (Patr. gr., C, 1321—1325 und I, 1461 bis 1472) erwähnen nebeneinander Pappos und Addas. W. Seston (L'Égypte manichéenne, in: Chron. d'Égypte, 14 [1939] 365) vermutet, ohne im übrigen dafür Gründe anzuführen, daß ein und dieselbe Person ihren iranischen Namen Addas mit dem in Ägypten mehr gebräuchlichen Pappos vertauschte.

[7] Acta Archelai, LXII, Ausg. Beeson, S. 90; Epiphanius, Panarion, LXVI, Ausg. K. Holl, III, S. 17 f.

sarazenischer Kaufmann, durch den Handel mit Indien reich geworden, verläßt sein Land, um den Manichäismus gründlich kennenzulernen und läßt sich in einer Gegend im Grenzgebiet von Arabien
und Palästina nieder. Damit ist vermutlich Haurân gemeint, das
Land im Osten Palästinas. Der Manichäismus war dort im 4. Jahrhundert so mächtig, daß der Bischof Titus von Bostra sich genötigt
sah, eine Widerlegung dieser Ketzerei zu schreiben. Dann zieht
Skythianos mit einer Handelskarawane nach Ägypten, auf dem
Wege, der das Rote Meer mit dem Obernil verbindet, und gewinnt
seine ersten Jünger zu Hypsele, ungefähr sieben Kilometer südlich
von Asiût. Es ist sicher nicht uninteressant, diese Überlieferung,
trotz der in ihr enthaltenen romanesken Züge, in Zusammenhang
zu bringen mit der Tatsache, daß die koptischen Handschriften,
obgleich im Fayum aufgefunden, nicht im Dialekt dieses Landstriches geschrieben sind, sondern in subachmimischer Sprache, wie
sie im Süden von Asiût und zu Hypsele gesprochen wurde. Sollte
es beweisbar sein, daß diese Werke, sofern sie nicht ägyptischen
Ursprungs sind, direkt aus dem Syrischen ins Koptische übersetzt
wurden, dann erhielte die Tradition von der ursprünglichen Verbreitung der Lehre über südlichem Wege eine sehr glaubwürdige
Grundlage. An und für sich wäre diese Tatsache nicht verwunderlich. Der Manichäismus, selber ein gnostisches System, das den Dualismus von Gut und Böse mit äußerster Konsequenz handhabt,
mußte sich in erster Linie an Gnostiker richten. Unsere wichtigsten
gnostischen Quellen aus Ägypten, die ›Pistis Sophia‹, die ›Bücher
Jeûs‹ sowie die noch nicht herausgegebenen Werke, genannt das
›Evangelium nach Maria‹ (Magdalena) und das ›Apokryphon des
Johannes‹, sind uns im sahidischen Dialekt [7a] überliefert. Sie bewei-

---

[7a] [Die Tatsache, daß die genannten gnostischen Werke im sahidischen
Dialekt geschrieben sind, kann jetzt nicht mehr als Beweis dafür gelten,
sie seien besonders in Oberägypten verbreitet gewesen. Der sahidische
Dialekt, die natürliche Mundart der Gegend zwischen Memphis und
Herakleopolis, war vermutlich schon vor der koptischen Periode zur
Literatursprache des ganzen Landes geworden (siehe J. Vergote, Les
dialectes dans le domaine égyptien, in Chron. d'Égypte, 36 [1961],
S. 247). Hingegen kann nunmehr auf den Fund, im Jahre 1946, von
13 gnostischen Papyruscodices zu Nag Hammâdi, ca. 80 km südlich von

sen so das Bestehen gnostischer Sekten in Oberägypten. Es läßt sich gut vorstellen, daß die ersten Propagandisten der neuen Lehre ihre Bücher in syrischer Sprache mitbrachten und sie für die ägyptischen Gnostiker ins Koptische übersetzten. Vergessen wir auch nicht, daß syrische manichäische Fragmente in Oxyrhynchos entdeckt wurden; über ihr Alter läßt sich nur sagen, daß sie aus der Zeit vor dem 5. Jahrhundert stammen[8]. Das hauptsächlichste Gegenargument gegen diese Hypothese ist die traditionelle aprioristische Auffassung, daß in Ägypten lediglich die Griechen kulturell entwickelt gewesen seien und die Ägypter alles durch deren Vermittlung hätten empfangen müssen[9]. Betrachten wir nun im Licht dieser Daten die iranische Überlieferung, dann dürfen wir in Alexandrien vielleicht eher den End- als den Ausgangspunkt der manichäischen Propaganda in Ägypten sehen. Das schon erwähnte Fragment M[2] gibt uns die folgende Beschreibung:

„Sie gingen ins Römerreich, sahen (erlebten) viel Lehrstreitigkeiten mit den Religionen. Zahlreiche Erwählte und Hörer wurden erwählt ... Darauf schickte der Herr (d. i. Mani) drei Schreiber, das Evangelium und zwei andere Schriften dem Adda. Er befahl (ihm): ‚Bringe (dies) nicht weiter weg, sondern bleibe dort, wie ein Kaufmann, der (seinen) Schatz öffnet.‘ Adda verwandte viel Mühe auf jene Gegenden, er gründete viele

---

Achmîm, hingewiesen werden. Fast alle sind in einem reinen sahidischen Dialekt verfaßt. Erg. 1970, Verf.]

[8] D. S. Margoliouth, Notes on Syriac Papyrus Fragments from Oxyrhynchus, in: JEA 2 (1915), S. 214—16. Ausgabe: F. C. Burkitt, The Religion of the Manichees, Cambridge 1925.

[9] C. R. C. Allberry, Manich. Stud., l. c., S. 349, stellt die Verbreitung folgendermaßen dar: "some years before the end of the third century Manichaean missionaries came into the delta to preach their new religion, bringing with them their sacred books written in Syriac. These they translated into Greek with the object of gaining converts among the Greek-speaking inhabitants of the important towns. As the menace to orthodoxy grew, measures were taken to combat it, and Mr. Roberts's anti-Manichaean letter was composed (d. i. P. Ryl. III 469, siehe weiter). The Manichees now journeyed south and translated their books into Coptic as they came among people who dit not know Greek ..."

Klöster, er erwählte zahlreiche Erwählte und Hörer, er verfaßte Schriften und machte die Weisheit zu einer Waffe (?), den Dogmen trat er entgegen mit diesen (Schriften), in jeder Beziehung wurde er gerettet (= kam er gut davon). Er überwältigte und fesselte die Dogmen. Bis nach Alexandria kam er. Den NPŠ' erwählte er zur Religion. Zahlreiche Bekehrungen und Wunder tat er in jenen Ländern. Gefördert wurde (es breitete sich aus) die Religion des Gesandten im Römerreich."

Hier wird ersichtlich, daß die manichäische Propaganda auf sehr friedsame Weise zu Werk ging. Sie versuchte in öffentlichen Debatten, die Zuhörer zu überzeugen, und gründete dort, wo sie Anhänger gefunden hatte, Gemeinschaften mit der Hierarchie von *aûditores* und *electi*. Denselben Zustand schildern die Acta Archelai, die über zwei von diesen Diskussionen, die Mani selber mit dem Christenbischof Archelaus führte, ausführlichen Bericht erstatten. W. Seston beschreibt diese Streitgespräche folgendermaßen:

„In den kleinen Städten der χώρα, wo, abseits der Unruhen, welche die anderen Provinzen des Reichs zerrütteten, seit Gallian ungetrübter religiöser Friede herrschte, dürfen wir uns die streitenden Schriftgelehrten im Hof eines jener *domus dei* vorstellen, wie sie die französisch-amerikanischen Ausgrabungen bei Dura entdeckt haben. Die beiwohnende Menge trat auf die Seite des besseren Redners. Es ist nicht sicher, daß die manichäischen Priester in Ägypten jene langen weißen Röcke und die hohen Tiaren trugen, wie wir sie in Persien oder Turfan, in Hochasien, bei ihnen kennen."[10]

Daneben wurde eine minder auffällige Propaganda geführt, zumal durch die Frauen, welche die neue Lehre von Haus zu Haus verbreiteten. Verschiedene Beispiele hierfür waren schon aus anderen Ländern bekannt. Im ›Leben des Porphyrius‹[11], Bischofs von Gaza, berichtet der Autor, Markus der Diakon, daß um das Jahr 404 eine Frau aus Gaza namens Julia die Lehre des Mani in dieser Stadt verbreitete. Hieronymus erwähnt, daß zu Ende des 4. Jahrhunderts viele Frauen jenseits der Pyrenäen, besonders in Lusitanien, den Schatz des Manichaios, die Werke des Basilides und noch

[10] W. Seston, l. c., S. 366.
[11] Ausg. H. Grégoire-M. A. Kugener, S. 66—71.

andere gnostische Schriften lasen, welche Markus von Memphis in ihr Land eingeführt hatte [12]. Der Ambrosiaster, der vermutlich in Mailand zur Zeit des Ambrosius lebte, bezeugt, daß die Manichäer „Bücher mit affektierten Titeln, belanglosen und ungereimten Inhalts besäßen", deren Lehre von den Frauen übernommen und unbesonnen verbreitet würde [13]. Gegenwärtig ist die gleiche Tatsache für Ägypten belegt durch das sehr wichtige Dokument P. Ryl. III 469 [14]. Nach dem Urteil des Herausgebers ist dieser griechische Papyrus wegen seiner paläographischen Eigentümlichkeiten in die Jahre 275—300 zu datieren. Dem Inhalt nach handelt es sich um einen Hirtenbrief, der vermutlich in den Kirchen verlesen wurde, um die Christen vor der manichäischen Propaganda zu warnen, insbesondere der durch die Frauen betriebenen. Stimmt die vorgeschlagene Datierung, dann beweist dieser Brief, daß die neue Religion, sogar in dem Falle, daß sie auf südlichem Wege eingedrungen war, sich in griechischen Kreisen beinahe ebenso schnell verbreitete wie in ägyptischen [15]. Weiterhin zeigt er, daß die Manichäer besonders die Ehe angriffen. Die merkwürdige Formel — bereits die Acta Archelai, Epiphanius, Cyrill von Jerusalem und Titus von Bostra überlieferten sie uns [16] —, womit sich der Auserwählte von der „Peinigung" der Natur freispricht, deren er sich durch den Gebrauch des Brotes schuldig machen könnte, lautet hier: „ich habe dich (oder es) nicht in den Ofen gelegt; ein anderer

[12] Adv. Vigilant., 6; vgl. In Isaiam LXIV, 4.

[13] In Epist. ad Timot. 2 am, resp. IV, 4 und III, 6.

[14] C. H. Roberts, Catalogue of the Greek Papyri in the J. Rylands Library, Manchester. III. Theological and Literary Texts, Manchester 1938.

[15] Aufgrund der Tatsache, daß der Manichäismus in den ältesten Vitae des Pachomius, vom Ende des 4. Jahrhunderts, noch nicht erwähnt wird, sprach P. P(eeters) in seiner Rezension von C. Schmidt-H. J. Polotsky, Ein Mani-Fund (in: Anal. Boll. 51 [1933] S. 399) die Vermutung aus, daß die neue Sekte, über die Thebais eindringend, zu diesem Zeitpunkt noch auf einen kleinen Kreis von Initiierten, welche Syrisch verstanden, beschränkt blieb.

[16] Acta Archelai, S. 16, 14 ff. (Beeson); Epiphanius, Panarion, LXVI, 28, Ausg. Holl, III, S. 65, 4 ff.; Titus von Bostra, 60, 38 (de Lagarde).

brachte mir dies; ich trage keine Schuld, wenn ich (dich) esse." Mit diesem Zitat will der Briefschreiber beweisen, daß die Manichäer die Schöpfung anbeten; die umstrittene Frage allerdings, ob sie ein liturgisches Mahl hatten oder ob sogar — wie es Allberry vermutet [17] — die gewöhnliche tägliche Mahlzeit der electi eine rituelle Bedeutung hatte, diese Frage findet hier keine Lösung.

Der freien Verbreitung des Manichäismus wurde durch das Diokletianische Edikt vom 31. März 297 ein Ende gesetzt. Dieses Edikt, im Codex Gregorianus erhalten [18], wurde erlassen als Antwort auf einen Bericht des Prokonsuls für Afrika, Julianus, über die Tätigkeit der maleficii und der Manichäer. Unter maleficii sind zu verstehen die Zauberer, Astrologen und Alchimisten, die nach dem Zeugnis des Johannes von Antiochien (F. H. Gr., S. 601 Ausg. C. Müller) von Diokletian verfolgt wurden und deren Kunst, wie ja auch die manichäische Lehre, aus dem feindlichen persischen Reich stammte [19]. In seinem Edikt brandmarkt Diokletian ihre Umtriebe als ein vom Erbfeind erfundenes Mittel, um im Römischen Reich Verwirrung und Unruhe zu stiften. Sein Befehl lautet, daß die Anführer der Sekte mitsamt ihren Büchern zum Scheiterhaufen verurteilt werden müßten. Ihre Anhänger sollten, wenn sie störrisch blieben, enthauptet werden; der Besitz der Verurteilten war zu

[17] C. R. C. Allberry, Das manichäische Bema-Fest, In Mem. C. Schmidt = Z. neutest. Wiss. 37 (1938), S. 6—8. Es scheint uns sehr zweifelhaft, ob W. Seston, l. c., S. 368, zu Recht eine Anspielung auf die electi sieht in dem Ausdruck ἄνϑρωποι καλοί, der in dem Brief eines Mannes aus Koptos an seine Frau im Fayum vorkommt: P. Mich. III 214—221 (J. G. Winter, Papyri in the University of Michigan Collection. III Miscellaneous Papyri [Univ. Mich. Stud., Hum. Ser., 40], Ann Arbor 1936). Nichts rechtfertigt fernerhin die Annahme, dieser Papyrus stamme aus Manichäerkreisen.

[18] Cod. Gregor., I, XIV, tit. IV, n. 4—5 (Ausg. G. Haenel). Vgl. Collatio legum mosaicarum et romanarum, 6, 4, I, S. 157 (Ausg. Th. Mommsen).

[19] Obschon die Zauberkunst in Ägypten heimisch war und schon während der pharaonischen Zeit eifrig gepflegt wurde, stammt der Name „Magie" aus Iran. Siehe J. Bidez-F. Cumont, Les mages hellénisés. Zoroastre, Ostanès et Hystaspe d'après la tradition grecque, 2 Bde., Paris 1938.

konfiszieren. Beamte, die der Sekte anhingen, wurden zur Zwangs-
arbeit in Bergwerken verurteilt, ihre Güter waren verwirkt. Die
Echtheit dieses früher umstrittenen Edikts wird heute von nam-
haften Spezialisten des späten Kaiserreichs wie A. Stein und
O. Seeck nicht mehr bezweifelt. Vielleicht darf als Kriterium für
seine Echtheit sogar die Vielfalt der Strafen angesehen werden.
Nebenbei sei darauf hingewiesen, daß der Tod auf dem Scheiterhaufen bis ins Mittelalter die Strafe für Staatsfeinde aus religiösen
Gründen blieb.

Das Edikt stammt aus dem Jahr, in dem Diokletian, nachdem er
den Aufstand in Ägypten und Alexandrien niedergeworfen hatte,
eine gründliche Verwaltungsreform durchführte. Die Verfolgung
der Christen setzte unter seiner Regierung erst im Jahre 304 ein.
Die Standhaftigkeit der zahlreichen Märtyrer, ihr Verlangen nach
dem Martyrium, das manche dahin brachte, ihren Glauben freiwillig vor den Beamten bekennen zu gehen, wurden zum Gegenstand der Martyrologien, die einen wichtigen Teil der christlichen
Volksliteratur in Ägypten darstellen. Die manichäischen Texte bezeugen hier eine durchaus verschiedene Haltung. Die vierte der
koptischen Homilien, der Teil der ›Geschichte der Kreuzigung‹,
berichtet in sachlichem Ton von Manis Gefangenschaft, seinem Tode
am Kreuz und der Verfolgung der Lehre unter Bahram I.[20] Nirgends wird der Tod der ersten Manichäer oder derer, die unter
Bahrams Nachfolgern starben, als nachahmenswertes Beispiel hin-
gestellt oder propagandistisch verwertet. In den bereits herausgegebenen koptischen Quellen wird die Verfolgung in Ägypten
selbst nicht erwähnt; allerdings könnten sich ihre Opfer teilweise
unter den Personen mit ägyptischem Namen befinden, welche im
›Psalmenbuch‹ verehrt werden[21]. Das erlaubt m. E. die Schlußfolgerung, daß die Manichäer, außer manchen Lehrsätzen, auch die

[20] Den östlichen Quellen zufolge wurde Mani geschunden. Ist in der
Darstellung der koptischen Quellen bereits eine Anpassung an das Christentum zu sehen? Oder wurde er tatsächlich gekreuzigt und bekam
dies dann eine typisch iranische Lokalfarbe?
[21] Vgl. W. Grossouw, im Jaarbericht van het Voorziatisch-Egyptisch
Genootschap „Ex oriente lux" 6 (1939), S. 64.

„Abneigung gegen das Zeugnis" mit den Gnostikern teilten [22], so daß es für sie in Zeiten der Verfolgung nichts Schlechtes bedeutete, die Opferspeisen zu verzehren oder anderes zu tun, was für Christen einer Verleugnung ihres Glaubens gleichkam. In den griechischen ›Akten der persischen Märtyrer Acepsimas, Joseph und Aeithalas‹, unter der Regierung Schâpûrs II., wird berichtet, wie man einem gefangenen Manichäer eine Ameise brachte und ihm befahl, diese zu töten; obgleich nun die Ameise für die Manichäer göttlich sei und Verehrung genieße, sei er dem Befehl ohne Zögern nachgekommen [23]. Im Lichte des oben Ausgeführten scheint es uns, daß dieser Vorgang die allgemeine Haltung der Manichäer gegenüber der Verfolgung kennzeichnet und nicht bloß erfunden wurde, um die Standhaftigkeit der Christen in einem um so günstigeren Licht erscheinen zu lassen.

Manichäismus und Magie wurden durch die Verfolgung ebensowenig ausgerottet wie das Christentum. Im Gegenteil: das Christentum ging sogar siegreich aus diesem Kampf hervor und eroberte sich im Jahre 313 die Freiheit. Das 4. Jahrhundert ist auch — unseren heutigen Quellen nach zu urteilen — das klassische Zeitalter der Magie [24]. Der Manichäismus erlebte seinerseits in jener Zeit seine größte Blüte. Der Ruhm und das Wirken des Aphtonius, des Oberhauptes der manichäischen Gemeinde von Ägypten, waren von solcher Ausstrahlungskraft, daß Aëtius, der Bischof von Antiochien,

---

[22] Vgl. P. Hendrix, De Alexandrijnsche haeresiarch Basilides, Diss. Leiden, Amsterdam 1926, S. 42 f.

[23] H. Delehaye, Les versions grecques des actes des martyrs persans sous Sapor, in Patr. or., II, 1907, S. 511; vgl. S. 544. Das Detail der göttlichen Ameise scheint nur hier vorzukommen. Sollte dies eine christliche Version des allgemeinen Verbots sein, Tiere zu töten, da dies als „Peinigung" der Natur galt? [Siehe: R. Köbert, Ein zum Abfall gezwungener Manichäer muß Ameisen töten, in: Orientalia (Rom), 38 (1969), S. 128 bis 130. Erg. 1970, Verf.]

[24] S. Eitrem, Aus „Papyrologie und Religionsgeschichte". Die magischen Papyri, in: W. Otto-L. Wenger, Papyri und Altertumswissenschaft (Münchener Beiträge z. Pap.-Forsch., 19) München 1934, S. 249. Vgl. J. Maurice, La terreur de la magie au IVᵉ siècle, in: Rev. historique de Droit franç., IVᵉ Sér., 6 (1927), S. 108—20.

es für notwendig erachtete, sich nach Alexandrien zu begeben, um sich mit jenem in ein Streitgespräch einzulassen [25]. Mittelbar beweisen auch die anti-manichäischen Schriften den Einfluß der bekämpften Lehre in jener Zeit. Um das Jahr 300 schrieb Alexander von Lykopolis (Asiût) in griechischer Sprache seine Widerlegung der ›Dogmen der Manichäer‹; ungefähr ein halbes Jahrhundert später ließ Serapion von Thmuis, im Delta, sein griechisches Traktat ›Gegen die Manichäer‹ erscheinen. Vom Werke des Didymus von Alexandrien, der 395 starb, blieben nur einige Fragmente erhalten. Gegenwärtig spricht auch vieles dafür, daß sogar der große Patriarch von Alexandrien, Athanasius, den Manichäismus persönlich bekämpft hat. Einige von ihm stammende Äußerungen über die Sekte waren bereits bekannt. In der Vita Antonii, 68, weist Athanasius darauf hin, daß Antonius nie mit den Manichäern sprach, es sei denn um zu versuchen, sie zur Kirche zurückzubringen [26]; in der Historia Arianorum ad Monachos, 59, berichtet er, daß ein Manichäer die Sympathien des Kaisers Konstantin für die Arianer zu nutzen wußte und gegen die Christen von Alexandrien eine Schreckensherrschaft ausübte, um so zu verhindern, daß diese die Bischöfe seiner eigenen Sekte verfolgten. L. Th. Lefort führte einleuchtende Argumente ins Feld für die These, daß ein Brief ›De Virginitate‹, welcher früher Clemens von Rom zugeschrieben wurde, ein Werk des Athanasius sein könnte, das dieser ursprünglich in koptischer Sprache geschrieben habe [27]. Ein Teil dieses Briefes gilt der Widerlegung eines gewissen Hieracas, der die Ehe als

---

[25] Philostorgius, Hist. eccl., III, 15, Ausg. J. Bidez, S. 46 f.

[26] Vita Antonii, 68. Eine wörtliche lateinische Übersetzung einer vorevagrianischen Rezension entdeckte G. Garitte, der sie herausgab unter dem Titel ›Un témoin important de la vie de S. Antoine par S. Athanase‹ (Inst. hist. belge de Rome. Ét. de Philol., d'Archéol. et d'Hist. anc., 3), Brüssel-Rom 1939.

[27] L. Th. Lefort, Le „de Virginitate" de S. Clément ou de S. Athanase? in: Muséon 40 (1927), S. 249—64; S. Athanase sur la Virginité, ibid., 42 (1929), S. 197—274; Une citation copte de la Pseudo-clémentine „de Virginitate", in: Bull. Inst. fr. Archéol. or., 30 (1930), S. 509—11; Athanase, Ambroise et Chenoute «sur la Virginité», in: Muséon 48 (1935), S. 55 bis 73.

schlecht und sündhaft angreift. Es kann kein Zweifel darüber bestehen, daß dieser Hieracas dieselbe Person ist, welche Epiphanius als einen Manichäer erwähnt, dessen Ideen zahlreiche Mönche beeinflußt hätten [28]. Es ist zudem erwiesen, daß die ägyptischen Christen sich nicht mit den Schriften begnügten, die ihre eigenen Landsleute verfaßt hatten; sie gebrauchten auch die Werke fremder Schriftsteller in ihrem Kampf gegen die Ketzerei. Erhaltene Fragmente erweisen, daß die sechste Katechese des Cyrillus von Jerusalem bei ihnen in koptischer Übersetzung im Umlauf war [29]. Ein anderes koptisches Fragment enthält außer den Aussagen bekannter Häresiologen über die manichäische Lehre der Seelenwanderung ein Zitat, das den ›Acta Archelai‹ oder dem ›Panarion‹, LXVI, des Epiphanius entnommen wurde [30]. Nach dem Zeugnis des Eutychius waren zur Zeit des ersten Konzils von Konstantinopel (des zweiten ökumenischen, 381) die meisten ägyptischen Metropoliten und Bischöfe sowie zahlreiche Eremiten Anhänger Manis. Timotheos, Patriarch von Alexandrien, schrieb ihnen vor, sonntags Fleisch zu essen, um auf diese Weise die Manichäer unter ihnen zu entdecken. Diese waren nämlich in zwei Sekten unterteilt, den Sadikini, denen jede tierische Nahrung verboten war, und den Samakini, die Fisch aßen, da sie diesen nicht als geschlachtetes Tier ansahen [31].

Das oben erwähnte persische Fragment M² stellt ein neues wichtiges Problem durch die Erwähnung der zahlreichen מאניסטאן, mânistân, welche Addas in Ägypten gegründet haben soll. Das

[28] Panarion, LXVII, I, Ausg. Holl, III, S. 132 f.

[29] Hrsg. v. F. Bilabel, Über die Begründer des Manichäismus (Veröffentl. aus den badischen Papyrussammlungen, III), Heidelberg 1924, und identifiziert von C. Schmidt, in: OLZ 28 (1925), S. 378 f.

[30] H. J. Polotsky, Koptische Zitate aus den Acta Archelai, in: Muséon 45 (1932), S. 18—20.

[31] Eutychius, Annales, Patr. gr., CXI, 1023 f. Wahrscheinlich ist hier Timotheus, Patriarch von 396 bis 402, gemeint, da dieser unmittelbar nach dem Konzil von Konstantinopel erwähnt wird (siehe J. Maspero-A. Fortescue-G. Wiet, Hist. d. Patriarches d'Alexandrie). W. Seston, l. c., S. 371, redet, ohne weitere Beweise zu geben, von einem Patriarchen aus dem 6. Jahrhundert. [ṣiddīqīn = electi und sammāⁿⁱn = auditores, wahrscheinlich populäre Verdrehung zu sammākīn, Fischesser. Vgl. oben S. 76. Hrsg.]

Wort ist abgeleitet von מאן‎, „verbleiben, wohnen"; die Herausgeber übersetzen es jedoch nicht mit „Wohnung", sondern mit „Kloster". Da nun die erste Verbreitungswelle von Manis Lehre in Ägypten mit großer Wahrscheinlichkeit zwischen 244 und 260 stattfand, müßte in diesem Falle angenommen werden, daß lange vor dem christlichen ein manichäisches Klosterleben entstanden sei. Nach der heutigen Chronologie des ältesten christlichen Mönchtums ist Antonius, der um 250 geboren worden ist, zwischen 270 und 275 Einsiedler geworden. Es dauerte bis zum Jahre 305, ehe andere Eremiten sich in seiner Nähe niederließen und eine erste Art von Mönchsgemeinschaft, dem heutigen Lavra-System ähnlich, entstand. Das organisierte Klosterleben, der Coenobitismus, wurde erst nach 317 von Pachomius eingeführt. Wenn das Wort mânistân wirklich ein Kloster bezeichnet, stellt sich sogleich die Frage, ob das christliche Mönchtum nicht seine Impulse vom manichäischen her empfangen habe. Angesichts der frühen Beziehungen Manis mit Indien könnte hier das Verbindungsglied mit dem buddhistischen Mönchswesen vorliegen, zu welchem das christliche Klosterleben einigen Forschern zufolge in einem Abhängigkeitsverhältnis stünde. Tatsächlich bestanden in Zentralasien manichäische Klöster, die mit den buddhistischen eine gewisse Verwandtschaft zeigen. Reicht ihre Gründung bis in die Zeiten der ersten Verbreitung der Lehre zurück, oder setzt das persische Fragment zu Unrecht ein so hohes Alter voraus?

Diese Frage gründlich zu besprechen, verbietet der beschränkte Umfang unseres Beitrags. Dennoch mögen hier einige Gedanken zum Thema Platz finden. Unter den Zeugnissen über den westlichen Manichäismus wird nur einmal das Entstehen einer Art Klosters erwähnt. Augustinus berichtet, daß um das Jahr 382 ein gewisser Constantius verschiedene Auserwählte aus der Umgebung von Mailand in seiner Wohnung versammelte, um gemeinschaftlich die durch Mani vorgeschriebene Lebensweise zu befolgen; ein Brief des Meisters diente dem neuen Kloster als Regel [32]. Bekanntlich sind die Manichäer in zwei Klassen aufgeteilt: die Auserwählten bzw. *electi* und die *auditores,* die Katechumenen. Zur zweiten Klasse

---

[32] Augustinus, De moribus Manichaeorum, 74; vgl. Contra Faust., V, 5.

gehören diejenigen, welche die Vollkommenheit noch nicht erreicht haben. Hauptsache für sie ist das Bekennen der Lehre und die Sorge für die *electi*. Im übrigen leben sie in der Welt, heiraten, haben Kinder, trinken Wein und essen Fleisch. Stirbt ein *auditor,* so geht seine Seele jeweils in einen anderen Körper über, bis sie schließlich ihre Wohnung im Körper eines Auserwählten nimmt. Die Auserwählten sind die vollkommenen Manichäer, die streng nach der Regel leben. Sie vermeiden alles, was dem Licht im Menschen Schaden zufügen könnte; das sind in erster Linie die Fleischeslust sowie das Genießen von Fleisch und Wein. Sogar für ihre vegetarische Nahrung dürfen sie nicht selber sorgen, denn das Pflücken von Früchten wie auch das Ausreißen von Pflanzen ist eine „Peinigung" der Natur, die dem Licht schadet. Sie entsagen der Welt völlig und leben nur für die Kirche; sie sind zur Armut verpflichtet und dürfen nicht mehr besitzen als Nahrung für einen Tag und Kleidung für ein Jahr. In ihrem Lebensunterhalt hängen sie vollständig von den *auditores* ab. Nun wird die Gründung des Klosters in Mailand von Augustinus zwar als alleinstehende Tatsache dargestellt; zudem gehörten Missionsreisen ja auch zum festen Aufgabenbereich der Auserwählten; dennoch ist es denkbar, daß sich bereits früh Gemeinschaften bildeten: es hätte dies ihre Versorgung durch die *auditores* vereinfacht und das strenge Nachleben von Manis Lebensregel begünstigt. Im Vergleich hiermit ist die Lebensweise der christlichen Mönche so verschieden, daß von Abhängigkeit kaum die Rede sein kann. Eines ihrer Hauptkennzeichen ist der Grundsatz, daß ein jeder durch Handarbeit selbst für seinen Lebensunterhalt zu sorgen hat. In diesem Punkt erscheinen die Pachomianischen Klöster als geradlinige Fortsetzung der Einsiedlergemeinschaften, und die These von der selbständigen Entwicklung des christlichen Mönchtums, wie sie in den Quellen dargestellt wird, gewinnt neue Wahrscheinlichkeit [33]. Der oben erwähnte Grundsatz ermöglichte es den christlichen Klöstern, eine wichtige wirtschaftliche Rolle zu spielen.

[33] J. Vergote, Egypte als bakermat van het Christelijk monnikendom, in: Nieuwe theol. Stud., 24 (1941), S. 162—80. [Französische Übersetzung: J. Vergote, L'Égypte, berceau du monachisme chrétien, in: Chron. d'Égypte 17 (1942), S. 329—345. Erg. 1970, Verf.]

Durch die allgemeine Zerrüttung, welche die Mißwirtschaft der Römer verursacht hatte, waren vielerorts die Bewässerungskanäle versandet, die Äcker unfruchtbar und ganze Dörfer verlassen. Mit den billigen Arbeitskräften, über die sie verfügten, konnten die Klöster den brachliegenden Boden bearbeiten, verlassene Dörfer wieder heraufwirtschaften, ja das ganze Land zu verhältnismäßigem Wohlstand bringen. Im krassen Gegensatz dazu steht die Lebensweise der manichäischen Auserwählten, die in allem von der Betreuung der *auditores* abhängen und als Ideal den Untergang der Welt erträumen. Denn für sie ist ja das Bestehen der Welt überhaupt ein Übel, eine verderbliche Vermischung des Lichts mit der Materie, der so bald wie möglich ein Ende gesetzt werden muß, damit das Licht auf ewig frei werde.

Auf der einen Seite also der Kampf gegen das Schlechte im Menschen selber, doch verbunden mit fruchtbarer Aufbauarbeit, auf der anderen eine völlig verneinende Haltung zum Leben, Feindschaft gegen den Menschen und die Schöpfung. Vor die Wahl zwischen beide gestellt, sprach Ägypten sich für die erstere Lebensauffassung aus, die gesündere. Während das christliche Mönchtum einer hohen Blütezeit entgegengeht, schwindet der Manichäismus in Ägypten immer mehr dahin. Zur Zeit der arabischen Eroberung, im Jahre 641, scheint er bereits ausgestorben zu sein. Die islamischen Schriftsteller, die den noch in Mesopotamien bestehenden Sekten große Aufmerksamkeit widmen, hätten die Lehre Manis gewiß nicht mit Schweigen übergangen. Die Unterdrückung von seiten der Kirche hätte ihr vielleicht nicht mehr anhaben können als Diokletians Verfolgung; aber gegen einen gesunden, jugendlichen Konkurrenten vermochte sie sich nicht zu behaupten. In diesem Sinne dürfen wir wohl mit W. Seston im christlichen Mönchtum eine der Hauptursachen für die schnelle und völlige Ausrottung des Manichäismus sehen [34].

---

[34] W. Seston, l. c., S. 370 f.

Zeitschrift der Deutschen Morgenländischen Gesellschaft. 90 = N. F. 15 (1936) S. 1—18.

NEUE MATERIALIEN
ZUR GESCHICHTE DES MANICHÄISMUS [1]

Von WALTER BRUNO HENNING

Die Hauptbedeutung des Manichäismus und seine bleibende Wirkung liegen vielleicht in der Vermittlerstellung zwischen Ost und West, die er lange Jahrhunderte hindurch einnehmen konnte, dank seinem gewaltigen Verbreitungsgebiet, das von Nordafrika bis nach China reichte. Dieser Satz gilt in besonders hohem Maße für die Verbreitung von Erzählungsstoffen: seit wir einen großen Teil der manichäischen Originalliteratur besitzen, können wir öfters die Manichäer als Übermittler von Märchen nachweisen, deren Herkunft wir genau kannten, die dann aber auf uns rätselhaftem Wege in weit entfernte Länder gelangt waren. So hat der vor kurzem, leider viel zu früh verstorbene Turkologe Willy BANG-KAUP an ein paar Beispielen gezeigt, wie die Manichäer dem Westen indische Erzählungen und Märchen übermittelt haben.[2]

Wie erzählungsfreudig die Manichäer waren, das zeigen gerade die in iranischen Sprachen geschriebenen manichäischen Handschriften, die von deutschen Expeditionen zu Beginn dieses Jahrhunderts in Chinesisch-Turkestan, und zwar in der Turfan-Oase, gefunden wurden, und die jetzt der Preußischen Akademie der Wissenschaften gehören. Unter diesen Handschriften, die erst zu einem Teil veröffentlicht werden konnten, gibt es viele, die Erzählungen, Märchen und Sagen enthalten; sie zeigen, daß der Manichäismus das Sammelbecken war, das die Ströme der westlichen und östlichen Erzählungsliteraturen in sich aufnahm, um sie dann als nie versiegender Born aufs neue zu speisen. Diese Erzählungen

---

[1] Bei der Jahresversammlung der DMG in Halle am 3. Januar 1936 gehaltener Vortrag.

[2] Manichäische Erzähler. Muséon XLIV 1—36. [Hier oben S. 260 ff.]

erscheinen hier zwar fast immer in Form von Parabeln: es unterliegt aber keinem Zweifel, daß die Parabel nur die überkommene literarische Form ist, in die eingekleidet die Erzählungen dem Leser dargeboten werden; das wesentliche Interesse gilt jedenfalls dem Erzählungsstoff und nicht dem, was mit ihm demonstriert werden soll.

Die alte These, daß die Quelle von Wolframs von Eschenbach Parzival, wenigstens zum Teil, orientalischer Herkunft sei, ist kürzlich von verschiedenen Seiten verfochten worden, wobei jetzt die Annahme manichäischen Ursprungs oder wenigstens manichäischer Vermittlung in den Vordergrund getreten ist; diese Annahme hat a priori viel für sich, und sie gewinnt an Wahrscheinlichkeit, wenn man bedenkt, daß die Germanisten und Romanisten uns die Herkunft der Parzivalfabel wirklich überzeugend *nicht* nachweisen konnten.

Nun hat aber diese Theorie, besonders in der Form, in der sie VON SUHTSCHEK vorgetragen hat, in der Wissenschaft eine sehr scharfe Ablehnung[3] gefunden: das liegt daran, daß von Suhtschek diese Theorie maßlos übertrieben hat und sich zu Konsequenzen hat hinreißen lassen, die den schärfsten Widerspruch geradezu herausgefordert haben. Dennoch halte ich den Kern dieser These für richtig. Es gibt ja in der Geschichte der Wissenschaften zahllose Beispiele dafür, daß eine, wie sich später zeigte, richtige Theorie zunächst dem allgemeinen Hohn zum Opfer fiel, nur weil ihr Verfechter sie dermaßen übertrieben vortrug, daß das Körnchen Wahrheit in dem hochaufgeschossenen Unkraut des Falschen unsichtbar wurde.

Ist die Parzivalfabel wirklich manichäischer Herkunft, so böte sie ein schönes Beispiel für die Übermittlung eines östlichen Erzählungsstoffes in den Westen durch die Manichäer; heute jedoch möchte ich vor Ihnen den umgekehrten Fall mit einem Beispiel illustrieren.

Vor einiger Zeit habe ich zu zeigen versucht, daß Mani mit jenem Henochbuch bekannt war, das uns in äthiopischer Sprache, zu einem Teil auch auf griechisch überliefert ist.[4] Vielleicht hat Mani aus

---

[3] Siehe Reichelt, WZKM XL 37 ss (wo Literaturangaben).
[4] SBA 1934, 27—35.

diesem Henochbuch eine Extraausgabe für seine Anhänger hergestellt, sicher aber hat er es ausgiebig in seinem Gigantenbuch verwandt; einen nachträglichen Beweis für meine Hypothese liefert
das soeben erschienene zweite Faszikel der koptischen Kephalaia,
einer der manichäischen Schriften, die vor wenigen Jahren in Ägypten gefunden wurden; in diesen Kephalaia wird nämlich das Henochbuch mehrmals fast wörtlich zitiert.[5]

An dem Henochbuch interessierte Mani wesentlich die Sage von
den gefallenen Engeln, die auf die Erde hinabstiegen und mit den
Menschentöchtern die Giganten erzeugten, jene Sage, die im Keim
schon in der Bibel[6] erzählt wird und die dann eben im Henochbuch
weit ausgesponnen ist. Nun ist uns zwar Manis Henochbuch-Aus-
gabe nicht überliefert, wohl aber gibt es unter den iranischen Tur-
fan-Handschriften eine ganze Anzahl von Fragmenten aus Manis
Gigantenbuch. Diese Fragmente der persischen Übersetzung des
ursprünglich syrisch geschriebenen Gigantenbuches sind immerhin
umfangreich genug, um uns zu zeigen, daß Mani hier in höchst
eigenartiger Weise die Gigantensage des Henochbuchs mit in Iran
heimischen Sagenstoffen kombiniert hat. Das deutet schon der Titel
der persischen Ausgabe des Gigantenbuchs, nämlich *Kavān*, an: dies
Wort bezeichnet hier gleichmäßig die Giganten des Henochbuchs
und die *Kavis*, die sagenhaften iranischen Herrscher der vorhisto-
rischen Zeit. Den besten Beweis aber liefern die Namen, die im
Gigantenbuch vorkommen: neben teils verstümmelten, teils leicht
iranisierten Namen aus dem Henochbuch, wie z. B. *Šahmīzāδ*[7], dem
Σεμιαζᾶς des Henochbuchs, oder *Hōbābīš*[8], dem Χωβαβιήλ[9] des
Henochbuchs, neben solchen Namen stehen viele iranische Namen,
die teilweise aus der iranischen Heldensage geläufig sind, teilweise
aber noch unerklärt sind, wie z. B. *Sām, Narīmān, Māhōi*[10], *Taχtay*
usw.

[5] 92, 27 ss.; 93, 24 ss.

[6] Genesis VI 1—4.

[7] *šhmyz'd*.

[8] *hwb'byš*.

[9] So bei Syncellus; griech. Fragm. Χωχαριήλ, im Äthiop. *Kokabiel*.

[10] Geschrieben *m'hwy* und *m'hw'y* [sic] und in einem soghdischen
Fragment *m'h'wy* [sic]; s. Nöldeke, Persische Studien I 4 ss.

Ein muslimischer Gelehrter des 13. Jahrhunderts, al-Gaḍanfar, der Manis Gigantenbuch gelesen hat, schreibt über es[11]: „das Buch der Giganten des Babyloniers Mani ist voll von Geschichten über diese Riesen — nämlich die vorerwähnten Riesen des Henochbuchs —, zu denen *Sām* und *Narīmān* gehören, zwei Namen, die er wohl dem Avesta des *Zarduśt* aus *Āδerbāiǧān* entlehnt hat.“ Es ist nun nicht etwa daran zu denken, daß bei der Übersetzung des syrischen Textes ins Persische die iranischen Namen nur mitübersetzt wären; es ist ja bekannt, daß die Manichäer die leidige Gewohnheit hatten, bei der Anfertigung von Übersetzungen auch Götternamen, Monatsnamen u. dgl. mitzuübersetzen[12]; und auch hier kommen tatsächlich Namensübersetzungen vor: z. B. der Name *Virōydāδ*[13] „vom Blitz gegeben", der so schön iranisch klingt, ist gewiß nichts als eine Lehnübersetzung von Βαραχιήλ[14], einem der Namen des Henochbuchs. Allein, für meine Voraussetzung, daß die Namen der iranischen Heldensage Mani bekannt waren und von ihm selbst in seinem Gigantenbuch verwandt wurden, gibt es Beweise genug, die ich Ihnen aber hier nicht vorführen kann. Beiläufig möchte ich hier nur auf ein nicht zum Kreis der Gigantengeschichten gehöriges Fragment der Berliner Turfansammlung hinweisen, das die Bekanntschaft der Manichäer wenigstens mit einem Teil der iranischen Heldensage beweist, nämlich mit dem Sagenkreis, in dessen Mittelpunkt *Zarēr* steht: dieser Text gilt dem Lob der Herrscher, die die von Mani anerkannten Propheten begünstigt haben; als Musterbeispiel wird *Viśtāspa,* der Gönner Zarathustras angeführt: neben ihm, *Šāh Viśtāsp*[15], werden hier viele Namen seiner sagenhaften Mitstreiter für den wahren Glauben genannt, die uns besonders aus dem mittelpersischen *Zarēr*-Buch bekannt sind, so *Zarēr* selbst — hier in der Form *Zarēl*[16] —, ferner *Vēžan*[17], der

---

[11] Birunis Chronologie ed. Sachau, Introd. XIV; cf. SBA 1934, 31.

[12] Siehe Schaeder, Studien 277; Andreas-Henning, SBA 1934, 882, Nr. 4.

[13] *wrwgd'd*; s. BSOS VIII 583.

[14] Syncellus: Βαλχιήλ äthiop. *Baraqiel*; vgl. aber Namen wie בְּרַכְאֵל, בְּרכיה(ו) (AT) u. dgl.

[15] *š'h wyšt'sp.*

[16] *zryl.*

[17] *wyjn.*

Bēžan des Schahnamä, ferner *Vahman*[18], der Enkel des *Vištāsp*; übrigens kommt auch der Name der Gemahlin des *Vištāsp, Hutaosā,* vor, und zwar in der Form χυδōs[19].

Die Sagen, die Mani in seinem Gigantenbuch vereinigt hatte, haben bei seinen Anhängern stets ein tiefgehendes Interesse gefunden; in den Ländern des Ostens sind sie nicht nur eifrig gelesen, sie sind auch durch Übernahme einheimischen Sagenguts ergänzt und fortgeführt worden: das beweisen soghdische und türkische Fragmente. So wird in einem soghdischen Text erzählt, wie die Engel die aufsässigen Giganten zu einem den menschlichen Behausungen ferngelegenen Land bringen, wo sie sie bequemer bewachen können: dies Land führt hier den Namen des sagenhaften Stammlandes der Iranier, der im Avesta *Aryanam Vaēžō,* und hier *Aryān Vēžan*[20] heißt; es liegt, so wird uns versichert, am Fuße des *Sumeru*-Berges[21]: bei dem Namen dieses Berges, der buddhistischer Herkunft ist, muß man sich vor Augen halten, daß die Soghder (oder wenigstens der größere Teil dieses Volkes) Buddhisten waren, bevor die manichäischen Apostel zu ihnen kamen.

In einem türkischen Text, den BANG bearbeitet hat,[22] kommt der *Virōydāδ* vor, dessen Namen ich vorhin besprochen habe; er, der kurz vor Sonnenaufgang in der Luft fliegt, wird von χυnoχ burχan, d. i. Henoch, ermahnt, auf die Erde hinabzufliegen, damit die aufgehende Sonne nicht seine Flügel verbrenne; *Virōydāδ* gehorcht, und sich umwendend sieht er die ersten Strahlen der Morgensonne über dem *Kögmän*-Gebirge auftauchen: das *Kögmän*-Gebirge ist das Gebirge κατ' ἐξοχήν der Türken, die ganze Erzählung hat nur noch wenig gemein mit dem Inhalt des Gigantenbuchs wie auch des Henochbuchs.

Doch ich habe Ihre Aufmerksamkeit schon allzulange für diese Geschichten in Anspruch genommen und muß mich beeilen, zu der

---

[18] *whmn.*

[19] *šhrd⁾r b⁾nbyšn xwdws* „des Herrschers Gemahlin (Königin)“.

[20] *⁾ry⁾nwyjn* [so!]; die vorliegende Tradition lokalisiert dies Land also nicht in Chvarizm (zuletzt Benveniste, BSOS VII 265 ss.).

[21] *smyr yryy;* s. Orientalia V 87 mit N. 1.

[22] L. c. 13 ss.

eigentlichen Absicht dieses Vortrages zu kommen, nämlich, Ihnen über einige Handschriften der Berliner Turfansammlung zu berichten, die für die *Geschichte* des Manichäismus von Interesse sind. Es ist bekannt, daß Mani im Jahre 215/16 n. Chr. geboren wurde und daß er unter der Regierung Bahrams I., die in die Jahre 273—276 fiel, im Gefängnis gestorben[23] ist; lange Zeit war man im unklaren darüber, welches dieser 4 Jahre als Manis Todesjahr anzusehen ist, und erst die neuen Veröffentlichungen der letzten Jahre zeigten, daß das richtige Jahr höchstwahrscheinlich das letzte Regierungsjahr des ersten Bahram, also das Jahr 276, ist. Diese sowieso schon sehr wahrscheinliche Ansetzung wird jetzt durch die Angabe eines parthischen Textes bestätigt, nach dem Mani 60 Jahre alt geworden sein soll; er hat also von 216 bis 276 gelebt. Es sei hier beiläufig bemerkt, daß merkwürdigerweise Manis Name in seiner griechischen Namensform Μανιχαῖος in persischen und parthischen Hymnen aus Zentralasien vorkommt[24].

Den größten Teil seines Lebens hat Mani der Mission gewidmet; ebenso wie er seine Schüler zur Mission bis nach Ägypten und in die Oxusländer sandte, so befand auch er selbst sich eigentlich stets auf Missionsreisen, die ihn an fast alle Punkte des riesigen Gebietes führten, das damals den sasanidischen Beherrschern des persischen Reiches unterworfen war. Die Grenzen dieses Reiches scheint er nicht überschritten zu haben, abgesehen von seiner ersten großen Reise, auf der er, damals erst wenig über zwanzig Jahre alt, Indien besuchte: die Tatsache dieser Reise kennen wir aus den neuen manichäischen Texten aus Ägypten, wir wissen jedoch nicht, was hier unter „Indien" zu verstehen ist.[25] Wenn man annimmt, daß er seine Tätigkeit auf das westliche Ufer des Indus beschränkt hat, so ergäbe sich, daß er auch bei dieser Reise zumindest die Einflußsphäre des Perserreiches nicht verlassen hätte. In diesem Zusammenhang ist eine Bekehrungsgeschichte aus den Turfanschätzen von Interesse, die trotz ihres legendenhaften Charakters wohl einen historischen

---

[23] Er ist nicht gekreuzigt worden: s. OLZ 1935, 223 s.

[24] *mᵓnyxyws*.

[25] Nach Schaeder, Gnomon IX 350 s. = Indusgebiet und Gandhara (letzteres scheint mir sehr zweifelhaft zu sein).

Kern hat: es wird da erzählt, daß Mani zu dem *Tūrānšāh*[26] gekommen sei und daß dieser ihn als den wahren Buddha anerkannt und sich zu ihm bekehrt habe: *Tūrān*[27] aber ist der Name des an Mekrān nordöstlich angrenzenden Gebiets, eines Teils des heutigen Belutschistan. Die arabischen Historiker versichern uns, daß bereits Ardāšīr, der erste persische König aus dem Geschlecht der Sassaniden, in dessen Regierungszeit Mani seine Reise nach Indien antrat, über die Könige von Mekrān und Tūrān eine Art Oberhoheit ausgeübt habe, daß er ihnen jedoch den Titel „*Šāh*" „König" belassen habe, eine Nachricht, die durch unser Fragment bestätigt wird; daß der *Tūrānšāh* uns als Buddhist vorgestellt wird, überrascht nicht. Als selbstverständlich dürfen wir wohl annehmen, daß Mani auf seiner *Indienreise* in dieses Gebiet gekommen ist; ich glaube, daß er über Tūrān und Sind auf dieser Reise nicht hinausgekommen ist.

Der äußerste Punkt, den Mani auf seinen Reisen im Nordwesten des persischen Reiches erreicht hat, ist nach den koptischen Texten Adiabene, also der Bezirk um Arbela, östlich vom heutigen Mossul, und „die Grenzbezirke des Gebiets des Römischen Reiches"[28]; diese Angabe läßt sich durch turkestanische Texte präzisieren: nach diesen ist er bis nach *Arβāyistān* gekommen; *Arβāyistān*[29], das auf aramäisch *Bēṯ ᶜArβāyē* heißt, ist der vielumstrittene, bald im Besitz der Perser, bald der Römer befindliche Landstrich um Nisibis, und in der Tat der „Grenzbezirk" gegen das Römische Reich.

Schwieriger zu beantworten ist die Frage, wie weit Mani im Nordosten des Reiches gekommen ist: die koptischen Texte belehren uns, er sei im Gefolge Schapurs auch im „Reich der Parther"[30] ge-

---

[26] *twrᵓnšᵓh*; die Tatsache seiner Bekehrung war schon aus dem bisher nicht beachteten Parallelbericht M 48 V bekannt, den Müller (Handschriftenreste II 87) veröffentlicht hatte; Z. 4 s. ist *twrᵓn[šᵓh ᵓwd]* zu lesen (cf. Müllers Ergänzung).

[27] Bei den Arabern immer *ṭūrān* geschrieben; vgl. Nöldeke, Tabari 18 Anm. 1, Marquart, Erānšahr 31. Arm. *Turan* (Hübschmann, Arm. Gr. 88).

[28] Kephalaia 16, 1 s.

[29] *ᵓrbᵓystᵓn* und *ᵓrwᵓystᵓn* (= *Arwāyistān*) geschrieben; daraus verkürzt Pehlevi *ᵓrwᵓstᵓn* = arm. *Arvastan* (Hübschmann, l. c. 27).

[30] Kephalaia 16, 1.

wesen; damit kann man wenig anfangen. Sehr weit ist er hier anscheinend nicht vorgedrungen: hier wirkten seine Schüler an seiner Statt, besonders Mar Ammo, den er nach Chorasan, und zwar zunächst nach Aβaršahr[31], dem heutigen Nischapur, entsandte, und den wir später in Marw und schließlich in Zamb[32], am Ufer des Oxus, wiedertreffen. Aβaršahr und Marw sind in der älteren Zeit die Hauptzentren des Manichäismus im Osten: über Aβaršahr gibt es eine angeblich von Mani stammende Prophezeiung, in der die religiöse Arbeit in dieser Stadt als besonders verdienstvoll gepriesen wird; und Marw war die Residenz des Generalgouverneurs von Chorasan[33]: diesen Posten bekleidete zu Lebzeiten Manis sein hoher Gönner Pērōz, der Bruder des regierenden Königs Schapur; unter seinem Schutz konnte sich Manis Lehre gerade in Marw besonders erfolgreich ausbreiten, ja Mani hatte die allerdings von der Regierung vereitelte Absicht, seinen Protektor zu besuchen; so dürfen wir wohl die Mitteilung der koptischen Schriften verstehen, daß er nach *Kuschan*[34] habe reisen wollen; denn damit ist nicht gesagt, daß er wirklich die Absicht hatte, ins eigentliche Kuschan-Reich zu gehen; Kuschan bedeutete für ihn etwa „der ferne Osten", er wollte wohl nur zum *Kuschanšāh:* diesen Titel führte Pērōz[35]. Unter den Turfanfragmenten befindet sich ein Bericht über den großen Jubel, den im Kreise Manis ein Brief von Pērōz und seinem *Daβīrbeδ*[36], d. h. etwa „Kanzleichef", Ōhrmizd, hervorrief.

Außermanichäische Berichte legen die Annahme nahe, daß Mani bei König Schapur, in dessen dreißigjährige Regierungszeit die Haupttätigkeit des Religionsstifters fiel, zwar anfangs großes Wohlwollen gefunden habe, später aber in Ungnade gefallen, ja von ihm des Reiches verwiesen sei. Das ist grundfalsch und eine Vorwegnahme des Leidensweges, den Mani unter Schapurs zweitem Nach-

---

[31] Andreas-Henning, SBA 1933, 302 s.
[32] Andreas-Henning, SBA 1934, 857 s.
[33] Ibid. 858 N. 5.
[34] Polotsky, Homilien 44, 11.
[35] Siehe zuletzt Schaeder, Iranica 73.
[36] *dbyrbyd* = arm. *dprapet* Hübschmann, l. c. 145; cf. Nöldeke, Tabari 444.

folger Bahram I. beschreiten mußte. Die originalen Quellen der Manichäer wissen von dem angeblichen Zerwürfnis mit Schapur ganz und gar nichts. Besonders in den turkestanischen Texten finden sich Äußerungen Manis über Schapur, die ihn bis in den Himmel loben; und diese Äußerungen stammen anscheinend gerade aus Schapurs letzten Regierungsjahren. Daher ist es wohl richtiger, den von MÜLLER herausgegebenen Bericht[37] über eine sehr unfreundlich verlaufene Unterredung zwischen Mani und „dem König" nicht auf Schapur, sondern auf Bahram zu beziehen.

Auf den Prozeß, den Bahram dem Religionsstifter machte, auf den Mann, der diesen Prozeß in Szene setzte — er heißt in koptischen Texten „der Kardel"[38] —, auf diese Dinge, die von noch unveröffentlichten Texten neues Licht erhalten, kann ich hier nicht eingehen. Nach Manis Tode brachen in seinen Gemeinden heftige Parteikämpfe aus, in denen die von Sisinnios und Mār Gaβrjaβ[39] geführte Partei schließlich die Oberhand behielt; Mār Gaβrjaβ ist uns aus einer für zum Christentum übertretende Manichäer bestimmten Abschwörungsformel in griechischer Sprache als Γαβριάβιος bekannt, und Sisinnios wurde der erste Nachfolger Manis in der Leitung der Gemeinde; schon die koptischen Texte legten die Annahme eines Interregnums zwischen Mani und Sisinnios nahe;[40] das wird jetzt vollauf bestätigt. Hingegen wird man der Behauptung der Manichäer, Mani habe selbst den Sisinnios zu seinem Nachfolger bestimmt, mit einigem Mißtrauen gegenübertreten müssen.

Über die nächsten Jahrhunderte geben die turkestanischen Handschriften fast keine Auskunft; genaueres über die Schicksale der manichäischen Gemeinden in dieser Zeit dürfen wir von einer noch kaum untersuchten koptisch-manichäischen Handschrift erhoffen, die eine Art Kirchengeschichte zu enthalten scheint.[41]

---

[37] Handschriftenreste II 80 ss. (M 3; durch Anfügung eines Fetzens konnte dieser Text vervollständigt werden).

[38] Polotsky, l. c. 45.

[39] *gbryhb*; den gleichen Namen führt später ein turkestanischer Bischof (*ʾftʾδʾn*).

[40] Polotsky, l. c. 83 N.

[41] Schmidt-Polotsky, SBA 1933, 27 ss.

Vorläufig sind wir hier im wesentlichen aufs Raten angewiesen; wir wissen nur, daß die manichäischen Gemeinden trotz zahlreicher blutiger Verfolgungen sich während der ganzen Regierungszeit der Sassaniden, also bis in die Mitte des 7. Jahrhunderts, im Perserreich behaupten konnten; wir wissen aber auch, daß das Schwergewicht der manichäischen Kirche mehr und mehr auf die östlichen Missionsgebiete fiel, daß die im Osten außerhalb des Perserreiches, besonders nördlich des Oxus bestehenden Gemeinden, die erst nach Manis Tod langsam erobert worden waren, eine immer bedeutendere Rolle spielten; gegen das Ende des 7. Jahrhunderts bildeten die gewaltigen Gebirge, die Innerasien nach Westen hin abschließen, die äußerste Ostgrenze des Gebiets der manichäischen Kirche; in dieser Zeit haben die manichäischen Sendboten den Pamir und das Himmelsgebirge noch nicht überschritten.

Als die Araber das sassanidische Reich zu Fall brachten, da erhoben die im Iraq und in Persien lebenden Manichäer kühner ihr Haupt: sie hofften, daß ihre Religion von den Muslims als existenzberechtigt anerkannt würde; ja, damals setzte sogar eine nicht unbeträchtliche Rückwanderung von nach Transoxanien emigrierten Manichäern ein; allein der größere Teil der transoxanischen Manichäer rüstete sich unter dem Druck der drohend immer näher rückenden arabischen Heere, sich eine neue Heimstatt im Osten zu suchen. Der Weg nach Osten, nach China, war den Manichäern jedoch zunächst durch die Tibeter versperrt, die Ostturkestan von 670 bis 692 besetzt hielten: kaum hatten aber die chinesischen Heere dies Gebiet wiedererobert, kaum war die große Karawanenstraße, die über Kaschgar, Kutscha und Karaschahr nach Osten führt, wieder frei geworden, da erschien, im Jahre 694, der erste manichäische Apostel am chinesischen Kaiserhof; er wird genannt „ein Mann aus dem Perserreich, namens *Fu-to-tan*" [42]; auf diese Bezeichnung komme ich noch zu sprechen.

In eben diese Zeit datiert Professor Konow die von ihm entzifferten und soeben veröffentlichten Texte aus Maralbaši [43], die in einer bisher unbekannten Sprache, nach seiner glücklichen Entdek-

---

[42] Chavannes-Pelliot, Traité manichéen (JA 1913, I) 150 s.
[43] Ein neuer Saka-Dialekt. SBA 1935, 772—823.

kung in einem sakischen Dialekt geschrieben sind. In Maralbaši, einem Distrikt östlich von Kaschgar, halbwegs nach Aqsu hin, hat, wie sich aus diesen Texten ergibt, ein kleines von einer sakischen Oberschicht beherrschtes und unter sakischen Fürsten stehendes Reich bestanden, das, wie Professor Konow bewiesen hat, kulturell vom Osten, von Kutscha und Karaschahr, abhängig war, das aber keinerlei Beziehungen zu dem bedeutenderen sakischen Siedlungsgebiet am Südrande Ostturkestans, in Chotan, hatte. Die meisten dieser Texte sind Geschäftsurkunden, es findet sich unter ihnen aber auch ein Fragment, das sich mit religiösen Angelegenheiten beschäftigt, und das uns hier besonders interessiert [44].

Bevor ich jedoch auf diesen Text näher eingehen kann, muß ich etwas über die hier vorkommenden Monatsnamen sagen. Die Monate werden meist einfach mit Zahlen bezeichnet, also „sechster Monat", „achter Monat" usw., nur dreimal werden Monatsnamen genannt, nämlich *Ahverjana*, *Tsviẕānana* und *Buzaḏina*. Professor Konow hat sofort erkannt, daß der Name *Ahverjana* derselbe ist wie der des zweiten soghdischen Monats, *χvarǧan* [45]; wenn aber der eine Name den Soghdern entlehnt ist, so ist das bei den andren a priori anzunehmen, und in der Tat kann man den *Tsviẕānana* bei gutem Willen dem 6. soghdischen Monat *χəzānān* [46] gleichsetzen, wobei freilich das lautliche Verhältnis noch unklar ist. Der dritte Monatsname, *Buzaḏina*, der in dem religiösen Text vorkommt, ist auf keine Weise aus dem Soghdischen zu verstehen; ich möchte für ihn folgende Erklärung vorschlagen: skr. *uposatha* „Fasten" erscheint im uigurischen Türkisch in zwiefacher Gestalt, einmal als *wusantï*, vermittelt durch soghdisch *βōsantū*, und einmal, wohl direkt entlehnt, als *busat* [47]. Wenn dies Wort aus dem Türkischen in

[44] Nr. VI (p. 810 s.).

[45] So ist *χwrjn(yc)* auszusprechen (s. Müller, SBA 1907, 465; die Form *χwrzn* beruht auf einem Versehen; ebenso auch *n⁾s* (für den 4. Monat, welcher, wie sich aus uigurischen Texten ergibt, *ps⁾kyc* [= Kränzemond] heißt, = Birunis *basāk, basākīǧ*, wofür man nach Belieben *pasākīč* lesen kann); Biruni hat die jüngere Form *χurǧan* (mit eindeutigem *ǧ*).

[46] *χz⁾n⁾n(c)* und *γz⁾n⁾n(c)*; leider ist die Lesung der sakischen Form reichlich unsicher.

[47] Siehe BSOS VIII 588 N. 2.

diesen Saka-Dialekt entlehnt würde — und es kommen in diesen Texten türkische Wörter vor[48] —, so müßte es als *buzaḍ erscheinen: buzaḍine mäste[49] hieße dann also „im Fasten-Monat". Das würde recht gut in den Zusammenhang des Textes passen, in dem sich ein Beamter[50] namens Dzatsi verpflichtet, den Mitgliedern seiner Kirche an bestimmten, im einzelnen noch unklaren religiösen Feiertagen und schließlich während des Buzaḍina gewisse Abgaben zu entrichten.

Einen Fastenmonat hatten aber die Buddhisten, an die Professor Konow gedacht hatte, nicht, sondern in diesem Lande nur[51] die Manichäer. In der Tat gibt es nichts, was der Annahme widerspräche, daß die Schreiber dieser Texte Manichäer gewesen seien. Der „daḍihvana", „Gesetzverkünder", der „im Monat Buzaḍina das Gesetz verkünden soll", wäre ein manichäischer „Prediger", dessen Titel im Persischen χrōχvān lautet. Wird tatsächlich, wie Professor Konow annimmt, hier ein „Lehrer"[52] genannt, so hätte man unter ihm den hohen Vorgesetzten des manichäischen Predigers, dessen Titel eben „der Lehrer" ist, zu verstehen. Für meine Annahme läßt sich ein wichtiges Moment geltend machen: die Leute, die die mildtätigen Gaben des Dzatsi empfangen, heißen Suḍana, und das kann schlechterdings nur die einheimische Bezeichnung der Soghder sein;[53] auch in den Geschäftsurkunden werden die Suḍana des öfteren genannt, und zumindest einmal kommt ein

---

[48] Taryañi III 9 (wenn so zu lesen) = Tarχan, Tarqan; aślañye VIII 7 = arslan „Löwe, Held"? yāna VII 4 bis ist viell. nicht türk. yana, sondern soghdisch yᵓn? Vgl. auch Konows Erklärung von ywalki IV 12. Ein persisches Wort dürfte pursickari VIII b 2 sein: = mp. pursišnkār „Berater".

[49] VI 5.

[50] cazba, das Konow, zweifellos mit Recht, gleich cojhbo der Niya-Dokumente setzt (792 N. 1), ist vielleicht auf av. čazdahvant- „verständig" zurückzuführen (N. sg. čazdahva oder čazdahvā, > čazdava > čazdva > cazba), das die Pehlevi-Übersetzung mit vičārtār „wer etwas ausführt, vollzieht" wiedergibt. [Vgl. soghd. čztyk Reichelt II 24, 31.]

[51] Mohammedaner kommen noch nicht in Frage.

[52] peso-nā VI 7 (nach Konow Gen. Pl.).

[53] Zum Lautlichen wies mich Professor Konow freundlichst auf duḍa „Tochter" hin, das auf av. duyδa zurückgeht; ebenso suḍana < *suyδāna-.

Name vor, der ohne Zweifel soghdisch ist, nämlich *Yānāyaḍa*[54]. Die Soghder aber sind die Hauptträger des Manichäismus in Zentralasien: in dem kaiserlichen Edikt vom Jahre 732, das den Manichäismus für China verbietet, wird eine Ausnahme gemacht für die Soghder, weil der Manichäismus ihre Heimatreligion sei.[55] Der manichäische Lehrer, der im Jahre 719, aus Tocharistan kommend, am kaiserlichen Hof erscheint, wird uns unter seinem soghdischen Titel, *možak*, vorgestellt. Und auch der erste manichäische Sendbote, der oben erwähnte *Fu-to-tan* war ein Soghder; denn *fu-to-tan* ist der soghdische Titel für die Mitglieder der zweitobersten Stufe der manichäischen Hierarchie; *fu-to-tan* umschreibt soghdisch *aftāδān*[56], d. h. „Siebziger", eine Bezeichnung der Bischöfe, die im Hinblick auf die 70[57] Jünger Jesu gewählt wurde.

Nach alledem glaube ich, daß man ernstlich mit der Möglichkeit wird rechnen müssen, daß in Maralbaši etwa um 700 eine von Soghdern organisierte und geleitete manichäische Gemeinde bestanden hat, deren Laienmitglieder dem sakischen Adel angehörten.

Zum Schluß möchte ich hier noch kurz auf ein paar soghdische Briefe eingehen, die sich unter den aus Turfan stammenden Fragmenten gefunden haben. Natürlich sind diese Briefe, die uns genaue Auskunft über die Geschichte der Manichäer in Zentralasien geben könnten, überaus schlecht erhalten; man könnte mit ihnen gar nichts anfangen, wenn es nicht gelungen wäre, mehrere Fetzen zusammenzustellen, die nun, wenigstens bei zwei Briefen, einen zusammenhängenden Text ergeben. Freilich, der so gewonnene Text ist immer noch recht fragmentarisch und uns wegen unsrer ungenügenden Kenntnis der soghdischen Sprache im wesentlichen unverständlich.

---

[54] II 10, N. sg. *yānāyaḍi* = soghd. *yᵓn* + *ᵓᵓγtᵓk* (jünger *ᵓᵓγtᵓy*) „zur Gnade gelangt".

[55] Chavannes-Pelliot, l. c. 154.

[56] *ᵓftᵓδᵓn*, das vielleicht persischem *haftāδān* (das in dieser Bedeutung freilich nicht belegt ist) entlehnt wurde; da als Zahl der Bischöfe sonst regelmäßig 72 angegeben wird, könnte *ᵓftᵓδᵓn* elliptisch für *haftāδān uδ dōnān (əspasyān)* (Andreas-Henning, SBA 1933, 323 Z. 20) stehen; „70" heißt im man.-soghd. *ᵓβtᵓṯ*.

[57] Oder 72.

Während wir über die Einführung des Manichäismus ins Uigurenreich (im Jahre 763) relativ gut unterrichtet sind, wissen wir merkwürdigerweise fast nichts über die Gemeinde, die uns die so zahlreichen turkestanischen Handschriften hinterlassen hat, über die Gemeinde in der Turfan-Oase, im Umkreis von *Xočo*, der Hauptstadt jenes kleinen Uigurenstaates, der nach der Zerstörung des großen Uigurenreiches durch die Kirgisen in der Mitte des 9. Jahrhunderts entstanden war. Wir wissen nicht, wann diese manichäische Gemeinde gegründet worden war; ein türkisches Fragment berichtet uns, daß der Uigurenkönig *Buγuγ-χan* nach *Xočo* gekommen sei, um sich mit dem dort residierenden manichäischen Lehrer, dem *Možak*, über die Feier zum Gedächtnis dreier Presbyter, die den Märtyrertod gestorben waren,[58] zu unterhalten. Allein wir wissen nicht, ob dieser *Buγuγ-χan* wirklich derselbe ist wie der *Bögü-χan*, der den Manichäismus ins Uigurenreich einführte.[59]

[58] *üč maχistak olurmaq üčün* (A. von Le Coq in der Thomsen-Festschrift 147) kann m. E. nur heißen „wegen des die drei Presbyter Sitzen", und nicht „wegen der Niederlassung von drei Maχistak", wie der Entdecker und Herausgeber des Fragments übersetzte. Zu vergleichen ist die genau parallele Wendung *yiti yimki olurmaq* (Chvastvaneft XIV, XV ed. Bang) „die sieben ἀρχηγοὶ sitzen". Wie wir jetzt wissen, bezeichnet dieser Ausdruck die Feiern zum Andenken an sieben Oberhäupter der manichäischen Kirche (s. Schaeder, Iranica 22 ss.), die den Märtyrertod gestorben waren, und deren erster Sisinnios war (*mrysysn ymqyy* BSOS VIII 588). Jene drei Presbyter, deren Opfertod von der manichäischen Kirche gefeiert wird, wurden zusammen mit Sisinnios unter Bahram II. im Jahre 291 „gekreuzigt" (Polotsky, Homilien 83, 7 s.).

[59] Und ob damit die Gemeinde der Turfan-Oase unter *Bögü χan* (759—780) nicht nur bestand, sondern sogar das Hauptzentrum des östlichen Manichäismus — Sitz eines „Lehrers" — war. Als *Bögü (Bügü) χan* im Jahre 762 Lo-yang, die östliche Hauptstadt des chinesischen Reiches, besetzte, verhandelte er nicht mit einem „Lehrer", nicht einmal mit einem „Bischof", sondern nur mit „Elekten". In der Karabalgassun-Inschrift werden (darauf wies schon von Le Coq, l. c. 151 hin) nur die *„Schüler des možak"* erwähnt (Chavannes-Pelliot, l. c. 195 s.). Cf. Bang-von Gabain, SBA 1929, 414 ss. Ich glaube nicht, daß es im Jahre 762 im eigentlichen China überhaupt einen so hohen Kirchenfürsten wie einen „Lehrer" gegeben hat: es ist sehr wohl möglich, daß der Sitz des „Leh-

Bei dieser Sachlage könnten wir von den eben erwähnten soghdischen [60] Briefen manche wertvolle Aufklärung erhalten, wenn wir sie verstünden. Diese Briefe sind nun durchweg Beschwerdebriefe, die von einer uns unbekannten Gemeinde an einen manichäischen Lehrer (also etwa an einen „Erzbischof"), der in *Xočo* residiert haben dürfte, gerichtet sind. In ihnen wird über die verdammenswerten Neuerungen und Abweichungen vom Religionsgesetz geklagt, deren sich Nachbargemeinden oder Mitglieder der eignen Gemeinde schuldig gemacht haben: sie haben etwa persönlich Bäume gefällt oder im Garten ein bißchen umgegraben oder gar sich in fließendem Wasser gewaschen, lauter Dinge, die den manichäischen Mönchen streng verboten sind; denn dergleichen Handlungen binden den Menschen in die Welt und hindern seine Er-

rers" — seit 719 in *Č²ang-ngan,* der Hauptstadt der T'ang-Kaiser — nach dem Edikt von 732 nach Westen verlegt wurde; als Residenz des Hierarchen war dann aber *Kao-č²ang (χočo)* zweifellos am günstigsten gelegen. — Wenn aber so die Möglichkeit, daß zu *Bögü χans* Zeit und schon vor ihm in *χočo* ein Lehrer residierte, nicht von der Hand zu weisen ist, so bleiben weiterhin zwei Fragen offen: 1. Ist *Buγuy χan* mit *Bögü χan* identisch? und 2. gehörte *χočo* zum Machtbereich des *Bögü χan?* Chavannes und Pelliot (l. c. 197 N.) bezweifeln das letztere. Allein, bei der unklaren und wechselvollen Machtverteilung in Zentralasien in der zweiten Hälfte des 8. Jahrhunderts und bei dem zweifellosen Übergewicht, das die Uiguren in dem Dreieck Uiguren—T'ang-Kaiser—Tibeter besaßen, scheint mir die Annahme einer zeitweiligen Besetzung von *χočo* durch den Uiguren-Herrscher unbedenklich zu sein, die ja durchaus nicht eine dauernde verwaltungsmäßige Inbesitznahme nach sich zu ziehen brauchte. Bang und von Gabain nehmen die Identität der beiden *Personen Buγuy χan* und *Bögü χan*, bestreiten jedoch entschieden die Identität der *Namen* (l. c. 413). Die Identität der *Person* ergibt sich aus der Schreibung des Namens bei Juwaini (بوقوق بوقو = *Buγu, Buγuy*, s. Bang-von Gabain l. c.) und dann daraus, daß es unter den Beherrschern des Uigurenreiches keinen andren Chan solchen oder ähnlichen Namens gibt. Die *Namen* könnten vielleicht doch identisch sein, wenn man annimmt — darauf wies mich freundlichst Professor Schaeder hin —, daß es sich um verschiedene Dialektformen eines und desselben Wortes handelt.

[60] Sämtlich in manichäischer Schrift.

lösung. Darüber hinaus streuen sie allerlei Irrlehren aus und stiften andauernd Zank und Unfrieden. Diese Leute nun sind erst jüngst in diese Gegend gekommen, und zwar anscheinend aus Mesopotamien: sie bekommen unter anderm das Prädikat „die verdammten Syrer"[61]; man hat sie zuerst gastfreundlich aufgenommen, und zum Dank richten sie nun so viel Ärger an. Da möchte der Erzbischof die Missetäter verwarnen und ihnen schärfstens anbefehlen, die früher gültigen Bestimmungen zu beachten und insbesondere den früher in diesem Lande so angesehenen religiösen Oberhäuptern die gebührende Achtung entgegenzubringen.

Durch einen glücklichen Zufall sind auf einem Fetzen die Namen der beiden Parteien erhalten, die hier gegeneinander stehen, nämlich *Mihriyānd*[62] und *Miklāsīktē*[63], d. h. die Anhänger des *Mihr* und die des *Miklās*. Diese Namen sind uns aus dem Bericht über die spätere Geschichte des Manichäismus bekannt, den wir Ibn alNadīm, einem arabischen Literarhistoriker, verdanken. Wir lernen von ihm[64], daß unter dem Kirchenoberhaupt *Mihr*, der etwa von 710 bis 740 regierte, sich eine Gruppe abspaltete, die zunächst von einem *Zāδhurmuzd* und dann von *Miklās* geführt wurde, wir hören ferner, daß die Spaltung beider Gruppen, die *Mihrijja* und *Miqlāṣijja* genannt wurden, bis etwa 880 andauerte. Es scheint sich auch zu ergeben, daß die Ursache des Schismas die mehr weltlich gerichteten Tendenzen des Mihr und seiner Gruppe bildeten, die bei der orthodoxen Partei scharfen Widerspruch hervorriefen.

---

[61] *myš²nd rymnyt kmbyt swryktyy* „diese unreinen (verfluchten), (in religiöser Beziehung) minderwertigen Syrer" (Obl.).

[62] *myhry²nd* (N. pl.).

[63] *mkl²syktyy* (Obl. pl.); ähnlich gebildet (nur mit *ak*-Suffix statt wie hier mit *īk*-Suffix) ist der Name der Hephthaliten: gr. Ἐφθαλῖται und chin. *Ye-tai i-li-t'o* repräsentieren den soghdischen Plural (Nom.) **Heβtalīt* (Sg. **Heβtalak*); der Name ist bekanntlich vom Namen der Königsfamilie — (*aχšōndār* [so statt *aχšunwār* zu lesen] = soghd. *²χš²wnd²r* „König" ist Titel, s. Müller, Soghdische Texte I 108 N.). — *Ye-ta* [alt *Yepta(r)* oder *Ipta(r)* nach Müller, SBA 1918, 567] abgeleitet (s. Chavannes, Tou-kiue 223), welcher *auch* als Volksname gebraucht worden ist (vgl. zuletzt Bailey, BSOS VI 946 s.).

[64] Fihrist, ed. Flügel I 334.

Wir dürfen daher wohl annehmen, daß die Friedensstörer, gegen die in den soghdischen Briefen so bittere Beschwerden vorgebracht werden, zu den Anhängern des Mihr gehörten. Damit gewinnen wir für die Briefe eine ungefähre Zeitbestimmung: sie müssen vor 880 [65] und nach 763, dem Jahr der Einführung des Manichäismus ins Uigurenreich, geschrieben worden sein. Wir könnten darüber vielleicht genaueres sagen, wenn bei dem einen Brief noch ein paar Zeilen mehr erhalten wären: denn gerade an seinem Ende steht eine jetzt leider völlig verstümmelte Liste der Kirchenoberhäupter und der unter ihrem Regime in der Diözese der Absendergemeinde tätig gewesenen Lehrer und Bischöfe. Hätten wir diese Liste, so könnten wir auch so manches andere Fragment genau datieren — aber es ist bei diesen Fragmenten nun einmal so, daß sie aufzuhören pflegen, wenn es anfängt, interessant zu werden.

Die Bibliothek der Gemeinde der Turfan-Oase, die uns hier überkommen ist, besteht zum größten Teil aus Gesangbüchern, Lehrschriften, Predigtbüchern, Beichtformularen, wie man das ja auch nicht anders erwarten kann. Man kann schließlich nicht verlangen, daß die Bücherei einer Religionsgesellschaft sich aus lauter Kirchengeschichten und sonstigen historischen Werken zusammensetzt; man kann auch nicht verlangen, daß jedes aus einem Gesangbuch herausgerissene Blatt — und wir haben ja nur lauter einzelne Blätter — gleich einen ausführlichen Kolophon enthält, aus dem wir inter-

---

[65] Freilich können die Briefe auch einer späteren Zeit angehören, da die Möglichkeit besteht, daß das Schisma auch nach seiner Beilegung in Babylon doch in Zentralasien fortgewirkt hat. Nach dem Schriftduktus zu urteilen, können die Briefe nicht vor der Mitte des 9. Jh. geschrieben worden sein. Auf der Rückseite des einen Briefes steht ein (später geschriebener) uigurischer Text in geradezu schauderhafter uigurischer Kursive, den Dr. Menges auf meine Bitte hin zu untersuchen die Güte hatte. Soweit man diesen Text verstehen kann, scheint er den Bericht eines manichäischen Mönches, der mit der Verwaltung eines Klosters betraut war, über die Klostereinnahmen und schließlich über die Zerstörung des Klosters und seine (des Mönches) Rettungsversuche zu enthalten; der Text stammt vielleicht erst aus der Mongolenzeit (viel älter ist er jedenfalls nicht). — Bis zur Edition dieser Briefe, die ich vorbereite, werden sich hoffentlich noch einige der hier angeschnittenen Fragen lösen lassen.

essante Nachrichten über Ort, Zeit und Autor ziehen können. Aber natürlich gab es Kirchengeschichten, und jedes Buch hatte einen ausführlichen Kolophon: nur *wir* haben sie nicht. Wir haben nur einen Haufen einzelner Blätter und kleiner und großer Fetzen und müssen uns bemühen, aus dem oft kläglichen Material so viel Belehrung wie möglich zu schöpfen.

Les zindîqs en pays d'Islam au début de la période abbaside. Revista degli Studi Orientali (Istituto di studi orientali della Università di Roma). 17 (1938), pp. 173—229. Aus dem Französischen ins Deutsche übersetzt von Günter Mayer.

DIE ZINDĪQS
IM GEBIET DES ISLAM ZU BEGINN
DER ʿABBASIDENZEIT

Von GEORGES VAJDA

Vorbemerkung

Piae memoriae
Ignatii Goldziher sacrum

Mit der vorliegenden Studie möchten wir einige bescheidene Beiträge zur Geschichte des Kampfes zwischen Islam und Manichäismus liefern. Dieser Kampf stellt sich in zweierlei Gestalt dar: Einerseits offenbart er sich in amtlichen Maßnahmen (Einführung einer Art Inquisition, Verfolgungen, mit deren Hilfe die Muslime in drei Jahrhunderten die Manichäer endgültig über den Oxus zurückgedrängt haben), andererseits in Polemiken, die in der Literatur nachhallen und die auf die Bildung der islamischen Theologie nicht ohne Einfluß gewesen sind.

Unser Ziel hier ist, die erste Seite des Kampfes zu untersuchen. Aber wir müssen von vornherein auf eine Schwierigkeit hinweisen, welche die Forschung erschwert und die Ergebnisse unsicher werden läßt.

Es ist verhältnismäßig selten, daß die muslimische Literatur die Manichäer mit ihrem eigentlichen Namen nennt. Meistens bezeichnet man sie mit zindīq. Dieser Begriff hat sehr früh eine beachtliche Ausdehnung erfahren und wird für alle Arten von Häresie oder für religiöse Haltungen gebraucht, die der Orthodoxie verdächtig sind. Somit ist jedes Mal, wenn man auf eine Anklage wegen zandaqa stößt, eine Prüfung unerläßlich, worum es sich in Wirklichkeit handelt.

Der komplexe Charakter des Begriffs, auf dessen Interpretation aufs Ganze gesehen unsere Studie beruht, hat dieser eine strenge Einheitlichkeit verwehrt.

Als Ausgangspunkt haben wir den Artikel des Fihrist von Ibn al-Nadīm über die Manichäer gewählt. Für die Kenntnis der manichäischen Lehre und die Geschichte der eigentlichen manichäischen Gemeinschaft von unschätzbarem Wert, führt uns dieser Text viel weniger sicher, sobald er nicht mehr manichäische Quellen zusammenfaßt, sondern Nachrichten muslimischen Ursprungs weitergibt. Wir meinen die zindīq-Listen gegen Ende des fraglichen Artikels.

Sobald es sich um Muslime handelt, die der zandaqa angeklagt werden, bedarf die eher „malerische" als Vertrauen verdienende Liste einer strengen Prüfung. Nicht nur, daß ihr Inhalt kritikwürdig ist, sie ist darüber hinaus auch unvollständig. Mehrere Dichter und Schriftsteller, die sie nicht anführt, werden von anderen Quellen wegen zandaqa genannt. Wir hielten es für natürlich, ihnen in unserer Arbeit einen Platz, sogar einen recht wichtigen, einzuräumen.

Des weiteren fällt auf: Der Fihrist, der die Geschichte der manichäischen Gemeinschaft in den islamischen Ländern mit verhältnismäßig zahlreichen Einzelheiten darstellt, weiß über die große amtliche Verfolgung der zanādiqa unter al-Mahdī und seinen Nachfolgern nichts. Diese Lücke verlangte nach einer Auffüllung, und der vorliegende Aufsatz, der ursprünglich nur eine kritische Studie über den Fihrist sein sollte, mußte in diese Richtung erweitert werden.

Diese Vorbemerkungen werden vielleicht rechtfertigen, was als fehlender Zusammenhang erscheinen könnte. Gleichzeitig dürften sie die Beschränkungen verständlich machen, von denen wir glaubten, sie uns auferlegen zu müssen. Wir haben uns einzig und allein vorgenommen, die äußere Geschichte des Zindiqismus nachzuzeichnen. Folglich haben wir hier weder die antidualistische und antimanichäische Polemik noch die möglichen Einflüsse des Manichäismus auf die Literatur jener Zeit untersucht. Ziel unseres Aufsatzes war, die historischen Texte zur Verfolgung der zanādiqa und zu den wichtigsten zindīqs zusammenzustellen und zu diskutieren.

Überall, wo unsere persönlichen Studien uns zu keinem akzeptablen Ergebnis geführt haben, enthielten wir uns lieber einer

Äußerung als daß wir wiederholt hätten, was zu diesem Gegenstand schon gesagt worden ist. Somit wird man hier keine besondere Studie über ᶜAbdallāh b. al-Muqaffaᶜ finden.

Außer auf die großen Historiker, den kitāb al-aġānī (zitiert nach der Ausgabe von Bulaq, die mit den bereits erschienenen Bänden der Kairoer Ausgabe verglichen wurde) und einige andere Texte, von denen wir wenigstens einmal den vollständigen Titel gegeben haben, werden wir uns meistens auf folgende drei Werke beziehen:

Gustav Flügel: Mani, seine Lehre und seine Schriften. Leipzig 1862 (zitiert als: Flügel, Mani).

Louis Massignon: La passion ... d'Al-Hallaj, martyr mystique de l'Islam. Paris 1932 (Massignon, Passion).

Louis Massignon: Essai sur les origines du lexique technique de la mystique musulmane. Paris 1922 (Massignon, Essai).

Schließlich sei mir der Ausdruck meines Dankes gegenüber meinen Lehrern, den Herren Gaudefroy-Demombynes und Massignon, für ihre wertvollen Ratschläge und die wohlwollende Förderung gestattet, die sie meiner Arbeit stets zuteil werden ließen.

Kapitel I
Die Stellen des Fihrist zur Geschichte der manichäischen Gemeinschaft in den islamischen Ländern

Die Uneinigkeit der Manichäer in bezug auf das imām-Amt nach Mani

(Fihrist, ed. Flügel-Roediger, I, S. 334, 1; 4 ff.)

Wie die Manichäer behaupten, hatte Mani vor seiner Auffahrt ins Lichtparadies die imām-Würde Sīs übertragen. Dieser erhielt die reine Religion Gottes bis zu seinem Tod. Nach ihm folgten die imāme aufeinander, ohne daß sich im Schoß der Gemeinschaft eine Diskussion erhoben hätte, bis zum Auftreten einer dissidierenden Sekte namens dēnāwaryya, die den imām angriff und ihm den Gehorsam verweigerte. In der Tat besaß das Imamat seinen vollen Wert nur in Babylonien, und es war nicht erlaubt, daß der imām seinen Wohnsitz woanders nahm. In diesem Punkt war die Sekte anderer Meinung. Ihre Anhänger hörten erst mit ihrer Unterstützung für sie, wie für andere Heterodoxien, die hier nicht erwähnt zu werden brauchen, auf, als die Würde des Oberhaupts an Mihr fiel. Das geschah unter der Herrschaft von al-Walīd, Sohn des ᶜAbd al-Malik, als Ḫālid b. ᶜAbdallāh Statthalter des Iraq war.

Ein gewisser Zādhormoz schloß sich der manichäischen Gemeinschaft an, blieb einige Zeit bei ihr und verließ sie dann wieder. Es war ein Mann von beträchtlichem Reichtum, auf den er verzichtet hatte, um sich dem Leben der „Erwählten" zu weihen. Aber nachdem er Dinge gesehen hatte, die ihm mißfielen, wollte er sich den dēnāwaryya anschließen, die jenseits des Flusses bei Balḫ wohnten. Er begab sich nach Madāᵓin, wo sich einer seiner Freunde befand, ein sehr reicher Mann, einer der Schreiber von Ḥaǧǧāǧ b. Yūsuf. Zādhormoz erklärte ihm seine Lage, den Grund, der ihn zum Bruch mit der Gemeinschaft veranlaßt hatte, und teilte ihm seine Absicht mit, sich den dēnāwaryya in Khorasan anzuschließen. Dieser Schreiber sagte zu ihm: „Ich bin dein Khorasan. Ich werde dir ein Kloster bauen lassen und dir alles beschaffen, was du brauchst." Zādhormoz blieb bei seinem Freund, der für ihn das Kloster bauen ließ. Zādhormoz schrieb an die dēnāwaryya und bat sie um einen Superior zur Leitung seines Klosters. Sie antworteten ihm, das Amt des Oberhauptes dürfe nur im Mittelpunkt des Reiches, in Babylon, ausgeübt werden. Er suchte dann eine für dieses Amt geeignete Person, fand aber keinen anderen als sich selbst. Folglich übernahm er das Amt. Als sein Ende nahte, baten ihn seine Schüler, ihnen ein Oberhaupt zu geben. Er sagte zu ihnen: „Hier ist Miqlāṣ. Ihr kennt sein Verdienst, ich bin mit ihm zufrieden und habe das Vertrauen, daß er euch regieren kann." Als Zādhormoz starb, erhoben sie einhellig Miqlāṣ zum Oberhaupt.

Damals spalteten sich die Manichäer in zwei Parteien, die Mihriten und die Miqlaṣiten.

Der offiziellen Kirche (ǧamāᶜa) widersetzte sich Miqlāṣ in verschiedenen Punkten der Lehre, so in der Frage der wiṣālāt. Das Schisma dauerte, bis Abū Hilāl al-Daihūrī aus Afrika eintraf, den man mit der Würde eines Oberhaupts der Manichäer betraut hatte.

Das geschah unter Abū Ǧaᶜfar al-Manṣūr. Abū Hilāl lud die Miqlaṣiten ein, auf die Regeln zu verzichten, die Miqlāṣ ihnen in bezug auf die wiṣālāt vorgeschrieben hatte. Diese willigten ein.

Zur selben Zeit erschien unter den Miqlaṣiten ein gewisser Buzurǧmihr, gewann eine Anzahl von ihnen und führte manche Neuerungen ein. Dieser Zustand dauerte an, bis Abū Saᶜīd Raǧā die Würde des Oberhaupts erlangte und die Abtrünnigen zur Ansicht der Mihriten über die wiṣālāt zurückführte. Diese Ansicht war von da an die allein herrschende.

So blieben die Dinge bis zum Kalifat von al-Maʾmūn, während dessen ein Individuum, von dem ich glaube, daß es Yazdānbaḫt war, unter ihnen auftrat. Er entfernte sich in mehreren Punkten von der gemeinsamen Lehre und suchte, sie durch List zu gewinnen. Tatsächlich gelang es ihm, daß eine kleine Anzahl von ihnen sich ihm anschloß.

Unter anderem werfen die Miqlaṣiten den Mihriten vor, Ḫālid al-Qaṣrī habe Mihr ein Maultier als Reittier gegeben, ein silbernes Siegel geschenkt und ihn mit bestickten Ehrenkleidern bekleidet.

Oberhaupt der Miqlaṣiten wurde unter der Herrschaft von al-Maʾmūn und al-Muᶜtaṣim Abū ᶜAlī Saᶜīd, auf den später sein Schreiber, Naṣr b. Hormuzd aus Samarkand, folgte.

Den Anhängern der Sekte wie den neu Eintretenden erlaubten sie Dinge, die von der Religion verboten waren. Sie besuchten die Fürsten und aßen an ihrem Tisch. Unter ihren Oberhäuptern war auch Abū-l-Ḥasan aus Damaskus.

Fragment der Geschichte der Manichäer, ihrer Wanderungen durch die Länder; Angaben über ihre Oberhäupter
(S. 337, 1, 12 f.)

Die erste Religion, die sich in Transoxanien niederließ, war, wenn man einmal von den samanīya absieht, die manichäische. Hier ist der Grund: Als Chosroes Mani am Galgen hatte sterben lassen und seinen Untertanen die religiösen Streitigkeiten verboten hatte, begann er, überall Manis Anhänger umzubringen, wo er sie nur fand. Diese flohen vor ihm, bis sie den Fluß bei Balḫ überschritten hatten, drangen in das Reich des khaqan ein und blieben bei ihm (khaqan ist in ihrer Sprache ein Beiname, den sie dem König der Türken geben.) Als sie sich einmal in diesem Land niedergelassen hatten, blieben die Manichäer dort bis zum Fall des Perserreichs und zum Erstarken des arabischen Reichs. Dann kehrten sie in unser Land zurück, vor allem während der Auflösung des Perserreichs und der Herrschaft der Umayyadenfürsten. Ḫālid b. ᶜAbdallāh al-Qasrī nahm sie unter seinen Schutz.

Allein, in unserem Land war der Sitz ihres Oberhaupts an Babylon gebunden. Später ging ihr Oberhaupt (nichtsdestoweniger) dahin, wo er sich in Sicherheit glaubte. Unter der Herrschaft von al-Muqtadir machten sie zum letzten Mal von sich reden. Aus Angst um ihr Leben hatten sie in der Tat in Khorasan Zuflucht gesucht. Die Zurückgebliebenen verbargen ihre Religion und irrten in diesen Ländern umher. Ungefähr fünfhundert von ihnen befanden sich in Samarkand versammelt. Man erfuhr, wer sie waren, und der Herr über Khorasan wollte sie töten lassen. Der König von China (ich glaube, es ist der Herr der Toġuzġuz) schickte ihm folgende Botschaft: „Die Zahl der in meinen Staaten wohnenden Muslime ist weitaus höher als die Zahl meiner Glaubensgenossen, die in deinem Land wohnen. Ich schwöre dir, wenn du nur einen von ihnen tötest, dann werde ich alle in meinen Staaten lebenden Muslime töten, ihre Moscheen zerstören und in allen anderen Ländern Spione gegen die Muslime einsetzen, um sie zu töten." Der Herr über Khorasan schonte also ihr Leben und begnügte sich damit, sie der Kopfsteuer zu unterwerfen. Zur Zeit sind es in den muslimischen Ländern sehr wenig. In Bagdad hatte ich unter Muᶜizz ad-Daula ungefähr dreihundert gekannt. Jetzt befinden sich nicht einmal mehr fünf in der Hauptstadt. Man nennt sie aġārī, sie wohnen in der Umgebung von Samarkand, in den Dörfern Sogdiens und vor allem in Navīkat.

Liste der manichäischen Oberhäupter unter der ᶜAbbasidendynastie und vor dieser Zeit

Ġaᶜd b. Dirham, der seinen Namen dem Marwān b. Muḥammad, genannt Marwān al-Ġaᶜdī, gegeben hatte. Er war der Lehrer dieses

Kalifen und seines Sohnes gewesen und hatte sie zur zandaqa geführt. Hišām b. ᶜAbd al-Malik, der Ġaᶜd lange gefangengehalten hatte, ließ ihn von Ḫālid b. ᶜAbdallāh al-Qaṣrī umbringen. Man erzählt sich, Ġaᶜds Familie habe eine Bittschrift an Hišām gerichtet, in der sie sich über ihre elende Lage und die lange Haft Ġaᶜds beklagt hätte. Als Hišām von dieser Bittschrift Kenntnis bekam, rief er aus: „Er ist also noch am Leben!" und erteilte Ḫālid den schriftlichen Befehl, Ġaᶜd zu töten. Ḫālid ließ ihn am Tag des Opferfestes hinrichten, indem er ihn zum Opfer machte, nachdem er von der Kanzel herab verkündet hatte, daß das der Befehl Hišāms sei. Er selbst wurde übrigens der zandaqa angeklagt. Seine Mutter war Christin. Marwān al-Ġaᶜdī wurde auch zindīq.

Oberhäupter der Manichäer, mutakallimūn, nach außen Muslime, innerlich zindīqs

Ibn Tālūt, Abū Šākir, sein Neffe, Ibn al-Aᶜdā al-Ḥarīzī, Nuᶜmān, Ibn Abī-l-ᶜAuǧā, Ṣāliḥ b. ᶜAbd al-Quddūs.

Diese Personen sind Verfasser von Werken, die die „Zwei Prinzipien" und die Lehren ihrer Anhänger verteidigen. Sie bekämpften viele Bücher, die von den mutakallimūn über diese Gegenstände verfaßt worden waren.

Unter den Dichtern: Baššār b. Burd, Isḥāq b. Ḫalaf, Ibn Sayyāba, Salm al-Ḫāsir, ᶜAlī b. al-Ḫalīl, ᶜAlī b. Ṯābit. Unter den modernen: Abū ᶜĪsā al-Warrāq, Abū-l-ᶜAbbās al-Nāšī, al-Ġaihānī, Muḥammad b. Aḥmad.

Liste der Fürsten und Staatsmänner, die der zandaqa angeklagt wurden

Man hat behauptet, die Barmakiden seien alle zindīqs gewesen, mit Ausnahme von Muḥammad b. Ḫālid b. Barmak. Dieselbe Anklage wurde gegen al-Faḍl und seinen Bruder Ḥasan erhoben. Muḥammad, Sohn des ᶜUbaidallāh, der Schreiber von al-Mahdī, wurde zindīq. Er gestand es, und al-Mahdī ließ ihn hinrichten. Ich habe es von der Hand eines Manichäers geschrieben gefunden, daß al-Mahdī einer der Ihren war: Das ist gelogen. Man sagt, daß auch Muḥammad b. ᶜAbd al-Malik az-Zayyāt zindīq war.

Zu den Oberhäuptern der Sekte unter der ᶜAbbasidendynastie gehören Abū Yaḥyā, das Oberhaupt, Abū ᶜAlī Saᶜīd, Abū ᶜAlī Raǧā, Yazdānbaḫt. Al-Maʾmūn ließ letzteren mit einem Geleitbrief von Raʾy kommen. Als die mutakallimūn ihn im Streit besiegt hatten, sagte al-Maʾmūn zu ihm: „Nimm den Islam an, Yazdānbaḫt; wäre nicht der Geleitbrief, dann gäbe es zwischen uns beiden einen Handel." Yazdānbaḫt antwortete ihm: „Deine Warnung, Herrscher der Gläubigen, muß gehört werden, dein Wort muß befolgt werden, aber du gehörst nicht zu denen, welche die Leute zwingen, ihre Religion aufzugeben." Al-Maʾmūn sagte zu ihm: „Ja", und wies ihm als Aufenthalt das Viertel al-Muḥarram zu und ordnete Wachen zu ihm ab aus Angst, der Pöbel könnte ihn überfallen. Er war übrigens ein äußerst glänzender Redner.

Einige ihrer derzeitigen Oberhäupter

Der Sitz ihrer Oberhäupter wurde nach Samarkand verlegt und ist an diese Stadt gebunden, wie er es früher an Babylon gewesen ist. Ihr Oberhaupt residiert derzeit dort.

Kapitel II
Die amtliche Verfolgung der zanādiqa unter den ersten ᶜAbbasidenkalifen

Die Nachrichten, die unsere Quellen über die Verfolgung der zanādiqa liefern, erlauben nur, die Geschichte für einen ziemlich kurzen Zeitraum nachzuzeichnen, der vom Jahr 163 bis zum Jahr 170 der hiǧra reicht, also für die letzten Jahre al-Mahdīs und die kurze Herrschaft al-Hādīs. Diese große Verfolgung soll nun den Hauptgegenstand unserer Untersuchung bilden. Einige andere Zeugnisse in bezug auf Ereignisse, die dieser Zeit etwas vorausgingen oder auf sie folgten, sollen die Angaben präzisieren, die die Texte uns über die Untersuchungsmethode und das polizeiliche Vorgehen der Inquisition liefern.

163 schreitet al-Mahdī zum erstenmal zu einer energischen Polizeiaktion gegen die zindīqs. Zur Zeit eines Feldzugs, der ihn mit seinem Sohn Hārūn nach Aleppo führt, beauftragt er den muḥtasib ᶜAbd al-Ġabbār, die im Land befindlichen zindīqs zu verhaften. Die Beschuldigten werden vor den Kalifen geführt, der sich zu diesem Zeitpunkt in Dābiq befindet. Einen Teil läßt er hinrichten, ihre Bücher werden zerschnitten.

In den folgenden Jahren wird die Verfolgung der zindīqs viel systematischer fortgesetzt. Von 166 bis 179 wütet sie. Die allgemeine Amnestie, die Hārūn ar-Rašīd bei seiner Thronbesteigung gewährt, erstreckt sich nicht auf die zanādiqa.

Der Oberbefehl über die Polizeiaktionen gegen die zanādiqa wird besonderen Beamten übertragen: ᶜAbd al-Ġabbār, dem aṭ-Ṭabarī indessen, wie wir gesehen haben, nur die Stellung eines muḥtasib zubilligt, während ihn der kitāb al-aġānī ṣāḥib al-zanādiqa — das ist der amtliche Titel des Inquisitors — nennt; ᶜUmar al-Kalwādī, der 167 genannt wird, und nach dem Tod des letzteren Muḥammad b. ᶜĪsā Ḥamdawaih.

Dank einer, leider ziemlich begrenzten, Anzahl von Texten kann man sich von der Aktivität der Inquisition eine Vorstellung bilden.

Ein dem Inquisitor zu Ohren gekommenes Gerücht über verdächtige Handlungen einer Person genügte, daß der Beamte sich in eigener Person aufmachte, um das beschuldigte Individuum zu beobachten. Sehr oft gibt es Massenverhaftungen der zanādiqa, Einkerkerungen, schließlich werden sie vor den Inquisitor oder den Fürsten geführt, wo sie zuerst einem Verhör über ihren Glauben unterworfen werden. Wenn sie sich als zindīq bekennen, werden sie zur Buße aufgefordert. Wenn sie ihrem Glauben abschwören, werden sie freigelassen, im Fall der Weigerung hingerichtet (Enthauptung mit anschließendem Hängen).

Zwei interessante Texte enthüllen uns noch eine sonderbare Einzelheit des Verfahrens.

Der eine, den Rescher einer Istanbuler Handschrift entnommen hat, berichtet, eines Tages habe Abū Nuwās betrunken eine Moschee betreten, wo man gerade das maġrib-Gebet betete. Als der imām den Vers rezitierte قُلْ يَا أَيُّهَا ٱلْكَافِرُونَ (Q. 109, 1) rief Abū Nuwās, der sich hinter ihm befand: „Hier bin ich!" Die Gläubigen führten ihn vor den Polizeichef und erklärten, er habe sich selbst als kāfir bezeichnet. Der Polizeichef schickte ihn zu Ḥamdawaih, dem Inquisitor der zanādiqa. Da dieser Beamte nicht glaubte, daß Abū Nuwās zindīq geworden war, lehnte er zuerst ein Vorgehen gegen ihn ab, schließlich ließ er, zur Beruhigung der Menge, ein Manibild bringen und forderte den Dichter auf, darauf zu spucken. Abū Nuwās tat noch mehr, er steckte sich den Finger in den Hals und erbrach sich auf das Bild, worauf ihn Ḥamdawaih schleunigst wieder freiließ.

Eine im Namen von Ṯumāma b. Ašras überlieferte Anekdote, die sich auf die Zeit al-Māʾmūns bezieht, zeigt, daß dieser Kalif die des zandaqa-Verbrechens Beschuldigten mehreren Prüfungen unterwarf, von denen im Text nur zwei näher erläutert werden: auf das Bild Manis spucken und einen تذرج genannten Wasservogel erdrosseln.

Aṭ-Ṭabarī hat uns die Namen einer Reihe von Personen erhalten, die in die zandaqa-Prozesse verwickelt waren.

Im Jahre 166 wurden Dāwūd b. Rūḥ b. Ḥātim, Ismāᶜīl b. Sulaimān b. Muġāhid, Muḥammad b. Abī Ayyūb al-Makkī und Muḥammad b. Ṭaifūr wegen zandaqa-Verbrechen festgenommen. Vor al-Mahdī geführt, gestanden sie. Nach der Abschwörung ließ der Kalif sie frei und schickte Dāwūd b. Rūḥ zu seinem Vater, dem Statthalter von Baṣra, mit der Empfehlung, seinen Sohn zu züchtigen.

Dieser Text zeigt, daß die zandaqa ihre Anhänger bis in die ersten Familien hinein fand.

Eine andere Stelle desselben Autors unterrichtet uns davon, daß der leibliche Sohn des Wesirs Abū ᶜUbaidallāh der zandaqa angeklagt wurde. Wie wir gleich sehen werden, war das nicht die einzige Beschuldigung wegen Gottlosigkeit, die man gegen die Familie des Wesirs erhob (siehe jedoch weiter unten).

167 verfolgt al-Mahdī die zindīqs energisch und läßt sie überall aufstöbern.

Unter diesem Jahr berichtet aṭ-Ṭabarī die Festnahme von Yazīd b. al-Faiḍ, dem Schreiber al-Manṣūrs, dem indes die Flucht aus dem

Gefängnis glückte. Drei Jahre später wird er zusammen mit Yūnus b. Abī Farwa namentlich von der von Hārūn ar-Rašīd verkündeten Amnestie ausgeschlossen.

Al-Hādī fuhr mit der Verfolgung der zanādiqa fort. 169 ließ er einige hinrichten, so Yazdān b. Bādān, den Schreiber Yaqtīns und seines Sohnes ᶜAlī b. Yaqtīn.

Der Zindiqismus war sogar bis mitten in die hašimitische Familie eingedrungen: Zwei Mitglieder dieser Familie, ein Sohn von Dāwūd b. ᶜAlī und ein gewisser Yaᶜqūb b. al-Faḍl, wurden als zindīqs vor al-Mahdī geführt. Durch einen Schwur gebunden, konnte der Kalif sie nicht hinrichten lassen, gab aber seinem Sohn al-Hādī eine diesbezügliche Empfehlung. Der Sohn von Dāwūd b. ᶜAlī starb im Gefängnis vor al-Mahdī; was Yaᶜqūb betrifft, so ließ ihn al-Hādī nach dem Tod des Kalifen in seinem Kerker erdrosseln.

Yaᶜqūb hat zwei Söhne und zwei Töchter hinterlassen. Die eine von ihnen war, nach ihrer eigenen Aussage, von ihrem Vater schwanger. Diese Tochter und die Frau von Yaᶜqūb b. al-Faḍl kamen unter Keulenschlägen um.

Unsere Quellen machen über die Natur der gegen die Hašimiten erhobenen Anschuldigungen keine näheren Angaben. Die Anklage Inzest ist in Häresieprozessen im Osten wie im Westen so alltäglich, daß man schwerlich sichere Schlüsse daraus ziehen kann.

Es ist richtig, daß wir uns in einer Umgebung und in einer Zeit befinden, wo freizügige Lehren einigen Kredit hatten.

Möglicherweise hatte dieser Prozeß auch politische Hintergründe, die der jetzige Zustand unserer Quellen nicht mehr aufzuhellen vermag.

Unter den zandaqa-Prozessen dieser Zeit gebührt dem Verfahren gegen den Sohn des Wesirs Abū ᶜUbaidallāh ein besonderer Platz.

Unter dem Jahr 161 berichtet aṭ-Ṭabarī die Hinrichtung Muḥammads, des Sohns des Wesirs Abū ᶜUbaidallāh. Die Motive der Bestrafung waren, der Beschuldigte habe den Koran schlecht rezitiert und sei Qadarit gewesen.

Im Jahre 166 schleppt ein gewisser Waḍḍāḥ al-Šarawī einen Sohn des Wesirs, ᶜAbdallāh, vor den Kalifen. Dieser junge Mann war von Ibn Šabbāba der zandaqa angeklagt worden. Es hätte also nach den bei at-Ṭabarī erhaltenen Traditionen zwei Söhne von Abū ᶜUbaidallāh gegeben, die im Abstand von fünf Jahren der Gottlosigkeit angeklagt wurden. Der erste wurde hingerichtet, über das Los des zweiten wird nichts gesagt.

Indessen stellt man fest, wenn man den beiden Berichten, die wir gerade erwähnt haben, gleichlaufende Erzählungen befragt, daß sie nur einen Sohn von Abū ᶜUbaidallāh kennen, der wegen zandaqa verfolgt und hingerichtet wurde. Drei von den vier Texten, über die wir verfügen, berichten nur, daß der Kalif al-Mahdī einen Sohn von Abū ᶜUbaidallāh hinrichten ließ, nennen ihn aber nicht. Der vierte Text, der übrigens den detailliertesten Bericht gibt, nennt den Sohn des Wesirs, wie die zweite Überlieferung bei aṭ-Ṭabarī, ᶜAbdallāh und weist dem Ereignis dasselbe Datum zu: 166 der hiǧra.

Dieser Bericht stammt von al-Ġahšiyārī, der die Geschichte folgendermaßen erzählt:

Ar-Rabīᶜ, der Vertraute al-Mahdīs, konnte im Charakter oder im Verhalten seines Rivalen, des Wesirs Abū ᶜUbaidallāh, keinen Angriffspunkt finden. Daher flößt er auf den Rat eines gewissen al-Qušairī dem Kalifen geschickt ein, ᶜAbdallāh, der Sohn des Wesirs, sei zindīq. 166, mitten in der zanādiqa-Verfolgung, führt Waḍḍāḥ al-Šarawī ᶜAbdallāh zusammen mit anderen zindīqs vor den Kalifen, als er ihn in Mekka verhaftet hatte. Al-Mahdī fragt den jungen Mann: „Bist du ein zindīq?" Er antwortet: „Ja!"

Tatsächlich, so bemerkt der Erzähler, gebe es zindīqs, die es nicht für erlaubt hielten, ihren Glauben zu verleugnen oder einen anderen vorzutäuschen. Der Kalif fordert ᶜAbdallāh auf, zu rezitieren (natürlich den Koran). Er rezitiert: „Sei gesegnet (oder: du bist gesegnet) ebenso wie deine Welten durch die Größe der Schöpfung." Ar-Rabīᶜ rät dem Kalifen, Abū ᶜUbaidallāh den strengen Befehl zu erteilen, seinen ungläubigen Sohn mit eigenen Händen zu töten. Aber dieser perfide Rat wird nicht angenommen. ᶜAbdallāh wird getötet, obwohl er sich im letzten Augenblick zum Widerruf seiner Irrtümer bereit zeigt, und begraben, ohne daß man sein Gesicht der qibla zukehrte.

Wie man sieht, vereinigt der Bericht al-Ġahšiyārīs in bezug auf einen einzigen Sohn von Abū ᶜUbaidallāh die Bestandteile der beiden Überlieferungen, die bei aṭ-Ṭabarī in der Chronologie und im Namen, den sie ihrem Helden geben, voneinander abweichen. Die anderen Quellen kennen nur einen zindīq-Sohn von Abū ᶜUbaidallāh. Daher neigen wir dazu, in der ersten Überlieferung aṭ-Ṭabarīs (über Muḥammad) eine Dublette der zweiten zu sehen. Dublette nur, was den Namen der Hauptperson angeht; denn die anderen Elemente der Erzählung (die Einflüsterungen ar-Rabīᶜs, die Rezitationsprüfung, die Weigerung des unglücklichen Vaters, sein eigenes Kind zu töten) gehören bei al-Ġahšiyārī und in der Fassung des kitāb al-aġānī zu der Überlieferung, die den jungen zindīq ᶜAbdallāh nennt. Nach der Erzählung al-Ġahšiyārīs kann man kaum daran zweifeln, daß ᶜAbdallāh wirklich zindīq gewesen ist, wobei zandaqa hier sehr wahrscheinlich Manichäismus bedeutet. Nicht weniger gewiß ist, daß die Anzeige ar-Rabīᶜs rein politische Beweggründe hatte.

Aṭ-Ṭabarī sagt sehr klar, daß die gegen den Sohn von Abū ᶜUbaidallāh erhobene Beschuldigung wegen zandaqa in Wirklichkeit darauf abzielte, die Stellung des Vaters zu erschüttern, Gegenstand der Intrigen der mawālī al-Mahdīs. Masᶜūdī berichtet ebenfalls, daß auf die Hinrichtung des Sohnes von Abū ᶜUbaidallāh hin eine Abkühlung zwischen al-Mahdī und seinem alten Diener eintrat, der schließlich abgesetzt wurde.

Der kitāb al-aġānī will sogar, daß al-Mahdī den wirklichen Grund bemerkt habe, aus dem ar-Rabīᶜ ihm Nachrichten über die Gottlosigkeit des Wesirsohnes zugespielt habe. Nach Ibn Ḫallikān hatte ar-Rabīᶜ den Sohn von Abū ᶜUbaidallāh der zandaqa angeklagt und ließ nach der Hinrichtung des Sohns den Vater durch Yaᶜqūb b. Dāwūd ersetzen.

Halten wir eine interessante Tatsache fest, die wir, läge nicht Unsicherheit auf unserem ganzen Gegenstand, als bezeichnend ansehen könnten: Die beiden Dichter, die die Partei von Abū ᶜUbaidallāh ergreifen oder seinen Nachfolger attackieren, ᶜAlī b. al-Ḫalīl und Baššār b. Burd, sind beide als zindīq-Dichter bekannt.

Nachdem wir das Bild der Verfolgungen in den Jahren 163—170 recht summarisch skizziert haben, müssen wir uns fragen, wer die zindīqs sind, gegen die die Inquisition des Kalifen während dieser Zeit wütete. Uns will es scheinen, als hätten sich die Verfolgungen al-Mahdīs und al-Hādīs in erster Linie gegen die Manichäer gerichtet.

Dieser Schluß drängt sich bei der Betrachtung der Prüfungen auf, denen die Beschuldigten unterworfen wurden und von denen wir oben gesprochen haben. Er wird noch von einer Überlieferung bekräftigt, die wir nach Abstrich einiger schriftstellerischer Ausschmückungen als authentisch ansehen können. Tatsächlich überliefert aṭ-Ṭabarī folgende Erzählung: „Muḥammad b. ᶜAtā b. Muqaddam von Wāsiṭ berichtet im Namen seines Vaters: Eines Tages wurde ein zindīq vor al-Mahdī geführt, der ihn zur Buße aufforderte. Als dieser sie abgelehnt hatte, ließ ihn der Kalif enthaupten und an den Galgen hängen, dann sagte er zu Mūsā: ‚O mein Sohn, wenn du an die Macht kommst, dann verfolge hartnäckig diese Bande [al-ᶜiṣāba] (er sprach von den Anhängern Manis). Diese Sekte bringt die Leute zu äußerlich ehrbaren Handlungen, die Unreinheit zu meiden, in dieser Welt Askese zu üben, für das zukünftige Leben zu arbeiten. Von da aus führt sie sie dazu, sich des Fleischs zu enthalten, rituelle Waschungen zu praktizieren, keine Tiere zu töten, unter dem Vorwand, die Sünde und das Laster zu meiden. Von da aus führt sie sie zur Verehrung der Zwei Prinzipien, Licht und Finsternis. Dann erlaubt sie ihnen, ihre Schwestern und Töchter zu heiraten, sich mit Urin zu waschen, auf den Straßen Kinder zu stehlen, um sie vor der Verführung der Finsternis zu retten, (indem sie sie) zur guten Richtung des Lichts (führen). Errichte Galgen gegen diese Sekte und ziehe gegen sie den Säbel. Nähere dich, indem du sie züchtigst, Gott, der keinen neben sich hat. Im Traum habe ich al-ᶜAbbās gesehen, deinen Ahnen, der mich mit zwei Säbeln umgürtet und mir befohlen hat, diejenigen zu töten, die an die Zwei Prinzipien glauben.‘ "

„Nach zehn Monaten Herrschaft", fährt der Erzähler fort, „gab Mūsā folgende Erklärung ab: ‚Bei Gott, wenn es mir vergönnt ist zu leben, werde ich diese Sekte ausrotten, daß ich nicht einmal ein Auge, das sieht, übriglasse.‘ Man sagt, er habe die Herrichtung von tausend Palmstämmen befohlen (die als Galgen dienen sollten). Er gab diese Erklärung in dem und dem Monat ab; zwei Monate später war er tot."

Dieser Text beweist, daß sich die Verfolgung hauptsächlich gegen die Manichäer richtete, abgefallene Muslime oder ursprüngliche Manichäer, die schuldig waren, unter den Muslimen Propaganda getrieben zu haben.

Die Beschreibung, die der Kalif von den Manichäern gibt, ist ziemlich genau, mit Ausnahme natürlich der Anklagen wegen Inzest und Sittenlosigkeit, die überall gegen zur heimlichen Existenz verurteilte Sekten erhoben werden, und des Vorwurfs der Waschungen mit Urin, der auf die Mazdäer, keinesfalls aber auf die Manichäer zutrifft.

Nichtsdestoweniger hatten zu dieser Zeit die Anklagen wegen Zindiqismus einen viel beträchtlicheren Umfang angenommen, wie uns das Studium zeitgenössischer Personen zeigen wird, die der Fihrist oder andere Quellen als zindīqs bezeichnen.

Kapitel III
Die wichtigsten zanādiqa unter den ersten ᶜAbbasidenkalifen

Der fragmentarische und oft widersprüchliche Charakter unserer Quellen verbietet es uns, die während des ersten Jahrhunderts der ᶜAbbasidenzeit als Manichäer, zindīqs oder Dualisten bezeichneten Personen in einer Gesamtdarstellung zusammenzufassen. Gezwungenermaßen müssen wir also in unserer Untersuchung von Einzeldarstellung zu Einzeldarstellung weiterschreiten. Es schien uns gut, mit denen zu beginnen, die der Fihrist ganz kurz manichäische Oberhäupter nennt, dann die der zandaqa beschuldigten mutakallimūn vorzustellen und die Reihe unserer Berichte mit den des Manichäismus verdächtigen Dichtern und Schriftstellern zu beschließen.

A. Unter den manichäischen Oberhäuptern gibt es zwei, die man mit Sicherheit auch in andern Texten findet; eine dritte Identifikation ist weniger sicher.

1. Abū ᶜAlī Saᶜīd wird von Šahrastānī erwähnt. Wenn man ihm Glauben schenkt, schrieb Abū ᶜAlī Saᶜīd 271/884 unter der Herrschaft al-Muᶜtamids.

2. Yazdānbaḫt wird von dem Zaiditen Aḥmad b. Yaḥyā al-Murtaḍā

als Verfasser einer Schrift genannt, der al-Murtaḍā die Theorie
über die Nachfolge der Propheten entlehnt.

3. Es ist nicht auszuschließen, daß der Name eines dritten Manichäers, der im Fihrist erwähnt wird, sich in einer von al-Ǧaḥiẓ
überlieferten Anekdote wiederfindet. Hier ist der Anfang dieser
Stelle: „Eine andere Frage, die der Herrscher der Gläubigen
(al-Maᵓmūn) dem zindīq Abū ᶜAlī stellte, als er sah, daß
Muḥammad b. al-Ǧahm die Diskussion in die Länge zog,
al-ᶜUtbī unfähig war, sich (mit dem zindīq) zu messen und Qāsim
b. Sayyār Unverstand bewies."

Durch eine geschickte Frage verwirrt der Kalif den Manichäer,
der nichtsdestoweniger von seinem Irrtum nicht abgeht und in
seiner Religion stirbt.

Dieser Abū ᶜAlī kann nicht Abū ᶜAlī Saᶜīd sein, der 271 schrieb,
da al-Ǧaḥiẓ, 255 gestorben, von unserem Abū ᶜAlī als von einer
verstorbenen Person spricht. Bis zum Beweis des Gegenteils steht
nichts im Weg, den zindīq von al-Ǧaḥiẓ mit Abū ᶜAlī Raǧā von Ibn
al-Nadīm gleichzusetzen.

B. Die Liste der der zandaqa anhängenden mutakallimūn, die
der Fihrist bietet, ist nach den Worten Massignons „sehr heterogen".
Sie spiegelt die Meinungen einer Zeit, wo die Häretiker und Dissi-
denten aller Art großzügig mit der Bezeichnung zindīq belegt
wurden, stellt aber keine alte Tradition dar. Weiter oben haben wir
gesehen, was von der Anwesenheit al-Nāšīs und al-Ǧaihānīs in
dieser Aufzählung zu halten ist. Was Ibn al-Aᶜdā al-Ḥarīzī angeht,
so kennen wir seine Identität nicht.

Ibn Tālūt und Nuᶜmān werden im kitāb al-intiṣār des al-Ḥayyāṭ
als Lehrer des Ibn ar-Rāwandī erwähnt, der selbst das Beiwort
zindīq erhält.

Als „Lehrer" des Ibn ar-Rāwandī kommt auch der berühmte
Abū Šākir vor, den al-Ḥayyāṭ auch mit dem bekannten šiᶜitischen
Theologen Hišām b. al-Ḥakam zusammenbringt.

Das einzige Band zwischen diesen drei „Lehrern" des Ibn
ar-Rāwandī scheint ihre ultrašiᶜitische Position zu sein. Das hat
genügt, um sie unter die zanādiqa einzureihen.

Über Ṣāliḥ b. ᶜAbd al-Quddūs hat Goldziher schon das Wesentliche gesagt; nur erwähnt er infolge einer zweifellos unbeabsichtigten Auslassung den Ṣāliḥ zugeschriebenen kitāb al-šukūk nicht. Die Annahme ist begründet, daß wegen dieses Werks der Fihrist Ṣāliḥ unter die mutakallimūn und nicht unter die Dichter, die Anhänger der zandaqa sind, eingeordnet hat.

Die Personen, die wir eben vorgestellt haben, sind entweder dem Manichäismus ganz fremd oder so wenig bekannt, daß man mangels Urkunden ihre religiöse Stellung nicht genau bestimmen kann. Etwas besser sind wir dran, wenn wir uns ans Studium der Persönlichkeit des ᶜAbd al-Karīm ibn Abī-l-ᶜAuǧā begeben.

Aus einer großen Familie der Zeit stammend, gehörte Ibn Abī-l-ᶜAuǧā zu einem Kreis von mutakallimūn in Baṣra, wo Muᶜtaziliten wie Wāṣil b. ᶜAṭā mit Dichtern wie Baššār b. Burd und Ṣāliḥ b. ᶜAbd al-Quddūs und mit Schülern Buddhas (?) wie dem Araber aus dem Stamm der Azd, einem Anhänger der samanīya, zusammentrafen. Aus Baṣra vertrieben, geht er nach Kufa, wo er in die Hände von Muḥammad b. Sulaimān fällt, dem Gouverneur der Stadt, der ihn kreuzigen läßt. Nach den Worten aṭ-Ṭabarīs veranlaßte diese Maßnahme die Absetzung Muḥammads. ᶜĪsā b. ᶜAlī versuchte vergeblich, ihn zu retten, indem er dem Kalifen erklärte, mit der Hinrichtung eines zindīqs habe der Gouverneur nur seine Pflicht erfüllt.

Vor seinem Tod bekannte Ibn Abī-l-ᶜAuǧā, viertausend Traditionen erdichtet zu haben, so daß er den Muslimen verbot, was ihnen erlaubt war, und umgekehrt, daß er für sie das Fasten an dem Tag aufhob, wo sie fasten sollten, und sie an dem Tag fasten ließ, wo sie das Fasten brechen sollten.

Dieses Geständnis des sterbenden zindīqs wird von einem Text al-Bīrūnīs erhellt. Bei der Verwerfung einer Methode zur Berechnung des Ramadan bezeichnet dieser Autor die Tradition, die sie berichtet, als des Manichäers Ibn Abī-l-ᶜAuǧā würdig. Was seine religiöse Stellung betrifft, so wissen wir, daß er ein Schüler des Ḥasan al-Baṣrī war (und er verfehlt nicht, seinem Lehrer Unbeständigkeit im Lehrstoff vorzuwerfen), wie des imām Gaᶜfar al-Ṣādiq, dessen riwāyāt er wahrscheinlich kompiliert hat. Gaᶜfar hatte er auch die Berechnung der Monatsersten zugeschrieben, die er erfunden hatte.

Im Grunde beschränkt sich die Spottschrift des Baššār b. Burd darauf, Ibn Abī-l-ᶜAuǧā der Sittenlosigkeit und der Unbekümmertheit auf dem Gebiet des kanonischen Gebets und des Fastens zu zeihen, Anklagen, die wir bei den meisten Personen, von denen wir zu sprechen haben, wiederfinden.

Der aus dem Recueil Massignons zitierte Text sagt nur, daß Ibn Abī-l-ᶜAuǧā انحرف عن التوحيد. Diese Worte können bedeuten, daß er Dualist geworden war (ṭanawī in diesem Fall als Gegensatz zu muwaḥḥid) oder daß er von der muᶜtazilitischen Lehre des tauḥīd abgewichen war.

Al-Muṭahhar al-Maqdisī ist sehr klar: Mani und Ibn Abī-l-ᶜAuǧā lehren, das Licht habe das Gute, die Finsternis das Böse erschaffen; diese beiden Prinzipien seien ewig, lebendig und mit Sinnen ausgestattet; aus ihrer Vermischung sei die Welt entstanden, wo ihre Aktivität dauernd wirksam werde.

Al-Baġdādī zählt unter den islamischen Sekten, deren Anhänger nur die Wahl zwischen Abschwören und Tod haben, die Schüler des Ibn Abī-l-ᶜAuǧā auf, welche sich zur Lehre von der Seelenwanderung bekennen. An einer anderen Stelle zitiert derselbe Autor vier Hauptanklagen gegen Ibn Abī-l-ᶜAuǧā:

a) Er wurde Manichäer,
b) er lehrte die Seelenwanderung,
c) er neigte zu den rafiditischen Lehren,
d) er war Qadarit.

Darüber hinaus erfand er Traditionen, um die einfachen Leute in den Fragen der göttlichen Gerechtigkeit zu täuschen. Er täuschte auch die Rafiditen durch eine falsche Berechnung des Ramadan, die er dem imām Gaᶜfar zuschrieb.

Al-Isfarāʾinī macht aus Ibn Abī-l-ᶜAuǧā einen Kryptomanichäer, der nach außen den Qadariten und Rafiditen anhing und die Seelenwanderung lehrte.

Vor Gaᶜfar al-Ṣādiq hatte er das Problem des menschlichen Leids gestellt: „Warum die Katastrophen, die Epidemien, wenn Gott gut ist?"

Für al-Bīrūnī ist er, mit ᶜAbdallāh b. al-Muqaffaᶜ, derjenige, der die manichäische Lehre (ṣirāṭ Mānī) in so schönen Farben dargestellt hat, daß er das Volk in seine Falle lockte, und der den Glauben der einfachen Leute durch Fangfragen über die göttliche Gerechtigkeit erschütterte (taᶜdīl wa-taǧwīr).

Schließlich schreibt ihm, ebenso wie Ḥammād ᶜAǧrad, Yaḥyā b. Ziyād und Muṭiᶜ b. Iyās, Masᶜūdī die Autorschaft an Büchern zur Verteidigung manichäischer, bardesanitischer und marcionitischer Lehren zu.

Diese Texte, so scheint es uns, erlauben uns einen sichereren Schluß als in den vorhergehenden Fällen.

Welches auch immer die Stufen in seiner religiösen Entwicklung gewesen sein mögen — Ibn Abī-l-ᶜAuǧā beendete seine Laufbahn als Manichäer: Diskussion des Problems vom Bösen als Mittel der Propaganda, dualistische Weltentstehungstheorie mit ausgesprochen manichäischer Färbung, Lehre von der Seelenwanderung —, das sind die Züge, die das von al-Bīrūnī so klar formulierte Verdikt voll rechtfertigen.

Der letzte Theologe, von dem wir zu sprechen haben, ist Abū ᶜĪsā al-Warrāq, gestorben 247. Von seiner literarischen Tätigkeit wissen wir, daß er einen kitāb al-maǧālis, einen kitāb al-maqālāt und Werke über das Imamat verfaßte. Auch polemisierte er gegen die Christen.

Er war ein ehemaliger Muᶜtazilit, wie sein Schüler Ibn ar-Rāwandī, den seine Kollegen wegen seiner heterodoxen Ansichten exkommuniziert haben. Was diese angeht, so besitzen wir kaum mehr als die Referate seiner Gegner, und die sind widersprüchlich und von anfechtbarer Wahrheitsliebe.

Man nennt ihn einen Rafiditen, einen Anhänger der Unvergänglichkeit der Körper und der Präexistenz der Zwei Prinzipien. Nunmehr hat al-Ḥayyāṭ leichtes Spiel, ihn als Manichäer zu bezeichnen, und er beweist seine Anklage mit dem Bericht, Abū ᶜĪsā habe, als guter Manichäer, das Blutvergießen verurteilt und ᶜAlī b. Abī Ṭālib mehr als irgendeinen anderen Menschen gehaßt, weil er viel Blut vergossen habe. Nur etwas vergißt unser Muᶜtazilit: mit diesem Haß auf ᶜAlī den Rafidismus des Abū ᶜĪsā in Einklang zu bringen, den er selbst mit vielen anderen Autoren für erwiesen hält.

Was aus den Texten hervorgeht, auf die wir uns bezogen haben, ist zuerst die Tatsache der šiᶜitischen Neigungen von Abū ᶜĪsā, war er Rafidit oder nicht. Die zu persönlichen Anklagen der Muᶜtaziliten allein berechtigen uns nicht, aus ihm einen Manichäer zu machen. Nichtsdestoweniger kann man gelten lassen, daß er mit seiner Lehre von der Unvergänglichkeit der Welt und — vielleicht — von den Zwei Prinzipien auf der äußersten Linken der heterodoxen Muslime einzuordnen ist.

Vor seiner umfassenden Neugier hinsichtlich der verschiedensten religiösen Lehren hat man den Eindruck, es eher mit einem Skeptiker zu tun zu haben, mit einem „unabhängigen Kritiker", wie ihn Massignon nennt, als mit dem Anhänger einer bestimmten Lehre. Seinen Platz im Katalog des Fihrist verdankt er seiner Reputation als Manichäer, die die Muᶜtaziliten des Jahrhunderts vorher ihm mit Fleiß verschafft haben, vielleicht auch — das ist nicht der erste Fall dieser Art — seinen šiᶜitischen Freundschaften.

C. Unter den der zandaqa beschuldigten Dichtern und Schriftstellern gebührt der erste Platz Baššār b. Burd. Ohne uns bei den Einzelheiten seiner Biographie oder beim rein literarischen Teil seiner Werke zu sehr aufzuhalten, wollen wir in seiner Persönlichkeit, seiner Dichtung und seinen Beziehungen zu seinen Zeitgenossen untersuchen, was ihm den Ruf, ein zindīq zu sein, eingebracht hat, der sich dauerhafter mit seinem Namen verknüpfte als mit dem eines anderen Literaten seines Jahrhunderts, ᶜAbdallāh b. al-Muqaffaᶜ ausgenommen. Voll Stolz auf seine iranische Verwandtschaft ist Baššār trotz den Bindungen zu den B. Uqail, aus denen seine Mutter stammt, reiner Šuᶜubit und hat von den Arabern nur eine höchst mittelmäßige Meinung.

Andererseits verachtete er die Menschen, und man erzählte von ihm, er danke Gott dafür, daß er ihn blind zur Welt kommen ließ und ihn so davor bewahrte, diejenigen zu sehen, die er haßte. Die Vermutung ist berechtigt, gerade dieses Leiden, im Verein mit seiner berühmt gebliebenen Häßlichkeit, habe seine Haßgefühle gegenüber den Menschen hervorgebracht.

Diese Verbitterung gegen den Nächsten erklärt auch, warum Baššār ein besonders giftiger Satiriker und als solcher allgemein gefürchtet war.

Möglicherweise wurde Baššār in seiner Misanthropie noch durch seine religiösen Ansichten bestärkt. Als Anhänger der rafiditischen Sekte der kāmalīya verfluchte er jede muslimische Gemeinschaft. Er hatte also zwei Gründe, seine Mitbürger zu verachten: als Menschen und als Ungläubige.

Aus welchen Motiven wurde Baššār b. Burd der zandaqa beschuldigt?

Er verrichtet nicht das kanonische Gebet. Des weiteren nimmt er sich heraus, sich darüber lustig zu machen, wenn man der Tradition Glauben schenken will, nach der er betrunken den Gebetsruf nachäfft, als ihm der Kalif al-Mahdī auf der Straße von Baṣra begegnet. Seine Stellung zur Wallfahrt ist auch nicht ehrfurchtsvoller. In Gemeinschaft mit Saᶜd b. Qaᶜqāᶜ zur Wallfahrt aufgebrochen (und das nur, um den Verdacht der zandaqa von sich und seinem Freund abzulenken), macht er in Zurāra Station und verbringt dort seine Zeit mit Trinken. Bei der Rückkehr der Pilger tun die beiden Kumpane, als kämen sie von der Wallfahrt zurück, mischen sich in Qādisīya unter die echten Pilger und nehmen die Glückwünsche entgegen.

Einige seiner Verse hält er für besser als den Koran.

In seinem Baššār gewidmeten Bericht zitiert Ibn Qutaiba zwei Verse dieses Dichters, um die Nichtigkeit der auf ihm lastenden zandaqa-Anklage zu beweisen:

$$\text{كيف ييكى لمحبس ڧ طلول} \qquad \text{من سيقصى ليوم حبس طويل}$$

$$\text{إن ڧ البعث والحساب لشغلا} \qquad \text{عن وقوف برسم دار هيل}$$

Aus diesen Versen geht hervor, daß die Gottlosigkeit des zindīq unter anderem daraus bestand, daß er Auferstehung und Letztes Gericht leugnete.

Nach al-Ġaḥiẓ und al-Baġdādī glaubte Baššār an die Seelenwanderung.

Unter den von seiner Gottlosigkeit zeugenden Versen werden die am häufigsten zitiert, in denen er Iblīs, einem aus Feuer erschaffenen Wesen, recht gibt, die Proskynese vor Adam verweigert zu haben, der aus Erde erschaffen wurde:

$$\text{الارض مُظلة النار مشرقة} \qquad \text{والنار معبودة مذ كانت النا}$$

Wegen dieser Rechtfertigung des Iblīs griff ihn sein ehemaliger Freund, das Oberhaupt der muᶜtazilitischen Schule, Wāṣil b. ᶜAtā, heftig an. Ein gewisser Ṣafwān al-ᶜAnṣārī, der zum Kreise Wāṣils gehört zu haben scheint, verfaßte eine lange qasida, um die Vorstellung von der Unterlegenheit der Erde gegenüber dem Feuer zu bekämpfen.

In diesem Teil, der eine besondere Untersuchung verdiente, wird auf die heterodoxen Glaubensansichten Baššārs angespielt. In einem anderen Text wird Baššār als einer dargestellt, der nur an das glaubt, was er mit eigenen Augen sieht; gegenüber dem mit ihm diskutierenden Abū Ḫālid verteidigt er seine Ansicht jedoch nicht sehr energisch. Er beendet die Diskussion mit Versen von einem enttäuschten Fatalismus.

Nach einer von al-Mubarrad berichteten Tradition fragte jemand, der Baššār für einen „Dualisten" hielt, ob er Fleisch esse. Dieser Text würde auf den Beweis hinauslaufen, daß Baššār klar des Manichäismus verdächtigt wurde.

Die deutlichsten Anklagen wegen zandaqa wurden gegen Baššār im Verlauf seiner poetischen Kämpfe mit Ḥammād ᶜAǧrad erhoben. Wir werden die diese Polemik betreffenden Texte in dem Bericht untersuchen, der letzterem gewidmet ist.

Es bleibt uns noch, die Umstände von Baššārs gewaltsamem Tod aufzuhellen. Die Traditionen über dieses Ereignis sind zahlreich und widersprechen sich in mehreren Punkten. Anscheinend muß man zwei Gruppen von Berichten unterscheiden (die sich im übrigen manchmal überschneiden): Nach der einen fiel Baššār der Rache von Yaᶜqūb b. Dāwūd zum Opfer, nach der anderen ließ ihn al-Mahdī, erbittert über die Laster, die Gottlosigkeit und die Unverschämtheit Baššārs, der nicht einmal die Person des Kalifen verschonte, hinrichten oder lieferte ihn der Inquisition der zanādiqa aus.

Mangels äußerer Kriterien darf man nicht die eine Tradition verwerfen und an der anderen festhalten. Nichtsdestoweniger scheint es uns, niemand hätte Yaᶜqūb b. Dāwūd die Hauptrolle bei der Hinrichtung Baššārs zugeschrieben, wenn nicht eine alte und feste Tradition über dieses Ereignis existiert hätte. Was die Berichte betrifft, die aus der amtlichen Inquisition das Werkzeug des Kalifenzorns machen, so sind sie widersprüchlich und entsprechen nicht der Vorstellung, die man sich nach den anderen Texten von der Arbeit dieser Behörde macht. Wir neigen also dazu, den tragischen Tod Baššārs auf die persönliche Feindschaft des Wesirs zurückzuführen, und den Charakter, das Werk und die Glaubensansichten des Dichters nur die zweite Rolle spielen zu lassen.

Was letztere angeht, so stellen wir hier noch fest, daß die Zugehörigkeit zu einer rafiditischen Sekte und die Anklage wegen zandaqa gleichgeachtet wurden. Wir können in Baššār nur einen Skeptiker sehen. Sein ausschweifendes Leben verbietet uns die Annahme, er habe zu einer so asketischen Religion wie dem Manichäismus ernsthafte Beziehungen haben können.

Seine Verse über Iblīs und der Vorrang, den er dem Feuer einräumt, sind komplexer. Aber auch da ist der wunderliche Einfall in Rechnung zu stellen, und man braucht nur die Lebensbeschreibung Baššārs im kitāb al-aġānī herzunehmen, um sich darüber klarzuwerden, wie sehr diese Art zu spaßen ihm vertraut war. Man hat sich zu fragen, ob die sehr entschiedene Tradition über die zandaqa Baššārs nicht die Beschimpfungen vergröbert hat, die man sich in den literarischen Kreisen Bagdads oder Baṣras im zweiten Jahrhundert der hiǧra einander leicht an den Kopf warf.

Baššārs erbittertster Feind war unstreitig Ḥammād ᶜAġrad, ein für seine Gottlosigkeit und sein liederliches Leben wohlbekannter Literat. Von Beruf war er kātib, und al-Ǧahšiyārī gibt die Herren an, denen er gedient hat.

Sein abscheulicher Ruf erklärt sich sowohl durch seinen Umgang als auch durch die Anekdoten, die unsere Quellen über ihn kolportieren.

Muḫaḍram der Umayyaden- und ᶜAbbasidendynastie, war er mit Muṭīᶜ b. Iyās und Ḥammād ar-Rāwiya der Gefährte des Kalifen Walid b. Yazīd bei verdächtigen Sitten und Glaubensansichten gewesen.

Er war mit ᶜAbdallāh b. al-Muqaffaᶜ verbunden; er war es auch mit dem zindīq Yaḥyā b. Ziyād, bevor dieser sich besserte, sowie mit Ḥafẓ b. Abī Burda, Qais b. al-Zubair und Yūnus b. Farwa. Nach seinem Tod bekundet Baššār in Versen seinem „Religionsgenossen" (ṣāḥib maḏhabihi) Ḥarib ironisches Beileid.

Ḥammād ᶜAġrad gehörte den Kreisen von Freigeistern an (im alten Sinn des Wortes), deren Andenken in der historischen und literarischen Überlieferung manche Spuren hinterlassen hat. Man erzählt uns von Zusammenkünften Ḥammāds mit seinen beiden

Namensvettern Ḥammād ar-Rāwiya und Ḥammād al-Zibriqān, die gleichfalls für zindīqs gehalten werden. Da man kaum sieht, was in ihrem Leben zu dieser Anklage Anlaß gegeben haben könnte, ist die Vermutung erlaubt, daß mehr noch ihre Namensgleichheit als ihre Beziehungen zu Ḥammād ᶜAǧrad ihnen diesen Ruf eingetragen hat.

Al-Ǧaḥiẓ legt eine umfangreiche Liste der zindīqs vor, die den üblichen Umgang von Ḥammād ᶜAǧrad bildeten. Darin begegnen wir, außer den Namensvettern des letzteren, fast all denen, von denen wir noch zu sprechen haben.

Eine andere Liste, die Abū-l-Maḥāsin bietet, beleuchtet den vermischten Charakter dieser Gesellschaften von „Freigeistern". Nach Ḫalaf b. al-Muṭannā hielt eine Gesellschaft von zehn Personen, derengleichen man vergeblich gesucht hätte, in Baṣra ihre Zusammenkünfte ab. Zu ihr gehörten: Ḫalīl b. Aḥmad, der Erfinder der Prosodie, ein Sunnit, der Dichter al-Sayyid, Muḥammad al-Numairī, ein Rafidit, Ṣāliḥ b. ᶜAbd al-Quddūs, ein Dualist, Sufyān b. Muǧāšī, ein Sufrit, Baššār b. Burd, eine ausschweifende und liederliche Person, Ḥammād ᶜAǧrad, ein zindīq, der Sohn des Exilarchen, Dichter und Jude, Ibn Naẓīr, Christ, mutakallim, ᶜUmar, ein Neffe Muᶜayyads, ein Mazdäer, Ibn Sinān aus Ḥarrān, ein Dichter, Sabier. Die Mitglieder der Gesellschaft trugen darin ihre Gedichte vor, gaben sich Erzählungen weiter, und Baššār hatte die Angewohnheit, zu dem einen oder anderen Dichter zu sagen: „Deine Verse, irgendeiner, sind schöner als eine beliebige Sure!"

Offen gestanden trägt diese Erzählung, wenn sie nicht ganz erfunden ist, den Stempel der Unwahrscheinlichkeit an sich. Sie ist nahe verwandt mit den zindīq-Anekdoten, von denen die risālat al-ġufrān des Abū-l-ᶜAlā al-Maᶜarrī uns eine Anzahl Beispiele bietet. Sie ist auch zu systematisch: Man könnte sagen, ein Pedant habe sich damit vergnügt, alle Vertreter aller Sekten zu sammeln, die, wenn man so sagen darf, nach Scheiterhaufen riechen, und sie in demselben maǧlis zusammenfassen. Man wäre neugierig zu erfahren, was für unseren Gewährsmann der Unterschied zwischen zindīq und ṭanawī oder ṭanawī und maǧūsī ist. Was man aus der Erzählung festhalten kann, ist ein weiteres Zeugnis für den bei den Orthodoxen schlecht angesehenen Umgang von Ḥammād ᶜAǧrad.

Wenn wir uns den Ḥammād gemachten Vorwürfen zuwenden, so finden wir uns von Baššār her vertraute Züge wieder. Ḥammād macht sich wenig aus dem kanonischen Gebet, er zieht manche seiner Verse dem Koran vor (und gerade Baššār verbreitet dieses Gerücht). In bezug auf ihn sprechen die Anklage auf zandaqa deutlich aus: Baššār, Yaḥyā b. Ziyād, Ibrāhīm b. al-Mahdī und al-Ǧaḥiẓ, der bemerkt, Ḥammād sei als zindīq bekannter als ᶜUmāra b. Ḥarbīya, dem er vorwerfe, es zu sein.

Wenn man den satirischen Tröstungen glauben könnte, die Baššār nach dem Tode Ḥammāds Ḥarib zuteil werden läßt, dem Freund und „Religionsgenossen" des letzteren (siehe oben), so hätte die zandaqa aus dem Glauben an die Zwei Prinzipien und der Frauen-gemeinschaft bestanden.

In diesem Teil apostrophiert Baššār seinen Feind als Ibn Nahbā. Dieser Spottname, dessen Bedeutung wir nicht kennen, kehrt in einem anderen hiǧāʔ Baššārs gegen Ḥammād wieder:

واحتمال الرؤوس خطب جليل   ابن نهبي رأس على ثقيل

فانى بواحد مشغول   ادع غيرى الى عبادة الاثنين

يا ابن نهبي برثت منك الى لله جهارا وذاك منّى قليل

Der Dichter spielt mit dem Wort „raʔs": 1. Kopf; 2. Prinzip: Es ist mir beschwerlich, einen Kopf zu tragen, um wieviel mehr zwei, d. h. an zwei Prinzipien zu glauben.

Ḥammād hat diese Verse gegen Baššār in Umlauf gesetzt, wobei er 2 b durch فانى عن واحد مشغول ersetzte.

Eine persönliche Erinnerung von Abū Nuwās verdeutlicht die religiöse Stellung von Ḥammād ᶜAǧrad.

Ich hatte geglaubt, sagt Abū Nuwās, daß Ḥammād nur wegen der Freizügigkeit seiner Gedichte der zandaqa angeklagt wurde. Nun, als ich mich im Gefängnis der zanādiqa eingekerkert befand, erfuhr ich, daß Ḥammād einer ihrer imāme und der Verfasser eines Gedichts in Distichen (شعر مزاوج بيتين) ist, das sie in ihrem Gebet rezitieren.

Den Ruf als zindīq brachte Ḥammād eine halboffizielle Mission ein, die, nach einer Überlieferung, seinen Untergang verursachte. Als al-Manṣūr, um die Thronbesteigung seines Sohnes al-Mahdī vorzubereiten, Muḥammad b. Abī-l-ᶜAbbās diskreditieren wollte, ernannte er ihn zum Statthalter von Baṣra und gab ihm zindīqs und Personen mit schlechtem Lebenswandel wie Ḥammad ᶜAǧrad bei. Dieser gab sich gern dazu her, den Leidenschaften seines neuen Herrn zu dienen. Insbesondere verfaßte er für ihn Liebesgedichte, die sich an eine von Muḥammad geliebte Frau richteten. Von dem Arzt Ḥaṣīb, den der Kalif dann mit seltener Milde behandelte, vergiftet, starb der Prinz 147. Ḥammād aber fiel der Rache des Vaters der Frau, die er besungen hatte, zum Opfer.

Die Zeugnisse, die wir über Ḥammād haben zusammentragen können, streiten zugunsten eines positiven Schlusses. Dieser glänzende kātib, der im gesellschaftlichen Leben seiner Zeit eine ziemlich wichtige Rolle gespielt und mehr als einen rüden Federkrieg geführt hat, kann, wenn schon nicht als eine hohe Persönlichkeit in der manichäischen Hierarche — sein zu weltliches Leben verbietet uns diese Annahme —, so doch wenigstens als ein „Sympathisant" oder Eingeweihter niederen Ranges angesehen werden, da seine religiösen Dichtungen den Weg bis in die Liturgie der Anhänger Manis fanden.

Zum selben Kreis wie Ḥammād gehören einige in den Quellen bekannte Persönlichkeiten. So Wāliba b. al-Ḥubāb, der Lehrer von Abū Nuwās, ein Dichter von fatalem Ruf wegen seines ausschweifenden Lebens und seiner zügellos zynischen Verse.

Abū-l-Ḥasan ᶜAlī b. al-Ḥalīl, Kufier, ein Klient von Maᶜn b. Zāʾida, wird vom Fihrist als zindīq angeführt. Al-Ǧāḥiẓ stellt ihn neben die zwei Vorhergehenden. Zusammen mit einem engen Freund von Ṣāliḥ b. ᶜAbd al-Quddūs wird er der zandaqa angeklagt. Beide kommen ins Gefängnis. Nach der Untersuchung wird ᶜAlī freigelassen..

Nach einer Tradition präsentierte er sich eines Tages in würdigem Aufzug vor ar-Rašīd und rezitierte ein Gedicht. Der Kalif fragte ihn, wer er sei. Er erwiderte: „Ich bin ᶜAlī b. al-Ḥalīl, von dem man sagt, er sei ein zindīq." Lächelnd beruhigte ihn ar-Rašīd und nahm ihn in Gnaden auf.

Nach einem anderen Bericht schickte er dem Kalifen aus dem Gefängnis eine qaṣida. Es gelang ihm, den Fürsten zu rühren und seine Freilassung zu erreichen, während Ṣāliḥ b. ᶜAbd al-Quddūs im Kerker blieb und später hingerichtet wurde.

Abbān b. ᶜAbd al-Ḥumaid b. Lāhiq ar-Raqqāšī (gest. 200 der hiǧra), ein bekannter Literat und Freund der Barmakiden, war einer jener Übersetzer, die im zweiten Jahrhundert der hiǧra der arabischen Öffentlichkeit die Schätze der Pehlevi-Literatur zugänglich machten. Besonders bedeutend sind zwei seiner Übersetzungen: eines Buchs über Buddha und einer Geschichte Mazdaks. Darüber hinaus hat Abbān für Gaᶜfar b. Yaḥyā al-Barmakī die von Ibn al-Muqaffaᶜ ins Arabische übertragene berühmte Fabelsammlung Kalīla wa-Dimna in Verse gesetzt.

Abbān scheint der Vertrauensmann der Barmakiden gewesen zu sein, wenigstens, was die Literatur betrifft. Tatsächlich hatte ihn, nach einer Erzählung des kitāb al-aġānī, Yaḥyā b. Ḫālid damit beauftragt, die Dichter zu prüfen und sie für Belohnungen einzustufen. Deise Maßnahme mißfiel Abū Nuwās, der Abbān in einer Satire angriff, in der er ihn beschuldigte, ungläubig und Manichäer zu sein. Unverzüglich setzte sich Abbān mit groben und beleidigenden Versen zur Wehr.

Die Satire von Abū Nuwās, auf die schon A. von Kremer die Aufmerksamkeit gelenkt hat, ist sehr interessant. Sie entging nicht der Aufnahme durch al-Ġāḥiẓ, der sie in einer ausgebildeteren Form als in dem kitāb al-aġānī bietet.

Aus diesem Gedicht kann man folgende Elemente herauslösen: Abbān glaubt nur an das, was er mit eigenen Augen sieht (vgl. Baššār), verherrlicht Mani, verhöhnt dagegen Jesus und Mose. Wenn letzterer der „Gesprächspartner Gottes" ist, so ergibt sich daraus, daß Gott Organe hat und man sich fragen muß, wer sie erschaffen hat, er oder ein anderer; schließlich setzt Abū Nuwās seinen Gegner der „Bande der Freigeister" (غصابة المجّان), (Ḥammād) ᶜAġrad, ᶜUbūda, Wāliba, Qāsim (var. ᶜAlī b. al-Ḫalīl) gleich.

Wie hoch auch der Anteil der Übertreibung und der Feindschaft von Abū Nuwās in diesem hiǧāʾ sein mag, so zeigt er jedenfalls, daß Abbān in der Gesellschaft seiner Zeit die Stellung eines notorischen zindīqs einnimmt.

Muᶜaḍḍil b. Ġailān sah an einem fiṭr-Tag Abbān beim Gebet. Auf der Stelle improvisierte er Verse, um seinem Erstaunen

Ausdruck zu verleihen, einen Manichäer wie Abbān beten zu sehen.

In dem maǧlis von Abū Yazīd beschuldigt man Abbān, ein Ungläubiger zu sein. Der Hausherr verteidigt ihn und erklärt, Abbān sei sein Nachbar, und „es verging keine Nacht, in der ich ihn nicht den Koran rezitieren hörte".

Wie dem auch sei, Abbān hat seinen muslimischen Gefühlen literarischen Ausdruck verliehen, indem er ein Andachtsbuch in Doppelreimversen verfaßte, von dem Ṣūlī uns ein Fragment erhalten hat.

Auch zum Hof des Kalifen hatte Abbān einige Beziehungen. 175 verfaßte er, zur selben Zeit wie Salm al-Ḫāsir, ein Gedicht anläßlich der Einsetzung von Muḥammad al-Amīn zum Thronerben.

Unter der Herrschaft von Hārūn ar-Rašīd konnte er den Zutritt zum Hof nur zum Preis von Versen erlangen, in denen er die Vorrechte der ᶜAbbasiden gegen die Ansprüche der ᶜAliden verteidigte.

Man sieht, Abbān al-Lāḥīqī gehört zur Gruppe der Literaten, die unter den schützenden Fittichen der ersten persischen Familien es sich zur Aufgabe gemacht hatten, die Literatur des Iran in der muslimischen Welt heimisch zu machen. Wenn seine literarischen Arbeiten auch keine sehr sichere Garantie für seine strenge Rechtgläubigkeit darstellen, so erlaubt aber auch nichts die Behauptung, die religiösen Glaubenshaltungen des Iran, manichäische oder andere, bildeten für ihn mehr als eine ferne Erinnerung. Die von Ṣūlī versuchte Rehabilitation Abbāns scheint gerechtfertigt. Jedoch hier wie sonst in unserer Untersuchung muß man des weisen Rats von al-Ǧaḥiẓ eingedenk sein: niemals (mangels offensichtlicher Beweise) persönliche Gefühle zu beurteilen, von wem sie auch seien, weder in der einen noch in der anderen Richtung.

Wir haben gesehen, daß der berühmte Dichter Muṭīᶜ b. Iyās für Abū Nuwās ein zindīq und würdiger Gefährte von Abbān al-Lāḥīqī war. Seine Zugehörigkeit zur berühmten zindīq-Gesellschaft wird von al-Ǧaḥiẓ konstatiert, und verschiedene Texte des kitāb al-aġānī lassen uns die ein wenig zweideutige Rolle ahnen, die er gegen Ende der Umayyadenzeit und zu Beginn der ᶜAbbasidenzeit gespielt hat.

Schon sein Umgang macht ihn verdächtig. Er ist verbunden mit
Ḥammād ᶜAǧrad, Yaḥyā b. Ziyād, Ibn al-Muqaffaᶜ, Wāliba al-
Ḥubāb und ᶜUmāra b. Hamza.

Gegen Ende der Umayyadenzeit befindet er sich mit ᶜUmāra bei
ᶜAbdallāh b. Muᶜāwiya, dem aufrührerischen Ṭalibiten. Dieser
war von Leuten mit auffallenden Glaubensansichten umgeben, wie
al-Baqlī, der die Auferstehung leugnete, und dem Dahriten Qais,
einem notorischen Atheisten.

Unter der Herrschaft von Ǧaᶜfar al-Manṣūr ist Muṭīᶜ am Hof.
Bei der Proklamation al-Mahdīs zum Thronerben läßt er sich auf
eine ganz merkwürdige Sache ein.

Tatsächlich erzählt der kitāb al-aǧānī, als al-Manṣūr seinem Sohn
Muḥammad al-Mahdī habe den Huldigungseid leisten lassen, sei er
auf den Widerstand Ǧaᶜfars, eines älteren Sohns, gestoßen. Da versammelte der Kalif den Hof; Redner und Dichter ließen sich hören,
die den Liebling des Fürsten um die Wette verherrlichten. Schließlich
ergriff Muṭīᶜ b. Iyās das Wort und, indem er sich an den Kalifen
wandte, rezitierte folgende Tradition, mit einem vollkommenen
isnād: „Der Prophet hat gesagt: Der Mahdī unter uns ist Muḥammad
b. ᶜAbdallāh, seine Mutter gehört nicht zu den Unseren; er wird die
Erde mit Gerechtigkeit erfüllen, wie sie mit Ungerechtigkeit erfüllt
worden ist." Um diesem ḥadīt mehr Gewicht zu verleihen, bat Muṭīᶜ
ᶜAbbās b. Muḥammad, den Bruder des Kalifen, dessen Echtheit zu
bestätigen. Dieser, den Zorn des Herrschers fürchtend, wurde gezwungen, gute Miene zum bösen Spiel zu machen, und räumte ein,
die fragliche Tradition gehört zu haben. Sofort befahl al-Manṣūr
den Anwesenden, al-Mahdī den Eid zu leisten. Als die Sitzung beendet war, brach ᶜAbbās in Verwünschungen gegen den zindīq
Muṭīᶜ aus, der dem Propheten eine Lüge zur Last gelegt hatte.

In dieser Erzählung tritt Muṭīᶜ als ein allzu willfähriger Höfling
auf, der in seiner Unterwürfigkeit so weit geht, daß er zugunsten
seines Herrn einen prophetischen ḥadīt erfindet. Dieses Vorgehen
bringt ihm die Bezeichnung zindīq ein. Ist das Epitheton hier nur
ein Zeichen des Unwillens von ᶜAbbās, oder ist dieser gefälschte
ḥadīt neben die zu stellen, von denen wir bei Ibn Abī-l-ᶜAuǧā gesprochen haben? Man hat gesehen, daß Ǧaᶜfar, ein Sohn al-Manṣūrs, versucht hatte, sich den Plänen seines Vaters zu widersetzen,

der ihn von der Thronfolge ausschließen wollte. Zwei Erzählungen des kitāb al-aġānī — widersprüchlich zum Teil, das sei zugegeben — werfen auf die Rivalität zwischen Ġaᶜfar und al-Mahdī einiges Licht, und unsere Person findet man in einer ziemlich merkwürdigen Stellung darin wieder. Muṭīᶜ b. Iyās war, so hören wir, mit mehreren Mitgliedern der regierenden Familie verbunden, insbesondere mit Ġaᶜfar, dem leiblichen Sohn des Kalifen. Nun erhielt al-Manṣūr die Information, Muṭīᶜ sei zindīq und verderbe seinen Sohn und mehrere seiner Verwandten. Der Fürst fragte al-Mahdī um Rat, der erklärte, seiner Meinung nach sei Muṭīᶜ ein Freigeist und kümmere sich wenig um die Gebote der Religion, sei aber kein zindīq. Der Kalif gab sich also damit zufrieden, al-Mahdī aufzufordern, Muṭīᶜ zu sich zu bestellen und ihm einzuschärfen, seine Beziehungen zu Ġaᶜfar und allen ᶜAbbasiden abzubrechen. Al-Mahdī führte den Befehl seines Vaters aus und gab nach einer heftigen Auseinandersetzung mit Muṭīᶜ diesem den Rat, Bagdad zu verlassen. Er ließ ihm zweihundert Dinare aushändigen und sandte ihn zu Sulaimān b. ᶜAlī nach Baṣra. Dieser ernannte Muṭīᶜ zum Einnehmer der ṣadaqa in eben dieser Stadt.

Eine abweichende Version über die Beziehungen zwischen Ġaᶜfar und Muṭīᶜ liefert ein anderer Text des kitāb al-aġānī. Dieser war häufig beim Prinzen. Al-Manṣūr fürchtete indessen wegen des schauerlichen Rufs von Muṭīᶜ, er verderbe seinen Sohn. So ließ er den Dichter kommen und warf ihm vor, seinen Sohn verderben zu wollen und ihn die zandaqa zu lehren. Muṭīᶜ protestierte lebhaft gegen diese Beschuldigung. Der Sohn des Kalifen, so sagte er, hört von mir nur, was ihn besser und edler macht; im übrigen ist dieser junge Mann pervers: er hat vor, eine ǧinnīya zu lieben und sie zu heiraten. Muṭīᶜ rechtfertigte sich so gut, daß der Kalif ihn bat, den Verkehr mit Ġaᶜfar fortzusetzen und ihn von seinem unsinnigen Vorhaben abzubringen.

Es erübrigt sich, diese beiden Traditionen in den Einzelheiten miteinander harmonisieren zu wollen. In der Hauptsache stimmen sie ganz klar überein: unter dem wohlwollenden Blick des glücklicheren Rivalen verschafft sich eine kompromittierende Person Zugang zur Umgebung des Thronanwärters. Erinnern wir uns eines

anderen Verfahrens, dank dem sich al-Manṣūr eines anderen Be-
werbers, des Muḥammad b. Abī-l-ᶜAbbās, mit Hilfe des zindīqs
ᶜAġrad entledigt hatte. Daraus ist zu schließen, daß wir im Falle
Ġaᶜfars wie in dem Muḥammads vor einer geschickt aufgezogenen
politischen Intrige stehen, mit dem Ziel, die beiden Prinzen zu
diskreditieren, wobei nichtsdestoweniger diejenigen von ihrer Ver-
antwortlichkeit befreit werden, zu deren Gunsten die zindīqs ihren
Einfluß auf ihre jungen Freunde ausübten.

Im übrigen protestiert Muṭīᶜ unverzüglich, als er der zandaqa
beschuldigt wird.

Seine Tochter aber, die unter Hārūn ar-Rašīd mit zindīqs verhaftet wurde, hatte ihr Buch gelesen. Sie erklärte, die zandaqa sei
eine Religion, in der sie ihr Vater unterrichtet habe. Dennoch schwor
sie ihren Irrtümern ab, und der Kalif schickte sie zu ihrer Familie
zurück.

Ein abschließendes Urteil über Muṭīᶜ, sofern es möglich ist,
könnte ohne Prüfung seines dichterischen Werks nicht gefällt werden. Der Eindruck aufgrund der historischen Zeugnisse, die wir
herangezogen haben, läßt daran denken, daß die Anklage wegen
zandaqa begründet war. Nur beschreiben die Quellen sein Leben
einhellig derart, daß es sehr schwierig ist, aus ihm den Anhänger
überhaupt irgendeiner Religion zu machen.

Zu den Mitgliedern der berühmten zindīq-Gesellschaft rechnet
der schon oft zitierte Text des kitāb al-aġānī Yūnus b. Abī Farwa.
Als Schreiber von ᶜĪsā b. Mūsā hatte er sich ohne Zweifel mit der
zanādiqa-Inquisition herumzuschlagen; denn 170 wurde er als
zindīq aus der Generalamnestie ausgeschlossen, die Hārūn ar-Rašīd
verkündet hatte (siehe Kap. II). Wir sehen ihn in Beziehungen zu
Ḥammād ᶜAġrad: an anderer Stelle lesen wir Verse, in denen dieser
an Yūnus seinen Stolz und seinen Egoismus tadelt.

Yaḥyā b. Ziyād b. ᶜUbaidallāh al-Ḥāriṭī, ein zindīq-Autor, war
für seinen Esprit bekannt. Diese Eigenschaft hat, wenn man einer
Stelle des kitāb al-aġānī glauben soll, zur Entstehung der Redens-
art geführt: „geistreicher als der zindīq". Wir haben weiter oben
über seine Beziehungen zu Ḥammād ᶜAġrad gesprochen.

Die Liste von al-Ġāhiẓ liefert noch einige weniger bekannte
Namen: Weiter oben (Kap. II) haben wir von Yazīd b. al-Faiḍ

gesprochen; Ḥafẓ b. Abī Wurda ist zweifellos Ḥafẓ b. Abī Burda, der in Zusammenhang mit Ḥammād ᶜAġrad genannt wird. ᶜUbūda und Qāsim (nur im kitāb al-ḥayawān) finden sich in der Satire von Abū Nuwās auf Abbān al-Lāḥiqī wieder (wobei in Kremers Text [ᶜAlī] b. al-Ḥalīl an die Stelle Qāsims tritt).

Für Ġamīl b. Maḥfūẓ können wir uns nur auf eine Stelle beziehen, wo al-Ġaḥiẓ einige Verse aš-Šamaqmaqs auf ihn wiedergibt. Munqiḏ b. ᶜAbd ar-Raḥmān al-Hilālī (nur im aġānī) ist uns sonst nicht bekannt.

Der Fihrist gibt in der Liste der zanādiqa-Dichter einen Namen wieder, dessen Hauptbestandteil keine diakritischen Punkte hat: ابن سابه. Wir schlagen die Punktierung سيّابة vor. Dann handelt es sich um Ibrāhīm b. Sayyāba, den Helden einer zweifelhaften Anekdote des kitāb al-aġānī, in der er behauptet, die Knabenliebe sei das erste Gesetz der zandaqa.

Der bekannte Dichter Muḥammad b. Munāḏir wurde zwei- oder dreimal der zandaqa oder Religionslosigkeit angeklagt, hat sich aber jedesmal anscheinend rechtfertigen können.

Der Fihrist zählt Salm al-Ḥāsir zu den zindīq-Dichtern. Den zahlreichen Texten des kitāb al-aġānī nach zu urteilen, in denen dieser Schüler Baššārs und Günstling der Barmakiden vorkommt, sei es als Held der Erzählung, sei es als eine Figur im Hintergrund, haben wir es mit einem Poeten von ziemlich zweifelhaften Sitten zu tun, der die Qualifikation, die ihm der Fihrist verleiht, keineswegs verdient.

Abū-l-ᶜAtāhiya. — Unter den zindīq-Dichtern erwähnt der Fihrist Abū-l-ᶜAtāhiya nicht. Trotzdem ist er einer der interessantesten von ihnen, wie auch sein Lebenslauf am bekanntesten und sein Werk am zugänglichsten ist.

Bei der Verfolgung unseres Plans können wir uns hier nicht einer minuziösen Analyse seines Diwans widmen — wir hoffen, diesen Gegenstand bald in einer gesonderten Untersuchung behandeln zu können — und beschränken uns darauf, bei der Untersuchung seiner Glaubensansichten die Angaben seiner Biographie und seiner bezeichnendsten Verse zu diskutieren.

Abū-l-ᶜAtāhiya hatte sich zweimal mit der Inquisition auseinanderzusetzen. Aus Angst vor der Verhaftung durch den Inquisitor Ḥamdawaih läßt er sich als Schröpfer nieder. Indem er im Gewühl der Hauptstadt untertaucht, entweicht er dem gefürchteten Polizisten. Leider gibt die Tradition nicht an, warum dieser Hand an den Dichter legen wollte.

Ein andermal wurden die nächtlichen Andachten von Abū-l-ᶜAtāhiya von einer Nachbarin mißverstanden, deren Terrasse das Haus des Dichters überragte. Sie erzählte überall herum, ihr Nachbar spreche nachts mit dem Mond. Als Ḥamdawaih von dem Klatsch erfahren hatte, verbrachte er einen Teil der Nacht im Haus der Nachbarin, um Abū-l-ᶜAtāhiya zu beobachten, mußte aber feststellen, daß dieser schlicht einen qunūt verrichtete und sich anschließend wieder ins Bett begab. So machte sich der Inquisitor verlegen davon.

Die zandaqa-Anklagen, deren Objekt Abū-l-ᶜAtāhiya war, treten vor allem in zwei Formen auf: Entweder zog er sie sich wegen eines unziemlichen Tadels gegenüber einem seiner Kollegen zu, oder sie wurden durch irgendeinen gewagten Ausdruck provoziert, den seine Zeitgenossen in seinen Gedichten entdeckt hatten.

Abū-l-ᶜAtāhiya war allgemein für seinen Geiz bekannt, was ihn nicht daran hinderte, Salm al-Ḫāsir seine Habsucht vorzuwerfen. Dieser parierte und bezeichnete den Dichter als zindīq und Heuchler, der den Asketen mimt, während sein Haus von Geld strotzt.

Der Prediger Manṣūr b. ᶜAmmār scheint besonders darauf erpicht gewesen zu sein, im Werk von Abū-l-ᶜAtāhiya alles hervorzuheben, was das religiöse Gefühl der Muslime schockieren konnte. Mehr noch, er wirft dem Dichter vor, manche Gegenstände nicht behandelt zu haben. Abū-l-ᶜAtāhiya ist ein zindīq, sagt er, in seinen Versen erwähnt er nur den Tod, Paradies oder Hölle dagegen nie.

Wenn es um seine Orthodoxie ging, war Abū-l-ᶜAtāhiya sehr empfindlich. Indigniert beantwortete er die Angriffe seines Gegners, der dadurch, daß er die Öffentlichkeit über die sprachlichen Ausschweifungen des Dichters unterrichtete, letzteren in eine mißliche Lage gebracht hatte.

Nach einer Tradition bezeugt der Dichter seine rechtgläubigen Gefühle vor mehreren Personen, unter ihnen Ḫalīl b. Asad al-Nausaġānī, der die Tradition wiedergibt. Bei dieser Gelegenheit rezitiert er Verse, in denen er lauthals die Einheit Gottes bekennt.

Wie Baššār soll auch Abū-l-ᶜAtāhiya manche seiner Gedichte höher als irgendwelche Koranverse eingeschätzt haben.

Abū Šuᶜaib, ein Parteigänger von Ibn Abī Duᵓād, fragte ihn eines Tages nach seiner Meinung zur Frage des erschaffenen Korans. Abū-l-ᶜAtāhiya gab keine klare Antwort. Nach Ibn Miskawaih soll er indessen Ibn Abī Dūᵓād dafür getadelt haben, daß er die Lehre vom erschaffenen Koran unterstützt hatte.

Andererseits weiß man, daß er Ġabarit war, also in zwei wesentlichen Punkten anderer Ansicht war als die Muᶜtaziliten.

Als Anhänger der Šīᶜa gehörte er zur Partei der botritischen Zaiditen. Daher erklärt Massignon seine asketische Haltung aus dieser politischen und religiösen Einstellung.

ᶜAbbās b. Rustam kannte an Abū-l-ᶜAtāhiya keine feste Glaubensansicht. Ein Einwand genügte, sagt er, und Abū-l-ᶜAtāhiya verwarf seine Haltung von gestern, um eine neue einzunehmen.

Dennoch bekommen wir eine ziemlich genaue Angabe über die Glaubensansichten des Dichters. Für Abū-l-ᶜAtāhiya, sagt Aḥmad b. Ḥarb, galt die Einheit Gottes. Gott hat aus dem Nichts zwei entgegengesetzte Substanzen erschaffen und daraus die Welt geformt. Ihrem Wesen und ihrem Bau nach ist die Welt erschaffen und hat keinen anderen Schöpfer als Gott. Er behauptet, so fährt unser Gewährsmann fort, Gott reduziere alles auf diese zwei Substanzen, bevor alle Essenzen zunichte gemacht würden. Er meine, die Erkenntnisse resultierten aus der Reflexion, dem Schlußverfahren und der Forschung. Er lehre die ewige Bestrafung (al-waᶜīd) und das Verbot einträglicher Berufe (taḥrīm al-makāsib).

Vor der Analyse dieses Berichts wollen wir einige Verse aus der berühmten urġūza von Abū-l-ᶜAtāhiya danebenstellen.

Nichts existiert in reinem Zustand, alles ist aus Gut und Böse gemischt (vv. 20, 23). In dieser Welt, dem Sitz des Leidens, ist die Reinheit mit allen Arten von Unreinheit vermischt (v. 21). Gut und Böse, wie weit sie auch voneinander entfernt seien (v. 25), vervielfältigen sich für sich, existieren aber im Menschen zusammen, der so zwei Naturen hat: eine gute und eine böse.

Wenn wir die Gesamtheit dieser Zeugnisse betrachten, die das deutlichste darstellen, was wir über die Glaubensansichten von Abū-l-ᶜAtāhiya besitzen, so können wir auf den ersten Blick einen sehr klaren Dualismus erkennen: zwei entgegengesetzte Substanzen, die das Gerüst der sichtbaren Welt bilden; ein Gemisch der zwei Elemente Rein und Unrein, Freude und Leid in der irdischen Existenz; eine Kreuzung von zwei Naturen, einer guten und einer bösen, in der menschlichen Person; schließlich, am Ende der Welt, die Zurückführung der Schöpfung auf die beiden feindlichen Substanzen, aus denen sie sich zusammensetzt. Es ist bezeichnend — unserer Meinung nach —, daß die beiden Substanzen, die als einander feindlich qualifiziert werden, nicht näher bestimmt werder: Man weiß, daß es sich in den dualistischen Systemen um Licht und Finsternis handelt; gerade die Begriffe nūr und ẓulma, deren Gebrauch man ihm vorgeworfen hat, vermeidet Abū-l-ᶜAtāhiya hier.

Was das Profitverbot betrifft, oder einfacher: das Verbot von Gewinnen, die man aus Handel oder Gewerbe erzielt, so kommt man nicht umhin, neben der These Massignons an die den Manichäern auferlegte Armut zu denken.

Nur hat er seine dualistischen Theorien in ein monotheistisches Gewand gezwängt, indem er den einen Gott an den Anfang der Dinge setzte, als Schöpfer der beiden Substanzen, und so unterstrich, daß die Welt ihre Entstehung allein Gott verdankt, und den Mythos von der Urmischung ausschloß.

Angesichts dieser Haltung sind zwei Hypothesen möglich: Abū-l-ᶜAtāhiya, ein aufrichtiger Monotheist, hat manche Theorien bei den Dualisten entlehnt, insbesondere bei den Manichäern, um das doppelte Gesicht der Existenz, die uns bald mit ihren Gunstbeweisen überhäuft, bald mit grausamen Schlägen zu Boden streckt, und die Dualität des menschlichen Charakters, der aus erhabenen Tugenden und niedriger Verderbtheit besteht, zu erklären. Oder aber sein Monotheismus ist nur Make-up, um, so gut es geht, seine dualistischen Überzeugungen zu überschminken. Bei dem gegenwärtigen Stand unserer Kenntnisse scheint es uns nicht ratsam, zugunsten der einen oder der anderen Möglichkeit eine Entscheidung zu fällen.

Schluß

Zum Abschluß dieser Ausführungen, denen der Charakter des Gegenstands und die Natur der Quellen eine strenge Einheitlichkeit verwehrt haben, müssen wir versuchen, aus den zusammenhanglosen Elementen, die wir auf den vorhergehenden Seiten vorgeführt haben, einige allgemeine Schlüsse zu ziehen.

Nach näherer Prüfung der großen zindīq-Verfolgung in den Jahren 163—170 und der Texte zum Inquisitionsverfahren haben wir dargelegt, daß die zindīqs, gegen die sich die Autorität der Kalifen richtete, Manichäer waren, meist abgefallene Muslime oder „geborene" Manichäer, die versuchten, unter den Muslimen ihren Glauben zu propagieren.

Die Ergebnisse, zu denen wir im Verlauf der Einzelbetrachtung der wichtigsten zanādiqa gelangt sind, sind viel weniger klar: schuld daran sind einmal die nicht ausreichenden Urkunden, zum andern die Grenzen, die wir uns zu Beginn dieser Untersuchung gezogen haben.

Aufs Ganze gesehen, konnten wir nur eine einzige Persönlichkeit als Manichäer bezeichnen: ᶜAbd al-Karīm Ibn Abī-l-ᶜAuǧā; für andere, wie Ḥammād ᶜAǧrad, Abū ᶜĪsā al-Warrāq, Baššār b. Burd und Abū-l-ᶜAtāhiya, sahen wir uns gezwungen, auf ein abschließendes Urteil zu verzichten oder es bis zu einer ausführlicheren Untersuchung in der Schwebe zu lassen.

Dagegen gelang es uns, aus den analysierten Texten eine Anzahl von Angaben zu gewinnen, die, freilich ohne das Geheimnis der in Frage kommenden Personen ganz zu lüften, dennoch einige nähere Daten über ihre politische und religiöse Haltung liefern und von daher oft erklären, warum man zu einem gegebenen Zeitpunkt sie als zindīqs bezeichnete.

Die zindīqs, über die wir oben gehandelt haben, stellten sich zu einem guten Teil als Anhänger einer šiᶜitischen Sekte heraus, extrem oder gemäßigt. Das ist der Fall bei Nuᶜmān, Ibn Ṭālūt, Abū Šākir, al-Ǧaihānī, Ibn Abī-l-ᶜAuǧā, Abū ᶜĪsā al-Warrāq, Baššār b. Burd, Mutīᶜ b. Iyās, Abū-l-ᶜAtāhiya, vielleicht auch bei Abbān al-Lāḥiqī.

Baššār und Abbān al-Lāḥiqī fielen darüber hinaus durch ihre šuᶜubitischen Neigungen auf. Ebenso Yūnus b. Hārūn, dessen Identifikation mit Yūnus b. Abī Farwa unsicher ist.

Was die Merkmale betrifft, an denen man den zindīq erkannte, so haben wir gesehen, es war Nachlässigkeit gegenüber den wichtigsten religiösen Pflichten (Gebet, Fasten, Wallfahrt); der Anspruch, die literarische Schönheit des Korans zu übertreffen; eine zweifelhafte Stellung gegenüber der Lehre von der Einheit Gottes; der Zweifel in bezug auf alles, was nicht mit den Sinnen faßbar ist.

In bezug auf die Verbreitung der zanādiqa hat man ihre Anwesenheit nicht nur in Bagdad, sondern auch in Aleppo, Mekka und vor allem in Kufa und Baṣra feststellen können, den Sitzen berühmter Freigeisterzirkel.

Soweit man sehen kann, waren die berühmtesten zindīqs hochgebildete Männer, Dichter, Schreiber, Theologen. Fast alle verkehrten bei Hofe, und zweien von ihnen verschaffte ihr Zindīqtum delikate politische Missionen.

Die biographischen Angaben, die wir über sie besitzen, zeigen, daß die Jugend, also die Periode der geistigen Formung, der meisten zindīqs noch in die Umayyadenzeit fällt.

Daraus muß man schließen, daß manche Umbildungen der muslimischen Idee, die man früher allzu beharrlich dem Wechsel der Dynastie und den darauffolgenden sozialen und politischen Umwälzungen zuschrieb, unter der Umayyadendynastie im Unteren Zweistromland begonnen hatten.

Infolgedessen muß man, wenn man den Ursprung der iranischen Einflüsse sucht, die ohne Zweifel seit dem Auftreten der neuen Dynastie eine große Rolle spielen, sie mindestens ebensosehr in den intellektuellen Kreisen Baṣras und Kufas suchen wie in Khorasan und unter den Geheimagenten von Abū Muslim.

Wir befinden uns hier am Schnittpunkt mehrerer Kulturen und am Zusammenfluß von Ideen sehr verschiedener Art, und eine der Fragen, die dieser so unvollständige Aufsatz zu stellen veranlaßt, ist die nach dem Charakter des religiösen und geistigen Lebens im Iraq gegen Ende der Umayyadenzeit. Von da aus wird es nötig sein, weiter zurückzuschreiten und eine Rekonstruktion der Zustände zu versuchen, welche die muslimischen Eroberer beim Fall des Sassanidenreichs vorgefunden haben.

Andererseits werden weitere Studien zum Gegenstand haben müssen eine tiefergehende Untersuchung der Beziehungen der Šīᶜa zur zandaqa und eine genauere Bestimmung der Rolle, welche die ersten Muᶜtaziliten als Verteidiger des Islam gegenüber den Gegnern der Lehre von der Einheit gespielt haben.

Schließlich wird da, wo es reiches Urkundenmaterial erlaubt, eine umfassende Studie die Situation der Dichter genauer zu bestimmen haben, bei denen wir, in Ermangelung einer solchen Untersuchung, unser Urteil in der Schwebe lassen mußten.

ANHANG A

Bemerkung zu einigen sich auf die zanādiqa beziehenden Stellen des kitāb al-iḥtiǧāǧ von Ṭabarsī

Die auf den obigen Seiten unternommene Darstellung der Geschichte des Zindiqismus unter den ersten ᶜAbbasidenkalifen gründete sich fast ausschließlich auf die historischen und literarischen Quellen, die sich auf die fragliche Zeit beziehen, wie auf das Material, welches die zumeist sunnitischen Theologen und Häresiographen liefern. Wir haben trotzdem gesehen, daß eine beträchtliche Anzahl von als zindīqs bezeichneten Persönlichkeiten mehr oder wenige feste Beziehungen zu šiᶜitischen Gruppen unterhielt. Es ist daher legitim, das Schrifttum, das uns dieser Teil der muslimischen Gemeinschaft hinterlassen hat, nach ergänzenden Informationen über den Gegenstand unserer Untersuchung zu befragen.

Mit Bedauern müssen wir bekennen, daß wir bis jetzt diese Befragung noch nicht so weit vorwärtsgetrieben haben, wie es sich eigentlich gehörte. Was wir lesen konnten, hat uns nichtsdestoweniger überzeugt, daß die zu erwartenden Aufschlüsse aus den šiᶜitischen Quellen zwar zahlreich und wichtig sind, ihr Wert aber hauptsächlich in dem liegt, was sie uns über den dogmatischen Streit zwischen dem Islam und der zandaqa sagen (wobei diese ein vager Sammelbegriff ist, unter den man den Manichäismus ebenso wie die verschiedensten Schattierungen des Freidenkertums einordnen muß).

Dagegen enthalten diese Texte beinahe nichts, was einer rein historischen Studie förderlich sein könnte.

ᶜAlī wird schon vorgestellt als einer, der siegreich die Schwierigkeiten löst, welche die zanādiqa stellen (iḥtiǧāǧ, S. 180 ff.). ᶜAlī ar-Riḍā diskutiert noch mit ihnen (ebd. S. 205). Die meisten dieser Kontroversen gruppieren sich indessen um die Gestalt von Abū ᶜAbdallāh Ǧaᶜfar al-Ṣādiq, einmal, weil dieser imām die wichtigste Lehrautorität der imamitischen

Šīᶜiten ist, zum andern, weil seine Beziehungen zu gewissen zindīqs — wir verweisen auf das, was wir von Ibn Abī-l-ᶜAuǧā gesagt haben — historisch bezeugt sind. Aus diesem Grund haben wir es für gut gehalten, in dieser Bemerkung einige Beispiele seiner Unterhaltungen mit Ibn Abī-l-ᶜAuǧā vorzuführen, trotz strengstem Vorbehalt, was ihre Historizität betrifft.

Alle übrigen Texte des kitāb al-iḥtiǧāǧ, die eben erwähnten wie die Diskussionen Ǧaᶜfars mit einem zindīq (einem anonymen oder „aus Ägypten gekommenen" [iḥtiǧāǧ, S. 172—185]) und das biḥār al-anwār Maǧlisīs (2, 66 ff.) sollen ihren Platz in einer umfassenden Darstellung der Polemik zwischen Muslimen und Manichäern finden, die wir bei anderer Gelegenheit vorzulegen hoffen.

Wie sieht das Bild aus, das man sich vom Glauben und der religiösen Haltung von Ibn Abī-l-ᶜAuǧā aufgrund der Angaben macht, die der kitāb al-iḥtiǧāǧ liefert?

Er glaubt an die Ewigkeit der Welt, wie aus einer Diskussion mit Ǧaᶜfar al-Ṣādiq hervorgeht, in deren Verlauf der imām ihm beweist, daß nach dem in der Welt zu beobachtenden Wachstum diese nicht ewig sein kann, da Wachstum Veränderung impliziert und Veränderung ein Charakteristikum des Kontingenten ist.

Er leugnet die Existenz des Schöpfers. Ǧaᶜfar fragt ihn: „Bist du erschaffen oder bist du nicht erschaffen?" „Nicht!" erwiderte er. „Wenn du erschaffen wärst, wie wärst du da gemacht?" Ibn Abī-l-ᶜAuǧā wußte keine Antwort und ging wortlos weg.

Eines Tages forderte er Ǧaᶜfar auf, die Institution der Wallfahrt zu rechtfertigen, in der er nur eine dem gesunden Menschenverstand zuwiderlaufende Gewohnheit sehe. Ǧaᶜfar antwortete ihm, die Wallfahrt habe Gott geboten. Diese Antwort, entgegnete Ibn Abī-l-ᶜAuǧā, schiebe die Frage nur weiter, da sie sie an jemanden weiterreiche, der nicht da sei. Gott sei überall gegenwärtig, sagt Ǧaᶜfar zu ihm, und das sei kein Widerspruch, denn man dürfe die Naturgesetze nicht auf Gott anwenden.

Wir haben gesehen, daß sich die Zweifel von Ibn Abī-l-ᶜAuǧā u. a. auf die göttliche Gerechtigkeit bezogen. Hier ein Beispiel, in eine exegetische Feinheit verpackt.

Bei der Beschreibung der Bestrafung der Verdammten drückt sich der Koran (4, 56 [59]) folgendermaßen aus: „Sooft ihre Haut verbrannt ist, geben wir ihnen eine andere Haut, damit sie um so peinlichere Strafe fühlen" (Anm. d. Ü.: Übersetzung Ullmann—Winter). Was ist aber das Verbrechen dieser neuen Haut? fragt Ibn Abī-l-ᶜAuǧā. Ǧaᶜfar zieht sich aus der Schwierigkeit heraus, indem er vorbringt, obwohl diese Haut neu sei, sei sie dennoch mit der alten identisch, ebenso wie man einen Ziegel zerbrechen, ihn in den Ofen zurücklegen und einen anderen daraus herstellen könne. Die erzählenden Teile des Korans liefern Ibn Abī-l-ᶜAuǧā Material für Angriffe auf die Propheten. Es sei ein bei den Häretikern übliches Verfahren, im Leben der alten Propheten, Muḥammads oder ᶜAlīs, Momente der Schwäche, Akte des Ungehorsams aufzudecken, die bisweilen eine göttliche Ermahnung oder Züchtigung nach sich ziehen.

Nachdem er die Götzen seines Vaters zerbrochen hat, leugnet Abraham diese Tat: „Nein, der Höchste von ihnen hat es getan. Fragt sie doch selbst, wenn sie sprechen können!" (21, 23 [24]) Also hat Abraham gelogen, behauptet Ibn Abī-l-ᶜAuǧā. Nach Ġaᶜfar muß man den Satz so verstehen: „Fragt sie doch selbst; wenn sie sprechen können, dann hat es der Höchste von ihnen getan!" Da die Bedingung nicht erfüllt wird, darf die Folgerung nicht stimmen, also ist es falsch, Abraham eine Lüge zur Last zu legen.

Nach einer anderen Stelle des Korans (37, 88—89) ist zu lesen: „Abraham blickte nach den Sternen hin und sagte: Wahrlich, ich werde krank." Lüge! triumphiert Ibn Abī-l-ᶜAuǧā. Keineswegs, erwidert der imām, Abraham wurde krank „in seiner Religion", er zweifelte daran, daß die Religion, an die er sich hielt, die wahre sei.

Auch Joseph hat gelogen, indem er seine Brüder des Diebstahls bezichtigte. Nein, indem er ihnen den Diebstahl vorwarf, wollte er sagen, daß sie ihn seinem Vater gestohlen hätten. Tatsächlich wird nicht zu Josephs Brüdern gesagt: „Ihr habt den Becher des Königs gestohlen!" sondern: „Den Becher des Königs finden wir nicht wieder".

Eines der Merkmale der zandaqa ist der Anspruch, dem Koran an literarischer Schönheit gleichkommen zu können. Auch dieser Zug fehlt nicht am Porträt von Ibn Abī-l-ᶜAuǧā, wie es vom kitāb al-iḥtiǧāǧ gezeichnet wird.

Hišām b. ᶜAbd al-Ḥakam berichtet, eines Tages hätten ihn Ibn Abī-l-ᶜAuǧā und drei seiner Freunde, nämlich Abū Šākir, der zindīq, Daisanit, ᶜAbd al-Malik aus Baṣra und Ibn al-Muqaffaᶜ, die sich in der Nähe der kaᶜba befanden, auf den Vorschlag von Ibn Abī-l-ᶜAuǧā hin beschlossen, jeder solle ein Stück des Korans „zerstören", was in den Gedanken der zindīqs der prophetischen Autorität Muḥammads und gleichzeitig dem Islam einen tödlichen Schlag versetzen sollte. Als sie nach einem Jahr wieder zusammenkamen, mußten alle gestehen, daß der erste Vers, auf den sie gestoßen seien, sie so mit Bewunderung erfüllt habe, daß sie sich gezwungen gesehen hätten, die Ausführung ihres Plans fallenzulassen. Ġaᶜfar geht an ihnen vorbei, errät ihre Gedanken, und die Anekdote endet mit der Ehrung, welche die drei Gottlosen dem imām wider Willen erweisen.

Wie man sieht, geben uns die eben analysierten Texte nur sehr wenig
Aufschluß über die historische Persönlichkeit von Ibn Abī-l-ᶜAuǧā; ihr
Wert liegt in den Auskünften, die sie über die Einwände der zanādiqa
liefern.

Diese haben nichts spezifisch Manichäisches an sich: Die Ewigkeit der
Welt, die Zweifel in bezug auf die Theodizee und die Sündlosigkeit der
Propheten sind ebensogut Themen der Freidenkerpolemik; die Bestreitung
des iᶜǧāz al-Qurᵓan hat man zu der Zeit, in der wir uns befinden, fast
allen zugeschrieben, die man aus dem einen oder anderen Grund als zindīq
betitelt hatte.

ANHANG B

Die Begriffe nūr und ẓulma in den zuhdiyāt des Abū-l-ᶜAtāhiya

Der Gebrauch der Begriffe nūr und ẓulma in den Gedichten von Abū-
l-ᶜAtāhiya machte die Rechtgläubigkeit des Dichters suspekt.

Die Befragung der Texte wird uns zu erbringen haben, in welchem
Maß solche Verdächtigungen einem streng muslimischen Publikum begründet erscheinen konnten.

Bevor wir mit dieser Untersuchung beginnen, ist auf zwei Schwierigkeiten hinzuweisen, die geeignet sind, den Wert unserer Feststellungen
ganz beträchtlich herabzusetzen. Die eine ist die Quasi-Unmöglichkeit,
eine Chronologie der Texte aufzustellen, die andere das fast völlige Fehlen von Beweisen für die Echtheit der zu analysierenden Dokumente.

Auf diesem Gebiet muß man sich, wenigstens vorläufig, mit sehr
wenig zufriedengeben. Man ist gezwungen, die Echtheit der Dokumente
anzuerkennen, wenn nicht formale Indizien die Annahme des Gegenteils
verlangen, ohne die Zuweisung des einen oder anderen Stücks an unseren
Dichter rechtfertigen zu können. Hier, nach der Reihenfolge des Diwan,
die Stellen, in denen von Finsternis und Licht die Rede ist.

P. 1, v. 10—11: „Ich bitte Gott um Verzeihung wegen meiner Sünde
und meiner Leichtfertigkeit, wahrlich, ich bin ein Sünder, auch wenn ich
verborgen wäre. Die (perversen) Eingebungen meiner Seele würden mich
nicht zur Rebellion hinreißen, wenn sich die Finsternis nicht zwischen das
Licht und mich gestellt hätte."

P. 11, v. 5—10: „Du, der du die Weisheit suchst bei denen, die sie besitzen, (wisse,) daß das Licht die Farbe der Finsternis erhellt, die sie
umgibt. Stets tränkt die Wurzel die Äste, und dank ihrem Saft entwickeln
sich die Hüllen der Frucht. Wer auch immer die Menschen um ihr Glück
beneidet, trägt die Sorge in seinen Kleidern. Das Schicksal geht mit seinen

Kindern listig um; mit seiner Güte täuscht es sie zu seinen Gunsten. Es läßt die Kinder von ihren Eltern einholen und schickt das Kind hinter seine Eltern. Die Tat wird dem zugeschrieben, der sie verrichtet, ebenso wie man die Sache mit ihrem Namen nennt."

P. 35, v. 6: „Wegen der Zuneigung, die ich zur Welt hege, befinde ich mich in der Finsternis, deren Gerechte allein die Sterne sind."

P. 107, letzter Vers: „Wahrlich, die Gewißheit, über ihr schwebt das Licht, aber kein Licht schwebt über dem Zweifel."

P. 116, v. 12—13: „Meine beiden Freunde, mehr als einen Menschen habe ich sterben sehen, aber ich habe dieses Schauspiel nicht genossen. Wessen Erfahrung nicht in dem Maß wächst, wie sein Leben verstreicht, der wird nicht vom Licht erleuchtet."

P. 172, v. 6: „Das Falsche ist für immer ohne Glanz, die Wahrheit glänzt hell, das Licht leuchtet aus sich."

P. 253, letzter Vers, 254, v. 1—3: „Wäre nicht Gott — gewißlich glaubt mein Herz, und Gott wird meinen Glauben nicht zunichte machen, wäre nicht Gott, ich hätte geglaubt, ich hätte mich sogar versichert, daß das Ziel der Reise der Ort der Erniedrigung sei. Beim Licht deines Angesichts, Gott des Erbarmens, mache, daß mein Platz bei dir ist, nicht im Feuer der Hölle: gewähre mir die Gnade der Reue, die du annehmen wirst, Herr der Herrlichkeit, der Gnade und der Güte!"

P. 262, v. 7: „Wer Herr aller Dinge ist, ist der König, sein verborgenes Licht werde erhöht!"

Schon die einfache Darbietung der Texte zeigt, daß die fraglichen Begriffe in den Abū-l-ᶜAtāhiya zugeschriebenen zuhdiyāt mehrere Bedeutungen haben.

Was nūr betrifft, so läßt sich der Gebrauch mühelos in zwei Gruppen ordnen (11, 5 wird er eigentlich gebraucht, siehe weiter unten): In der einen entspricht der Begriff der „Gewißheit" und der „Wahrheit" oder kommt in Zusammenhängen vor, wo der Dichter von seinem inneren Leben spricht; in der anderen heftet sich „Licht" in der einen oder anderen Weise an Gott. Dieser letzte Gebrauch, für den wir nur zwei Beispiele haben, bietet keine besondere Schwierigkeit.

In 254, 2 dürfte der Ausdruck نور وجهك letztlich auf die biblische Wendung אור פנים zurückgehen, der das Wohlwollen Gottes, seine Gunst, zum Ausdruck bringt; vgl. besonders Ps. 4, 7; 44, 4; 89, 16; auf arabisch ist er in mystischen Texten bezeugt (meines Wissens wurde er noch nicht untersucht): etwa qūt al-qulūb (Ausgabe 1351 hiǧra) I, 12 (Gott wird in einer Art Litanei, die der Prophet Fatima gelehrt haben soll, beim Licht seines Angesichts angerufen); I, 120, 5 (wenn der Glaube auf der Leiter der Seelenreinigung bis zur Stufe der mušāhada gekommen ist, dann arbeitet sein Erkenntnisvermögen nicht mehr von selbst, sondern في مقامات القرب بمرآة نور الوجه; III, 91 (nach Wahb b. Munabbih sagt Gott zu David انى خلقت قلوب المشتاقين من رضوانى واتممتها بنور وجهى).

Ilāh marahim[1] erinnert an jüdische liturgische Formeln, wie אלהי הרחמים [והסליחות], aber der Plural von مرجة, einem sonst geläufigen Wort, scheint mir nicht gebräuchlich zu sein.

Jedenfalls bleibt, daß an der Stelle نور [وجه] die göttliche Gnade symbolisiert, ohne deren Hilfe der Sünder unrettbar verloren wäre.

In 262, 7 entspricht نور المكنون v. 9: „Gott umfaßt jedes Ding, und sein innerstes Wissen (علمه المخزون) zählt sie." Vielleicht wird diese Entsprechung nur durch den Reim erzwungen; in diesem Fall wäre نوره المكنون einfach ein Flickwort. Aber man darf sich auch fragen, ob nūr hier ein ᶜilm benachbartes Attribut darstellt, nämlich die Kraft, qudra, die in der Tat in v. 8 genannt wird: „Seine Kraft (qudra) erstreckt sich über die ganze Schöpfung."

Bevor wir zur zweiten Versgruppe übergehen, müssen wir noch bei der Stelle 11, 5 f. verweilen, wo nūr in seiner eigentlichen Bedeutung gebraucht wird.

Diese sechs Verse vereinigen in sich zwei heterogene Stücke. Das uns interessierende umfaßt die zwei ersten Verse sowie den letzten, während die drei mittleren von einem ganz anderen Vorstellungskreis herkommen.

Wir haben Sentenzen mit philosophischem Gepräge vor uns (der Herausgeber hat mit Recht وقال فى الحكم والامثال, dem Stück vorangestellt), die eine Beziehung zwischen zwei Dingen ausdrücken: zwischen Licht und Finsternis, der Wurzel und anderen Pflanzenteilen, zwischen Tat und Täter, Namen und bezeichnetem Gegenstand.

Die Beziehung zwischen Licht und Finsternis wird in einer Weise aufgefaßt, die an die aristotelische Farbenlehre erinnert. Daher befindet sie sich implizit im Widerspruch zur dualistischen Lehre von den Beziehungen zwischen zwei Wesenheiten.

Die zweite Sentenz enthält eine eher banale Beobachtung; im übrigen dient sie nur der Vorbereitung der dritten ḥikma, in der man wie ein fernes Echo Diskussionen über ḫalq al-afᶜāl und ism und maᶜnā wahrnimmt.

Im Wortschatz der zuhdīyāt sind die Bezeugungen der Begriffe nūr und ẓulma am interessantesten, wenn diese Worte als Entsprechungen zu „Wahrheit" oder „Gewißheit" vorkommen, zu „Fehler" oder „Zweifel", oder in Verbindung mit den Seelenzuständen, den inneren Kämpfen des Dichters.

Gewißheit (yaqīn) und Wahrheit (ḥaqq) sind leuchtend, Fehler (bāṭil) und Zweifel (šakk) in Finsternis gehüllt. Auf den ersten Blick harmlose

Metaphern und nicht ohne Anhalt im Koran. Tatsächlich gibt es zahlreiche Koranstellen, wo nūr bezeichnet:

a) die Offenbarung, sei es, daß es sich um den Koran, sei es, daß es sich um ältere heilige Bücher handelt,

b) die gute Leitung (hudā), welche die Gläubigen besitzen und die Ungläubigen, ihrer beraubt, auszulöschen trachten.

Dieses Licht wird am Tage des Gerichts ein Unterscheidungsmerkmal der Gläubigen sein, das die Ungläubigen vergeblich zu erlangen suchen.

Die Offenbarung oder die gute Leitung wird schließlich als das Mittel charakterisiert, durch das die Gläubigen den Weg von der Finsternis zum Licht finden.

Nichtsdestoweniger, trotz der Rechtfertigung, die der fragliche Gebrauch von nūr und ẓulma durch den Koran finden konnte, war er geeignet, bei einem Teil der Öffentlichkeit Anstoß zu erregen. Wir fürchten nicht, eine unbegründete Hypothese in die Welt zu setzen, wenn wir behaupten, die Entsprechung nūr — ḥaqq oder yaqīn habe manche Leser an Texte in der Art erinnert, wie die „Widerlegung des verfluchten zindīq Ibn al-Muqaffaᶜ" des Zaiditen Qāsim b. Ibrāhīm uns einen erhalten hat:

ومسّح ومدّمى النور الذى من جهله لم يعرف شيئا غيره ومن شك فيه لم
يستيقن بشىٔ بعده

„Gepriesen und geheiligt sei das Licht; wer es nicht kennt, kennt nichts außerhalb von ihm, wer daran zweifelt, hat keine Gewißheit über irgend etwas nach ihm."

Genaugenommen ist die Ähnlichkeit zwischen dem Text und den diskutierten Stellen von Abū-l-ᶜAtāhiya ziemlich oberflächlich. Während für den Manichäer die Kenntnis des Lichts den yaqīn verschafft, ist für Abū-l-ᶜAtāhiya der yaqīn in muslimischen Sinn sozusagen leuchtend, während der Zweifel Verlust des Lichts ist. Nur gibt es eine Ähnlichkeit im Vokabular, welche mehr als einem Leser dieser Gedichte verdächtig erscheinen konnte.

Derselbe Gedanke von yaqīn — Licht scheint den Versen 116, 12—13 zugrunde zu liegen. In der Tat sind die Belehrungen, von denen der Dichter sich bezichtigt, er habe sie aus dem wiederholten Schauspiel des Todes nicht ziehen können, unbestreitbar die Erkenntnis der menschlichen Gebrechlichkeit und die Gewißheit zu sterben, in der wir uns befinden; nun ist gerade das der wesentliche Gehalt des Begriffs yaqīn im Koran wie in unseren Gedichten. Wenn diese Interpretation stimmt, dann stehen wir wieder vor der Kombination yaqīn — nūr.

Bleibt noch die Stelle 1, 10—11, wo nūr das Prinzip ist, das dem

Menschen erlauben würde, erfolgreich den Versuchungen der Begierde zu
widerstehen, wenn er in seinem Handeln nicht durch die Finsternis be-
hindert wäre, die sich zwischen es und die menschliche Persönlichkeit
schiebt.

Hier ist man noch berechtigt, nūr in derselben Bedeutung wie eben zu
interpretieren. Das Wissen um seine Gebrechlichkeit, das der Mensch hat,
und die Gewißheit des Sterbens (und Auferstehens), die auf ihm lastet,
trennen ihn von der Sünde und führen ihn zum Guten. Indessen fordert
an unserer Stelle der Gegensatz von nūr und ẓulma (das Wort wird hier
gebraucht) dazu auf, diese Interpretation allgemeiner zu fassen. Nūr
würde dann das Prinzip des moralisch Guten bezeichnen, dessen Wirken
die Finsternis sozusagen die Straße versperrt. So interpretiert ist der Vers
als Ausdruck desselben Dualismus zu betrachten, den wir in der urğūza
von Abū-l-ᶜAtāhiya getroffen haben, die im Hauptteil dieses Aufsatzes
analysiert wurde.

Das von uns unternommene Studium der Begriffe nūr und ẓulma macht
die Anschuldigungen von Abū Sahl b. Naubaḫt verständlich, ohne sie
indessen als begründet zu erweisen. Es hat zwar seltsame und verdächtige
Formeln aufgedeckt, den klar und ausschließlich manichäischen Charakter
hat sie bei keinem von ihnen feststellen können. So hat es zwar den in
dieser Arbeit abgesteckten Rahmen der Untersuchung erweitert, die den
Ergebnissen anhaftende Unsicherheit hat es nicht zerstreuen können.

NACHTRAG

Die Verfolgung der Manichäer durch al-Mahdī nach Michael Syrus

Das Echo der von al-Mahdī gegen die Manichäer ausgelösten Verfolgungen treffen wir bei dem christlichen Geschichtsschreiber Michael
Syrus an. Sein Bericht enthält einige unbekannte oder von den muslimischen
Autoren außer acht gelassene Einzelheiten. Leider enthält er auch, wenigstens für mich, einige dunkle Punkte. Ich begnüge mich also damit, ihn
hier kommentarlos wiederzugeben. Hoffentlich werden die für die
syrische Literatur zuständigen Fachleute etwas Klarheit über diesen Bericht bringen, der vor allem deswegen interessant ist, weil er die Verfolgung der Manichäer in Verbindung mit der Christenverfolgung darstellt
und von da aus die Notwendigkeit einer Gesamtuntersuchung der Religionspolitik der ersten ᶜAbbasiden nahelegt. Ich mache noch darauf aufmerksam, daß der Bericht des Barhebraeus (siehe The Chronography of
Bar Hebraeus, trad. E. A. W. Budge, Oxford 1936, S. 116) nur eine Zusammenfassung von Michaels Bericht ist.

J. B. Chabot, Chronique de Michel le Syrien, Bd. III, 1, Paris 1905, S. 3: (al-Mahdī verfolgt die Christen) „Er setzte auch an jedem Ort eine Verfolgung gegen die Manichäer in Gang. Viele Taiyayē waren von dieser Häresie durchdrungen und wurden hingerichtet, weil sie ihr nicht absagten.

Man zerstörte einen Ort namens Padana Rabta, der voll von Manichäern war; Christen wurden ergriffen, weil sie zu Unrecht dieser Häresie beschuldigt worden waren. Ein Perser zeigte auch einige Personen aus der Familie Gumayē an, und sie wurden festgenommen; das (Rache-)Motiv dieses Persers war, daß sie ihm in ihrem in dem Dorf Hīnan gelegenen Haus keine Wohnung gewährt hatten; darüber wurde er zornig, und als er in Bagdad sah, daß man (eine Verfolgung) gegen die Manichäer in Gang setzte, zeigte er die Gumayē als Manichäer an. Acht der bedeutendsten von ihnen wurden hinweggeführt und ins Gefängnis geworfen. Nach zahlreichen Folterungen starben drei im Gefängnis, die anderen fünf kamen frei, dank dem Herrn, der sie errettete."

[Die Anmerkungen aus dem Originalbeitrag sind in diesen Sammelband nicht mit übernommen worden.]

Zeitschrift der Deutschen Morgenländischen Gesellschaft. 109 = N. F. 34 (1959), S. 82—91.

ANPASSUNG DES MANICHÄISMUS
AN DEN ISLAM
(ABŪ ʿĪSĀ AL-WARRĀQ)[1]

Von Carsten Colpe

Es ist schon lange bekannt, daß der Manichäismus eine typische Missionsreligion war, ja von seinem Stifter von vornherein auf Mission angelegt worden ist. Die verschiedenen Gestalten des manichäischen Systems sind durch Terminologien ganz heterogener Herkunft bestimmt, von denen die christliche, die allgemein hellenistische und die zoroastrische am ausgeprägtesten sind[2]. Immer wieder bei der Analyse eines manichäischen Textes ist es erstaunlich, wie scheinbar kongenial die Begriffe der Religion, an deren Bekenner man sich missionierend wandte, übernommen worden sind, und wie genau man hinsehen muß, um zu erkennen, daß Begriffe wie *nous/vohu manah,* Jesus, Seele hier durch den „gnostischen Bruch" gekennzeichnet sind, den sie vorher nicht in sich trugen. Es ist bei der Lektüre eines solchen Textes nicht überraschend, daß dem Manichäismus der Nachweis, zur Reformation der großen, nach der Zeit ihrer Stifter verfälschten, ursprünglich aber miteinander und mit dem Manichäismus übereinstimmenden Religionen berufen zu

[1] Referat, gehalten am 1. August 1958 auf dem 14. Deutschen Orientalistentag in Halle. Hinzugefügt wurden die Anmerkungen, in denen jedoch das Material über Abū ʿĪsā weder vollständig noch detailliert geboten werden konnte.

[2] Vgl. im einzelnen H. H. Schaeder, *Urform und Fortbildungen des manichäischen Systems,* in: Vorträge der Bibliothek Warburg 1924/25, Leipzig 1927, S. 64—157. Der im vorliegenden Referat gebrauchte Begriff „Anpassung" bedeutet etwas anderes als „Fortbildung", womit von Schaeder eine im Verhältnis zur (hellenistischen) „Urform" gleich ursprüngliche „Umstilisierung" in aramäisch-gnostischen, mittelpersisch-zurvanitischen und christlichen Begriffen gemeint war.

sein[3], immer wieder gelang. Doch ist diese Fähigkeit zur Adaptation älterer Terminologien nicht auf rein pragmatische hermeneutische Geschicklichkeit zurückzuführen, sondern sie hat einen historischen Grund. Denn der Manichäismus war ja als die schlechthin synkretistische Religion überhaupt erst auf dem Grunde des antiken Synkretismus möglich geworden, und dieser hatte seinerseits schon die Begriffe der ursprünglich ohne tiefergehenden gegenseitigen Austausch lebenden Landes- und Stammesreligionen in hier nicht näher zu bestimmender Weise einander angeglichen. Somit geschah die vom Manichäismus vorgenommene gnostische Umdeutung gerade an den Religionen, die zuvor zu seiner eigenen synkretistischen Struktur mittelbar beigetragen hatten. Dieser Umstand erklärt nicht nur den damaligen missionarischen Erfolg der Manichäer, sondern auch die in der modernen Forschung wieder und wieder geübte Zurückverlegung der mythologischen Gnosis in ältere und älteste Traditionen.

Nun kam aber vier Jahrhunderte nach der Begründung des Manichäismus eine Religion auf, der gegenüber eine Behauptung, sie stimme ursprünglich mit ihm überein, nicht einmal den Schein der Beweisbarkeit für sich gehabt hätte. Das war der Islam: von ihm war in den manichäischen Synkretismus naturgemäß nichts eingegangen. Somit stellte er bei seinem Auftreten den Manichäismus vor eine ganz neue Aufgabe. Es hätte diesem darum gehen müssen, nun auch die im Islam gangbaren Mythologumena als Elemente im manichäischen System zu verwenden und damit eine neue, für Mohammedaner bestimmte Anpassung zu schaffen. Aber solche Mythologumena waren nicht vorhanden — selbst unter Einbeziehung Allahs, Mohammeds, der drei altarabischen Göttinnen, sämtlicher Dschinnen und Engel und mit Hypostasierung sämtlicher Eigenschaften Allahs wäre es unmöglich gewesen, die Araber zu überzeugen, daß hier erst die wahre Gestalt der koranischen Religion zu finden sei.

Man braucht keine Überlegungen darüber anzustellen, wie das Problem von genuin-manichäischer Seite aus gelöst worden wäre.

---

[3] W. HENNING, *Der Traditionalismus bei Mani*, in: Forschungen und Fortschritte 10, Berlin 1934, S. 245.

Denn die Bemühungen um Anpassung wurden dem Manichäismus aus ganz anderen Motiven von der Gegenseite, dem Islam, abgenommen. Es handelt sich um einen Teil jener Bewegung, die man mit einem gewissen Recht als Hellenisierung des Islam bezeichnet hat[4]. In mehreren Stufen vollzog sich die Auseinandersetzung des Islam mit dem geistigen Erbe, das er namentlich im neu eroberten Mesopotamien vorgefunden hatte. Uns interessiert hier weder, wie sich dabei einerseits der Islam selbst konsolidierte und es nach und nach zu einer apologetisch gesicherten Orthodoxie brachte, noch wie er andererseits in seine verschiedenen Sekten zerfiel; sondern es geht darum zu zeigen, was im Vollzuge dieser Auseinandersetzung mit der vielleicht wichtigsten geistigen Strömung geschah, auf die der Islam traf, eben dem Manichäismus[5].

[4] Vgl. B. SPULER, *Hellenistisches Denken im Islam,* in: Saeculum 5, Freiburg—München 1954, S. 179—193.

[5] Eine für Jahrzehnte unerschöpfliche Quellensammlung enthält jetzt das Buch von H. TAQIZADEH, *Mānī wa-dīn-e ū,* Teheran 1335 (= 1957). Hier bietet A. A. ŠIRAZI auf S. 73—475 insgesamt 169 arabische, S. 477. bis 536 insgesamt 25 neupersische Textauszüge über den Manichäismus. Sie umfassen Dogmatisches wie z. B. bei Ibn an-Nadīm, Historisches wie bei al-Bīrūnī, Kulturgeschichtliches wie bei al-Ǧāḥiẓ, Kontroverstheologisches aus muᶜtazilitischen, schiitischen und orthodoxen Büchern, Anspielungen und Notizen aus allen Gattungen der arabischen Literatur, auch christlich-arabische und anonyme (z. B. alchemistische) Texte, darunter viele, die nur in orientalischen Drucken oder nur in den Handschriften zugänglich sind. Zum Teil sind auch Berichte über Bardesanes und Marcion aufgenommen. Das Material muß zunächst daraufhin untersucht werden, ob es wirklich über den Manichäismus oder allgemein über Dualismus oder Zindīqtum etwas aussagt. Danach kann man die sachliche und historische Ausgliederung einzelner Komplexe in Angriff nehmen, wie es für einen bestimmten im vorliegenden Referat angedeutet wird. Auf diese Weise gewinnt man zugleich Vorarbeiten für eine Dogmengeschichte des Manichäismus, die allmählich fällig wird, nachdem der bisher relativ text-ärmste Überlieferungsbereich durch die Publikation von TAQIZADEH-ŠIRAZI (im folgenden abgekürzt: T.-Š.) jetzt aufgefüllt ist. — Informationshalber weise ich am Schluß von Anm. 6, 13, 17, 18, 20, 21, 23, 34 auch auf Texte daraus hin, die mit Abū ᶜIsā al-Warrāq nichts zu tun haben.

Wir dürfen hier zunächst nur die Tatsache, aber noch nicht die Gründe dafür feststellen, daß es Muslime gab, die, z. T. über immer extremere schiitische Richtungen, zum Manichäismus übertraten. Es ist meistens sehr schwierig, mit Hilfe der theologisch-polemischen Literatur jener Zeit den religiösen Weg eines solchen zum Ketzer werdenden Muslim zu verfolgen; und da die inkriminierten Meinungen eines solchen Mannes bestenfalls isoliert doxographisch, zumeist aber auch noch entstellt oder unverstanden wiedergegeben werden, ist auch der neue Glaube, zu dem er sich letztlich bekannte, oft nur ungenau zu beschreiben. Deshalb muß es als ein besonderer Glücksfall gelten, daß wir einen in den Diskussionen des 9. Jahrhunderts häufig auftauchenden Theologen auch als Gewährsmann von Historikern wiederfinden, welche über den Manichäismus schreiben.

Abū ᶜĪsā Muḥammad ibn Hārūn al-Warrāq ist nach einer Notiz von al-Masᶜūdī [6] im Jahre 247/861, nach einer von L. MASSIGNON [7] ohne nähere Hinweise vorgezogenen Angabe wohl des Ibn al-Ġauzī [8] im Jahre 297/909 gestorben. Er war der Lehrer des noch berühmteren Ketzers Ibn ar-Rāwandī, dem der Muᶜtazilit al-Ḥayyāṭ eine eigene Widerlegungsschrift, das K. al-intiṣār [9], gewidmet hat; dieses Buch gibt auch über das Denken des Abū ᶜĪsā Aufschluß. Weiterhin finden sich Angaben über ihn im Fihrist des Ibn

---

[6] *Les Prairies d'Or*, Texte et Traduction par C. BARBIER DE MEYNARD et PAVET DE COURTEILLE, 9 Bde, Paris 1861—1877, dort Bd. 7 S. 236. Die Stelle sagt über den Manichäismus nichts aus und fehlt mit Recht bei T.-Š. Doch hätte unter den dort S. 128—132 aus der genannten Edition übernommenen Auszügen auch die Stelle Bd. 2 S. 163 f. (Auftreten Manis) abgedruckt werden müssen.

[7] *Recueil de Textes Inédits concernant l'Histoire de la Mystique en Pays d'Islam*, Paris 1929, S. 182.

[8] Zitiert bei C. BROCKELMANN, GAL, Suppl.-Bd. 1, Leiden 1937, S. 341 s. v. Abū ᶜĪsā al-Warrāq.

[9] *Le Livre du Triomphe et de la Réfutation d'Ibn er-Rawendi l'Hérétique*, par Abou l-Hosein ... el-Khayyat; Texte Arabe ... par H. S. NYBERG, Le Caire 1925; die für unser Problem wichtigsten Stellen abgedruckt bei T.-Š. S. 106—113.

an-Nadīm[10] und im *K. al-muntazam* des Ibn al-Ġauzī[11], neuerdings im von J. SCHACHT zur Edition vorbereiteten *K. at-tauḥīd* des al-Māturīdī[12] und vielleicht im *K. al-imtāᶜ wal-muᵓānasa* des Abū Ḥayyān at-Tauḥīdī[13]. Aus diesen, oft nur kurzen und sich auf verschiedene Lebensstadien beziehenden Angaben läßt sich die theologische Entwicklung des Abū ᶜĪsā in Kürze wie folgt rekonstruieren.

Zum sunnitischen Islam hat sich Abū ᶜĪsā wohl nie bekannt; die Aussagen, die sich auf seine früheste Zeit beziehen müssen, erweisen ihn als einen Anhänger der Muᶜtazila, und zwar ihrer imamitischen Richtung. Wichtiger als die Sündlosigkeit des Propheten Mohammed ist ihm die Infallibilität der Imame, die auf den *ḥulūl*, die Innewohnung göttlicher Substanz in ihnen, zurückzuführen ist. Dieselbe Substanz wohnt auch in der Gemeinde; aus ihrem mystischen Zusammenhang mit dem Imam folgt ihre sittliche Vollkommenheit. Da die Muᶜtazila im allgemeinen diese Vollkommenheit nur historisch mit der Verbindlichkeit der Sunna zu begründen pflegte, der gegenüber Ungehorsam nur zu leicht möglich schien, konnte die Imāmīya der Muᶜtazila sittliche Laxheit vorwerfen und hatte sich damit bereits einen Schritt weit von ihr entfernt. Das Mittlertum der Imame war aber historisch eng mit der sog. *Daiṣānīya,* der arabisierten Lehre des Bardesanes von Edessa, verbunden[14], und diese gehörte in den Augen der islamischen Apologeten wie der Sektenhistoriker eng mit den Lehren des Mani und des Marcion zu-

---

[10] Hrsg. von G. FLÜGEL (vollendet von J. RÖDIGER und A. MÜLLER), Leipzig 1871/72, dort S. 338 Z. 12 = T.-Š. S. 163 ult.

[11] Hsg. von H. RITTER als *Philologica V,* in: Der Islam 19, Berlin 1931, S. 1—17.

[12] Vgl. vorläufig J. SCHACHT, *New Sources for the History of Muhammadan Theology,* in: Studia Islamica 1, Paris 1953, S. 23—43, bes. S. 41 ff.

[13] Hinweis von I. STERN, EI² (engl. Ausgabe) Bd. 1 S. 130, mir nicht zugänglich; der Autor bei T.-Š. nur S. 463 als Grundlage einer Stelle aus den *Ṭabaqāt aš-šāfiᶜīya al-kubrā* des Tāǧaddīn as-Subkī.

[14] R. STROTHMANN, in: Der Islam 16, 1927, S. 283 (Besprechung von al-Ḥayyāṭ, s. Anm. 9).

sammen. Die historischen Interessen des Abū ᶜĪsā, von denen wir noch hören werden, haben ihn in diesen Religionen die Lehre entdecken lassen, daß die gegenwärtige Welt nicht in allen ihren Bestandteilen rein kreatürlich sei, und daß die Einheit und Einzigkeit eines Gottes zur Erklärung vieler Dinge, namentlich des Bösen, nicht genüge. Indem Abū ᶜĪsā den *qidam al-iṯnain*, die Ewigkeit der beiden Prinzipien, für die Kosmologie einleuchtender fand als die koranische Weltschöpfungslehre, hatte er das Zentrum des islamischen Bekenntnisses bereits aufgegeben und war insgeheim *zindīq*, vielleicht auch schon eindeutiger Kryptomanichäer. Ethische Impulse mögen ihn dann zum letzten Schritt getrieben haben; es wird von ihm überliefert, daß der Kalif ᶜAlī ihm wegen der Menge des von ihm vergossenen Blutes am verhaßtesten von allen Menschen gewesen sei. Ein solcher Haß konnte damals kein rein psychologisch deutbares Phänomen bleiben, sondern führte weiter zu grundsätzlicheren Überlegungen: er zwang zur Auseinandersetzung und konsequenterweise schließlich zum Bruch mit der Imāmīya, die mit der Hochschätzung des ᶜAlī stand und fiel. Hier mußte eine ergänzende positive Begründung, warum Blutvergießen verboten sei, willkommen sein. Der Manichäismus lieferte diese Begründung, deren Zusammenhang mit dem ganzen System ein Neubekehrter um so weniger aufzugeben brauchte, als sich ihm dieses System auch aus theoretischen Gründen schon zur Annahme empfohlen hatte. So ist Abū ᶜĪsā über die heterogenen Einflüssen ohnehin immer sehr zugängliche Šīᶜa zum Häretiker geworden und hat auf diesem Wege auch seinen Schüler Ibn ar-Rāwandī mitgerissen[15]. Die muᶜtazilitische Schule schloß ihn denn auch formell mit der Begründung aus, daß er sich der *mānawīya* (und nicht einfach: der *zandaqa*, der *ṯanāwīya* oder der *rāfiḍa*) angeschlossen habe.

Wir hätten über das bisher Gesagte hinaus keine genauere Vorstellung von der Gestalt, in der sich Abū ᶜĪsā den Manichäismus aneignete, wenn wir ihn nur als Dogmatiker oder Religionsphilosophen kennenlernen könnten. Doch war er darüber hinaus auch

---

[15] P. Kraus, *Beiträge zur islamischen Ketzergeschichte. Das K. az-zumurruḏ des Ibn ar-Rawandi*, in: Rivista degli Studi Orientali 14, Rom 1934, S. 93—129 und 335—379, dort S. 379.

Religions- und Sektenhistoriker. Er betrieb diese Wissenschaft z. T. noch so, wie es in ihren frühen Stadien immer gewesen ist, d. h. als apologetische Hilfsdisziplin der Dogmatik; so verfaßte er eine Widerlegung der Christen, die über Melkiten, Jakobiten und Nestorianer genaue Aufschlüsse gibt[16]. Daneben aber arbeitet er bereits sine ira et studio. Er wird z. B. zitiert von al-Ašʿarī[17] und al-Baġdādī[18] als Gewährsmann für rāfiḍa und imāmīya, von al-Masʿūdī für die zaidīya[19], von al-Bīrūnī für Juden und Samaritaner[20] und von Abu l-Maʿālī für die heidnischen Araber[21]. Zugrunde liegt außer für die Imāmīya, der eigene Schriften gewidmet waren[22], wohl immer ein von Bīrūnī[23] ausdrücklich genanntes und von

[16] Vier von Yaḥyā Ibn ʿAdī zitierte Fragmente sind herausgegeben von MASSIGNON, a. a. O. S. 183—185.

[17] Maqālāt al-islāmīyīn, 2 Bde. nebst Index, hrsg. von H. RITTER, Konstantinopel 1929—1933, dort Bd. 1 S. 33 f. 64. — Teils manichäische, teils dualistische Sentenzen daraus bei T.-Š. S. 121 f.

[18] Moslem Schisms and Sects ... by ... al-Baghdadi, transl. by K. CH. SEELYE, Bd. 1 (Columbia University Oriental Studies vol. 15), New York 1920, S. 68. 71. — Auszüge aus dem K. al-farq baina l-firaq des al-Baġdādī bei T.-Š. S. 185—192, aus seinen Uṣūl ad-dīn dort S. 375.

[19] Prairies d'Or, Bd. 5 S. 473.

[20] Chronologie orientalischer Völker, hrsg. von E. SACHAU, Leipzig 1878, S. 277. 284 f. Über den Zusammenhang der Testimonien Abū ʿĪsā's mit denen anderer islamischer sowie karäischer Schriftsteller und ihre Bedeutung für die Erforschung der Qumransekte und ihrer Ausstrahlungen siehe E. BAMMEL, Höhlenmenschen, in: ZNW 49, 1958, S. 77—88. — Die Manichäerabschnitte aus Bīrūnīs Āṯār al-bāqiya, der Risālat ifrād al-maqāl fī amri ẕ-ẕilāl, dem sog. Fihrist, dem Indienbuch und dem K. al-ǧamāhir bei T.-Š. S. 200—216.

[21] Nach I. STERN, a. a. O., von mir nicht eingesehen. — Der Manichäerabschnitt aus dem Bayān al-adyān des Abu l-Maʿāli (pers.) bei T.-Š. S. 491 bis 493.

[22] Vgl. I. STERN, a. a. O. und P. KRAUS, a. a. O. S. 374.

[23] A. a. O. (s. Anm. 20); vgl. auch al-Masʿūdī, Le Livre de l'Avertissement et de la Revision, übers. von CARRA DE VAUX, Paris 1897, S. 396. — Von den bei T.-Š. S. 133—136 aus dem K. at-tanbīh wal-išrāf (Ed. Kairo 1357/1938) abgedruckten Manichäerstellen sind die 1., 4., 5. und 6. am

ᶜIzzaddīn ibn Abi l-Ḥadīd[24] höchstwahrscheinlich gemeintes *K. al-maqālāt;* für den Inhalt eines von Masᶜūdī[25] genannten *K. al-maǧālis* haben wir keine Anhaltspunkte. Als Gewährsmann für den Manichäismus wird Abū ᶜĪsā namentlich und ausführlich von aš-Šahrastānī[26] zitiert. Dieser galt bisher, falls man ihn nicht einfach als späte arabische Quelle für „den Manichäismus" nahm, als einziger Zeuge für die — jedoch noch nicht als eigene Überzeugung erkannten — manichäischen Kenntnisse des Abū ᶜĪsā al-Warrāq. Da sich Šahrastānī auf ihn wenig später im Text[27] auch für den Mazdakismus beruft und diese beiden Bewegungen wegen ihrer inneren, hier noch von Abū ᶜĪsā besonders hervorgehobenen Verwandtschaft auch in anderen Sektengeschichten immer hintereinander abgehandelt werden, ist nicht anzunehmen, daß Abū ᶜĪsā's Darstellung des Manichäismus eine eigene Schrift gebildet hat. Sie wird mit im *K. al-maqālāt* gestanden haben[28], zumal sich keinerlei antiislamisch-propagandistische Züge darin feststellen lassen.

Die Exzerpte bei Šahrastānī lassen sich nun aber — und das ist bisher nicht gesehen worden — zu evidenter Vollständigkeit ergänzen durch ein Referat in den *Biḥār al-anwār* des Muḥammad Bāqir Akmal al-Maǧlisī[29], ferner durch gewisse Passagen aus dem *Fihrist* des Ibn an-Nadīm[30] und dem Geschichtswerk des al-

wichtigsten, weil sie über das in den *Murūǧ* Gebotene hinausgehen. In der Ausgabe von M. J. de GOEJE (Bibl. Geogr. Arab. VIII, Lugd. Bat. 1894) stehen diese Stellen S. 58, 100, 101 und 135.

[24] Im Kommentar zum *Nahǧ al-balāǧa* des ᶜAlam al-Hudā aš-Šarīf al-Murtaḍā, Text bei T.-Š. S. 266—268. — Die Meinungen des Abū ᶜĪsā sind hier von denen der mit ihm Genannten kaum zu trennen.

[25] *Prairies d'Or,* Bd. 7 S. 236.

[26] *Book of Religious and Philosophical Sects,* ed. W. CURETON, 2 Bde, London 1846, dort Bd. 1 S. 188—192 = T.-Š. S. 240—244.

[27] CURETON S. 192 unten.

[28] So auch L. MASSIGNON, EI¹ Bd. 4 S. 1218 s. v. al-Warrāq.

[29] T.-Š. S. 322 Z. 1 wohl bis S. 323 Z. 13.

[30] Und zwar durch S. 329 Z. 5. 25 (?); S. 330 Z. 1—10. 14 f.; S. 330 Z. 22 bis S. 331 Z. 2. FLÜGEL = S. 151 Z. 15 f. S. 152 Z. 13 (?); S. 152 Z. 22—S. 153 Z. 7. 11 f.; S. 153 Z. 20—S. 154 Z. 9 T.-Š.

Yaᶜqūbī[31] sowie durch die gesamte Darstellung des Manichäismus in der Einleitung zum *K. al-baḥr az-zaḫḫār* des Aḥmad ibn Yaḥyā ibn al-Murtaḍā[32]. Die drei letztgenannten Autoren nennen zwar den Namen des Abū ᶜĪsā nicht, jedoch sind die Parallelen, namentlich zwischen Ibn an-Nadīm, Ibn al-Murtaḍā und Šahrastānī, eindeutig und stimmen in ganzen Sätzen wörtlich überein. Nebenbei ist interessant, was die fünf genannten Autoren aus Abū ᶜĪsā exzerpiert haben und was nicht. Es ist hier leider nicht möglich, den philologischen Nachweis für diese literarischen Abhängigkeitsverhältnisse im einzelnen vorzuführen. Auch kann ich an dieser Stelle den rekonstruierten, im einzelnen hochinteressanten Bericht des Abū ᶜĪsā nicht im Wortlaut vorlegen, sondern nur andeuten, in welchen wichtigsten Punkten er sich von original-manichäischen Texten, von denen wegen der zahlreichen und minuziösen Einzelheiten die koptischen und die mittelpersischen zum Vergleich am besten geeignet sind, charakteristisch unterscheidet.

Die Personifikation der beiden Urprinzipien zu einem Licht- und einem Finsterniskönig ist aufgegeben und durch Zuschreibung abstrahierter Sinnes- und Verstandesqualitäten ersetzt. Die das Anschauungsvermögen überfordernde räumliche Anordnung der Prinzipien wird als paarweise Zueinanderordnung beschrieben, die der Sonne und dem zu ihr gehörigen Schatten vergleichbar ist. Schon diese erste Erwähnung der beiden Prinzipien geschieht innerhalb einer allgemeinen Charakteristik der gegenwärtigen Welt, die aus gegensätzlichen Stoffen wie Licht und Finsternis gemischt sei; d. h., das manichäische System wird gleich zu Anfang als der ätiologische Mythus anvisiert, der es u. a. ja auch wirklich ist, und die Denkschwierigkeiten, die beim beschreibenden Einsatz bei zwei getrennten und nicht auseinander oder aus einem Dritten hervorgegangenen Prinzipien entstehen würden, sind umgangen. Dann erst folgt die Einzelbeschreibung der Prinzipien. Hier ist die Pentade der Glieder

---

[31] *Ibn Wadhih qui dicitur al-Yaᶜqūbī Historiae*, ed. M. Th. Houtsma, 2 Bde, Leiden 1883, dort Bd. 1 S. 180 Z. 5—S. 181 Z. 11 = T.-Š. S. 103 ult. bis S. 104 Z. 19.

[32] Hsg. von K. Kessler, *Mani*, Berlin 1889, S. 346—349, abgedruckt bei T.-Š. S. 299—301.

des Lichtgottes (Nous, Denken, Einsicht, Sinnen, Überlegung) ersetzt durch die ethischen Begriffe Liebe, Glauben, Treue, Edelsinn, Weisheit. Alles, was sonst noch zu den Prinzipien gehört — Äonen, Dämonen, Archonten usw. —, ist weggelassen; statt dessen ist, diesmal in distanzierender Form („sie sagen"), das Faktum der Emanation von Engeln und Teufeln erwähnt, wobei die im ursprünglichen System gleichfalls mögliche Auslegung dieses Faktums als geschlechtliche Zeugung ausdrücklich ausgeschlossen wird. Die für die Weltentstehung wichtigen Pentaden, nämlich die Glieder des Urmenschen und des Urteufels, haben anders als in Originaltexten schon hier genau dieselbe Reihenfolge wie später bei ihrer Vermischung; d. h. die Prinzipienlehre an sich genießt weniger Eigeninteresse als ursprünglich und ist noch deutlicher auf die Kosmologie hin formuliert. Urmensch und Urteufel selbst, deren Gestalt und Bewaffnung sonst aufs ausführlichste beschrieben werden, heißen hier lediglich „ein Engel" und „eine häßliche Gestalt" — je unanschaulicher, desto unanstößiger für die in der Gotteslehre konsequent bilderfeindlichen Mohammedaner; von ihrem Kampf wird nur gesagt, daß sich der Engel der häßlichen Gestalt bemächtigt und sich beider Glieder vermischen. Dagegen werden ausführlich die Meinungen gegeneinander abgewogen, ob diese Mischung durch Zufall oder mit Absicht eingeleitet worden sei — Kategorien, die wohl für die gerade beginnende muslimische Dialektik, aber niemals für den älteren Manichäismus von Interesse waren. Breit ausgeführt und streng parallel geordnet sind dann die Mischungskombinationen selbst; es mischen sich *duḫān* (Rauch) mit *nasīm* (leichtem Lufthauch), *ḥarīq* (Brand) mit *nār* (Feuer), *nūr* (Licht) mit *ẓulma* (Finsternis), *samūm* (Glutwind) mit *rīḥ* (Wind), *ḍabāb* (Nebel) mit *māʾ* (Wasser). Die sich daraus ergebenden Folgen werden durch z. T. sehr anschaulich gewählte Beispiele, was in dieser Welt auf das Konto des Lichtes und was auf das der Finsternis geht, erläutert. Damit erhält die Rückführung aller Dinge auf diese beiden Prinzipien zugleich ihre Evidenz. So ist die Erklärung des gegenwärtigen Weltzustandes aus der Vermischung von Licht und Finsternis das Herzstück der Lehre geworden. Erst dann folgt der eigentliche Bericht über den Vorgang der Erschaffung der Welt, der Firmamente und Gestirne (zweite Berufung). Die Beschreibung des

Erlösungsprozesses, an dessen Ende die Auflösung der Welt steht (dritte Berufung), schließt sich unmittelbar an, aber gleichsam nur anhangsweise. Der Akzent, der sonst gerade auf diesem Teil des Mythus liegt, ist deutlich auf den voraufgehenden Teil gerückt. Der umfangreiche Götter- und Hypostasenapparat der zweiten und dritten Berufung ist so radikal wie möglich vereinfacht; nur die unbedingt nötigen Bestandteile des Läuterungs-„Mechanismus", nämlich die Firmamente, die Lichtschiffe und die Säule der Herrlichkeit, waren nicht zu entbehren, und das sind, sicher nicht zufällig, gerade die, deren Vorhandensein auch ein Mohammedaner nicht leugnen konnte: handelte es sich doch um Himmel, Sonne, Mond und Milchstraße. Der Anteil des menschlichen Handelns am Lichtbefreiungswerk wird besonders hervorgehoben, um den ständigen antimanichäischen Einwand, die Erlösung des Lichtes könne ebenso gut mechanisch-naturhaft verstanden werden, von vornherein auszuschließen. Die ursprünglich gleichberechtigte Meinung, daß nach dem Weltuntergang einiges Licht in der Finsternis zurückbleibe, wird geflissentlich einer Minorität zugeschoben, auf daß die Lehre von der Erlösung a l l e n Lichtes desto unangreifbarer dastehe. — Es folgen einige Angaben über die manichäische Ethik (Besitzverzicht, Gebetszeiten, Wahrheitsliebe, einige Verbote), deren Begründung und Zusammenhang mit dem System offenbar absichtlich weggelassen ist: denn so stehen diese Forderungen plausibler und allgemeingültiger da, als wenn sie aus einem auch von der damaligen Naturwissenschaft schon zu widerlegenden Mythus folgen würden.

Einige mit Quellenangabe versehene wörtliche, d. h. nicht uminterpretierte Zitate weisen darauf hin, daß dem Abū ᶜĪsā als Grundlage für seine Arbeit das *Šābuhragān* und das *Lebendige Evangelium* des Mani vorgelegen haben. Die im Vergleich zum älteren Manichäismus — er wird ja gerade durch diese beiden Schriften gut repräsentiert — aufgezeigten Unterschiede dulden, erst recht im Lichte der religiösen Entwicklung des Abū ᶜĪsā, m. E. keinen Zweifel daran, daß er hier nicht nur als „objektiver" Sektenhistoriker, sondern auch als vom Islam hergekommener Manichäer spricht. Als kleines Schlaglicht auf seine Individualität mag die Vermutung gestattet sein, daß er sein neues Bekenntnis absichtlich nicht als solches ausgesprochen, sondern es in einem gelehrten Werk, parallel zu anderen Beschreibungen religiöser Gruppen, untergebracht hat. Denn als sich offen bekennender Manichäer hätte er unter den abbasidischen Kalifen mit der Todesstrafe rechnen müssen, die ihn übrigens offenbar später tatsächlich noch ereilt hat[33]. Zur Bestätigung dafür, daß Abū ᶜĪsā sich gerade an dieser Stelle mit dem von ihm Dargestellten identifiziert hat, mag die Beobachtung dienen, daß die Historiker Ibn an-Nadīm, al-Yaᶜqūbī und Ibn al-Murtaḍā, die sich sonst nicht scheuen, ihre Gewährsleute ausdrücklich zu nennen, seinen Namen verschweigen.

Abū ᶜĪsā's Darstellung darf als Anpassung des Manichäismus an den Islam bezeichnet werden, auch wenn es sich nicht um ein von Gemeindemissionaren tradiertes und zurechtgemachtes Lehrstück handelt, wie wir es z. B. aus Ägypten oder aus Turfan kennen. Hier hat sich ein Mohammedaner das manichäische System adaptiert, indem er es entmythologisierte und seine rationale, der Welterklärung dienende Komponente soweit wie möglich herausarbeitete. Das ist eine besondere intellektuelle Leistung angesichts der Tatsache, daß ihm nicht der dem ursprünglichen System näherstehende hellenistische Sprachgebrauch zur Verfügung stand, der dem Verfasser der von Alexander von Lykopolis widerlegten, an Neuplatoniker gerichteten Manichäerschrift die Bildung der darin enthaltenen Anpassung so sehr erleichtert hatte. Demgegenüber fällt es kaum ins Gewicht, daß einige von Abū ᶜĪsā versuchte, von mir hier übergangene logische Beweise für die Richtigkeit des Mythus noch nicht recht passen. Auf jeden Fall muß der so gestaltete Mythus der manichäischen Mission unter den Mohammedanern nützlich gewesen sein und sich als d i e auf den Islam zugeschnittene Anpassungsform empfohlen haben.

Nachtragsweise darf ich noch sagen, warum diese — hier leider nur skizzierte und zureichend erst in einer Monographie heraus-

---

[33] Jedenfalls wurde er nach dem (allerdings sehr späten, vgl. GAL Bd. 1 S. 296 Nr. 6; Suppl.—Bd. 1 S. 519 Nr. 6; Suppl.—Bd. 2 S. 394) K. maᶜāhid at-tanṣīṣ des ᶜAbdarraḥīm al-ᶜAbbāsī (Bulaq 1247, Bd. 1 S. 77, zitiert von NYBERG, a. a. O. S. 205) bis zu seinem Tode gefangengehalten. Die Stelle fehlt bei T.-Š. S. 425 f.

zuarbeitende — Form auch über sich selbst hinaus Interesse be-
anspruchen darf. Sie ist ausführlicher, theoretisch fundierter und
unpolemischer als die, welche wir z. B. von Ibn al-Muqaffaᶜ her
kennen[34] und dürfte jenen Typ repräsentieren, im Kampf mit
welchem ein Mann wie an-Naẓẓām[35] zur Ausbildung der Muᶜtazila
und damit mittelbar der islamischen Dogmatik beitrug. Zum andern
sind jetzt viele Angaben namentlich des *Fihrist*, die immer so gern
zur Illustration älterer mythologischer manichäischer Texte zitiert
werden, historisch genauer eingeordnet und verwirren nicht mehr
die Diskussion darüber, welche Urgestalt der Manichäismus[36] und
damit auch seine gnostischen Vorläufer gehabt haben mögen. So
steht das von Abū ᶜĪsā al-Warrāq interpretierte manichäische
System nicht nur als Aussage für sich selbst, sondern vermag auch
die schwierige Analyse komplizierter religionsgeschichtlicher Sach-
verhalte zu fördern — sowohl derer, die ihm voraufgehen, als auch
solcher, die ihm folgen.

---

[34] Enthalten in der Widerlegung des al-Qāsim ibn Ibrāhīm, hrsg. von
M. GUIDI: La Lotta tra l'Islam e il Manicheismo, Rom 1927; Auszüge bei
T.-Š. S. 77—83.

[35] Über diesen großen Muᶜtaziliten s. vorläufig H. S. NYBERG im
Handwörterbuch des Islam, Leiden 1941, S. 584 f.

[36] So braucht an der *Fihrist*-Stelle, wo vom Seelenaufstieg die Rede ist
(S. 330 Z. 22—26 FLÜGEL = S. 153 Z. 20—24 T.-Š.), das Fehlen des
Neuen Paradieses mit dem erlösten Urmenschen nicht die Schwierigkeiten
für die Erklärung von Parallelen wie der parthischen Hymnenstelle
Huwīdagmān VIc 11—13 zu bereiten, wie sie M. BOYCE, *The Manichaean
Hymn-Cycles in Parthian*, Oxford 1954, S. 20 empfindet: es handelt sich
nicht um ein von Ibn an-Nadīm "in this epitome" ignoriertes, sondern
um ein von Abū ᶜĪsā bewußt beseitigtes Mythologumenon.

VII. DIE PERSÖNLICHKEIT MANIS

The Personality of Mānī, the Founder of Manichaeism; in: Journal of the American Oriental Society. 58 (1938), pp. 235—240. Ins Deutsche übersetzt von Rüdiger Schmitt.

DIE PERSON MĀNĪS,
DES BEGRÜNDERS DES MANICHÄISMUS

Von Abraham Valentine Williams Jackson

[*Vorbemerkung:* Professor Jackson legte diese Arbeit beim Treffen der American Philological Association vom 27. bis 29. Dezember 1928 vor, doch wurde sie nicht in den Transactions veröffentlicht, sondern „seinem in Vorbereitung befindlichen Buch über den Manichäismus" vorbehalten, wie es in TAPA 59, 1928, S. IV Anm. 8 heißt. — C. J. Ogden.]

Es ist immer von Interesse, von der Person eines berühmten religiösen Führers eine Vorstellung zu haben, und es ist die Absicht dieser Arbeit, nach Möglichkeit Licht zu werfen auf die des Mānī, des Begründers des Manichäismus im 3. Jahrhundert nach Christus.

Was *Porträts* betrifft, so hält man es für denkbar, daß wir vielleicht eine Darstellung haben von Mānīs Kopf (im Profil) auf einigen Münzen aus der Charakene im südlichen Mesopotamien mit mandäischen Legenden (für eine wird die Lesung „Mānī, der Eingesetzte des Mithra" vorgeschlagen") und anscheinend auf etlichen Münzen des Kušānkönigs Pērōz (3. Jahrhundert nach Christus), der dem Manichäismus zugetan war[1]. Der Kopf auf den Wiedergaben

---

[1] Über die Charakenemünzen s. den interessanten Aufsatz von M. Lidzbarski, Die Münzen der Characene, in: Zs. für Numismatik 33, 1922, 83—96 (mit Tafel), cf. insbesondere S. 91—96. In einer Nachschrift (S. 96) verweist Lidzbarski auf einen Artikel in: The London Numismatic Chronicle 1920, II, S. 122—140 von J. de Morgan, Allotte de la Fuÿe und G. F. Hill, Essai de lecture des légendes sémitiques des monnaies characéniennes, der sich mit denselben Münzen befaßt. Lidzbarski bemerkt, daß de la Fuÿe den Namen auf dem Revers einer bestimmten Münze als „Manu" statt „Mani" liest und darin den Namen eines unbekannten Mannes sieht. [*Addendum*: Nach Durchsicht des Artikels in: The London Numismatic Chronicle notierte Professor Jackson: „Ich glaube, daß die Legende hier so zu lesen ist: MANI. ASTAD. AI. MIHRA,

dieser Münzen ist nach rechts gewandt und geschmückt mit reichem, welligem Haar, das nach hinten zum Nacken hinabfließt; der Bart ist ziemlich spitz und die gerade Nase recht hübsch. Sowohl Lidzbarski wie Wesendonk, und ich glaube auch Herzfeld, neigen zu der Annahme, daß die Abbildung den Begründer des Manichäismus zeigt. Ich bin nicht genügend Numismatiker, um eine Entscheidung zu fällen, aber nach der Evidenz zu urteilen, die dafür spricht, erscheint diese Zuweisung begründet.

Es ist des weiteren vorgeschlagen worden, daß wir möglicherweise ein Phantasiebild Mānīs auf dem Bruchstück eines großen Wandgemäldes haben, das A. von Le Coq aus Chotscho in der Turfanoase mitgebracht hat[2]. Das Gemälde, wenngleich ziemlich beschädigt, stellt das Bild eines Mannes von hoher Statur dar, den Kopf umgeben von einer großen Aureole aus Sonne und Mond, das Gesicht ganz und gar mongolischen Typs; hinter ihm steht eine Gruppe von Figuren, Männer und Frauen, aber alle in viel kleinerer

'Mānī, der Eingesetzte des Mithra'. Die Form AI = $^{\circ}\bar{\imath}$ ist das gewöhnliche $^{\circ}\bar{\imath}$ 'von'. Lesung und Interpretation von *āstād*, 'Eingesetzter' sind gesichert; sowohl Andreas wie Lidzbarski (op. cit., S. 92) verwerfen den Gedanken an *ustād*, 'Meister'. Wegen der Bedeutung von *āstād* vgl. man die avestische Wurzel *ā-stā*, 'anstellen, (amtlich) bestellen' bei Bartholomae, Altiranisches Wörterbuch, Sp. 1602. Gut bekannt ist uns das hohe Ansehen Mithras im Manichäismus, einschließlich der Turfanfragmente, wo er in einem (M 38, 1—2 = Müller, Handschriften-Reste, II, S. 77) unmittelbar vor Jesus und Mānī angerufen wird."]

Wegen des Namens „Mānī" auf den Revers zweier Kušān-Münzen des Pērōz ziehe man heran: O. G. von Wesendonk, Zum Ursprung des Manichaeismus, in: Ephemerides Orientales (Otto Harrassowitz, Leipzig), Nr. 30, September 1926, S. 3; sowie desselben: Urmensch und Seele, Hannover 1924, S. 116; dieser verweist noch auf Freiman, in: Rocznik Orjentalistyczny, Band 2 (mir nicht zugänglich). Siehe des weiteren das wichtige, bekannte Werk von E. Herzfeld, Paikuli, Berlin 1924, I, S. 46—47, vgl. S. 41, 47. Herzfeld neigt dazu, die Lesung „Mānī" anzunehmen, die, wie er sagt, zuerst von Markoff erkannt wurde.

[2] Siehe A. von Le Coq, Die buddhistische Spätantike in Mittelasien. Zweiter Teil: Die manichäischen Miniaturen, Berlin 1923, Tafel 1 a und Text S. 34—36. Vgl. auch die kleinen Reproduktionen bei F. C. Burkitt, The Religion of the Manichees, Cambridge 1925, gegenüber S. 1 und 69.

Darstellung. Der Stil des Bildes ist völlig ostasiatisch, wie Le Coq hervorhebt, und er selbst brachte seine Unschlüssigkeit zum Ausdruck, als er in Klammern und mit einem Fragezeichen den Untertitel „(Porträt des Mani?)" hinsetzte. Lidzbarski (op. cit., S. 95) erschien die Zuweisung sehr zweifelhaft. Wenn es auch keinen bestimmten Grund zu geben scheint, der dagegen spräche, die Figur mit der Aureole als ein Phantasiebild Mānīs anzusehen, es wird doch nur das Bildnis irgendeines angesehenen Hohenpriesters sein. Soviel zu der Frage der Porträts des Mānī [3].

Wir wollen nun eine seltsame Beschreibung von Mānīs Erscheinung und Kleidung vorführen, wie sie in den Acta Archelai, Kap. 14 (12) von deren christlichem Verfasser, Hegemonios, gegeben wird [4]. Der Abschnitt ist jedem geläufig, der am Manichäismus interessiert ist, aber er verdient es, hier nochmals wiedergegeben zu werden. Die Szene spielt im Hause des wohlhabenden Marcellus. Er und der Bischof Archelaos haben schon eine kurze Darlegung von Mānīs Lehrsätzen gehört, die sein Schüler Turbo vor der Ankunft des

[3] Bewußt sehe ich davon ab, die Vermutung zu wagen, daß wir vielleicht eine Darstellung Mānīs in einer kleinen Malerei aus Turfan suchen könnten (Le Coq, op. cit., Tafel 8 b, Miniatur d, vgl. Text S. 61). Sie stellt ein Menschenpaar dar, einen jungen Mann und eine junge Frau, halbnackt und beide beschämt darüber, zusammen entdeckt worden zu sein. Vor ihnen steht drohend eine gestrenge Person, mit einem Stab in der Rechten und erhobenem Zeigefinger der Linken zur Rüge ihrer schändlichen Tat. Dieser drohend Strafende trägt ein langes rotes Gewand oder Kleid, mit grünlich-blau gestreiften Unterärmeln und dazu passendem Gürtel, der untere Teil der Figur ist dagegen zerstört. Während wir Mānīs Lehren und Empfehlungen zu diesem Thema kennen, ist uns keine Geschichte oder Legende erhalten, die dazu beitragen würde, ihn als in der Szene dargestellt zu identifizieren. Wir werden deshalb am besten die streng mahnende Gestalt als irgendeinen kirchlichen Richter erklären, der über die Schuldigen das manichäische Urteil der Reprobation in diesem Fall spricht.

[4] Siehe die Ausgabe des lateinischen Texts (der griechische ist von diesem Abschnitt an verloren) von C. H. Beeson, Hegemonius. Acta Archelai, Leipzig 1906, S. 22—23; vgl. auch die englische Übersetzung von S. D. F. Salmond, in: The Ante-Nicene Fathers, New York 1899, Band 6, S. 186 (amerikanischer Nachdruck der Edinburgher Ausgabe).

Meisters selbst gegeben hatte, des Meisters, der eine lange Reise auf sich nahm, um Marcellus zu treffen und um sich in eine Disputation mit Archelaos, dem christlichen Bischof, einzulassen. Die Beschreibung von Mānīs Erscheinung ist recht lebendig und anscheinend nach dem Leben oder alter Tradition gestaltet.

„An ebendemselben Tag kam außerdem Manes (Mānī) an, der junge auserwählte Männer und Mädchen mit sich brachte, insgesamt zweiundzwanzig an der Zahl[5]. Und zuallererst suchte er Turbo beim Haus des Marcellus, doch als er ihn dort nicht fand, ging er hinein, um Marcellus seine Aufwartung zu machen. Als er ihn erblickte, erstaunte Marcellus zuerst über die Ausstattung seiner Kleider. Denn er trug eine Art Schuhe, die in der Alltagssprache ʻtrisoliumʼ (Dreisohle)[6] genannt zu werden pflegt, er hatte ferner einen verschiedenfarbigen Mantel von gleichsam himmelblauem[7] Aussehen; in seiner Hand hielt er einen ziemlich dicken

[5] Salmond (op. cit.) notierte, daß der Codex Bobiensis die Zahl als *duodecim*, „zwölf" angibt.

[6] So lautet der Text Beesons, der die Handschriftenvarianten *quadrisole* C, *tresole* M mitteilt. Salmond, der ersteren Lesung folgend, übersetzt mit „quadrisole". Die Benennung bezieht sich auf die Schuhsohle, die aus drei oder vier Lagen Leder besteht. Diese Art von Schuhwerk, wenn auch nicht so übertrieben, kann vielleicht illustriert werden durch die Schuhe der großen, zerstörten Statue des Sasanidenkönigs Šāhpūr I., die man bei Nakš-i Šapur in Südpersien fand; siehe Texiers Zeichnungen in C. F. M. Texier, Description de l'Arménie, la Perse, et la Mésopotamie, Band 2, Tafeln 149, 150, wovon die erste bei K. D. Kiash, Ancient Persian Sculptures, Bombay 1889, S. 60—62 wiedergegeben ist. Es wäre sicher reizvoll, in dieser Anspielung auf die Dicke von Mānīs Schuhsohle irgendeinen Bezug zu sehen auf die Überlieferung von seiner Lähmung, über die unten noch zu handeln sein wird, doch der Text selbst erwähnt hier nichts dergleichen.

[7] Über die Bedeutung von *aërinus* als Bezeichnung einer bläulichen Farbe sehe man den Thesaurus Linguae Latinae, Band 1, Sp. 1061, Zeilen 59—60, vgl. auch *aërius*, Sp. 1062, 75 ff. mit zahlreichen Zitaten; ferner Du Cange, Glossarium mediae et infimae Latinitatis, Band 1, S. 119. Das verwandte Adjektiv *aërius* der Vulgata (Esth. 1, 6; 8, 15) wird in der ʻDouai Versionʼ mit "sky coloured", in der ʻAuthorized Versionʼ mit "blue" wiedergegeben. Einfach „blau" wäre vielleicht eine bessere Übersetzung für die obige Stelle, da die persische, für Bekleidung verwendete Farbe allgemein ein dunkles Blau ist, wenngleich man (zwar etwas seltener) auch ein helleres Blau trägt.

Stab aus Ebenholz; er trug ein babylonisches[8] Buch unter dem linken
Arm; seine Beine waren weiters bekleidet mit Hosen in verschiedenen
Farben, das eine Hosenbein rot, das andere in einer Art Lauchgrün; und
sein Gesichtsausdruck glich dem eines älteren persischen Arztes und
Kriegsherrn."[9]

Sicher verleihen die bizarre Farbenzusammenstellung und das
übertriebene Ergebnis dieser Beschreibung ein groteskes Element,
das hervorzukehren gewiß nicht ohne Absicht geschah. In der Schilderung mögen jedoch manche wirklichen Züge bewahrt sein. Neben
seiner ganzen religiösen Nüchternheit besaß Mānī, berühmt auch als
Maler und künstlerischer Kalligraph (siehe unten!), einen ästhetischen Sinn für Farben, wie wir aus den in Turfan gefundenen
manichäischen Miniaturen und illuminierten Handschriftenfragmen-
ten schließen können. Die Acta, das sei noch bemerkt, machen
keinerlei Anspielung auf irgendeinen körperlichen Defekt Mānīs,
noch tun das andere christliche Autoren. Das führt uns nun auf eine
Besprechung der Tradition über Mānīs Lähmung.

Es wird überliefert, daß Mānī gelähmt war, und zwar an zwei
Stellen des Fihrist von an-Nadīm (geschrieben 987 nach Christus).
Dieser arabische Kompilator, dessen allgemeine Zuverlässigkeit bei
der Aufzeichnung aus manichäischen Quellen voll anerkannt ist,
erklärt bei der ersten dieser Anspielungen, in einer Schilderung von
Mānīs Kindheit, daß *„er an einem verwachsenen Bein litt" (aḥnaf
ar-rijl)*[10]. An einer zweiten, viel späteren Stelle kommt an-Nadīm
nochmals auf Mānīs Lähmung mit noch genaueren Angaben zurück:
*„einige sagen, daß er zwei verwachsene Beine hatte; aber es heißt
auch, (nur) das rechte Bein."*[11]

[8] Man erinnere sich daran, daß Mānī, obwohl dem Geschlechte nach
ein Perser, in Babylonien geboren ist.

[9] Für *artifex = medicus* siehe Thesaurus, Band 2, Sp. 698, Zeilen
58—76; vgl. auch Beeson, op.. cit., S. 115, Zeile 3 mit Verweis auf andere
Belegstellen in den Acta.

[10] Siehe Flügel, Mani, 1862, S. 83, Zeilen 7—8, „litt an einem einwärts-
gedrehten Beine"; ebenda, Text, S. 49, Zeile 6 = große Ausgabe des
Fihrist, S. 328, Zeile 1.

[11] Siehe Flügel, op. cit., Übersetzung S. 100 oben mit Anm. 282 und
Text S. 69, Zeilen 10—11; vgl. desselben große Ausgabe des Fihrist,

Die Deutlichkeit dieser zwei traditionellen Angaben scheint zu überzeugen, trotz des Versuchs von Kessler, Mani, 1889, S. 332 bis 333 (vgl. auch S. 383 Anm. 4), sie anders zu erklären. Kessler (S. 333) suchte den arabischen Satz mit Hilfe einer syrischen Form zu interpretieren und übersetzt: „er war der *verruchteste* der Männer" und wiederholt in ähnlicher Weise (S. 383), „daß er der größte Irrgläubige (Ketzer) unter den Menschen gewesen sei". Er gab jedoch zu (S. 333 Mitte), daß an-Nadīm an dieser zweiten Stelle ausdrücklich auf das rechte Bein Bezug nahm, aber er behauptet, daß dies dem Weiterschleppen eines alten „Mißverständnisses" zuzuschreiben sei. Die Unrichtigkeit von Kesslers Ansicht wurde sofort von Nöldeke, in ZDMG 43, 1889, 547, dargelegt, der erwies, daß die vorgeschlagene Wiedergabe und Interpretation wertlos sind. Mit Nöldekes Urteil können wir völlig übereinstimmen und an-Nadīms Behauptung annehmen, daß Mānī auf einem oder beiden Beinen gelähmt war.

Dieser Bestand führt mich zu einem ganz neuen Punkt, nämlich zu einer neuerlichen Überprüfung der Bedeutung des mittelpersischen Beiworts *astak* oder *xastak* (wie auch gelesen werden kann), das dem Mānī konstant beigelegt wird in einem recht langen Abschnitt eines der sassanidischen Pahlavi-Bücher, die seine Lehren in Acht und Bann tun. Die fragliche Stelle findet sich im Dēnkart (3, 200, 1—13) in einem Abschnitt, der sich auf die sogenannten „Gebote Mānīs" bezieht, die ich in JRAS 1924, 213—227, übersetzt und kommentiert habe[12]. In jedem Paragraphen hintereinander verflucht der Autor, ein zoroastrischer Priester, den Mānī als „Unhold" *(druj)* und fügt immer das oben erwähnte Schimpfwort an, Schimpfwort, in welcher der beiden Weisen man es nun auch transliterieren und dementsprechend wiedergeben will.

S. 335, Zeile 5. Für Hilfe beim Überprüfen der arabischen Zitate schulde ich Dank meinem (verstorbenen) Assistenten Dr. A. Yohannan, für weitere Hilfe später auch Dr. N. N. Martinovitch.

[12] [Wiederabgedruckt mit einigen Zusätzen und ein paar leichten Änderungen in: Jackson, Researches in Manichaeism, S. 203—217; s. besonders S. 209, wo er in dem „Postscript, 1930" die hier entwickelte Ansicht übernimmt. — C. J. Ogden.]

Ich hatte früher (op. cit., S. 218 Anm. 2) diese schmähliche Bezeichnung Mānīs gelesen und übersetzt als *druj astak*, „der leibhaftige Unhold", mit einer Begründung, die zu jener Zeit ausreichend schien, für die Entzifferung des mittelpersischen Adjektivs als *astak* und somit die Wiedergabe durch „leibhaftig". Nachdem ich die ganze Sache von neuem durchdacht habe, hat sich meine Meinung jedoch geändert. Ich bin nun geneigt, die andere (früher verworfene, op. cit., S. 219 oben) Transliteration für das Beiwort des Unholds anzunehmen und es als *xastak* zu lesen, wörtlich „gebrochen", vgl. neupers. *xastan*, „zerbrechen" (vgl. die avest. Wurzel *xad-*), wobei diesem Attribut im Falle des Mānī eine signifikantere Interpretation gegeben werden muß. Im Lichte dessen, was oben aus dem Fihrist beigebracht wurde, bedeutet das mittelpersische Beiwort *xastak* in dem ganzen Dēnkart-Abschnitt nicht einfach „gebrochen, zusammengebrochen" oder „verwundet, krank, schwächlich" [13], sondern ist präziser zu fassen und bedeutet in diesem Fall „verkrüppelt". So ist das oft wiederholte *druj xastak Mānī* in Wirklichkeit „der *verkrüppelte* Unhold Mānī" — in anderen Worten: dieser Teufel von einem Krüppel, Mānī. Das Pahlavibuch Dēnkart würde so die zweimal wiederholte Feststellung im Arabischen des an-Nadīm von neuem bekräftigen, daß Mānī *gelähmt* war. Man erinnere sich auch noch der Anspielung in den Acta auf das 'trisolium' („Dreisohle") nach der Andeutung oben in Anm. 6.

Wenn dieser Schluß richtig ist (was mir der Fall zu sein scheint), nämlich daß Mānī irgendwie verkrüppelt war, könnte er uns helfen, weiteres Licht zu werfen auf seine Person, sein phantasie- und geistvolles Wesen. Wir wissen natürlich, daß Mānī den Feuereifer eines religiösen Führers und des Stifters einer Religion hatte, die einmal ein Konkurrent von Christentum und Zoroastrismus war, und daß der Widerstand dieser letzteren ihn dazu brachte, einen Märtyrertod zu sterben wie einer, den man als Häretiker ansieht. Durch seine ganze Veranlagung hindurch, insbesondere wenn er mit einer körperlichen Schwäche zur Welt gekommen sein sollte, können wir

---

[13] Siehe West, SBE 37, S. 278 und vgl. J. N. Unvala, in: Bulletin of the School of Oriental Studies 2, 1923, 648 Anm. e (Zeilen 1—2).

besonderen Idealismus und besondere Kultiviertheit sehen, gepaart mit seltener Sehergabe. Man hat immer anerkannt, daß er dichterische Imaginationskraft besaß, wie ja aus seinen kosmogonischen Vorstellungen und ebenso aus ein paar Hymnenversen hervorgeht, die erhalten geblieben sind. Die Tradition spricht ihm hervorragende Fähigkeiten zu, so daß sein Name in Persien ein Synonym für Maler wurde[14]. Seine Meisterhand als Schöpfer eines revidierten Alphabets[15] und als ein mutmaßlicher Pionier der Kalligraphie — diese Kunst wurde von seinen Anhängern besonders gepflegt —, all das zeugt von einem stark geistig geprägten und schöpferischen Sinn. Er interessierte sich besonders für Musik und erlaubte seinen Anhängern den Genuß von Parfüms als etwas Feinem. Es wäre nicht schwer, sich zu denken, daß Mānīs Lähmung, offenbar angeboren, zu seiner sensiblen und vergeistigten Natur beigetragen haben könnte, die vor allem religiös so schöpferisch war. Das ist alles!

[14] Das vollständige Belegmaterial für Mānī als Maler und seine Fähigkeit, eine absolut gerade Linie oder einen ganz runden Kreis zu zeichnen, ist gesammelt, doch soll es anderswo behandelt werden. Das gleiche gilt für weitere Details hinsichtlich der unten noch genannten Punkte.

[15] Über Mānīs reformierte Schrift siehe die Bemerkungen bei H. H. Schaeder, Urform und Fortbildungen des manichäischen Systems, Leipzig 1927, S. 147—150.

Geo Widengren, Mani und der Manichäismus. (Urban-Bücher, 57.) Stuttgart: W. Kohlhammer 1961, S. 136—145 (= Kapitel IX).

MANI ALS PERSÖNLICHKEIT

Von GEO WIDENGREN

Der deutsche Orientalist Hans Heinrich Schaeder, der sich während der zwanziger und dreißiger Jahre der Mani-Forschung widmete, hat in seiner Arbeit „Urform und Fortbildungen des manichäischen Systems" mit Nachdruck die Frage gestellt: „Auf welcher
Stufe der Denkrationalisierung befand sich Mani?" Und er ist der
Meinung, daß die Beantwortung dieser Frage den Schlüssel zum
Verständnis der Persönlichkeit Manis und des manichäischen Systems biete.

Man muß hier zuallererst aber bemerken, daß es gewiß eine recht
eigentümliche Methode ist, die Person und das Werk eines Religionsstifters dadurch erklären zu wollen, daß man nach der Stufe
der Denkrationalisierung fragt, auf welcher der betreffende Religionsstifter sich befand.

Begnügen wir uns aber nicht mit dieser unmittelbaren Reaktion,
sondern versuchen das Problem etwas näher zu betrachten, so muß
wohl *unsere* erste Frage sein: Befindet sich Mani überhaupt innerhalb einer Sphäre, die wir als „Denkrationalisierung" kennzeichnen
können? Ist die *ratio* die „Vernunft" bei der Entstehung der Lehre
Manis der dominierende Faktor gewesen? Dies scheint in der Tat
der Fall zu sein. Wir erinnern uns, daß Augustin, nach seinen eigenen Worten, sich mehr als durch irgendeine andere Tatsache von der
Versicherung der Manichäer angesprochen fühlte, daß sie imstande
seien, allen Phänomenen der Welt eine vernünftige Erklärung zu
geben (S. 124). Wir erinnern uns auch, daß die manichäische Kritik
der Christen darauf hinausging, daß der Christ sich zum Glauben
zuerst zwingen müsse, bevor er seine Vernunft verwenden dürfe.
All dies deutet ja unbestreitbar in die Richtung einer wissenschaftlichen, um nicht zu sagen einer rationalistischen Betrachtungsweise.

Zugleich aber haben wir beim Durchgang durch das manichäische

System feststellen können, daß diese angebliche wissenschaftliche Betrachtungsweise „sich in Mythen auflöst" (Puech).

Die Gegner haben denn auch nie aufgehört den Manichäern vorzuwerfen, daß sie nicht eine wissenschaftliche, sondern eine *pseudowissenschaftliche* Weltdeutung vertreten. Ihre Weisheit, ihre *sophía*, ist keine Philosophie, sondern eine Theosophie. „Durch ihre Fabeln", sagt der neuplatonische Philosoph Alexander von Lykopolis, „haben sie die Mythologen bei weitem übertroffen, die sich vorstellen, daß die Geschlechtsteile des Ouranos abgeschnitten worden seien oder sich eine Verschwörung gegen Kronos von seiten seiner Söhne gebildet habe, in der Absicht sich der Herrschaft zu bemächtigen, oder die wiederum denselben Kronos seine Söhne verschlingen lassen, aber durch ein Bild aus Stein betrogen werden" (Contra Manichaei opiniones X). Die Mythen, die Mani in seinem System darbot, erschienen dem Verfasser der Acta Archelai (Kap. LII bis LIII) so kindisch, daß er allen Ernstes behauptete, Mani habe zu einem der Bücher seiner Vorgänger gegriffen und habe „Weibergerede" hinzugefügt und dies „mit einem großen Überschwang unnützer Worte erzählt". Ja, einige christliche Polemiker machen aus seinem Namen Wortspiele und erklären, daß Mani zu Recht den Namen *Manes* trage, weil er offenbar wahnsinnig (Griechisch: *Manes*) sei.

Was wir aus dieser Polemik auch herauslesen mögen, jedenfalls können wir keine besondere Achtung für die „Stufe der Denkrationalisierung" aus ihr entnehmen, welche der mesopotamisch-iranische Kirchengründer als seinen Standort gewählt hat.

Nun kann man gewiß einwenden, daß man einen Religionsstifter nicht nach den böswilligen und manchmal sogar unverschämten Charakteristiken seiner Gegner beurteilen soll. Schaeder hat auch, um die dominierende Rolle des Mythus bei Mani zu erklären und zu entschuldigen, dessen Funktion in rein platonischem Sinn deuten wollen: Manis *mythos* sei nur dazu da, um in anschaulicher Form seinen *logos* zur Darstellung zu bringen. Wir wollen hier nicht die Frage aufwerfen, ob etwa Plato einen *mythos* auch nur darum gewählt hat, um seinen *logos* zu veranschaulichen, sondern wollen hier einmal die Mythen Manis näher betrachten. Entscheidend für das Problem wird dann letzten Endes die Frage sein, wie Mani zu seinem System gekommen ist. Geschah dies durch ein rationales, rein vernunftmäßiges Überlegen und Denken *oder* durch göttliche Offenbarungen?

Wenn wir uns wiederum in erster Linie an die Gegner halten, so gibt uns Alexander von Lykopolis klaren Bescheid, wie *er* seinerseits die Lehrsätze der Manichäer beurteilt: Ihre Lehrsätze sind weder auf Grund von Vernunftbeweisen aufgestellt, so daß wir eine Nachprüfung über sie anstellen können, noch besitzen sie einige Prämissen in der Beweisführung, so daß wir sehen können, was daraus folgt. Es ist wahrlich nur zufällig, wenn sich etwas von Philosophie in ihrer naiven Rede findet. Sie berufen sich auf alte und neue Schriften, indem sie sie als von Gott inspiriert ausgeben, und holen daraus ihre eigenen Meinungen, und sie halten sich nur dann für widerlegt, wenn sie in ihren Worten oder Taten nicht mit dem übereinstimmen, was aus diesen (ihren Lehrsätzen) hervorgeht. Und was bei denjenigen, die nach der Art der Griechen Philosophie treiben, als Prämissen ihrer Beweisführung aufgestellt wird, das eben ist bei ihnen die Verkündigung der Propheten (Contra Manichaei opiniones V, S. 8, 17—9, 4, ed. Brinkman).

Daß wir es bei dieser Polemik nicht mit einer böswilligen Verdrehung der Tatsachen, sondern mit etwas für das manichäische Denken Grundlegendem zu tun haben, davon kann uns die Analyse dieses Lehrsystems überzeugen. Es mag sein, daß Mani selbst nicht buchstäblich an alle die naiven und massiven Mythen geglaubt hat; aber das ist hier nicht das entscheidende Moment. Nein, der *punctus saliens* ist in den letzten Worten Alexanders klar angegeben: was bei den Philosophen die Prämissen bedeuten, das ist bei den Manichäern die prophetische Offenbarung. Die Weisheit, die Mani, wie er so nachdrücklich erklärt, verkünden will, ist nicht eine Weisheit dieser Welt, eine rationale Welterklärung, auf logischen Erwägungen oder empirischen Tatsachen gegründet, sondern sie ist eine Offenbarung, die ihm vom Vater des Lichtes durch sein eigenes höheres Ich, den Zwilling, vermittelt ist. Mani selbst hat sich ja auf diese Offenbarungen als seine eigene Legitimierung berufen. Der Gegensatz zwischen griechischer Philosophie und orientalischer Erlösungsoffenbarung könnte nicht schärfer hervortreten. Mani steht hier in einem religiösen Traditionszusammenhang. Als Iranier

ist er stammesmäßig im nordwestlichen Iran bzw. in Armenien zu
Hause, wo seine Sippe als parthisches Fürstengeschlecht fest ver-
wurzelt war. Der Zervanismus, der in diesen Gebieten das religiöse
Leben der iranischen Bevölkerung beherrschte, war die Form der
iranischen Religion, von der er ausgegangen ist. Es ist kein Zufall,
daß im Zervanismus immer wieder die Vorbilder des Systems Manis
sichtbar werden, sowohl was die dualistisch-pessimistische Welt-
und Lebensanschauung betrifft, wie auch in den Mythen, in denen
diese Einstellung entsprechenden Ausdruck gefunden hat. Von dort
hat, wie wir sahen, Mani auch jene Vorstellung von der bösen
Macht und die Verachtung des sexuellen Lebens übernommen, die
in den Mythen zum Ausdruck kommen, die mehr als irgend etwas
anderes die Gegner schockiert haben (z. B. die Erzählung von der
Verführung der Archonten, die sich ja auch im zervanitischen
Mythenschatz wiederfindet). Von diesem überlieferten Erbe hat sich
Mani offenbar weder frei machen wollen noch frei machen können.

Man kann wohl mit Puech sagen, daß die indischen, iranischen
oder christlichen Elemente — und wir dürfen hinzufügen: auch die
mesopotamischen — zum größten Teil Faktoren sind, die nicht von
Anfang an dem System organisch eingegliedert waren, sondern erst
als spätere, mehr sekundäre äußere Formen das Resultat einer
bewußten Arbeit der Anpassung seitens des Stifters sind.

Dies läßt sich um so gewisser sagen, wenn man sich erinnert, daß
die ganze Konzeption des Systems iranisch, und zwar zervanitisch,
ist. Iranisch ist die für den Manichäismus wie für den ganzen
Gnostizismus dominierende Vorstellung vom „erlösten Erlöser", der
Gedanke, daß der Erlöser selbst die Summe der zu erlösenden Seelen ist, eine Idee, die mit dem Gedanken einer Identität zwischen
dem höheren menschlichen Ich und diesem himmlischen Erlöser verknüpft ist. Im Manichäismus kommt ja diese Gedankenfolge in
dem Komplex von Ideen zum Ausdruck, der sich um die „der
Große Vahman" genannte Gestalt konzentriert, ein Komplex, dessen Verwandtschaft mit der indischen Ātman-Brahman-Spekula-
tion den indo-iranischen Ursprung dieser Ideen verbürgt.

Iranisch, zumal zervanitisch sind auch, wie eben hervorgehoben
wurde, die pessimistische Sicht des Daseins bei Mani, die Auffassung von der materiellen Welt als dem radikal Bösen, geschaffen

und beherrscht von dem Fürsten der Finsternis, iranisch auch die ganze Lebensangst, die für die Einstellung Manis so typisch ist, die Weiberverachtung und der Sexualekel, die seine Darstellung des Systems prägen. Auch auf diesem ganz persönlichen Gebiet finden wir zervanitische Vorbilder, wie überhaupt ein Zug nach dem anderen in der Schilderung der Weltentwicklung eben auf den Zervanismus zurückzuführen ist.

Diesen dem iranischen Gedankengut entnommenen Stoff hat nun aber Mani in dem Lichte seiner eigenen religiösen Erfahrungen gedeutet.

Die fundamentalen Gedanken bei Mani stammen alle aus der iranischen Mythologie und Theologie. Sie sind aber in einem gnostischen Geist gedeutet. Eine solche Deutung hat Mani um so leichter vorlegen können, als schon gewisse Formen indo-iranischer Religion eine beinahe gnostische Prägung zeigen. Dies gilt vor allem vom Zervanismus. Die berühmte gnostische Formel, daß man wissen muß, wer man ist, woher man stammt, wo man sich befindet, wohin man geht, hat offenbar indo-iranische Formeln als Vorbilder gehabt.

Die Vorgänger Manis, ein Basilides, ein Markion, ein Bardesanes, haben alle eine Gnosis entwickelt, die die christliche Religion im Lichte der iranischen dualistischen Anschauung auslegt. Der Unterschied zwischen ihnen und Mani liegt aber darin, daß die drei Gnostiker in erster Linie sich als Christen gefühlt haben und unbestreitbar innerhalb der Sphäre des Christentums geblieben sind. Es handelt sich bei ihnen nicht um die Verkündigung einer neuen Religion, sondern um die richtige Deutung der schon geoffenbarten christlichen Religion. Sie sind Deuter und Reformatoren.

Mit Mani hat es jedoch eine andere Bewandtnis. Mani will eine völlig neue Religion verkünden, die in sich alle früheren Bekenntnisse und Lehren, in denen er etwas Gutes findet, aufnimmt und einschließt. Um diese Ansprüche zu verstehen, müssen wir die Person des Religionsstifters näher ins Auge fassen und die verschiedenen Aspekte seiner Wirksamkeit ebenso wie seine Ansprüche betrachten.

Mani ist der letzte große Gnostiker. Die dualistische Tendenz, die bei seinen Vorgängern Basilides, Markion und Bardesanes do-

miniert, findet ihren Höhepunkt in seinem eigenen theosophisch-
gnostischen System. Mani bedeutet daher den Abschluß einer
Epoche und die Einleitung einer neuen. Während seine drei Vorgänger nur eine Reformation des Christentums beabsichtigen, eine
Wiederherstellung der Religion Christi in ihrer ursprünglichen
Reinheit, tritt Mani völlig bewußt als Stifter einer neuen Religion
auf. Zwar erkennt er Vorgänger an: Die einzige wahre Religion ist
einst von Buddha in Indien, von Zarathustra in Iran und von
Christus im Westen verkündigt worden. Aber nach Babel, das von
diesen drei großen Gebieten umgeben, in der Mitte der Erde liegt,
ist Mani in der letzten Epoche als der endgültige Offenbarer des
ewigen göttlichen Gesetzes und als das Siegel der Propheten gekommen, als die Beendigung und Bekräftigung aller früheren Got-
tesverkündigung. Er ist die letzte Inkarnation des himmlischen
Erlösers, der allen sichtbare Nous, der Große Vahman, der von
Jesus verheißene Paraklet. Buddha, Zarathustra, Jesus und Mani
sind die vier großen Offenbarer der Wahren Religion. Aber als der
Paraklet und als das Siegel der Propheten ist Mani der größte von
ihnen.

Ein starkes Sendungsbewußtsein spricht aus allen Worten Manis.
Mit selbstverständlicher Autorität verkündet er seine Lehre. Mit
fester Würde, mit dem natürlichen Recht der königlichen Abstammung verkehrt er ebenbürtig mit den sassanidischen Fürsten, ja
selbst mit dem Großkönig.

Staunenswert ist auch seine Kraft und Vielseitigkeit. Überall
greift er unterweisend, tröstend, ermahnend, Ordnung schaffend
ein. Er ist einer der gewaltigsten Kirchengründer und religiösen
Organisatoren, die die Welt gesehen hat. Schon zu seinen Lebzeiten
reicht seine Kirche vom Westen des römischen Imperiums bis nach
Indien, von der Grenze Chinas bis nach Arabien. Als seine Religion
ihre größte Verbreitung gefunden hatte, umfaßte sie Anhänger vom
Atlantischen Meer bis an den Pazifischen Ozean. Im uigurischen
Reich in Zentralasien Staatsreligion geworden, hat der Manichäismus versucht, auch das Reich der Mitte zu erobern. Er war nahe
daran, dieses Ziel auch zu erreichen. Noch nach dem Beginn der
Neuzeit hat die Religion des Lichtes in China ergebene Anhänger
zählen können, die allen Verfolgungen getrotzt haben. Wie lange

der Manichäismus bestand, wissen wir nicht, jedenfalls waren es mehr als 1200 Jahre. Der äußere Erfolg ist zwar kein Maßstab für die Persönlichkeit, die hinter diesem Erfolg steht. Aber vielleicht könnte man doch die Behauptung wagen, daß schon die erwähnten Tatsachen anzudeuten vermögen, daß hier eine Persönlichkeit von ganz ungewöhnlichen Maßen als Stifter dieser religiösen Bewegung vor uns steht, die nur der äußeren Gewalt hat weichen müssen. Denn kaum eine Religion ist wohl so rücksichtslos und grausam verfolgt worden wie diejenige Manis.

Ungewöhnlich ist seine Persönlichkeit auch in der Hinsicht gewesen, daß sie uns als ungemein fremdartig erscheint. Der rührige und erfolgreiche Missionar, der so klug und methodisch seine Propaganda aufbaut, ist uns wohl verständlich. Ebenso der sorgfältige Organisator, der seine Kirche ebenso fest wie geschmeidig organisiert. Auch den überlegenen Religionspolitiker, der so geschickt die vorteilhaften politischen Konjunkturen benutzt, können wir ohne Schwierigkeit verstehen.

Aber es gibt in seinem Wesen andere Seiten, Seiten, die von alters her den vorderorientalischen religiösen Führer gekennzeichnet haben. Mani ist ein Wundertäter klassischen Stils. Und vor allem ist er ein Arzt, der die Dämonen, von denen der Kranke besessen ist, zu vertreiben vermag und ihn dadurch heilt. Die Heilkunde wurde im ganzen Vorderen Orient zu den hervorragendsten Kennzeichen der Weisheit gerechnet. Das syrische Wort für Arzneikunst, *āsūṭā*, stammt in letzter Instanz von dem sumerischen *a-zu*, was soviel wie „Wasserkunde" bedeutet und die Kenntnis der heilenden Wasserkuren bezeichnet, durch die der Besessene von den Dämonen befreit wurde. Diese Weisheit ist nicht nur Theorie, sondern auch, und vor allem, Praxis. Das arabische Wort für „Arzt" ist *ḥakīm* und ist gleichbedeutend mit „weise". In diesem Sinne ist auch Mani ein „Weiser Mann". Er ist ein charismatischer Wundertäter, der die merkwürdigsten Dinge vollbringen kann. Dem Prinzen Mihršāh z. B. zeigt er den Garten des Paradieses, so daß dessen Körper drei Stunden lang wie tot daliegt, während seine Seele zu den himmlischen Gefilden wandert. Mani selbst hat offenbar auch die Kunst der Levitation beherrscht, ein Zug parapsychischen Charakters, der von den israelitischen Propheten bis zu den islamischen Heiligen

und Mystikern den Wundertätern zukommt. Anscheinend hat Mani
den Anspruch erhoben, gen Himmel gefahren zu sein und dort die
himmlische Offenbarung in Gestalt eines Buches bekommen zu
haben — ein Motiv, das uns auch später in der Religionsgeschichte
des Orients, vor allem im Islam, wiederholt begegnet. Daß solche
der Person des Stifters zugeschriebene Eigenschaften Mani auch den
Zeitgenossen etwas befremdlich und unheimlich erscheinen ließen,
können wir mit Sicherheit annehmen.

Erstaunlich vielseitig war auch die künstlerische und literarische
Begabung Manis. Mit Meisterschaft beherrscht er alle Gattungen,
die die vorderorientalische Literatur kennt. Er ist Lyriker und Epi-
ker, aber zugleich auch so dramatisch anschaulich in seiner Schilderung des Kampfes der Welt des Lichtes und der Finsternis, daß
man ihn beinahe auch einen Dramatiker nennen könnte, wenn der
Vordere Orient diese Gattung überhaupt gekannt hätte. Auch seine
homiletische Kunst ist bedeutend gewesen. In einer schlichten und
klaren Sprache zeigt er dem einfachen Menschen die Lage, in der
sich der Mensch in der materiellen Welt befindet. Alle die verschiedenen Symbole, Gleichnisse und Allegorien der gnostischen Kunstsprache benutzt er, um seiner Predigt Leben und Bewegtheit zu
verleihen. Zahlreiche Beispiele, *exempla*, tragische, komische aber
auch drastische, der Tierfabel, der Kriminalnovelle, dem Schauer-
märchen oder dem Alltagsleben ebenso wie dem Leben am königlichen Hofe entnommen, verleihen den Worten, die er seinen
Zuhörern einprägen will, eine besondere Anschaulichkeit. Seine
Fähigkeit, auf die Zuhörer zu wirken, muß sehr bedeutend gewesen
sein. Selbst von den obszönen Mythen fasziniert, ja beinahe besessen, kehrt er wieder und wieder zu ihnen zurück, um die von ihm
gewünschte Stimmung zu erzeugen.

Einige wenige Dogmen werden gemeinverständlich und lebhaft,
ohne gelehrten Ballast, dargestellt. Als Verkünder ist Mani der
große Volksredner, der seine Technik vollkommen beherrscht und
genau weiß, wie er sein Publikum zu fesseln vermag.

Mani ist auch der große Liturg, der einen besonderen Typus des
Gottesdienstes ausbildete, in dem das offenbarte Gotteswort in der
Ausformung des Meisters in die Mitte des kultischen Geschehens
gestellt wurde. Durch seine Hymnen und Psalmen hat er selbst die

reiche Entfaltung religiöser Dichtung, die in so hohem Grade seine Religion kennzeichnet, eingeleitet. Selbst eine durch und durch ästhetische Natur, hat er — wie wohl kein anderer Religionsstifter — es verstanden, die ästhetischen Faktoren dem religiösen Leben nutzbar zu machen. Von den religiösen Schriften bis zu den reichen Trachten der amtierenden Kultdiener und dem Schmuck des Kirchenraumes erstreckt sich sein eifriges Bemühen, die Kunst der Religion dienstbar zu machen. Früher als irgendein anderer hat er es verstanden, Bild und Wort zu einer Einheit zusammenzuschmelzen.

Wie anders tritt uns aber Mani in seinen dogmatischen Schriften entgegen! Das in der spätklassischen Zeit so beliebte spekulative Zahlenschema hat hier oft den Rahmen für den Aufbau hergeben müssen. Triaden, Tetraden, Pentaden und Hebdomaden dominieren in seinem System. Wie architektonische Meisterwerke erheben sich die verschiedenen Partien seiner Dogmatik. Die Tendenz zu Zahlenspekulationen, die bei dem spätantiken religiösen Menschen stark hervortritt, nicht zuletzt unter den Gnostikern, hat schon bei Mani angefangen, sich ins Grenzenlose zu verlieren. Bei seinen Anhängern in China hat diese Neigung alle vernünftigen Grenzen überschritten und beinahe alle anderen Gesichtspunkte seiner Lehre erstickt. Sicher steht bei Mani eine ganz bewußte pädagogische Absicht hinter diesen Zahlenschemata: Sie sollen der Mnemotechnik dienen und also das Lernen der Grundzüge des Systems erleichtern. Zugleich hat Mani wahrscheinlich nach neupythagoräischer Weise in dem gegenseitigen Verhältnis der Zahlen besondere Geheimnisse vermutet. In diesem Zusammenhang ist auch die Vorliebe Manis für die Astrologie zu vermerken. Auch hier zeigt er sich als typischer Vertreter der Spätantike.

In seiner Polemik hat Mani vor allem das Erbe des Markion und des Bardesanes angetreten, soweit die Kritik des großkirchlichen Typus des Christentums in Frage kommt. Aber im ganzen ist er — entsprechend seiner ganzen Einstellung — in seiner Kritik viel radikaler als sie. Überhaupt kritisiert er mit Schärfe alle früheren „Dogmen" oder „Lehren", wie er die vor ihm vorhandenen Religionen nennt. Bei aller Anerkennung *der relativen Wahrheit,* welche sie besitzen, hält er sich doch selbst für den einzigen Besitzer *der absoluten Wahrheit.* Als Empfänger der göttlichen Offenbarung hat er die Freiheit, aus den früheren Religionen zu nehmen und zu verwerfen, was er will.

Religionsphilosoph im eigentlichen Sinne des Wortes ist Mani nicht. Sein Typus ist nicht der des Philosophen, sondern der des orientalischen Wundertäters, Charismatikers und Offenbarungsträgers. Aber selbstverständlich können die von ihm verwendeten Mythen, was ihren Inhalt betrifft, auch in abstrakten Formeln ausgedrückt werden. Am meisten ist dies bei Alexander von Lykopolis geschehen. Und doch hat gerade er schärfer als vielleicht alle anderen empfunden, daß Mani nicht Philosoph, sondern „Mythologe" war. Der Umstand, daß Mani den Mythus als sein natürliches Ausdrucksmittel wählte, stellt seinen intellektuellen Typus in ein besonderes Licht.

Er ist nicht der logisch denkende Philosoph, sondern der eklektisch-synkretistische Theosoph. Nicht ein religionsphilosophisches System legt er vor, sondern er verkündet eine göttliche Offenbarung.

Aus allem zieht er seine Nahrung, von überall holt er sich den Stoff für sein System. Er tut dies in voller Absicht. Die Welt hat wohl nie einen so „bewußten Synkretisten" (Lidzbarski) wie Mani gesehen. Bei seinem Ausgangspunkt ist es vollkommen natürlich, daß er dieser Linie folgt. Wenn die Wahrheit schon immer verkündet worden ist und — wenn auch in gebrochener und unvollständiger Form — in allen den großen Religionen durchschimmert, dann müßte Mani das Recht haben, aus den älteren Systemen alles das aufzunehmen, was mit seinem eigenen System übereinstimmt. Daß dieser Vorgang nicht immer ohne logische Unstimmigkeiten möglich war, ist offenbar. In dieser Hinsicht liegt in der logischen Mangelhaftigkeit Manis nichts Bemerkenswertes. Die Logik des Aristoteles war zwar unter den Syrern ziemlich früh bekannt, aber nichts spricht dafür, daß Mani jemals die aristotelische Logik kennengelernt hat. Und wenn schon, würde er sich von ihr sicherlich völlig unabhängig gefühlt haben. Man hat von Mani als einem Vertreter des asiatischen Hellenismus gesprochen (Nyberg), und unzweifelhaft ist diese Charakteristik richtig. Wir müssen jedoch dabei ausdrücklich die Qualifizierung „asiatisch" hervorheben. Bei Mani und dem Manichäismus finden wir nämlich eben jene Züge des Hellenis-